JOHN BUNYAN

El progreso del peregrino

Con oraciones para guiarnos en el camino

Introducción de José Luis Navajo

ORIGEN

Título original: *The Pilgrim's Progress*

Primera edición: agosto de 2026

Traducción: Daniel Esparza

Impreso en Colombia / *Printed in Colombia*

ISBN: 979-8-89098-643-6

El progreso del peregrino

Introducción

Alguna vez me ha embargado la duda de si realmente seré escritor, pero jamás he dudado de que soy lector. Aprender a leer fue de las mejores cosas que han ocurrido en mi vida. Leo todo y leo siempre… Y creo que leo desde siempre. Cuando vuelvo la vista atrás, a mi infancia, veo a un niño sentado, a veces en la calle, con la espalda apoyada en la pared y un libro entre sus manos. De tanto en tanto levantaba la mirada para descansar la vista y suspiraba: "Algún día yo también escribiré".

Hoy, transcurridos muchos años y con la inmensa gracia de haber publicado treinta libros, puedo localizar un momento que fue decisivo en mi carrera literaria: el instante en que sostuve en mis manos el libro titulado *El progreso del peregrino*.

Conocer a John Bunyan a través de sus letras marcó un antes y un después en mi vida. Las páginas de ese libro obraron en mí una curiosa paradoja: la de sentir que ya quería vivir para siempre pegado a Jesús, con Su corazón como almohada, y a la vez querer rehacer mil veces el viaje en el que me embarcó ese libro y en el que pude soñar, suspirar, reír y llorar.

Las letras de esta alegoría que sostienes en tus manos tienen aroma de cielo. He aprendido a juzgar un libro no por

cómo llena mi cabeza, sino por cómo acelera mi corazón. *El progreso del peregrino* pertenece a esta segunda categoría: letras que alcanzan la mente y con la suavidad de una pluma se posan en el corazón dejando allí huellas indelebles.

Hoy me siento honrado por el privilegio de escribir esta breve introducción a la nueva edición de un clásico que lleva varias generaciones afectando vidas y eternidades. Este libro narra la historia de un hombre que busca la vida eterna y en el camino se encuentra con diversos personajes con quienes interactúa, creando escenarios con los que todo lector se sentirá identificado. Lo más hermoso es que el relato termina convirtiéndose en la hoja de ruta que nos conduce al corazón del Padre.

Siempre he creído que la misión de la Iglesia de Cristo es doble: mostrar a las personas cómo ir al cielo y ayudarles a vivir en la tierra. Ambos objetivos se alcanzan en *El progreso del peregrino*. Cada línea de esta narración es un dedo índice que apunta a la Ciudad Celestial, pero a la vez es bálsamo para el herido, fortaleza para el débil y esperanza para el desesperado.

Quiera Dios que esta lectura surta en tu vida el efecto que surtió en la mía, ser hilo de oro con el que el Padre sutura el corazón quebrantado.

Sin más, damas y caballeros, busquen un lugar tranquilo y serenen su alma para participar de estas líneas.

¡Dios les bendiga!

José Luis Navajo

El progreso del peregrino

Apología del autor

Cuando tomé la pluma para empezar esta obra, no pensé en hacer un pequeño libro como este. No; me había propuesto escribir algo distinto. Estando casi concluida esa otra obra, comencé esta sin darme cuenta.

Sucedió así: al escribir sobre el camino por el que van los santos de este tiempo, de repente comencé a usar alegorías sobre su viaje y su camino a la gloria. Escribí más de veinte. Al terminarlas, se me ocurrieron veinte más, y una y otra vez se multiplicaban, como chispas saltando del fuego.

Pensé entonces: si aparecen tan rápidamente, les pondré orden; no vaya a ser que continúen hasta el infinito y consuman el libro que ya tengo.

Lo hice así, pero no me proponía mostrarle al mundo mis escritos. No sé cuál era mi objetivo, solo sé que no buscaba complacer a nadie más. Lo hice para mi propia gratificación.

No empleé sino mi tiempo libre para escribir, y lo hice para distraer mi mente de pensamientos inoportunos. Seguí mi método con atención y puse en papel lo que venía a mí, hasta que finalmente obtuve esta obra, del largo y ancho y del tamaño que pueden ver.

Cuando estuvo terminado, le mostré mi libro a otros para conocer su opinión: si lo condenarían o lo salvarían. Algunos dijeron: "¡Déjalo vivir!", y otros dijeron: "¡Que muera!". Algunos dijeron: "JOHN, imprímelo"; otros dijeron que no lo hiciera. Unos dijeron que podía hacer bien, otros dijeron que no.

Entonces me encontré en apuros; no podía ver cuál era la mejor decisión. Al final pensé: Si las opiniones son tan distintas, lo publicaré, y así se decidirá el asunto.

Porque —pensé— algunos querían que se hiciera y otros no, la mejor manera de demostrar quién tenía la razón era poniéndolo a prueba.

Además, pensé: Si me niego a complacer a quienes quieren mi libro, no hago más que privarlos de su disfrute. A quienes no lo aprobaban les dije que no buscaba ofenderlos al publicarlo, sino que algunos hermanos lo querían. Les pedí que dejaran sus juicios para luego: si no deseaban leerlo, podrían dejarlo. A algunos les gusta la carne, a otros les gusta roer el hueso. Pero para poder agradar a todos, les hablé de esta forma:

"¿No se me permite escribir en este estilo? ¿Acaso me aleja de mi objetivo, que es hacer el bien? ¿Por qué no se podría hacer? Las nubes negras traen lluvia, mientras que las blancas no. Negras o blancas, si ambas llueven a la vez, la tierra las bendice con sus cosechas; no rechaza a ninguna de las dos, sino que atesora el fruto de ambas sin distinción. Cuando la tierra está hambrienta, ambas nubes son buenas. Pero si está bien alimentada, las rechaza a las dos y desecha sus bondades.

"Miren todas las técnicas que emplea el pescador para atrapar peces: ¿qué aparatos usa? Usa con astucia sus redes, cuerdas y anzuelos, pero hay algunos peces que no se pueden

pescar ni con redes, ni con cuerdas ni con anzuelos: debes meter el brazo en el agua para poder atraparlos.

"Ni hablar de las artimañas que debe aplicar el pajarero, que son incontables. Necesita redes, escopeta, luces, trampas, campanas y mucho más. Pero ninguna de estas cosas le asegura éxito sobre todas las aves. Debe silbar para atraer a algunas, pero con la misma técnica ahuyenta a otras.

"Se pueden hallar perlas en ostras o quizá en las cabezas de los sapos. Si se sabe que las cosas que no prometen nada resultan contener algo mejor que el oro, ¿quién no sentiría la curiosidad de mirar en su interior? Mi pequeño libro es así: aunque no tiene ilustraciones atractivas, posee cosas excelentes que no se encuentran en ideas audaces pero vacías".

Puede que me respondan: "Bueno, pero aún no estoy completamente convencido de que tu libro se sostenga ante el escrutinio". ¿Por qué no? "Es oscuro". ¿Y qué? "Su premisa es ficticia". ¿Y qué pasa con eso? Algunos hombres, con palabras fingidas y tan oscuras como las mías, hacen brillar la verdad. "Pero le falta realismo". Adelante, di lo que piensas. "Los débiles de mente no pueden ver más allá de las metáforas".

El realismo, en efecto, es esencial para quien escribe de cosas divinas. Pero ¿es cierto que me falta realismo solo porque escribo en metáforas? ¿Acaso las leyes de Dios, recogidas en el Evangelio, no sobrevivieron al paso del tiempo en forma de ejemplos y metáforas? Ningún hombre racional las critica, porque estaría atacando la más alta sabiduría; no, más bien se rebaja y trata de averiguar lo que Dios le dice a través de alfileres e hilos, terneros y ovejas, vaquillas y carneros, aves y hierbas, y la sangre de los corderos. Y feliz es aquel que halla la luz y la gracia que hay en ellas.

No te precipites, por tanto, a concluir que me falta solidez. Las cosas sólidas no necesariamente lucen sólidas, y no despreciamos todas las parábolas. Si fuera así, correríamos el riesgo de privarnos de muchas cosas buenas.

Mis palabras oscuras y turbias contienen la verdad como un cofre contiene oro.

Los profetas usaban mucho las metáforas para exponer la verdad. Quien mire a Cristo y sus apóstoles, verá claramente que expresaban sus verdades de ese modo.

Me atrevo a decir que la sagrada escritura, que por su estilo y naturaleza es insuperable, está llena de todas estas cosas: ¿Mensajes velados, alegorías? Sin embargo, de ese mismo libro emerge la luz que convierte nuestras noches más oscuras en días.

Vamos, que mi crítico vuelva sus ojos a su propia vida: encontrará allí cosas más oscuras que en mi libro. Y que sepa que también entre sus mejores cosas hay líneas peores.

Si pudiera ser juzgado por hombres imparciales, les ofrecería probabilidades de diez a uno de que hallarían más sentido en mis escritos que en todas las mentiras que se dicen en la iglesia. La verdad, aunque esté en pañales, informa el juicio, mejora la mente, complace al entendimiento, somete la voluntad, llena la memoria de cosas que deleitan nuestra imaginación y, asimismo, tiende a apaciguar nuestros problemas.

Sé que a Timoteo se le ordenó usar palabras sensatas y refutar los cuentos de las ancianas, pero el severo Pablo no le prohibió en ninguna parte usar parábolas. En ellas se escondían el oro, las perlas y las piedras preciosas por las que vale la pena cavar con cuidado.

Permíteme añadir una palabra más. Oh, hombre de Dios, ¿estás ofendido? ¿Desearías que hubiera expuesto mi asunto

de otro modo? ¿O que hubiera sido más conciso? Déjame decir tres cosas más antes de someterme a mis superiores, como debe ser:

1. No veo razón para que se me niegue el uso de este método de escritura. No hago mal a las palabras, a los temas, ni a los lectores; ni soy basto en mi manejo de personajes o descripciones. Busco el mayor avance posible de la verdad utilizando diferentes medios. Me parece que tengo permiso para expresarme así y mostrar cosas excelentes, además de que cuento con el ejemplo de quienes sirvieron a Dios con sus palabras y obras mejor que cualquiera de nuestra época.
2. Encuentro que los hombres más elevados escriben diálogos y nadie los critica por escribir así. En efecto, si mienten, malditos sean y maldita sea su técnica. Pero dejemos que la verdad sea libre de llegar hacia ti y hacia mí de la manera que a Dios le plazca. ¿Quién sabe usar nuestras plumas y nuestras mentes mejor que quien nos enseñó a arar? Él puede hacer que aparezcan cosas divinas entre las peores bajezas.
3. Me parece que en las Sagradas Escrituras frecuentemente se emplea este método, donde una cosa se describe como otra. Por lo tanto, puedo usarlo sin sofocar la luz de la verdad; de hecho, esta técnica puede hacerla brillar incluso más.

Y ahora, antes de dejar mi pluma, explicaré el propósito de mi libro. Luego te encomendaré a ti, lector, y a él, mi libro, a la mano que derriba a los poderosos y eleva a los débiles.

Este libro dibuja la figura de un hombre que busca la vida eterna. Te muestra de dónde viene y hacia dónde va, lo que hace y lo que deja de hacer, y te hará ver cómo corre y corre hasta llegar a la Puerta Celestial.

También te muestra a quienes pensaron que podían ganar el mismo premio con su estilo de vida, y verás que su trabajo no cuenta para nada al final, y mueren como tontos.

Este libro te convertirá en un viajero si sigues su consejo; te dirigirá a la Tierra Santa si entiendes sus instrucciones; les dará brío a los perezosos y permitirá a los ciegos ver cosas maravillosas.

¿Te apetece algo raro y valioso? ¿Podrías identificar la verdad en una historia? ¿Eres olvidadizo? ¿Recordarías todo lo que pasó el año pasado? Entonces lee mis fantasías: se quedarán contigo y traerán consuelo a los afligidos.

Este libro ha sido escrito de forma tal que pueda penetrar los corazones de los desalentados. Puede lucir como una novedad, pero se basa en la rotunda honestidad de los Evangelios. ¿Quieres escapar de la depresión? ¿Quieres entretenerte, pero no con tonterías? ¿Te gustan las adivinanzas y sus soluciones? ¿Quieres sumergirte en reflexiones? ¿Disfrutas comer? ¿Te gustaría ver a un hombre que te habla desde las nubes? ¿Te gustaría tener un sueño lúcido? ¿Quisieras llorar y reír a la vez? ¿Te gustaría perderte sin sufrir ningún daño y volver a casa sin necesidad de magia? ¿Quisieras leerte a ti mismo y de cosas que no conoces, para así saber si eres bendecido o no?

Si es así, entonces ven aquí y junta mi libro con tu cabeza y tu corazón.

John Bunyan

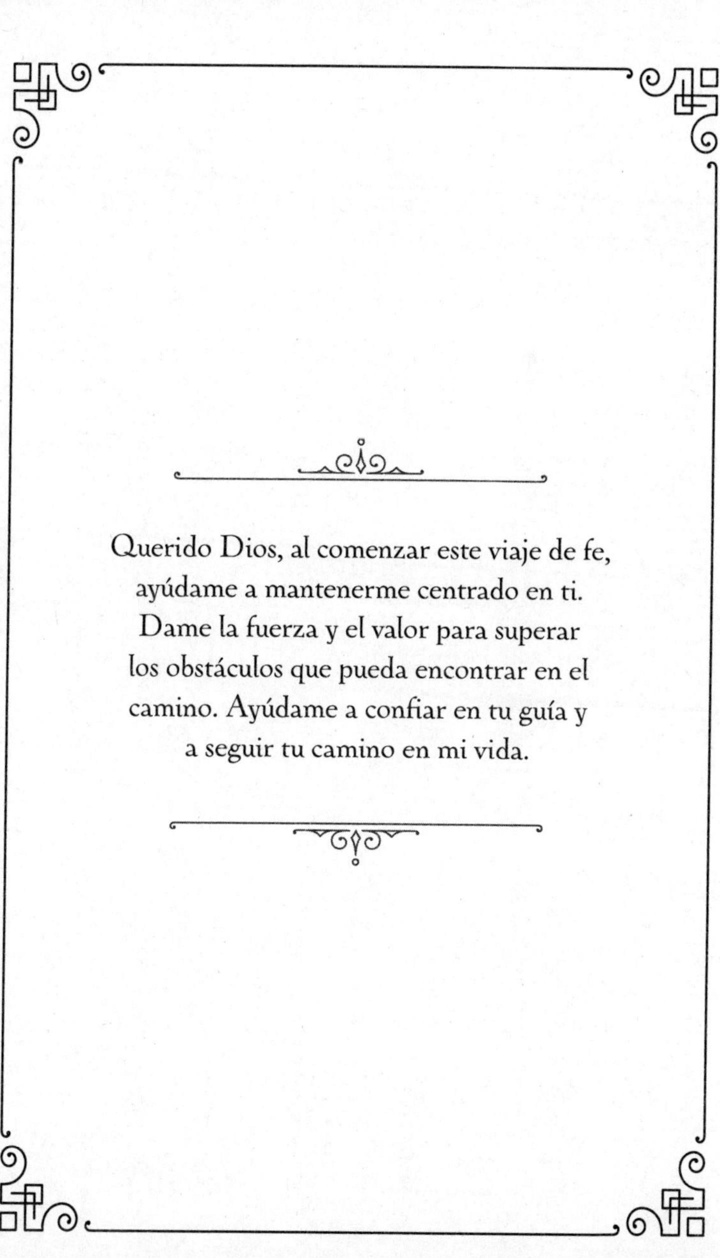

Querido Dios, al comenzar este viaje de fe, ayúdame a mantenerme centrado en ti. Dame la fuerza y el valor para superar los obstáculos que pueda encontrar en el camino. Ayúdame a confiar en tu guía y a seguir tu camino en mi vida.

El progreso del peregrino

BAJO LA SEMBLANZA DE UN SUEÑO

Mientras caminaba por el desierto de este mundo, me encontré en un lugar donde había una cueva. Me refugié allí para dormir, y mientras dormía, tuve un sueño. Soñé y vi a un hombre de pie, cubierto de harapos, de espaldas hacia su propia casa, con un libro en manos y una pesada carga sobre sus hombros [Is 64:6; Lc 14:33; Salm 38:4; Hab 2:2; Hch 16:30-31]. Vi que según iba leyendo lloraba y se estremecía, hasta que, no pudiendo contenerse más, lanzó un doloroso quejido y dijo: "¿Qué haré?" [Hch 2:37].

En este estado, entonces, regresó a su casa e intentó reprimirse tanto como pudo para que su mujer y sus hijos no notaran su angustia. Pero no pudo callar mucho tiempo más, porque su mal empeoraba. Por eso, al fin, se puso a hablar con su esposa e hijos, y así comenzó: "Oh, mi querida esposa", dijo, "y ustedes los hijos de mis entrañas, yo, su querido amigo, estoy deshecho en mí mismo a causa de una carga que yace dura sobre mí. Además, me han informado con certeza que nuestra ciudad será quemada con fuego del cielo; en ese

temible evento, tanto yo, como tú, mi esposa, y ustedes, mis dulces niños, pereceremos miserablemente, a no ser que encontremos otra manera de escapar (que yo todavía no veo)".

Ante esto, sus familiares se asombraron mucho, no porque creyesen en lo que les había dicho, sino porque pensaban que algún frenesí se le había metido en la cabeza. Por eso, dado que se acercaba la noche, esperaban que el sueño le calmara el cerebro y con toda prisa lo llevaron a la cama. Pero la noche le era tan molesta como el día, por lo que, en vez de dormir, la pasó entre suspiros y lágrimas. Al llegar la mañana, le preguntaron cómo le había ido. Él les dijo: "Cada vez peor". Y comenzó nuevamente a contarles sus angustias, pero ellos empezaron a endurecerse. Asimismo, los familiares pensaron que podían ahuyentar su perturbación con tratos ásperos y hoscos: a veces se burlaban, a veces le reñían y a veces lo ignoraban. Debido a esto, el hombre comenzó a retirarse a su habitación, a rezar por ellos y a compadecerlos, y también a compadecerse de su propia miseria. También se paseaba a solas por los campos, unas veces leyendo y otras rezando, y así pasó algunos días.

Lo vi en cierta ocasión paseando por el campo, leyendo su libro —como acostumbraba— y en estado de gran desasosiego. A medida que leía, en un momento estalló, como otras veces, sollozando: "¿Qué haré para salvarme?".

Vi también que miraba a un lado y a otro, como si quisiera correr, pero se quedaba quieto, porque, me di cuenta, no sabía qué camino tomar. Entonces vi a un hombre llamado Evangelista que se acercó a él y le preguntó: "¿Por qué lloras?" [Job 33:23].

El hombre respondió: "Señor, por el libro que tengo en la mano veo que estoy condenado a morir, y después de eso

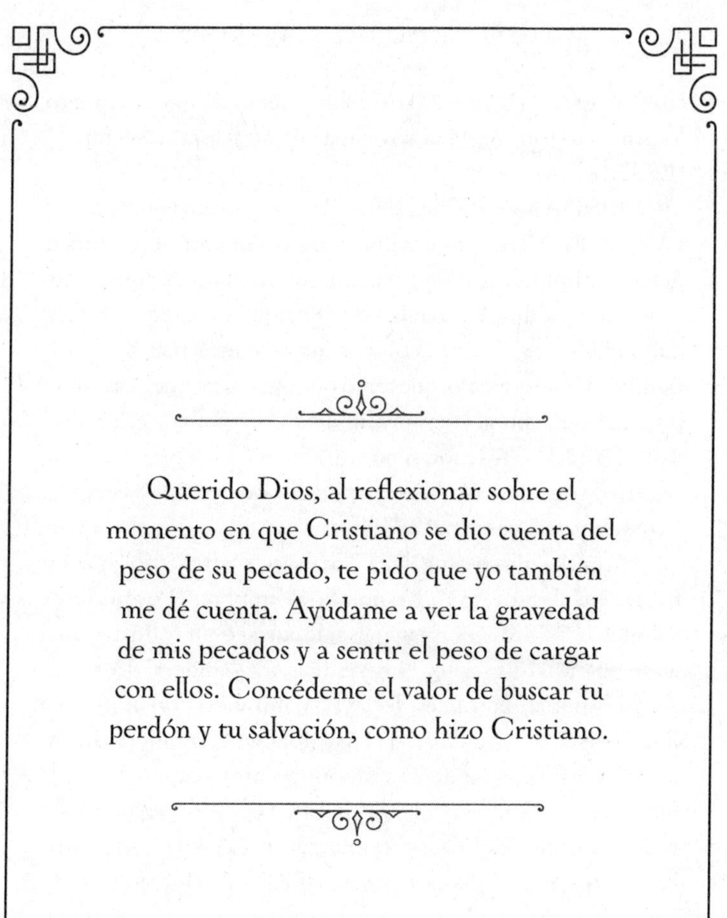

Querido Dios, al reflexionar sobre el momento en que Cristiano se dio cuenta del peso de su pecado, te pido que yo también me dé cuenta. Ayúdame a ver la gravedad de mis pecados y a sentir el peso de cargar con ellos. Concédeme el valor de buscar tu perdón y tu salvación, como hizo Cristiano.

a ser juzgado" [Heb 9:27]. Me doy cuenta de que no quiero lo primero [Job 16:21] ni soy capaz de atravesar lo segundo" [Ez 22:14].

CRISTIANO, no bien deja el Mundo, se encuentra con el EVANGELISTA, que le saluda amorosamente con noticias del otro Mundo y le muestra cómo subir a él desde aquí abajo.

Entonces dijo Evangelista: "¿Por qué no quieres morir, dado que esta vida está acompañada de tantos males?". Respondió el hombre: "Porque temo que esta carga que pesa sobre mi espalda me hunda más profundo que la tumba y caiga en el Tofet [Is 30:33]. Y, señor, si no soy apto para ir a prisión, estoy seguro de que no lo soy para ir a juicio, y de allí a la ejecución. Pensar en estas cosas me hace llorar".

Entonces dijo Evangelista: "Si así te sientes, ¿por qué no haces algo al respecto?". Respondió el hombre: "Porque no sé a dónde ir". Entonces Evangelista le entregó un rollo de papel en el que estaba escrito: "Huye de la ira venidera" [Mt 3:7].

El hombre, entonces, lo leyó, y mirando con cuidado a Evangelista, le preguntó: "¿Hacia dónde debo huir?". Evangelista señaló con su dedo a un campo muy amplio: "¿Ves la puerta angosta que está allá?" [Mt 7:13-14]. "No", respondió el hombre. Entonces Evangelista preguntó: "¿Ves la luz que brilla a la distancia?" [Salm 119:105; 2 Pedro 1:19]. Dijo el hombre: "Creo que sí". Entonces Evangelista dijo: "No la pierdas de vista y dirígete directamente hacia ella; así verás la puerta. Al llegar, llama: allí te dirán lo que debes hacer".

Entonces vi en mi sueño que el hombre comenzaba a correr.

No se había alejado mucho de su propia puerta, pero su mujer y sus hijos, al darse cuenta, empezaron a gritar para que

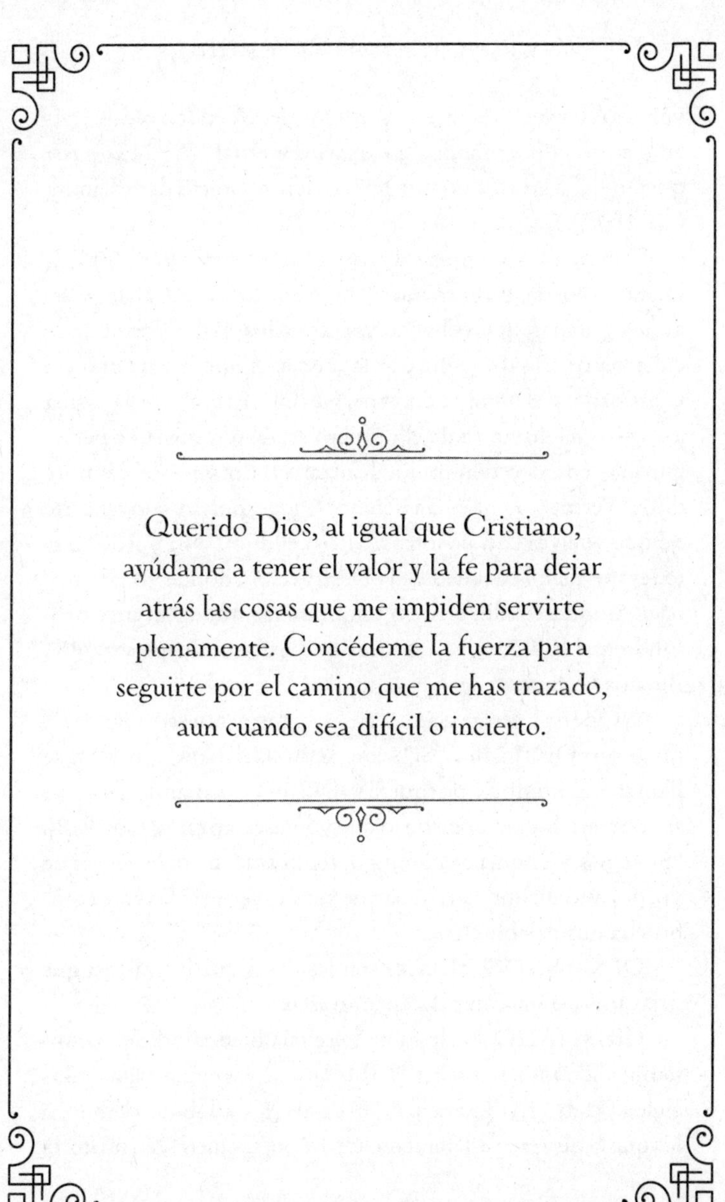

Querido Dios, al igual que Cristiano, ayúdame a tener el valor y la fe para dejar atrás las cosas que me impiden servirte plenamente. Concédeme la fuerza para seguirte por el camino que me has trazado, aun cuando sea difícil o incierto.

volviera. Pero el hombre se puso los dedos en los oídos y siguió corriendo, gritando: "¡Vida, vida eterna!" [Lc 14:26]. Así que no miró atrás, sino que huyó hacia el centro de la llanura [Gn 19:17].

También los vecinos salieron a verlo correr [Jer 20:10] y, mientras corría, unos se burlaban, otros lo amenazaban, y algunos gritaban que volviera; y, entre ellos, hubo dos que decidieron traerlo de vuelta por la fuerza: el nombre de uno era Obstinado, y el nombre del otro, Flexible. El hombre ya estaba a una buena distancia de ellos, pero estaban resueltos a perseguirlo y en poco tiempo lo alcanzaron. Entonces el hombre dijo: "Vecinos, ¿a qué han venido?". Dijeron: "A convencerte de que vuelvas con nosotros". Pero él dijo: "No puedo. Ustedes viven en la Ciudad de la Destrucción, donde yo también nací. Si mueren allí, tarde o temprano se hundirán más profundo que la tumba, en un lugar que arde con fuego y azufre. Buenos vecinos, vengan conmigo".

"¿Qué? ¿Y dejar a nuestros amigos y nuestras cosas?", preguntó Obstinado. "Sí", respondió Cristiano, pues así se llamaba el hombre, porque TODO lo que abandonarás no se compara con un poco de lo que yo busco gozar [2 Cor 4:18]. "Si vienes y te quedas conmigo, tendrás la misma suerte que yo, porque allí donde voy, hay de sobra [Lc 15:17]. Ven y comprueba mis palabras".

OBSTINADO. ¿Cuáles son las cosas que buscas, ya que dejas todo el mundo para encontrarlas?

CRISTIANO. Busco una herencia incorruptible, incontaminada e inmarchitable [1 P 1-4], que está guardada en los cielos [Heb 11:16] para ser entregada, a su debido tiempo, a los que la busquen diligentemente. Léelo, si quieres, en mi libro.

OBSTINADO. Calla y llévate tu libro. ¿Volverás con nosotros o no?

CRISTIANO. No, yo no, porque he puesto mi mano en el arado [Lc 9:62].

OBSTINADO. Vamos, pues, vecino Flexible, volvamos a casa sin él. A los locos como él, cuando se les mete una cosa en la cabeza, se creen más sabios que siete hombres razonables [Pro 26:16].

FLEXIBLE. Nada de insultos. Si lo que dice el buen Cristiano es verdad, las cosas que él busca son mejores que las nuestras; mi corazón se inclina a ir con él.

OBSTINADO. ¿Qué? ¡Otro necio! Hazme caso y devuélvete, ¿quién sabe a dónde te llevará este tonto? Vuelvan, vuelvan, sean sabios.

CRISTIANO. No, ven con Flexible, tu vecino. Acompáñame y tendrás las cosas de las que hablé, y muchas más. Si no me crees, lee aquí en este libro; la sangre de quien lo hizo ha sellado la verdad de lo que contiene [Heb 9:17-22; 13:20].

FLEXIBLE. Bien, vecino Obstinado, tengo la intención de marcharme con este buen hombre y echar mi suerte con él. Pero, buen compañero, ¿conoces el camino al lugar deseado?

CRISTIANO. Un hombre llamado Evangelista me dio indicaciones. Dijo que buscáramos una puerta angosta más adelante; ahí recibiremos instrucciones.

FLEXIBLE. Venga, pues, vecino, vámonos.

Entonces se fueron los dos juntos.

OBSTINADO. Y yo volveré a mi casa. No seré compañero de estos fantasiosos.

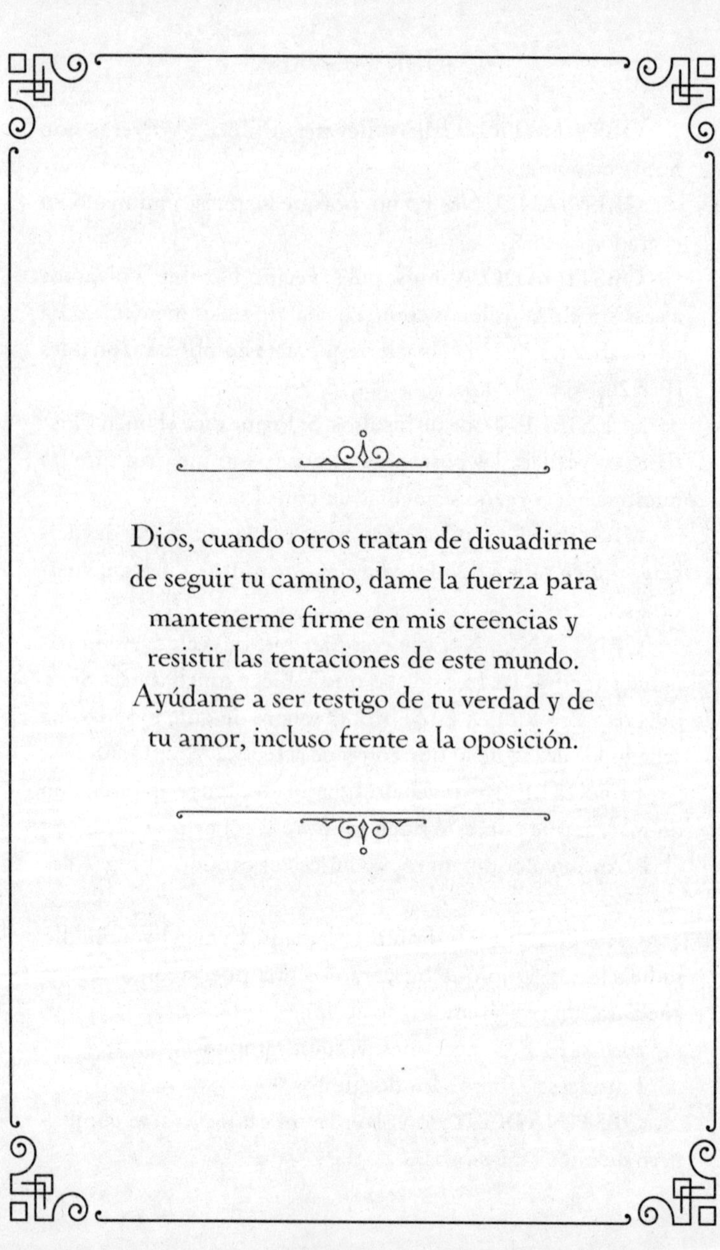

Dios, cuando otros tratan de disuadirme de seguir tu camino, dame la fuerza para mantenerme firme en mis creencias y resistir las tentaciones de este mundo. Ayúdame a ser testigo de tu verdad y de tu amor, incluso frente a la oposición.

Ahora vi en mi sueño que, para cuando Obstinado estaba de vuelta, Cristiano y Flexible andaban por la llanura. Así comenzaron su conversación:

CRISTIANO. Vamos, vecino Flexible, ¿cómo estás? Me alegra que me acompañes. Si Obstinado conociera mis sentimientos sobre los poderes y terrores venideros, no nos habría dado la espalda tan a la ligera.

FLEXIBLE. Vamos, vecino Cristiano, ya que estamos solo los dos aquí, dime ahora cuáles son las cosas del lugar al que vamos y cómo disfrutarlas.

CRISTIANO. Las concibo mejor con mi mente de lo que puedo describirlas con la lengua. Las cosas de Dios son indecibles; pero, ya que quieres saberlas, las leeré de mi libro.

FLEXIBLE. ¿Y crees que las palabras de tu libro son ciertamente verdaderas?

CRISTIANO. Sí, ciertamente; porque fue hecho por Aquel que no miente [Tit 1:2].

FLEXIBLE. Muy bien, ¿qué cosas son?

CRISTIANO. Se nos entregará un reino sin fin para habitar y vida eterna para que podamos vivir allí para siempre [Is 45:17; Jn 10:28-29].

FLEXIBLE. Muy bien, ¿y qué más?

CRISTIANO. Habrá coronas y gloria para nosotros, y vestiduras que nos harán brillar como el sol en el firmamento [2 Tim 4:8; Ap 3:4; Mt 13:43].

FLEXIBLE. Eso suena muy bien; ¿y qué más?

CRISTIANO. No habrá llanto ni dolor, porque el Señor del Reino enjugará todas nuestras lágrimas [Is 25:6-8; Ap 7:17, 21:4].

FLEXIBLE. ¿Y qué compañía tendremos allí?

CRISTIANO. Estaremos con serafines y querubines que nos deslumbrarán [Is 6:2]. También nos encontraremos con los millares y decenas de millares que llegaron antes que nosotros, inocentes, amables y santos, caminando ante la mirada de Dios [1 Tes 4:16-17; Ap 5:11]. Veremos a los ancianos con sus coronas de oro [Ap 4:4] y a las santas vírgenes con sus arpas doradas [Ap 14:1-5]. Veremos, además, a los hombres que fueron descuartizados, quemados en hogueras, devorados por fieras y arrojados al mar por su amor al Señor, todos alegres y revestidos de inmortalidad [Jn 12:25; 2 Cor 5:4].

FLEXIBLE. Oír esto basta para extasiar mi corazón. ¿Pero de verdad podremos disfrutar nosotros de estas cosas? ¿Cómo las conseguiremos?

CRISTIANO. El Señor, regente de ese país, lo ha consignado en este libro. Dicho en pocas palabras: si estamos verdaderamente dispuestos a obtener estas cosas, él nos las concederá gratuitamente.

FLEXIBLE. Bien, mi buen compañero, me alegra oír estas cosas. ¡Vamos!, aligeremos nuestro paso.

CRISTIANO. No puedo ir tan aprisa como quisiera debido a esta carga sobre mi espalda.

Vi en mi sueño que, justo cuando terminaban esta charla, se estaban acercando a una ciénaga muy lodosa que estaba en medio de la llanura. Como iban descuidados, cayeron repentinamente en el pantano, de nombre Desaliento. Se revolcaron en el fango, quedando cubiertos de suciedad; y Cristiano, a causa de la carga sobre sus hombros, comenzó a hundirse.

FLEXIBLE. ¡Ah! Vecino Cristiano, ¿dónde estás?

CRISTIANO. En verdad no lo sé.

Entonces Flexible comenzó a ofenderse, y enojado reclamó: "¿Esta es la felicidad de la que me hablaste? Si tuvimos tan mal comienzo, ¿qué podemos esperar antes de terminar el viaje? Si salgo con vida de esto, podrás disfrutar tú solo de tu majestuoso país". Y, con esto, hizo un fuerte forcejeo o dos, salió del pantano por el lado de la ciénaga que estaba junto a su casa, y Cristiano no volvió a verlo.

De este modo, Cristiano quedó abandonado a su suerte, pero aun así se esforzó por llegar a la parte del pantano que estaba más próxima a la puerta angosta. Lo logró, pero no alcanzaba a salir a causa de la carga sobre su espalda. Entonces vi en mi sueño que un hombre llamado Ayuda apareció y le preguntó: "¿Qué haces aquí?".

CRISTIANO. Señor, un hombre llamado Evangelista me señaló este camino y me indicó que podría escapar de la ira venidera si alcanzaba aquella puerta. Cuando iba hacia ella, caí aquí.

AYUDA. ¿Por qué no buscaste el sendero de piedras?

CRISTIANO. El miedo se apoderó tanto de mí que tomé el siguiente camino y caí dentro.

AYUDA. Dame tu mano.

Cristiano le extendió su mano y Ayuda lo levantó, lo puso en tierra firme y lo mandó a que siguiera su camino [Salm 40:2].

Entonces yo me acerqué a Ayuda y le dije: "Señor, ya que el camino que va desde la Ciudad de la Destrucción hasta la puerta angosta pasa justo por aquí, ¿por qué no acondiciona para que los pobres viajeros puedan caminar con más seguridad?". Y él me respondió: "Esta ciénaga no tiene arreglo posible. Es el lugar al que desciende toda la escoria y la suciedad que acompaña a la condena por el pecado, y por eso se le llama

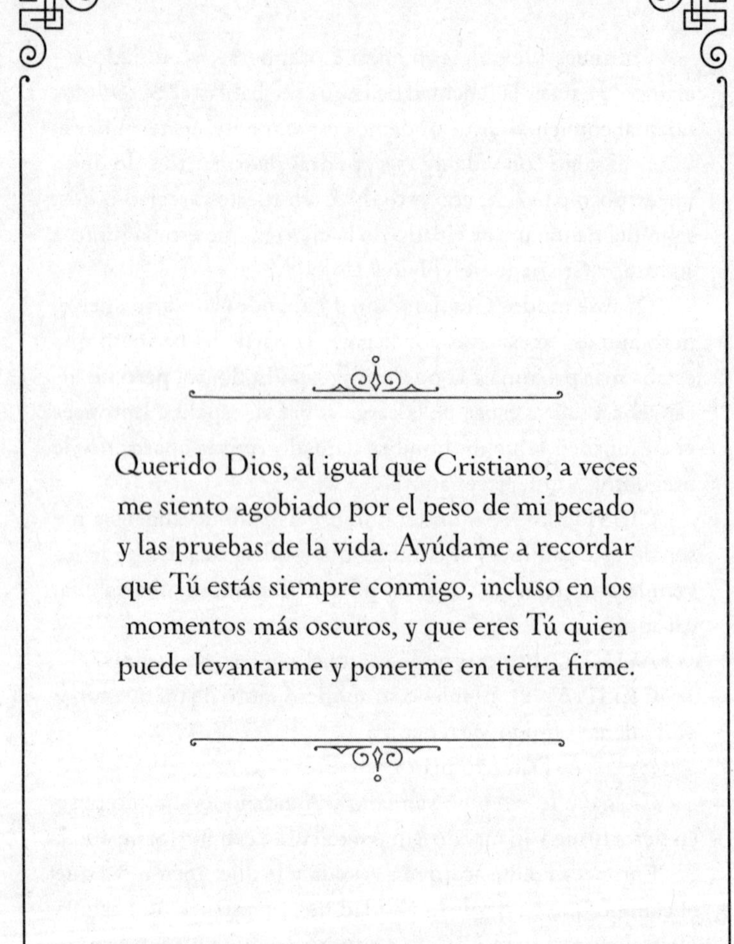

Querido Dios, al igual que Cristiano, a veces me siento agobiado por el peso de mi pecado y las pruebas de la vida. Ayúdame a recordar que Tú estás siempre conmigo, incluso en los momentos más oscuros, y que eres Tú quien puede levantarme y ponerme en tierra firme.

el Pantano del Desaliento. Cuando el pecador se despierta al conocimiento de su perdición, emergen en su alma dudas, temores, aprensiones desconsoladoras, que se juntan y se asientan aquí. Por eso es tan ingrato este terreno".

"Al rey no le gusta que este lugar siga siendo tan pernicioso [Is 35:3-4]. Sus obreros, bajo la dirección de los ingenieros de Su Majestad, han trabajado por más de mil seiscientos años intentando componer este pedazo de tierra", agregó Ayuda. "La ciénaga se ha tragado, al menos, veinte mil cargas y millones de sanas enseñanzas que han llegado aquí desde todos los rincones de los dominios del rey. A pesar de que dicen que traen los mejores materiales para arreglar el lugar, si pudiera hacerse, ya estaría hecho. Es el Pantano del Desaliento y así seguirá siendo".

Ayuda continúo: "Es cierto que se han puesto, por órdenes del Legislador, piedras buenas y sólidas para pasar por el medio de la ciénaga. Pero cuando el lodazal se agita y vomita su inmundicia, como lo hace cuando cambia el clima, las piedras quedan medio ocultas; a veces los gases que emanan de la ciénaga marean a los viajeros y estos caen en el lodo a pesar del sendero. Pero cuando logran llegar a la puerta, la tierra se vuelve buena" [1 Sam 12:23].

En mi sueño vi que en ese momento Flexible había regresado a su casa, de modo que sus vecinos vinieron a visitarlo. Algunos lo llamaron sabio por haber vuelto, otros lo llamaron un tonto por haberse marchado con Cristiano, y otros se burlaron de su cobardía, diciendo: "Yo no hubiera sido tan débil como para desistir al comienzo por unos pocos obstáculos". Así que Flexible se sentó cabizbajo y avergonzado entre ellos, pero pronto recuperó su confianza y todos volvieron a sus

cuentos, burlándose del pobre Cristiano a sus espaldas. Desde ahora no dedicaré más atención a Flexible.

Mientras Cristiano caminaba solo, vio a lo lejos a uno que cruzaba el campo a su encuentro. Se llamaba el señor Sabio Mundano, residente en la Ciudad de Política Carnal, una ciudad muy grande y muy cercana de la casa de Cristiano. Este hombre sabía algo de Cristiano, porque la partida de este de la Ciudad de la Destrucción había hecho mucho ruido, incluso en otras partes.

El señor Sabio Mundano, al ver su laborioso caminar, sus suspiros y gemidos, comenzó entonces a conversar con él.

MUNDANO. ¿Cómo estás, buen amigo? ¿A dónde vas tan cargado?

CRISTIANO. Cargado, en efecto, tanto como puede estarlo una pobre criatura. Y ya que lo preguntas, me dirijo a esa puerta angosta que se ve allá delante, pues allí se me indicará el camino para librarme de mi carga.

MUNDANO. ¿Tienes mujer e hijos?

CRISTIANO. Sí, pero últimamente tengo tantos problemas que no puedo disfrutar de ellos como antes, y me siento como si no los tuviera [1 Cor 7:29].

MUNDANO. ¿Me escucharás si te ofrezco mi consejo?

CRISTIANO. Si es bueno, lo haré, porque necesito un buen consejo.

MUNDANO. Te aconsejaría que te libres de tu carga cuanto antes. De lo contrario, jamás estarás tranquilo ni podrás disfrutar de las bendiciones que Dios te ha concedido.

CRISTIANO. Eso es lo que busco, pero no puedo quitármela yo mismo, ni existe hombre en nuestro país que pueda hacerlo. Por eso voy por este camino, como te dije.

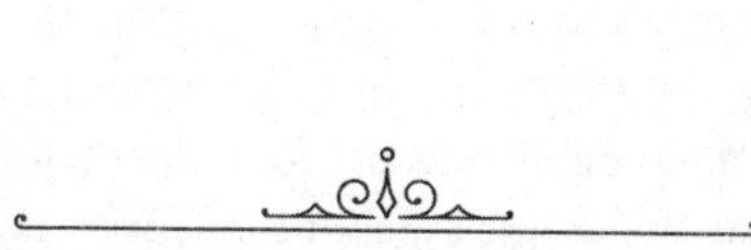

Señor, cuando el mundo trate de seducirme
con sus promesas de placer y éxito, ayúdame
a recordar que la verdadera satisfacción
y la alegría solo pueden encontrarse en ti.
Dame la sabiduría para discernir las
mentiras del mundo y perseguir las cosas
que verdaderamente importan.

MUNDANO. ¿Quién te dijo que fueras por este camino para librarte de tu carga?

CRISTIANO. Un hombre que parecía ser sabio y bueno. Su nombre es Evangelista.

MUNDANO. ¡Evangelista! ¡Espero que sea castigado por semejante consejo! No hay camino más peligroso y confuso en el mundo que este al que te dirigió. Evidentemente, ya te has encontrado con la desgracia. Por tu apariencia, noto que estuviste en el Pantano del Desaliento. Y ese pantano es apenas el comienzo de las penas que esperan a quienes recorren este camino. Hazme caso, ya que soy mayor que tú: es probable que te enfrentes con dolor, pobreza, hambre, peligros, leones, dragones e incluso la muerte. Seguramente estarás cansado y solo la mayor parte del tiempo, andando en la oscuridad. Esto es indudablemente cierto, confirmado por muchos caminantes. ¿Y por qué un hombre bueno e inteligente desperdiciaría su vida tan descuidadamente, siguiendo las órdenes de un loco?

CRISTIANO. Señor, el peso sobre mi espalda es más terrible que todas las cosas que menciona. No me importa lo que me pase si tan solo logro aliviar mi carga.

MUNDANO. ¿Cómo te diste cuenta de tu carga en primer lugar?

CRISTIANO. Leyendo este libro que tengo en mis manos.

MUNDANO. Me lo imaginaba. Te ha pasado lo mismo que a otros hombres débiles. Algunos se meten en cosas demasiado profundas para ellos y de repente se ven en tu situación. Quedan no solo desconcertados, sino que terminan lanzándose a empresas desesperadas para obtener no saben qué.

CRISTIANO. Yo sé lo que quiero obtener: quiero liberarme de esta carga.

MUNDANO. ¿Pero por qué buscas el alivio de esta manera, viendo que está llena de problemas y riesgos? Ahora, si tienes paciencia para escucharme, te puedo mostrar otro camino para obtener lo que deseas sin exponerte a los peligros que encontrarás en este. Sí, el alivio está al alcance de la mano. Además, en lugar de desgracias y dolor, en este otro hallarás seguridad, amistad y satisfacción.

CRISTIANO. Señor, por favor, comparta conmigo ese secreto.

MUNDANO. En aquel pueblo —llamado Moralidad— vive un señor llamado Legalidad, un hombre muy juicioso y de buena reputación, que tiene la habilidad de aliviarle a uno de cargas como las tuyas. Sí, y que yo sepa, ha hecho mucho bien con eso. Además, puede curar a quienes se hayan desequilibrado un poco llevando sus cargas. Acude a él y te auxiliará de inmediato. Su casa queda a menos de una milla de aquí, y si él mismo no está, tiene un hijo joven y apuesto, llamado Civilidad, que sabe hacerlo tan bien como el padre. Allí podrás aliviarte de tu carga. Si luego no quieres volver a tu antigua casa —cosa que no te aconsejo—, puedes mandar a buscar a tu mujer e hijos y vivir en Moralidad. Ahora hay algunas casas desocupadas, y podrías comprar una a un precio razonable; las provisiones son abundantes, poco costosas, pero buenas, y sin duda tendrás vecinos honestos. Tendrás todo para hacer tu vida agradable.

Por un momento Cristiano se sintió indeciso, pero pronto concluyó: "Si lo que ha dicho este caballero es cierto, lo más prudente es seguir su consejo". Habiendo llegado a esta conclusión, le dijo al señor Sabio Mundano:

CRISTIANO. Señor, ¿dónde vive ese hombre honesto y cómo puedo llegar a su casa?

MUNDANO. ¿Ves esa alta colina de allá?

CRISTIANO. Sí, la veo.

MUNDANO. Acércate a esa colina, y la primera casa que encontrarás es la suya.

Así que Cristiano se desvió del camino para seguir la carretera hasta la casa del señor Legalidad. Pero cuando se acercó a la colina, esta lucía muy alta, y el acantilado junto a él parecía extenderse por encima del sendero. Cristiano sintió temor de acercarse más, no fuera a ser que el precipicio le cayera encima. Se quedó allí sin saber qué hacer y sintiendo su carga más pesada que antes. De la colina salían destellos de fuego, por lo que temía quemarse [Ex 19:16-18], y estuvo temblando y sudando de miedo [Heb 12:21].

Cuando los cristianos escuchan a los hombres mundanos, se apartan de su camino y lo pagan caro, pues el Sabio Mundano no puede mostrarle a un santo otro camino que el de la esclavitud y el infortunio.

Cristiano se arrepintió de haber tomado el consejo del Sabio Mundano. Entonces vio a Evangelista avanzando hacia él y se sintió avergonzado. Evangelista se acercó más y más; lo miró con semblante severo y pavoroso, y así comenzó a reprocharlo:

EVANGELISTA. ¿Qué haces aquí, Cristiano?

Cristiano no sabía qué decir. Se quedó mudo. Entonces dijo Evangelista: "¿No eres tú el hombre que encontré llorando ante el muro de la Ciudad de la Destrucción?".

CRISTIANO. Sí, señor, debo confesar que lo soy.

EVANGELISTA. ¿No te indiqué que fueras a la puerta angosta?

CRISTIANO. Sí, señor, lo hice.

EVANGELISTA. ¿Cómo es que te has desviado tan pronto? Pues ya estás lejos del camino indicado.

CRISTIANO. Pues bien, tan pronto como salí del Pantano del Desaliento, conocí a alguien que me hizo creer que, en el pueblo, al otro lado de la colina, encontraría a un caballero que podría aliviar mi carga.

EVANGELISTA. ¿A quién conociste y qué clase de persona era?

CRISTIANO. Parecía un hombre honesto y me explicó todas sus razones. Al final me persuadió, así que vine. Pero cuando vi esta colina amenazadora sobresaliendo encima del camino y expulsando fuego y humo, me detuve, por miedo a morir.

EVANGELISTA. ¿Qué te dijo el hombre?

CRISTIANO. Me preguntó a dónde iba y se lo dije.

EVANGELISTA. ¿Y qué dijo entonces?

CRISTIANO. Me preguntó si tenía familia y le dije que sí. Pero le dije que estoy tan apesadumbrado por mi carga que no puedo disfrutarlos como lo hacía antes.

EVANGELISTA. ¿Y qué dijo después?

CRISTIANO. Me dijo que debía deshacerme de mi carga de una vez. Le dije que lo que yo quería era alivio y por eso me dirigía a cierta puertecita, para recibir instrucciones sobre cómo llegar al lugar de la liberación. Entonces me dijo que me mostraría un camino mejor, no tan lleno de dificultades como el que usted me había indicado. Me dijo: "Este otro camino te llevará a casa de un caballero que puede aliviar a la gente de sus cargas". Así que le creí y me desvié, esperando pronto liberarme del peso. Pero cuando llegué a esta colina y vi cómo eran las cosas aquí, me detuve por miedo a perder la vida. Ahora no sé qué hacer.

EVANGELISTA. Entonces quédate quieto un momento, para poder enseñarte las palabras de Dios.

Cristiano se quedó de pie, temblando. Entonces Evangelista le dijo: "Miren que no rechacen al que habla. Porque si no escaparon aquellos que rechazaron al que advertía en la tierra, mucho menos escaparemos nosotros si nos apartamos del que advierte desde los cielos" [Heb 12:25]. También dijo: "Pero mi justo vivirá por fe; y si se vuelve atrás, no agradará a mi alma" [Heb 10:38]. Evangelista aplicó estas palabras diciendo: "Eres un hombre que corre hacia su miseria. Has comenzado a rechazar el consejo del Altísimo y a apartar tus pies del camino de la paz, casi poniendo en peligro tu alma".

Entonces Cristiano cayó a sus pies, gritando: "¡Ay de mí, que estoy deshecho!". Evangelista lo tomó de la mano derecha, diciendo: "A los hombres les serán perdonados todos los pecados y blasfemias, cualesquiera que sean [Mt 12:31, Mc 3:28]; no seas incrédulo, sino creyente" [Jn 20:27]. Entonces Cristiano revivió un poco y se puso de nuevo de pie ante Evangelista.

Entonces Evangelista procedió, diciendo: "Ahora presta más atención a las cosas que te digo. Te mostraré quién fue el que te engañó, y también a casa de quién te envió. El hombre que salió a tu encuentro en la llanura es un tal señor Sabio Mundano. Se llama así con razón; en parte, porque es sabio en la sabiduría de este mundo [1 Jn 4:5] (y por eso va siempre a la iglesia en el pueblo de Moralidad), y en parte porque ama más la doctrina de este mundo, pues le protege de la cruz [Gal 6:12]. Dado que es de mente carnal, busca pervertir la verdad de tu libro. Ahora, hay tres cosas en el consejo de este hombre que debes aborrecer completamente: que te desviara de la

senda correcta, su empeño en hacerte rechazar la cruz y que te pusiera en un camino que conduce a la muerte".

Evangelista continuó: "Primero, debes aborrecer que te desviara del camino de la verdad; sí, y aborrecer que tú mismo estuvieras de acuerdo, pues al hacerlo, rechazaste el consejo de Dios por el consejo de un hombre mundano. El Señor dice: 'Esfuércense a entrar por la puerta angosta' —la puerta a la que te dirigí— 'porque les digo que muchos procurarán entrar y no podrán' [Lc 13:24]. Este hombre te desvió de esa pequeña puerta, y desde el camino que conduce a la vida, hacia el camino que casi te lleva a tu destrucción. Por tanto, odia que te desviara y desprecia que fueras tan fácil de convencer".

"Segundo, debes detestar su empeño en hacer que detestes la cruz, pues debes preferir la cruz 'a los tesoros egipcios' [Heb 11:25-26]. Además, el Rey de la Gloria nos ha dicho que 'quien busque salvar su vida, la perderá' [Mc 8:35; Jn 12:25; Mt 10:39]. Y que 'si alguno viene a [él] y no aborrece a su padre, madre, mujer, hijos, hermanos, hermanas y aun su propia vida, no puede ser su discípulo' [Lc 14:26]. Por lo tanto, la idea del Sabio Mundano de que el camino correcto —sin el cual no puedes tener vida eterna— es el de la muerte, es aborrecible".

"Tercero, también debes odiar que guiara tus pasos hacia la muerte. Y para ello debes considerar a aquel a quien te envió, y cuán incapaz es esa persona de librarte de tu carga. Ese hombre, Legalidad, es hijo de la mujer esclavizada, cuyos hijos también son esclavos [Gal 4:21-27] y que, por un misterio, es ella misma esta colina —el Monte Sinaí— que temías que cayera sobre ti. Ahora bien, si ella y todos sus hijos son esclavos, ¿cómo puedes esperar que alguno de ellos te libere a ti? Legalidad, nacido en el Monte Sinaí, es incapaz de liberarte de

tu carga. Nunca ha liberado a nadie de su carga, ni podrá hacerlo jamás. No puedes ser justificado por las obras de la ley, porque la ley no puede limpiar los pecados o aliviar las cargas de nadie. Por lo tanto, el señor Sabio Mundano no sabe cómo funcionan las cosas y el señor Legalidad es un tramposo. Y en cuanto a su hijo, Civilidad, a pesar de su apariencia agradable, es un farsante que no puede ayudar a nadie. Créeme, todo lo que has oído sobre estos estúpidos hombres no es sino un intento de engañar a las almas y alejarlas de la salvación. Esto es lo que trataron de hacer contigo al apartarte del camino que te señalé".

Después de esto, Evangelista clamó en voz alta a los cielos pidiendo confirmación de lo que había dicho. Y con eso salieron de la montaña fuego y palabras que hicieron erizar la piel de Cristiano. Las palabras fueron fuertes y claras: "Todos los que viven por las obras que demanda la ley están bajo maldición, porque está escrito: *Maldito sea quien no practique fielmente todo lo que está escrito en el libro de la ley*" [Gal 3:10].

Ahora Cristiano no esperaba más que la muerte, y comenzó a sollozar con voz lastimera, maldiciendo haber conocido al señor Sabio Mundano y llamándose a sí mismo estúpido por haber seguido sus consejos. También dijo que estaba profundamente avergonzado por dejarse influir tanto por los argumentos de ese hombre —aunque solo eran productos de una mente carnal— como para hacerle abandonar el camino recto y seguir el camino del mundo. Luego se concentró en las sabias palabras de Evangelista así:

CRISTIANO. Señor, ¿qué piensa usted? ¿Hay esperanza para mí? ¿Puedo ahora volver atrás y seguir hasta la puerta angosta? ¿O seré rechazado por esta infidelidad y expulsado de

la puerta? Lamento sinceramente haber seguido el consejo de ese hombre, pero ¿puede ser perdonado mi pecado?

EVANGELISTA. Tu pecado es muy grande. Implica dos males: abandonaste el camino recto y anduviste por un sendero prohibido. Sin embargo, el Hombre de la Puerta te recibirá, pues tiene buena voluntad para con toda la humanidad. Solo ten cuidado de no desviarte de nuevo, para que no seas "destruido en el camino, pues su ira se inflama de repente" [Salm 2:12].

Entonces Cristiano decidió volver y Evangelista, sonriendo, le dio la mano y le dijo: "Que Dios te bendiga". Así que regresó a toda prisa, negándose a hablar con nadie ni responder preguntas. Caminaba como quien pisa terreno prohibido, pues no se sentiría seguro hasta que se hallara de nuevo en el camino que Evangelista le había indicado.

Un tiempo después, llegó por fin a la puerta angosta. Sobre la puerta estaba escrito, en letras gruesas: "LLAMA Y SE TE ABRIRÁ" [Mt 7:8].

El que quiera entrar, debe primero
llamar a la puerta y saber que
para entrar, solo hace falta llamar;
puesto que Dios puede amarle y perdonar su pecado.

Llamó, pues, más de una o dos veces, diciendo: "¿Puedo entrar aquí? ¿Me abren la puerta, aunque haya sido un rebelde ingrato? Si me permiten entrar, nunca dejaré de cantar las alabanzas de Dios".

Por fin llegó a la puerta uno que se llamaba Buena Voluntad. Preguntó: "¿Quién eres, de dónde vienes y qué quieres?".

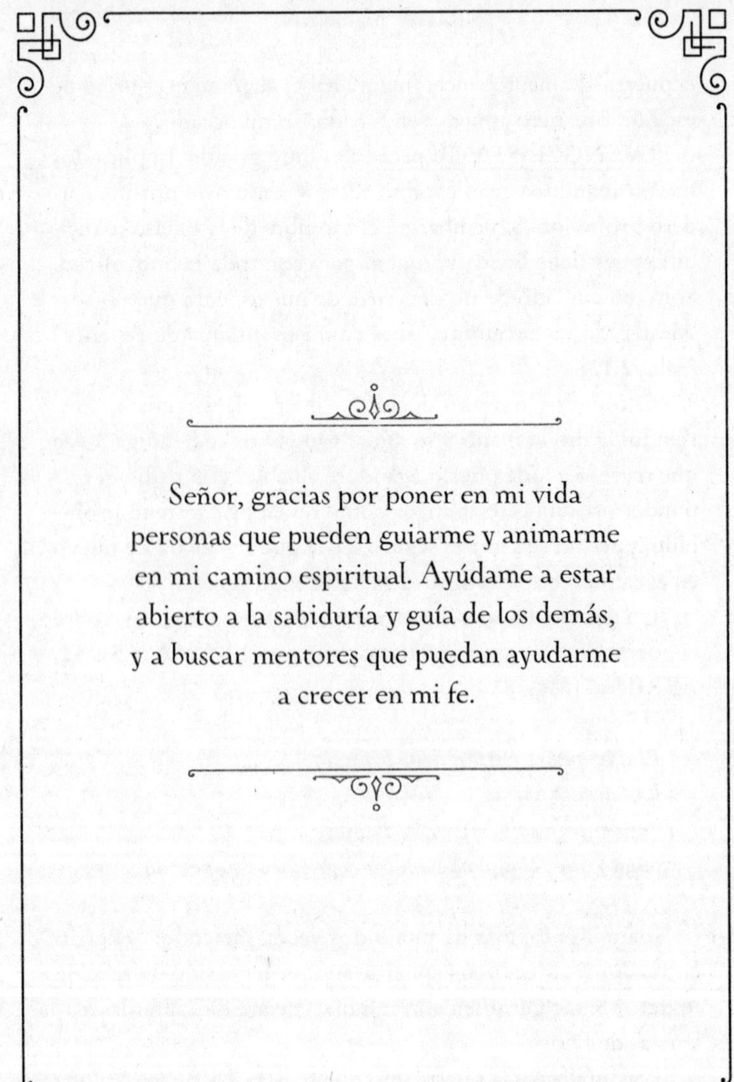

Señor, gracias por poner en mi vida
personas que pueden guiarme y animarme
en mi camino espiritual. Ayúdame a estar
abierto a la sabiduría y guía de los demás,
y a buscar mentores que puedan ayudarme
a crecer en mi fe.

CRISTIANO. Soy un pobre y agobiado pecador. Vengo de la Ciudad de la Destrucción, y quiero ir al Monte de Sion para estar a salvo de la ira venidera de Dios. Me informan que el camino a Sion pasa por esta puerta. Me gustaría saber, entonces, si puedo entrar.

BUENA VOLUNTAD. Sí, con todo gusto te dejaré entrar.

Inmediatamente, Buena Voluntad abrió la verja y, justo cuando Cristiano entraba, le cogió del brazo y le dio un tirón. "¿Qué significa esto?", preguntó Cristiano. Buena Voluntad explicó: "Allá afuera, no lejos de esta puerta, hay un fuerte castillo, custodiado por Belcebú y sus hombres; desde allí disparan flechas a los que llegan a esta puerta para intentar matarlos antes de que entren".

"Me alegro y tiemblo", dijo Cristiano. Cuando estuvo a salvo en el interior, Buena Voluntad le preguntó quién le había dirigido hasta allí.

CRISTIANO. Evangelista me dijo que viniera hasta aquí y llamara a la puerta, y me dijo que usted, señor, me diría lo que debía hacer.

BUENA VOLUNTAD. Tienes la puerta abierta, y nadie puede cerrarla.

CRISTIANO. Ahora empiezo a cosechar los beneficios de mis peligros.

BUENA VOLUNTAD. ¿Pero cómo es que has venido solo?

CRISTIANO. Ninguno de mis vecinos vio su peligro como yo vi el mío.

BUENA VOLUNTAD. ¿Sabía alguno de ellos que venías?

CRISTIANO. Sí, primero mi mujer y mis hijos me vieron salir y me llamaron para que volviera. También algunos

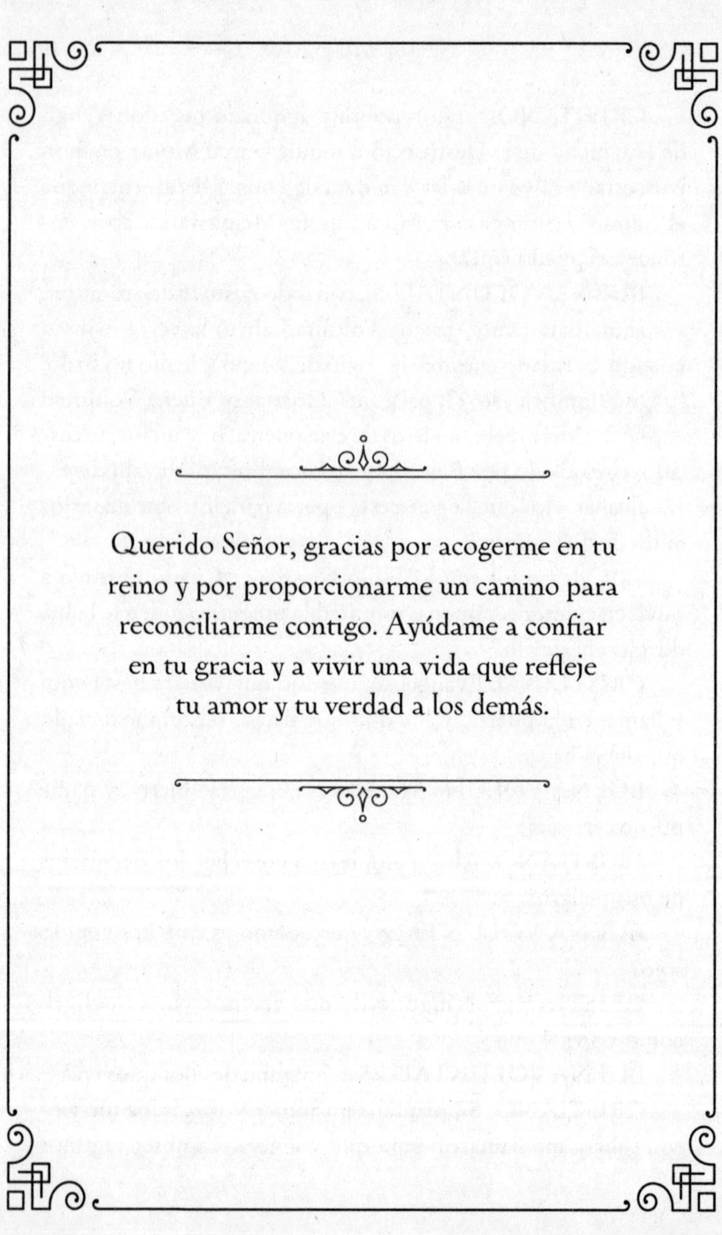

Querido Señor, gracias por acogerme en tu reino y por proporcionarme un camino para reconciliarme contigo. Ayúdame a confiar en tu gracia y a vivir una vida que refleje tu amor y tu verdad a los demás.

vecinos me gritaron para que regresara, pero yo me tapé los oídos y seguí caminando.

BUENA VOLUNTAD. ¿Pero ninguno te siguió para convencerte de volver?

CRISTIANO. Sí, dos de mis vecinos, Obstinado y Flexible. Pero cuando vieron que no podían persuadirme, Obstinado se volvió a su propia casa, enfadado, y Flexible vino conmigo un poco más lejos.

BUENA VOLUNTAD. ¿Por qué no siguió él?

CRISTIANO. En efecto, ambos llegamos juntos al Pantano del Desaliento, en el que caímos. Entonces Flexible se desanimó y no quiso ir más lejos. Mientras se dirigía de nuevo hacia su casa, me dijo: "Puedes disfrutar tú solo de tu majestuoso país", y se marchó tras Obstinado. Yo seguí adelante sin él.

BUENA VOLUNTAD. ¡Ay, pobre hombre! ¿Valoraba tan poco la Ciudad Celestial que no pensaba que valieran la pena unas cuantas dificultades para alcanzarla?

CRISTIANO. Así es. Le he contado sobre Flexible, pero cuando le cuente mi historia, parecerá que no hay mucha diferencia entre él y yo. Es cierto que él volvió a su casa, pero yo también me desvié para seguir el camino de la muerte, persuadido por los falsos argumentos de un tal señor Sabio Mundano.

BUENA VOLUNTAD. Oh, ¿salió a tu encuentro? Quería que buscaras alivio carnal en manos del señor Legalidad. Ambos no son más que tramposos. ¿Aceptaste su consejo?

CRISTIANO. Sí, tanto como me atreví. Siguiendo sus instrucciones, fui a buscar al señor Legalidad y llegué a la alta montaña junto a su casa, pero temí que me cayera encima, así que tuve que detenerme.

BUENA VOLUNTAD. Esa montaña ha sido la muerte de muchos peregrinos, y será la de muchos más. Menos mal que te salvaste de ser despedazado.

CRISTIANO. Realmente no sé qué me habría pasado si Evangelista no me hubiera encontrado allí, en mi desconcierto. Fue por misericordia de Dios que viniera; de otro modo, nunca habría podido llegar aquí. Pero ahora, tal como soy, estoy aquí; más digno de la muerte que de estar hablando con usted. ¡Oh, qué favor es para mí que me haya dejado entrar!

BUENA VOLUNTAD. No rechazamos a nadie, no importa lo que hayan hecho antes de venir. Jamás serán echados fuera [Jn 6:37]. Entonces, buen Cristiano, ven conmigo y te mostraré la ruta a seguir. Mira allá. ¿Ves ese camino estrecho? ESE es el camino que debes tomar. Fue recorrido por los patriarcas en tiempos antiguos, y por los profetas, y por Cristo y sus apóstoles, y es tan recto como una línea puede ser.

CRISTIANO. ¿No hay serpenteos o encrucijadas que puedan confundir a un forastero?

BUENA VOLUNTAD. Sí, hay muchos caminos que se bifurcan de este, y son sinuosos y amplios, pero puedes distinguir el bueno del malo porque el buen camino es el único recto y angosto [Mt 7:14].

Entonces vi en mi sueño que Cristiano le preguntó al señor Buena Voluntad si podía remover la carga de su espalda, pues aún la llevaba y no podía quitársela sin ayuda. Buena Voluntad le aconsejó: "Conténtate con llevar tu carga hasta que llegues al lugar de la liberación. Entonces se caerá de tus hombros por sí sola".

Ahora Cristiano comenzó a prepararse para su viaje. Entonces Buena Voluntad le explicó: "Cuando te hayas alejado

un poco de esta puerta, llegarás a la casa del Intérprete y deberás llamar a su puerta. Él te dará la bienvenida y te mostrará cosas excelentes". Cristiano se despidió de su amigo, quien también le dijo: "Que Dios te bendiga".

Entonces siguió caminando hasta llegar a la casa del Intérprete. Llamó una y otra vez hasta que finalmente vino un hombre a la puerta y preguntó quién era.

CRISTIANO. Soy un peregrino. Un amigo del buen hombre de esta casa me indicó que viniera para recibir instrucciones. Quisiera hablar con el dueño de la casa.

En poco tiempo llegó el Intérprete y le preguntó a Cristiano qué deseaba.

CRISTIANO. Señor, mi nombre es Cristiano. Vengo de la Ciudad de la Destrucción y estoy de camino al Monte Sion. El buen hombre de la puerta angosta me dijo que, si pasaba por aquí, usted me mostraría cosas excelentes, necesarias para mi viaje.

INTÉRPRETE: Sí, en efecto, entra. Te mostraré algo que será muy provechoso para ti.

El Intérprete le pidió a su ayudante que encendiera su vela y condujera a Cristiano al interior de la casa. El ayudante le dijo: "Sígueme", y lo llevó a una habitación privada, donde le dijo a otro sirviente que abriera una puerta. Cuando se abrió la puerta, Cristiano vio el retrato de una persona de rostro circunspecto que colgaba de la pared. La imagen era así: los ojos de la persona miraban al cielo, tenía en la mano el mejor de los libros, la ley de la verdad estaba en sus labios y el mundo estaba a sus espaldas. Estaba de pie como suplicando a los hombres, y una corona de oro colgaba sobre su cabeza.

CRISTIANO. ¿Qué significa esto?

INTÉRPRETE. Este hombre es uno entre mil. Puede engendrar hijos [1 Cor 4:15], dar a luz con dolores de parto [Gal 4:19] y amamantarlos él mismo cuando nacen. Y lo ves con los ojos hacia al cielo, el mejor de los libros en la mano y la ley de la verdad en los labios, para mostrar que su obra es conocer y revelar las cosas oscuras a los pecadores; por eso está de pie, suplicando a los hombres. Y si ves el mundo a sus espaldas y una corona que pende sobre su cabeza, es para revelarnos que, menospreciando las cosas del presente por el amor que tiene a servir a su Maestro, está seguro de que tendrá la gloria como recompensa en el mundo venidero. Ahora bien —agregó el Intérprete—, te mostré primero este cuadro, porque es el retrato del único hombre que el Señor del lugar al que vas ha autorizado para guiarte a través de las dificultades del camino. Por lo tanto, presta mucha atención y recuerda lo que has visto, no sea que en tu viaje te encuentres con otros que pretenden guiarte, pero cuyo rumbo lleva a la muerte.

Luego tomó la mano de Cristiano y lo condujo a un gran salón lleno de polvo. Cuando lo hubieron observado un momento, el Intérprete llamó a un hombre para que barriera. Cuando empezó a barrer, el polvo se levantó y llenó toda la habitación de tal manera que Cristiano casi se asfixió. Entonces el Intérprete le dijo a una sirvienta que estaba allí: "Trae agua y rocía la habitación". Al hacer esto, pudo barrer y limpiar el salón sin problema.

CRISTIANO. ¿Qué significa esto?

INTÉRPRETE. Este salón es el corazón de un hombre que nunca ha sido santificado por la dulce gracia del Evangelio. El polvo es su pecado original y las corrupciones internas que

lo han contaminado. El hombre que comenzó a barrer primero es la Ley; la mujer que trajo agua y la roció es el Evangelio. Observaste que tan pronto como el primero comenzó a barrer, el polvo voló de tal manera que era imposible limpiarlo y casi te ahogaste con él. Esto demuestra que, en lugar de limpiar el corazón del pecado, la Ley reaviva, fortalece y aumenta el pecado en el alma; incluso a pesar de que lo identifica y lo prohíbe, no tiene el poder para someter al pecado [Rom 7:6; 1 Cor 15:56; Rom 5:20].

"Por otro lado", siguió el Intérprete, "viste que la mujer roció la habitación con agua y pudo limpiarla plácidamente. Esto te muestra que, cuando el Evangelio lleva sus dulces influencias al corazón, así como la mujer limpió el polvo rociando el suelo con agua, así el pecado es vencido y subyugado. El alma queda limpia a través de la fe, y, por ende, apta para que la habite el Rey de la Gloria" [Jn 15:3; Ef 5:26; Hch 15:9; Rom 16:25-26; Jn 15:13].

Vi, además, en mi sueño, que el Intérprete lo tomó de la mano y lo llevó a una pequeña habitación donde había dos niños pequeños, cada uno sentado en una silla. El nombre del mayor era Pasión y el del otro era Paciencia. Pasión lucía fastidiado, mientras que Paciencia estaba muy quieto. Entonces Cristiano preguntó: "¿Por qué está tan disgustado Pasión?". El Intérprete respondió: "Su institutriz quiere que esperen por sus mejores cosas hasta el año que viene, pero Pasión las quiere todas ahora, mientras que Paciencia está dispuesto a esperar".

Luego observé que un sirviente se acercó a Pasión y derramó a sus pies una bolsa de tesoros que el niño rápidamente recogió en sus brazos con gran alegría. Se reía a carcajadas, burlándose de Paciencia. Pero lo miré por un tiempo, y vi que

pronto malgastó todo lo que había recibido, y no le quedó más que la bolsa vacía.

"Explícame mejor este asunto", dijo Cristiano.

INTÉRPRETE. Estos dos chicos son figuras: Pasión representa a los hombres de este mundo, y Paciencia representa a los hombres del mundo por venir. Como ves, Pasión quiere tenerlo todo este año; es decir, en este mundo. Así son los hombres de este mundo, necesitan todo lo bueno ahora mismo y no pueden esperar al año próximo; es decir, a obtenerlo en el mundo por venir. El proverbio "Más vale pájaro en mano que ciento volando" tiene más autoridad para ellos que todos los testimonios divinos del bien del mundo venidero. Pero, como viste, Pasión derrochó todo rápidamente y no le quedaron más que harapos; así será con todos esos hombres al final de este mundo.

CRISTIANO. Ahora veo que Paciencia es más sabio, por muchas razones. Primero, espera las mejores cosas. Segundo, disfrutará de la gloria de sus recompensas cuando el otro no tenga más que harapos.

INTÉRPRETE. Sí, y también puedes añadir esto: La gloria del otro mundo nunca se acabará ni se desgastará, pero las glorias de esta vida se desvanecen pronto. Por ende, Pasión no tenía muchas razones para reírse de Paciencia por obtener sus cosas antes, porque Paciencia se reirá de Pasión cuando obtenga sus mejores cosas al final. Lo primero debe dar lugar a lo último, porque lo último debe tener su tiempo adecuado para llegar. Pero el último no da lugar a nada, porque nada viene después. Quien obtenga su parte primero la gastará en un tiempo, pero quien la obtenga de último la tendrá para siempre. Por eso se dice de cierto hombre rico: "Durante tu

vida recibiste tus bienes y, de igual manera Lázaro, males. Pero ahora él es consolado aquí, y tú eres atormentado" [Lc 16:25].

CRISTIANO. Entonces me parece que es mejor no codiciar las cosas de este mundo, sino esperar los bienes venideros.

INTÉRPRETE. Dices la verdad. "Las cosas que se ven son temporales, mientras que las que no se ven son eternas" [2 Cor 4:18]. Ya que las cosas presentes son tan cercanas y las cosas venideras son tan lejanas a nuestro apetito carnal; somos propensos a ceder a nuestros deseos carnales en lugar de esperar la satisfacción de lo eterno. Así nos unimos a las cosas de este mundo y perdemos nuestra recompensa futura".

Luego vi en mi sueño que el Intérprete tomaba a Cristiano de la mano y lo conducía hacia otro lugar de la casa donde había un fuego ardiendo contra una pared. Un hombre le echaba agua sin parar, pero el fuego seguía ardiendo más y más.

"¿Qué significa esto?", preguntó Cristiano.

El Intérprete respondió: "Ese fuego es la obra de la gracia de Dios en el corazón. La persona que le echa agua es el diablo. Pero, como ves, el fuego sigue ardiendo con fuerza. Ven alrededor del muro y verás por qué". Entonces lo condujo al otro lado del muro, donde había un hombre secretamente echando aceite al fuego en secreto.

"¿Qué significa esto?", preguntó Cristiano de nuevo.

El Intérprete respondió: "Este es Cristo, que con el aceite de su gracia mantiene la obra ya comenzada en el corazón. Así, a pesar de lo que el diablo pueda hacer, las almas de su pueblo continúan llenas de gracia [2 Cor 12:9]. Y tuviste que darle la vuelta al muro para ver al hombre que mantiene vivo el fuego; esto es para enseñarte lo difícil que es para el tentado ver cómo se mantiene en la gracia en el alma".

Entonces el Intérprete le tomó la mano de nuevo y lo llevó a un lugar agradable donde había un elegante palacio. Cristiano se maravilló al verlo. También vio personas radiantes, vestidas de oro, caminando por la parte superior.

CRISTIANO. ¿Podemos ir hasta allá?

Entonces el Intérprete lo condujo hacia la puerta del palacio, donde encontraron una gran multitud. Todos deseaban entrar, pero ninguno se atrevía a hacerlo. También había un hombre sentado a poca distancia de la puerta, junto a una mesa, con un libro y su tintero, tomando los nombres de quienes entrasen. Vieron también que la puerta estaba custodiada por hombres fuertemente armados, resueltos a lastimar a quien osara pasar. Cristiano estaba asombrado. Finalmente, cuando todos retrocedieron por miedo a los hombres armados, Cristiano vio a un hombre de robusto semblante acercarse al hombre del libro y el tintero, y le dijo: "Anote mi nombre, señor". Hecho esto, el hombre desenvainó su espada, se puso su yelmo en la cabeza y se lanzó hacia los guardianes de la puerta, quienes respondieron con fuerza mortal. Pero el hombre no se desalentó y se defendió con la mayor fiereza. Después de causar y recibir muchas heridas de los que intentaban detenerlo, se abrió paso entre ellos [Hch 14:22] y entró en el palacio. Entonces se oyeron las hermosas voces de los que estaban dentro, en lo alto del palacio, diciendo:

"Entra, entra; ganarás la gloria eterna".

El hombre entró y recibió las mismas ropas de oro que los demás. Entonces Cristiano sonrió y dijo: "Creo que entiendo el significado de esto".

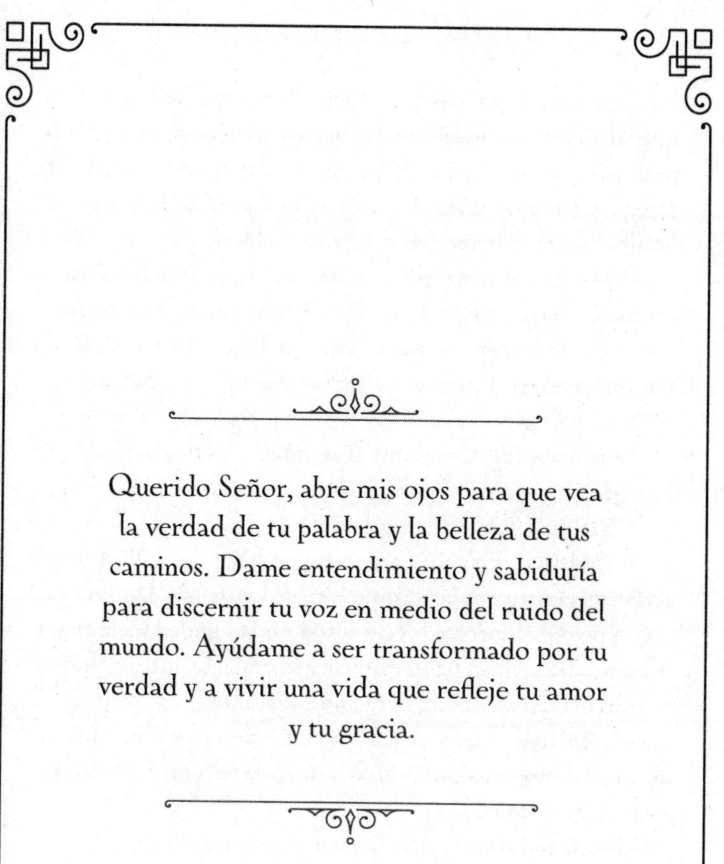

Querido Señor, abre mis ojos para que vea la verdad de tu palabra y la belleza de tus caminos. Dame entendimiento y sabiduría para discernir tu voz en medio del ruido del mundo. Ayúdame a ser transformado por tu verdad y a vivir una vida que refleje tu amor y tu gracia.

"Ahora", dijo Cristiano, "permíteme marcharme". "No, quédate", dijo el Intérprete, "te mostraré un poco más y luego podrás seguir tu camino". Así que lo tomó de la mano otra vez y lo condujo a una habitación muy oscura, donde había un hombre sentado dentro de una jaula de hierro.

El hombre miró a Cristiano con gran tristeza; estaba sentado con los ojos fijos en el suelo, las manos juntas, y suspirando como si se le fuera a romper el corazón. Dijo Cristiano: "¿Qué significa esto?". A lo que el Intérprete le dijo que hablara con el hombre.

Entonces dijo Cristiano al hombre: "¿Quién eres?". El hombre respondió: "Soy lo que una vez no fui".

CRISTIANO. ¿Qué eras antes?

HOMBRE. En otro tiempo fui un hermoso y floreciente profesor, tanto a mis ojos como a los de los demás. Una vez fui, según pensaba, merecedor de entrar en la Ciudad Celestial, y me alegraba incluso pensar que llegaría allí [Lc 8:13].

CRISTIANO. Bien, pero ¿qué eres ahora?

HOMBRE. Ahora soy un hombre desesperado, encerrado en mi desesperación como en esta jaula de hierro. No puedo salir. ¡Oh, no puedo!

CRISTIANO. ¿Cómo llegaste a esta situación?

HOMBRE. Bajé la guardia y dejé de ser sobrio. Pequé contra la luz de la Palabra y la bondad de Dios y cedí a mis pasiones. Afligí al Espíritu, y se ha ido; tenté al diablo y se apoderó de mí. Provoqué la ira de Dios y me abandonó. Endurecí tanto mi corazón que no puedo arrepentirme.

Entonces Cristiano preguntó al Intérprete: "¿No hay esperanza para un hombre como él?". "Pregúntaselo", dijo el Intérprete. "No", dijo Cristiano, "por favor, señor, pregúntele usted".

INTÉRPRETE. ¿No hay esperanza para ti? ¿Debes quedarte en la jaula de la desesperación?

HOMBRE. No, no hay ninguna esperanza en absoluto.

INTÉRPRETE. ¿Por qué no? El Hijo del Bendito es muy compasivo.

HOMBRE. Lo crucifiqué de nuevo para mí mismo [Heb 6:6]; lo aborrecí abiertamente [Lc 19:14]. Desprecié su justicia; consideré "de poca importancia la sangre del pacto por la cual fue santificado" y "ultrajé al Espíritu de gracia" [Heb 10:28-29]. Por eso me he excluido de todas sus promesas, y ahora solo me quedan terribles amenazas, amenazas temibles de juicio seguro y violenta indignación, que me devorarán como un enemigo.

INTÉRPRETE. ¿Por qué has llegado a esta situación?

HOMBRE. Por los apetitos, placeres y lucros de este mundo. Me deleité mucho disfrutándolos entonces, pero ahora cada una de esas cosas me muerde y me roe como un ardiente gusano.

INTÉRPRETE. Pero ¿no puedes ahora arrepentirte y convertirte?

HOMBRE. Dios me ha negado el arrepentimiento. Su Palabra no me alienta a creer; él mismo me encerró en esta jaula de hierro. Tampoco existe un hombre en el mundo que me pueda liberar. ¡Oh, eternidad, eternidad! ¿Cómo lidiaré con la miseria eterna?

INTÉRPRETE. Recuerda siempre la miseria de este hombre. Que te sirva de advertencia perpetua.

CRISTIANO. ¡Bueno, esto es horrible! Dios me ayude a ser vigilante y a rezar para evitar el mal y la miseria de los que van por ese camino. Señor, ¿no es hora de que siga el mío?

INTÉRPRETE. Espera a que te muestre una cosa más; entonces podrás irte.

Entonces tomó a Cristiano de la mano y lo llevó a una recámara donde un hombre se estaba levantando de la cama. Al vestirse, temblaba. "¿Por qué tiembla tanto este hombre?", preguntó Cristiano. El Intérprete se dirigió al hombre y dijo: "Dígale a este hombre por qué tiembla". "Tuve un sueño horrible", dijo el hombre, "los cielos se volvían extremadamente oscuros, los relámpagos brillaban y los truenos rugían. Angustiado, alcé los ojos y vi cómo se arremolinaban las nubes. Luego oí un fuerte sonido de trompeta. Vi a un hombre sentado sobre una nube, que avanzaba seguido de miles de personas celestiales. Todos llameaban como fuego, y los cielos mismos también estaban en llamas. Una voz poderosa dijo: 'Levántense, muertos, y vengan a juicio'. Entonces las rocas comenzaron a romperse y los sepulcros a abrirse, y salieron los muertos que estaban en ellos. Algunos de ellos se alegraron y miraron hacia arriba, y otros buscaron esconderse bajo las montañas [1 Cor 15:52; 1 Tes 4:16; Judas 14; Jn 5:28-29; 2 Tes 1:7-8; Ap 20:11-14; Is 26:21; Miqueas 7:16-17; Salm 95:1-3; Dn 7:10]. Entonces el hombre sobre la nube abrió el libro, y dijo al mundo que se acercara. Pero, a causa de una llama feroz que rugía delante de él, se hizo una distancia entre él y ellos, como entre el juez y los acusados en un tribunal [Mal 3:2-3; Dn 7:9-10]. Oí también que les decía a sus asistentes: 'Recojan la cizaña, la paja y el rastrojo, y échenlos en el lago ardiente' [Mt 3:12; 13:30; Mal 4:1]. Y con esto se abrió un pozo sin fondo justo donde yo me encontraba, de cuya boca salían humo y brasas de fuego con espantosos ruidos. También les dijo a sus asistentes: 'Junten mi trigo en el granero' [Lc 3:17].

Entonces vi que muchos eran llevados a las nubes, pero yo me quedé atrás [1 Tes 4:16-17]. Traté de esconderme, pero no pude, porque el hombre sentado en la nube no me quitaba los ojos de encima y mi conciencia me acusaba severamente [Rom 3:14-15]. En esto desperté de mi sueño".

CRISTIANO. Pero ¿por qué tuviste tanto miedo de esta visión?

HOMBRE. Pensé que había llegado el día del juicio y que yo no estaba preparado. Pero lo que más me asustó es que los ángeles reunieron a varias personas y me dejaron a mí atrás; también que la boca del infierno se abrió justo donde yo estaba. Además, mi conciencia me afligía, y el Juez tenía siempre su mirada indignada puesta en mí.

Entonces dijo el Intérprete a Cristiano: "¿Has pensado bien en todas estas cosas?".

CRISTIANO. Sí, y me infunden esperanza y temor.

INTÉRPRETE. Pues bien, tenlas siempre presentes para que te impulsen y aguijoneen hacia adelante en el camino que debes seguir.

Entonces Cristiano comenzó a prepararse para partir. El Intérprete dijo: "Que El Consolador esté siempre contigo, buen Cristiano, para guiarte por el camino que conduce a la Ciudad". Cristiano se marchó diciendo:

"Aquí vi cosas extrañas y útiles; cosas agradables y espantosas; cosas que me mantendrán firme en lo que me he propuesto. Entonces déjame pensar en ellas, y entender por qué me fueron mostradas. Y permíteme agradecerte de corazón, buen Intérprete".

Ahora vi en mi sueño a Cristiano caminando por una carretera cercada a ambos lados por un alto muro, y ese muro

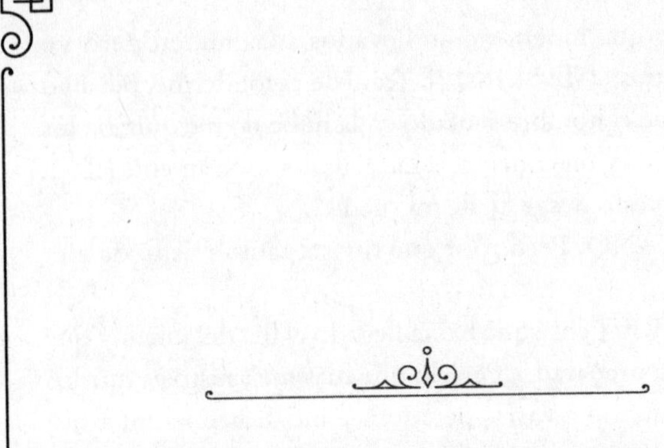

Padre celestial, mientras medito sobre el momento en que Cristiano vio la cruz, te pido una nueva revelación de tu poder en mi vida. Ayúdame a comprender el sacrificio de tu Hijo Jesucristo y la profundidad de tu amor por mí. Que la visión de la cruz renueve mi fe y me motive a servirte más fielmente.

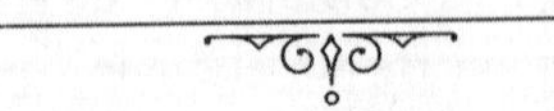

se llamaba Salvación [Is 26:1]. Comenzó a correr, aunque con dificultad, debido a la carga que llevaba a la espalda.

Corrió entonces hasta un lugar algo elevado donde se erigía una cruz y, un poco más abajo, había un sepulcro. Entonces vi en mi sueño que justo al llegar a la cruz, la carga de Cristiano se soltó de sus hombros y rodó colina abajo hasta caer dentro del sepulcro, y ya no la vi más.

Ahora Cristiano se sentía contento y ligero, y con el corazón alegre, se dijo a sí mismo: "Me ha dado descanso con sus dolores, y vida con su muerte". Se quedó mirando la cruz durante un tiempo, preguntándose cómo la mera vista de la cruz podía aliviar tanto la culpa y la vergüenza. La contempló largamente, hasta que corrió el agua de los manantiales de sus ojos [Zac 12:10]. Mientras miraba y lloraba, tres Luminosos se le acercaron y le saludaron con un "La paz sea contigo". El primero le dijo: "Tus pecados te son perdonados" [Mc 2:5]; el segundo le despojó de sus harapos y le vistió con ropas nuevas [Zac 3:4]; el tercero le hizo una marca en la frente y le dio un rollo de papel sellado, el cual le ordenó que cuidara, pues tendría que presentarlo en la Puerta Celestial [Ef 1:13], y siguieron su camino.

"¿Quién es él? El Peregrino. ¿¡Cómo!? Es cierto: las cosas viejas han pasado y todo se ha vuelto nuevo. ¡Qué extraño! Parece otro hombre, lo juro. Un pájaro fino está hecho de plumas finas".

Entonces Cristiano dio tres saltos de alegría y siguió cantando:

"Hasta aquí llegué cargado con mi pecado;
nada podía aliviar mi pena

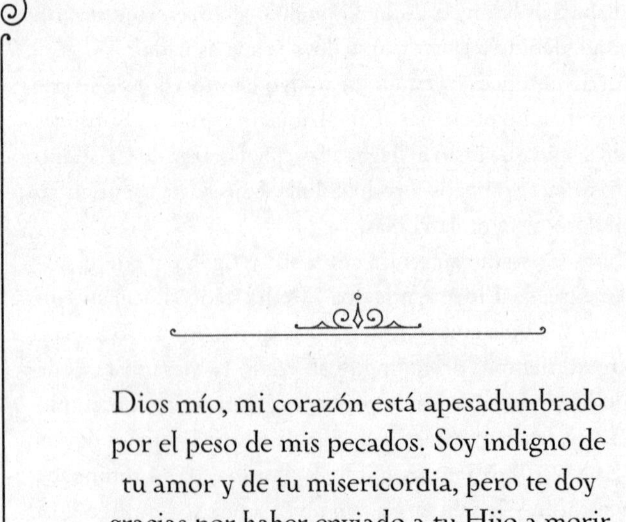

Dios mío, mi corazón está apesadumbrado por el peso de mis pecados. Soy indigno de tu amor y de tu misericordia, pero te doy gracias por haber enviado a tu Hijo a morir por mí en la cruz. Ayúdame a comprender la profundidad de tu amor por mí y a vivir una vida que honre tu sacrificio.

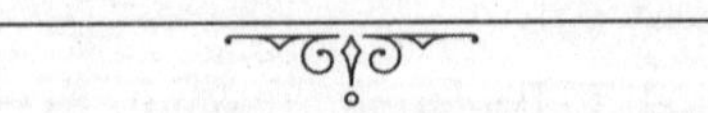

hasta que llegué aquí: ¡Qué gran lugar!
¿Comenzará aquí mi dicha?
¿Caerá aquí la carga de mi espalda?
¿Se romperán aquí las cuerdas que la ataban a mí?
¡Bendita cruz! ¡Bendito sepulcro! Bendito sea, más bien,
el Hombre que fue ultrajado por mi causa".

Vi en mi sueño que continuó hasta el pie de una colina, donde vio, un poco fuera del camino, a tres hombres profundamente dormidos, con grilletes en sus talones. Uno se llamaba Simpleza, otro Pereza, y el tercero Presunción.

Cristiano, al verlos en ese estado, fue hacia ellos para intentar despertarlos. Gritó: "Ustedes son como el que yace en medio del mar o como el que yace en la punta de un mástil, con el Mar Muerto debajo [Pro 23:34]. Despierten, pues, y vengan conmigo. Los ayudaré a quitarse los grilletes. Si viene el que anda como león rugiente, ciertamente los devorará" [1 Pedro 5:8]. Entonces los tres hombres lo miraron. Simpleza respondió: "Yo no veo ningún peligro". Pereza dijo: "Necesito todavía un poco más de sueño". Y Presunción dijo: "Cada quien se ocupa de sí mismo. ¿Qué otra respuesta puedo darte?". Y así volvieron a echarse a dormir, y Cristiano siguió su camino.

Sin embargo, se turbó al pensar en la facilidad con que estos hombres, a pesar del peligro que corrían, desecharon la bondad de quien venía a ayudarlos, aconsejarlos y remover sus grilletes. Mientras pensaba en esto, vio a dos hombres saltando el muro a la izquierda del camino angosto. El nombre de uno era Formalista y el nombre del otro Hipócrita. Se acercaron a Cristiano y empezaron a conversar.

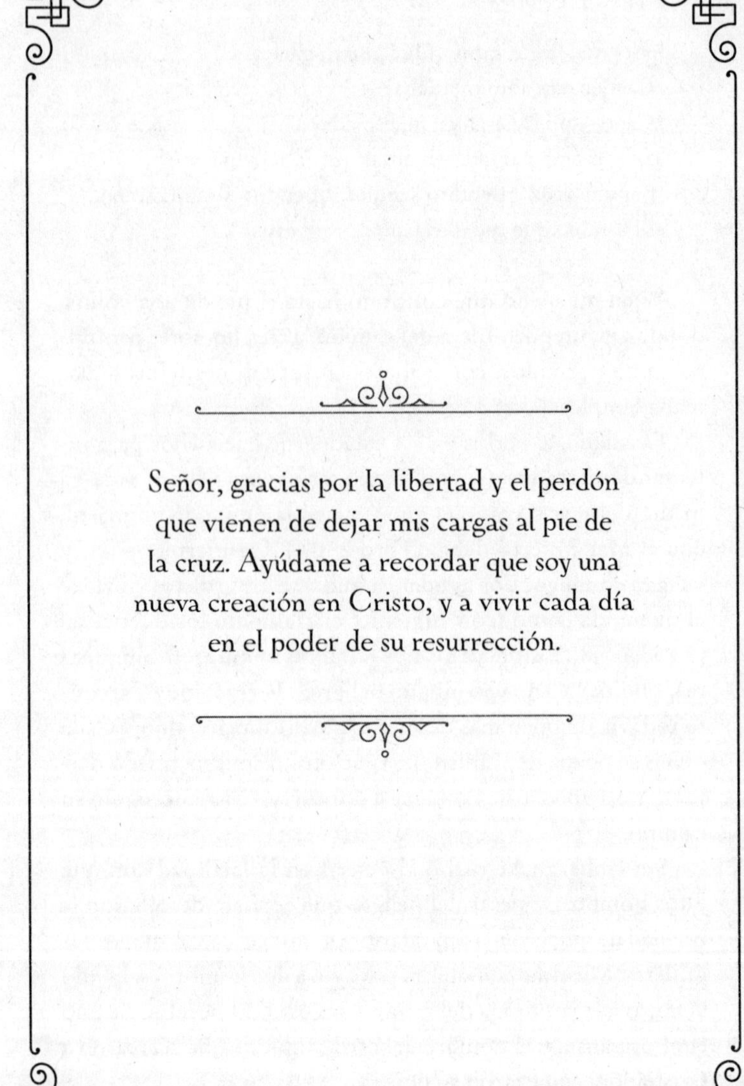

Señor, gracias por la libertad y el perdón que vienen de dejar mis cargas al pie de la cruz. Ayúdame a recordar que soy una nueva creación en Cristo, y a vivir cada día en el poder de su resurrección.

CRISTIANO. Caballeros, ¿de dónde vienen y a dónde van?

FORMALISTA e HIPÓCRITA. Nacimos en Vanagloria y vamos al Monte de Sion.

CRISTIANO. ¿Por qué no entraron por la puerta principal? ¿No saben que está escrito que "el que no entra por la puerta, sino que sube por otra parte, ese es ladrón y asaltante"? [Jn 10:1].

Formalista e Hipócrita respondieron que la puerta quedaba demasiado lejos para los habitantes de Vanagloria, así que tenían la costumbre de tomar un atajo y trepar la muralla, como ellos habían hecho.

CRISTIANO. Pero ¿no es esto violar la voluntad revelada del Señor de la ciudad a la que vamos? ¿No se consideraría una transgresión en su contra?

Formalista e Hipócrita le dijeron que no se preocupara, pues trepar el muro era habitual para sus paisanos. De ser necesario, podían presentar muchos testimonios de que esta práctica se había dado por más de mil años.

CRISTIANO. ¿Pero podría superar un juicio?

Formalista e Hipócrita respondieron que una costumbre tan antigua sería aceptada con toda seguridad y, sin duda, admitida por el Juez imparcial al final del camino. "Además", dijeron, "nosotros estamos en el mismo camino que tú. ¿Qué importa cómo hayamos entrado? Si estamos dentro, estamos dentro. Tú entraste por la puerta y nosotros por el muro. ¿En qué es mejor tu posición que la nuestra?".

CRISTIANO. Yo me guío por las reglas de mi Maestro; ustedes se guían por sus ocurrencias toscas. El Señor ya los considera ladrones; por tanto, dudo que al final del camino

sean juzgados como hombres de bien. Entraron por su propia cuenta, sin la dirección del Señor, y saldrán por su propia cuenta, sin su misericordia.

A esto le respondieron muy poco y le ordenaron que se ocupara de sus propios asuntos. Siguieron caminando sin hablar mucho entre sí, salvo que los hombres le dijeron a Cristiano que, en cuanto a leyes y ordenanzas, no dudaban de que las habían cumplido tan meticulosamente como él. Dijeron: "No vemos en qué te diferencias de nosotros más que por la túnica que llevas, que, según creemos, te dieron tus vecinos para ocultar la vergüenza de tu desnudez".

CRISTIANO. Por leyes y ordenanzas no se salvarán, puesto que no entraron por la puerta [Gal 2:16]. Y en cuanto a esta túnica, me la dio el Señor del lugar adonde voy, como dicen, para cubrir mi desnudez. Lo tomo como muestra de su bondad para conmigo, pues antes no tenía más que harapos. Además, me da aliento: pienso que cuando llegue a la puerta de la Ciudad, el Señor me reconocerá como bueno por mi túnica, la que me dio el día que me despojó de mis harapos. Tengo, además, una marca en mi frente, que tal vez no hayan notado. Uno de los más fieles asistentes de mi Señor me la hizo el día en que mi carga cayó de mis hombros. También me dio un documento sellado para que me consolase leyéndolo en el camino, y me mandó que lo entregara en la Puerta Celestial. Dudo que ustedes tengan estas cosas, pues no entraron por la puerta.

A estas cosas no respondieron nada; solo se miraron y se rieron. Entonces continuaron caminando. Cristiano iba más adelante y hablando consigo mismo, a veces con angustia y otras plácidamente; también leía a menudo el papel que el Luminoso le había dado.

Contemplé, entonces, que todos siguieron adelante hasta llegar al pie de la Colina Difícil; al fondo de la cual había un manantial. En el mismo lugar aparecían otros dos caminos además del que venía de la puerta; uno doblaba a mano izquierda, y el otro a la derecha, al pie de la colina. El camino angosto subía la colina por la ladera llamada Dificultad. Cristiano se dirigió al manantial y bebió de él para refrescarse [Is 49:10], y luego comenzó a subir la colina, diciendo:

"Anhelo ascender la colina, aunque sea alta.
La dificultad no me ofenderá;
porque percibo que el camino a la vida está aquí.
Vamos, ánimo, no desmayemos ni temamos;
aunque difícil, es mejor el camino correcto.
El equivocado, aunque fácil, termina en desdicha".

Los otros hombres llegaron también al pie de la colina, pero cuando vieron que era tan empinada y alta, y que había otros dos caminos que tomar, prefirieron andar por uno de estos; asumían que se juntarían de nuevo con Cristiano más adelante. Uno de los caminos se llamaba Peligro y, el otro, Destrucción. Uno de los hombres tomó el camino Peligro, que lo condujo a un gran bosque, y el otro tomó el camino Destrucción, que le condujo a un vasto campo lleno de oscuras montañas donde tropezó, cayó y no se levantó más.

"¿Terminarán bien los que mal empiezan?
¿Podrán contar con la certeza?
No, no. Con cabeza terca partieron
y de cabeza caerán, sin duda, al final".

Vi entonces a Cristiano subiendo la colina. A causa de lo empinado del lugar, pasó de correr a caminar y de caminar a trepar con sus manos y sus rodillas. A mitad de camino hacia la cima, había un agradable cenador hecho por el Señor de la colina para refrescar a los viajeros cansados; allí se sentó a descansar. Entonces sacó el rollo de papel de su pecho y lo leyó para animarse; también comenzó a detallar la túnica que le habían dado cuando estaba junto a la cruz. Así se distrajo plácidamente por un tiempo hasta quedarse dormido. Se hizo de noche y el rollo de papel se deslizó de sus manos. Entonces, alguien se le acercó para despertarlo, diciendo: "Ve a la hormiga, oh perezoso; observa sus caminos y sé sabio" [Pro 6:6]. Y con eso Cristiano se levantó y comenzó a andar aprisa, hasta que llegó a la cima de la colina.

Cuando llegó a la cima de la colina, dos hombres salieron a su encuentro: uno se llamaba Temeroso y el otro Desconfiado. Cristiano les dijo: "Señores, ¿qué les sucede? Están corriendo en dirección contraria". Temeroso respondió que iban a la Ciudad de Sion, pero que "cuanto más lejos vamos, más peligros encontramos, así que nos dimos la vuelta y nos regresamos".

"Sí", agregó Desconfiado, "porque justo por allá adelante hay un par de leones, no sabemos si dormidos o despiertos. Si nos acercamos, no tardarían en hacernos pedazos".

CRISTIANO. Eso me asusta, pero ¿a dónde iré para ponerme a salvo? Si vuelvo a mi propio país, que está marcado para el fuego y el azufre, moriré allí. Si puedo llegar a la Ciudad Celestial, sé que allí estaré seguro, así que debo atreverme. Retroceder no es más que muerte; avanzar es miedo a la muerte, pero la vida eterna está más allá de eso. Por lo tanto, seguiré adelante.

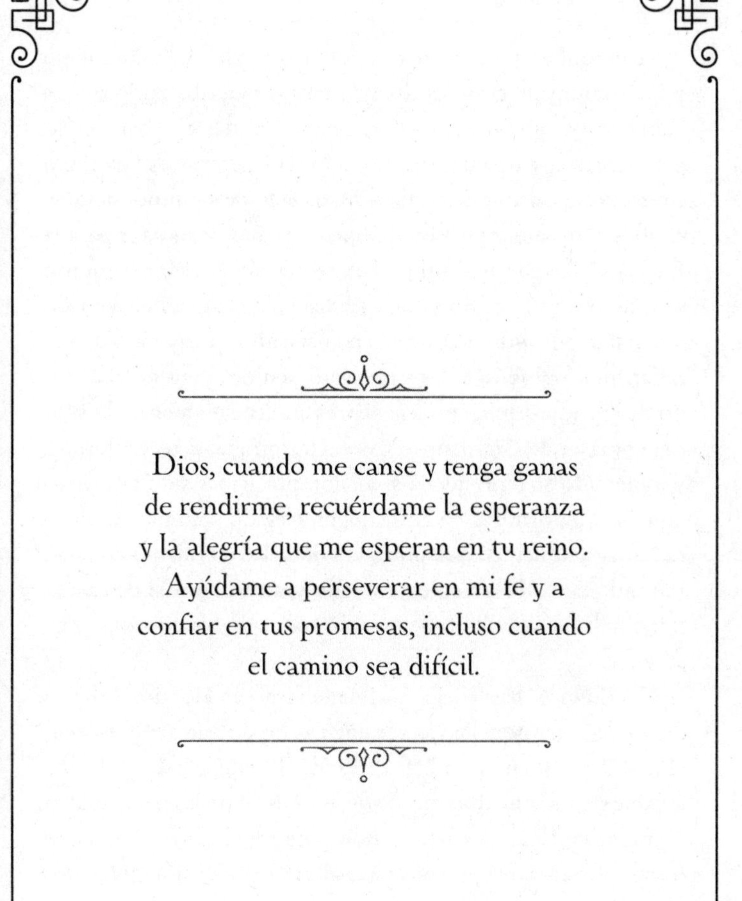

Dios, cuando me canse y tenga ganas de rendirme, recuérdame la esperanza y la alegría que me esperan en tu reino. Ayúdame a perseverar en mi fe y a confiar en tus promesas, incluso cuando el camino sea difícil.

Desconfiado y Temeroso siguieron corriendo colina abajo y Cristiano siguió su camino. Mientras pensaba en lo que le habían contado, buscó el rollo de papel en su pecho para leerlo y consolarse, y descubrió que no lo tenía; entonces Cristiano sintió una gran angustia. ¿Qué había sido de su imponderable regalo, consuelo y guía en tiempos difíciles, y su pase para la Puerta Celestial? ¿Cómo podría seguir sin él? En este punto se quedó perplejo: no sabía qué hacer. Finalmente, recordó que había dormido una siesta en el cenador, y, cayendo de rodillas, pidió perdón a Dios por su descuido. Pero en el camino de regreso, ¿quién podría expresar adecuadamente el dolor del corazón de Cristiano? A veces suspiraba, a veces lloraba, y a menudo se reprendía a sí mismo por haber sido tan tonto como para dormirse en aquel lugar, erigido solo para aminorar su agotamiento. Así, pues, volvió sobre el mismo camino, mirando cuidadosamente a un lado y a otro, por si de casualidad hallaba su rollo, que tantas veces le había consolado en su viaje.

Anduvo así hasta llegar nuevamente al cenador donde había dormido, pero aquella vista le entristeció de nuevo al recordar el mal de su sueño [Ap 2:5; 1 Tes 5:7-8]. Allí gritó: "¡Oh, miserable de mí, que duermo de día en medio de las dificultades, complaciendo a la carne, usando para mi egoísta comodidad lo que el Señor erigió solo para alivio de los espíritus de los peregrinos!

"¡Cuántos pasos de más he dado en vano! Esto es lo que le sucedió al pueblo de Israel: por sus pecados fueron devueltos por el camino del Mar Rojo para vagar cuarenta años por el desierto. Si no hubiera pecado, cuántos pasos felices podría haber dado ya. ¡Ahora debo dar los mismos pasos tres veces,

cuando no necesitaba dar más que uno! Además, ahora estoy como en tinieblas, porque pronto caerá la noche. ¡Oh, si no me hubiera dormido!".

Para entonces había llegado al cenador y, al no ver su documento, se sentó y lloró. Pero al fin, al mirar hacia abajo tristemente, avistó el rollo bajo el asiento. Entonces, su tristeza se convirtió en alegría, y temblando lo tomó y lo volvió a guardar en su pecho. ¡Quién puede describir la felicidad de este hombre cuando recuperó su rollo de papel, garantía de su vida y boleto de entrada en el destino deseado! Dio gracias a Dios por haber dirigido sus ojos hacia el lugar exacto y, con lágrimas de alegría, reemprendió su viaje. ¡Con cuánta agilidad subió el resto de la colina! Sin embargo, el sol se puso sobre Cristiano antes de que pudiera llegar a la cima, y eso le hizo recordar de nuevo la vanidad de su sueño. Comenzó de nuevo a compadecerse de sí mismo: "Oh, pecaminoso sueño; ¡por tu culpa me va mal en este viaje! Por haber dormido, ahora me veo obligado a caminar sin el sol, rodeado de tinieblas y sonidos de criaturas tristes" [1 Tes 5: 6-7]. También recordó la historia que Desconfiado y Temeroso le había contado sobre los leones; entonces se dijo: "Esas fieras buscan su presa por la noche, y si me encontraran en la oscuridad, ¿cómo las evadiría? ¿Cómo me libraré de que me despedacen?". Así siguió caminando. Pero mientras se lamentaba así de su desdichado error, levantó los ojos y vio un palacio majestuoso delante de él, cuyo nombre era Hermoso, y que se alzaba a un costado de la carretera.

Vi en mi sueño que se apresuró hacia el palacio, pensando que quizá podría alojarse allí esa noche. Pero sin haber avanzado mucho, se encontró en un pasadizo muy estrecho ubicado cerca de la portería; allí divisó a los dos leones en el camino.

"Ahora veo los peligros que hicieron retroceder a Desconfiado y a Temeroso (los leones estaban encadenados, pero él no vio las cadenas)". Tuvo miedo, y pensó también él en volver tras ellos, pues le parecía una muerte segura. Sin embargo, el portero del lugar, de nombre Vigilante, percibiendo que Cristiano parecía querer regresar, le gritó: "¿Tan poca es tu fuerza? [Mc 8:34-37]. No temas a los leones, porque están amarrados; están allí como prueba de fe, para dejar al descubierto a quienes no la tienen. Avanza por el centro del camino y no te harán daño".

"Dejó atrás la dificultad y ahora enfrenta el miedo;
aunque lograra subir la colina, ahora los leones le rugen.
Para un hombre cristiano siempre hay sobresaltos;
cuando un terror desaparece, otro toma su lugar".

Entonces vi que Cristiano siguió adelante aunque temblaba de miedo, haciendo caso de las indicaciones del portero. Oyó rugir a los leones, pero no le hicieron daño. Logró llegar a la puerta y dijo al portero: "Señor, ¿de quién es esta casa? ¿Puedo alojarme aquí esta noche?". El portero respondió: "Fue construida por el Señor de la colina para el alivio y seguridad de los peregrinos". También le preguntó de dónde venía y hacia dónde se dirigía.

CRISTIANO. Vengo de la Ciudad de la Destrucción y me dirijo al Monte Sion. Como ya se ha puesto el sol, deseo, si puedo, alojarme aquí esta noche.

VIGILANTE. ¿Cómo te llamas?

CRISTIANO. Ahora me llamo Cristiano, pero al principio me llamaba Sin Gracia. Soy de la raza de Jafet, a quien Dios permitirá habitar en las tiendas de Sem [Gn 9:27].

VIGILANTE. Pero ¿cómo es que vienes tan tarde? Ya es de noche.

CRISTIANO. Hubiera llegado antes si —¡hombre desgraciado que soy!— no me hubiera dormido en el cenador de la ladera. Es más, hubiera llegado mucho antes si durante mi sueño no hubiera perdido mi rollo sin darme cuenta. Tuve que volver al lugar donde dormí para buscarlo, de modo que apenas ahora es que llego aquí.

VIGILANTE. Muy bien, llamaré a una de las damas que viven aquí. Si le convence tu historia, te presentará al resto de la familia, de acuerdo con las reglas de la casa.

Entonces Vigilante, el portero, tocó una campana, a cuyo sonido salió a la puerta de la casa una digna y bella doncella llamada Discreción, quien preguntó por qué la llamaban.

"Este hombre viene de la Ciudad de la Destrucción y se dirige al Monte Sion. Le alcanzó la noche y le gustaría pasar la noche aquí. Le dije que usted hablaría con él y tomaría la decisión más acorde con las normas de la casa".

Discreción le preguntó cómo había encontrado el camino correcto y qué cosas había visto en el camino. Al final le preguntó su nombre, y él dijo: "Cristiano, y tengo un gran deseo de quedarme aquí, pues veo que este lugar fue construido por el Señor de la colina para alivio y seguridad de los peregrinos". Ella sonrió, pensó un momento, con lágrimas en los ojos, y luego dijo: "Llamaré a dos o tres más de mi familia". Entonces se dirigió a la puerta y llamó a Prudencia, Piedad y Caridad, quienes, tras una breve conversación con él, le invitaron a entrar para que conociera a las demás. Salieron a recibirlo en el umbral de la casa, diciendo: "Entre, bendito del Señor; esta casa fue construida por el Señor de la colina para el alivio de

peregrinos como usted". Él bajó la cabeza y las siguió hacia el interior. Una vez sentado, le trajeron algo para beber y acordaron que, mientras estaba lista la cena, debían abordar temas particulares con Cristiano. Eligieron a Piedad, Prudencia y Caridad para dirigir la conversación, y así comenzaron:

PIEDAD: Buen Cristiano, dado que te hemos recibido con tanto afecto y te recibimos en nuestra casa esta noche, permítenos preguntarte sobre tu experiencia en el camino.

CRISTIANO. Con gusto lo haré, y me alegra que sea de su interés.

PIEDAD. ¿Qué te impulsó al principio a venir en esta peregrinación?

CRISTIANO. Fui expulsado de mi país natal por un sonido espantoso que retumbaba en mis oídos: a saber que la destrucción inevitable me esperaba si me quedaba allí.

PIEDAD. Pero ¿cómo saliste de tu país de esa manera?

CRISTIANO. Fue como Dios quiso. Cuando estaba bajo los temores de la destrucción, no sabía a dónde ir; pero por casualidad vino a verme un hombre llamado Evangelista en mi peor momento. Él me señaló la puerta angosta, que de otro modo yo nunca hubiera encontrado, y así me puso en el camino que me ha conducido directamente a esta casa.

PIEDAD. ¿No viniste desde la casa del Intérprete?

CRISTIANO. Sí, y vi cosas allí que recordaré siempre mientras viva, especialmente tres cosas: que Cristo, a pesar de Satanás, mantiene su obra de gracia en el corazón; que el hombre ha pecado tanto como para exceder las esperanzas de la misericordia de Dios; y el sueño de un hombre que pensaba que había llegado el día del juicio.

PIEDAD. ¿Le oíste contar su sueño?

CRISTIANO. Sí, y era espantoso. Me dolía el corazón mientras lo contaba, pero me alegro de haberlo oído.

PIEDAD. ¿Fue eso todo lo que viste en casa del Intérprete?

CRISTIANO. No. Me mostró también un palacio señorial donde la gente estaba vestida de dorado. Allí llegó un aventurero y se abrió paso entre los hombres armados que custodiaban la puerta, y desde adentro le pidieron que entrara y ganara la gloria eterna. Esas cosas me llenaban el corazón. Me hubiera quedado en casa de aquel buen hombre un año completo, pero sabía que tenía que seguir.

PIEDAD. ¿Y qué más viste en el camino?

CRISTIANO. Un poco más adelante vi lo que pensaba que era un hombre colgado de un árbol. Nada más mirarlo, la pesada carga que llevaba en mi espalda se desplomó. Fue muy extraño para mí, pues nunca había visto algo así. Y mientras miraba hacia la cruz —no podía dejar de mirar—, llegaron tres Luminosos. Uno de ellos testificó que mis pecados me eran perdonados; otro me despojó de mis harapos y me dio esta túnica que ves; y el tercero puso la marca que ves en mi frente, y me dio este rollo de papel sellado.

PIEDAD. Pero viste más que esto, ¿no es así?

CRISTIANO. Las cosas que te he nombrado fueron las mejores; pero vi otras. Por ejemplo, vi a tres hombres, Simple, Pereza y Presunción, que yacían dormidos un poco fuera del camino con grilletes en los pies. Aunque intenté despertarlos y prevenirlos, no pude. También vi a Formalidad e Hipocresía saltar por encima del muro para ir, según pretendían, a Sion. Pero los dos se perdieron rápidamente de la forma que yo mismo les advertí y que no quisieron creer. Sobre todo, me

costó mucho trabajo subir esta colina y pasar frente a las bocas de los leones; si no hubiera sido por el buen portero, no sé qué habría podido hacer sino retornar. Pero ahora le doy gracias a Dios por estar aquí, y les doy las gracias por recibirme.

Entonces Prudencia creyó oportuno hacerle algunas preguntas más.

PRUDENCIA. ¿No piensas a veces en el país que dejaste?

PENSAMIENTOS DE CRISTIANO SOBRE SU PAÍS NATAL

CRISTIANO. Sí, pero con mucha vergüenza y reprobación: "Pues si de veras se acordaran de la tierra de donde salieron, tendrían oportunidad de regresar, pero ahora anhelan una patria superior; es decir, la celestial" [Heb 11:15-16].

PRUDENCIA. ¿No tienes todavía algunas de sus costumbres?

CRISTIANO. Sí, pero contra mi voluntad; especialmente mis pensamientos carnales, con los que todos mis compatriotas, así como yo mismo, estaban encantados. Ahora esas cosas me afligen, y quisiera escoger las mías propias.

LA ELECCIÓN DE CRISTIANO

Elegiría no pensar nunca más en esas cosas. Pero, aunque deseo hacer lo bueno, no soy capaz de hacerlo. De hecho, no hago el bien que quiero, sino el mal que no quiero [Rom 7:16-19].

PRUDENCIA. ¿No encuentras a veces que esas cosas carnales de las que hablas, que otrora te causarían perplejidad, fueron vencidas?

LAS HORAS DORADAS DE CRISTIANO

CRISTIANO. Sí, aunque pocas veces. Aun así, para mí son las horas doradas de mi vida cuando me suceden tales cosas.

PRUDENCIA. ¿Puedes recordar cuándo experimentas esos momentos de victoria sobre el pecado?

CRISTIANO. Sí, cuando pienso en lo que vi en la cruz, eso es suficiente. Cuando miro mi túnica bordada, también me basta. También cuando miro en el rollo de papel que llevo en mi pecho, eso me basta, y cuando pienso en el lugar al que voy, eso me basta.

PRUDENCIA. ¿Y qué es lo que te hace desear tanto ir al Monte Sion?

CRISTIANO. La esperanza de poder ver vivo a quien murió en la cruz, de estar con quienes son como él, y de deshacerme de todas las cosas que hasta hoy me disgustan [Is 25:8; Ap 21:4]. Porque, a decir verdad, lo amo, porque él alivió mi carga, y estoy cansado de mi enfermedad interior. Me gustaría estar donde no moriré más y en compañía de quienes siempre gritarán: "¡Santo, Santo, Santo!".

Entonces dijo Caridad a Cristiano: "¿Tienes familia? ¿Eres casado?".

CRISTIANO. Tengo mujer y cuatro hijos pequeños.

CARIDAD. ¿Y por qué no los trajiste contigo?

EL AMOR DE CRISTIANO A SU MUJER Y A SUS HIJOS

Entonces Cristiano echó a llorar, y respondió: "¡Oh, con qué gusto lo hubiera hecho! Pero todos ellos eran totalmente reacios a mi peregrinación".

CARIDAD. Pero deberías haber hablado con ellos y haberte esforzado por mostrarles el peligro de quedarse atrás.

CRISTIANO. Así lo hice, y les conté también lo que Dios me había mostrado de la destrucción de nuestra ciudad, pero "les pareció que bromeaba" y no me creyeron [Gn 19:14].

CARIDAD. ¿Y rogaste a Dios que bendijera tu consejo para ellos?

CRISTIANO. Sí, y muy encarecidamente, porque debes tener presente que mi esposa y mis pobres hijos fueron muy queridos para mí.

CARIDAD. Pero, ¿les hablaste de tu propio dolor y miedo a la destrucción? Porque supongo que la destrucción era bastante visible para ti.

EL MIEDO DE CRISTIANO A LA MUERTE PODÍA LEERSE EN SU SEMBLANTE

CRISTIANO. Sí, una y otra vez. También podían ver el terror en mi semblante, en mis lágrimas y en mis escalofríos cuando pensaba en el juicio que pendía sobre nuestras cabezas. Pero todo eso no bastó para convencerlos de que vinieran conmigo.

CARIDAD. ¿Qué razones te dieron para no acompañarte?

CRISTIANO. Mi mujer tenía miedo de perder este mundo y mis hijos estaban entregados a los insensatos deleites de la juventud: así, por una cosa o por otra, me dejaron vagar solo.

CARIDAD. ¿Acaso tu propia vida era tan vana que anuló tu ferviente convicción y destruyó tu testimonio?

LA RELACIÓN DE CRISTIANO CON SU MUJER Y SUS HIJOS

CRISTIANO. Es verdad que no puedo elogiar mi propia vida; soy consciente de muchos de sus defectos. Sé también que un hombre puede, con su comportamiento, fácilmente derribar lo que con argumentos o persuasión se esfuerza por inculcar en otros. Sin embargo, puedo decir que me cuidé mucho de cualquier acción indecorosa que les produjera aversión a peregrinar. Sí, por eso mismo ellos me decían que era demasiado estricto y que, por su bien, me negaba a mí mismo de cosas que ellos no veían mal. No, creo que les disgustaba de mí que fuera tan cuidadoso de pecar contra Dios o hacer mal a mi prójimo.

CARIDAD. En efecto, Caín odiaba a su hermano, "porque sus obras eran malas, y las de su hermano eran justas" [1 Jn 3:12]. Si tu mujer e hijos se ofendieron contigo por esto, demostraron su rechazo contra la verdadera rectitud. Tú, por otro lado, ya "has librado tu alma de su sangre" [Ez 3:19].

Vi en mi sueño que siguieron conversando hasta que la cena estuvo lista. Entonces se sentaron a una mesa provista de "manjares suculentos y refinados vinos añejos"; y toda su conversación en la mesa era sobre el Señor de la colina; a saber, sobre lo que había hecho, y por qué había hecho lo que había hecho, y por qué había edificado aquella casa. Comentaron que el Señor había sido un gran guerrero, que dio muerte "al que tenía el poder de la muerte", no sin gran peligro para sí mismo [Heb 2:14-15].

"Según entiendo, perdió mucha sangre en esa batalla", dijo Cristiano. Los demás dijeron que lo que agregaba la gloria de la gracia a todos sus actos es que los hacía por puro amor

a su país. Y, además, había algunos de la casa que habían hablado con él después de que murió en la cruz; y atestiguaron que lo supieron de sus propios labios: "que él ama más a los pobres peregrinos que cualquiera entre el este y oeste de este mundo".

Afirmaron que el Señor se había despojado de su gloria para hacer esto por los pobres, y que le oyeron decir y afirmar "que no quería morar solo en el monte de Sion". Dijeron, además, que había hecho príncipes a muchos peregrinos, aunque eran mendigos de nacimiento [1 Samuel 2, 8; Salm 113, 7].

LA ALCOBA DE CRISTIANO

Hablaron hasta bien entrada la noche, y después se encomendaron a la protección de su Señor y se retiraron a descansar. Al Peregrino le asignaron una gran alcoba, llamada Paz, cuya ventana se abría hacia el este. Allí durmió Cristiano hasta el amanecer, y entonces se despertó y cantó:

"¿Dónde estoy ahora? ¿Son estos el amor y el cuidado
de Jesús para los hombres peregrinos?
¡Tanto proveer! ¡Y perdonar mis pecados!
¡Y habitar ya la puerta próxima al cielo!".

Por la mañana conversó un rato más con los de la casa, quienes insistieron que no partiese hasta que le hubiesen mostrado las rarezas de aquel lugar. Primero lo llevaron al estudio, donde le mostraron registros de la mayor antigüedad. Según recuerdo de mi sueño, le mostraron primero el árbol genealógico del Señor de la colina, quien era hijo del Anciano de

los Días y procedía de la generación eterna. También tenían un historial detallado de todos sus actos, y una lista con los nombres de los cientos de hombres que le servían y a quienes él había concedido moradas eternas.

Luego le leyeron algunos de los actos estimables que algunos de sus siervos habían hecho: "conquistaron reinos, hicieron justicia, alcanzaron promesas, taparon bocas de leones, sofocaron la violencia del fuego, escaparon del filo de la espada, sacaron fuerzas de la debilidad, se hicieron poderosos en batalla y pusieron en fuga los ejércitos de los extranjeros" [Heb 11:33-34].

Después leyeron actas donde se mostraba la disposición de su Señor a recibir a cualquiera, incluso a quien le hubiera ofendido en el pasado. Cristiano vio todas estas cosas junto con profecías atestiguadas y predicciones que seguramente ocurrirían para confusión de los incrédulos y consuelo de los peregrinos, fieles en su camino hacia la tierra mejor.

Al día siguiente, le mostraron la armería, donde había todo tipo de mobiliario que su Señor había provisto a los peregrinos: espada, escudo, yelmo, coraza y zapatos que no se desgastaban. Había suficientes para armar a tantos hombres al servicio de su Señor como hay estrellas en el cielo.

También le mostraron algunos de los instrumentos con los que sus antiguos siervos habían realizado grandes hazañas: la vara de Moisés; el martillo y el clavo con que Jael mató a Sísara; los cántaros, las trompetas y las lámparas con que Gedeón hizo huir a los ejércitos de Madián; la aguijada de buey con que Samgar mató a seiscientos extranjeros; la quijada con la que Sansón destruyó a todo un ejército de filisteos; la honda y la piedra con las que el joven David derribó

al poderoso gigante Goliat; y la espada con la que su Señor matará al Hombre de Pecado. Le mostraron muchas, muchas otras cosas notables que encantaron a Cristiano, y luego volvieron a su descanso.

Vi en mi sueño que al día siguiente Cristiano se levantó para seguir su camino, pero los de la casa le persuadieron para que se quedara hasta el día siguiente. "Mañana, si el día está claro", prometieron, "te mostraremos las Montañas Deliciosas, que, por ser hermosas y estar mucho más cerca de tu deseado refugio, levantarán tu espíritu y te darán valor para tu viaje". Así que Cristiano consintió en quedarse. Cuando llegó la siguiente mañana, lo llevaron al techo de la casa y le dijeron que mirara hacia el sur. Así lo hizo, y a gran distancia divisó una hermosa región montañosa, adornada de bosques, viñas, frutas de todas clases, flores, manantiales y fuentes [Is 33:16-17]. Entonces preguntó cómo se llamaba aquello, y le indicaron que era la Tierra de Emanuel. "Es tan común", dijeron, "como lo es esta colina, para y por todos los peregrinos. Y cuando llegues allí, podrás ver la puerta de la Ciudad Celestial. Los pastores que viven allí te la mostrarán".

Ahora Cristiano dijo que quería seguir adelante, y ellos estaban de acuerdo. "Pero primero", dijeron, "vayamos de nuevo a la armería". Allí lo guarnecieron de la cabeza a los pies con lo que más podría necesitar en su camino. Vestido así, salió con sus amigos hacia la puerta, y allí le preguntó al portero, Vigilante, si había visto pasar a algún peregrino. El portero respondió: "Sí".

CRISTIANO. ¿Lo conocías?

VIGILANTE. Le pregunté su nombre y me dijo que era Fiel.

CRISTIANO. ¡Lo conozco! Es mi paisano, mi vecino más cercano, del lugar donde yo nací. ¿A qué distancia crees que esté ahora?

VIGILANTE. A estas horas ya estará debajo de la colina.

CRISTIANO. Bien. Buen Portero, el Señor sea contigo, y añada a todas sus bendiciones muchas más, por la bondad que me has mostrado.

Entonces Cristiano se puso en marcha, pero Discreción, Piedad, Caridad y Prudencia lo acompañaron un poco más. Siguieron charlando hasta que llegaron al pie de la colina, cuando dijo Cristiano: "Pensé que subir había sido difícil, pero veo que bajar es más peligroso". "Sí", dijo Prudencia, "lo es, porque es difícil para un hombre descender al Valle de la Humillación, como tú lo harás ahora, y no resbalar en el camino. Por eso vinimos a acompañarte colina abajo". Así que comenzaron a bajar muy cautelosamente, aunque Cristiano se resbaló un par de veces.

Luego vi en mi sueño que, al llegar al pie de la colina, estas gentiles acompañantes le entregaron una hogaza de pan, una botella de vino y un racimo de pasas. Con eso, siguió su camino.

En el Valle de la Humillación, Cristiano pasó por duras pruebas. No había ido muy lejos cuando vio al demonio Apolión atravesando el campo hacia él. Al verlo, Cristiano se llenó de temor y comenzó a preguntarse qué debía hacer. ¿Debía retroceder apresuradamente o mantenerse firme? Entonces recordó que no tenía armadura para la espalda, por lo que darse la vuelta le habría dado ventaja al demonio para atravesarle con sus dardos.

LA RESOLUCIÓN DE CRISTIANO FRENTE A APOLIÓN

Por lo tanto, resolvió arriesgarse y permanecer firme, pues pensó que si no tenía más objetivo que salvar su vida, esa sería la mejor manera de mantenerse en pie.

Continuó andando y pronto se le acercó Apolión: un monstruo espantoso a la vista, cubierto de escamas como un pez (de las que estaba muy orgulloso), alas de dragón, pies de oso y boca de león, y de cuyo vientre salían fuego y humo. Se acercó y miró fijamente a Cristiano con una mirada horrible y comenzó a interrogarlo.

APOLIÓN. Forastero, ¿de dónde vienes y dónde vas?

CRISTIANO. Vengo de la Ciudad de la Destrucción, el lugar de todo el mal, y me dirijo a la Ciudad de Sion.

APOLIÓN. Entonces eres uno de mis súbditos, pues todo ese país es mío, y yo soy el príncipe y dios de él. ¿Cómo es, entonces, que huiste de tu rey? Si no fuera porque quiero que me prestes tus servicios, te derribaría de un golpe.

CRISTIANO. Nací, en efecto, en tus dominios, pero tu servicio fue duro y tu paga no alcanzaba para vivir, "porque la paga del pecado es muerte" [Rom 6:23]. Por eso, cuando me hice mayor, hice lo que otras personas de bien hacen: mirar hacia fuera y buscar enmendarme.

LOS HALAGOS DE APOLIÓN

APOLIÓN. Has de saber que ningún príncipe deja ir tan fácilmente a sus súbditos; tampoco yo te dejaré ir a ti. Pero ya que te quejas del servicio y del salario, podemos arreglar eso.

Vuelve, y lo que el país pueda pagar, yo me encargaré de que lo recibas.

CRISTIANO. Pero ya me entregué a otro, al Rey de todos los príncipes. ¿Cómo podría volver a ti?

APOLIÓN. Hiciste lo que dice el proverbio: "ir de mal en peor". Pero es común que quienes aceptan la promesa de aquel rey y se entregan a su servicio, lo intenten por un tiempo y vuelvan a mi dominio. Haz tú lo mismo, y todo irá bien.

CRISTIANO. Le he dado mi fe y le he jurado lealtad. Si me retracto, me colgarían como a un traidor.

APOLIÓN. Tú me hiciste lo mismo, pero estoy dispuesto a olvidarlo si te das la vuelta ahora.

CRISTIANO. Lo que te prometí a ti fue en mi juventud, cuando era ignorante. Pero el Príncipe al que sirvo ahora es capaz de absolverme y perdonar todo lo que hice mientras te servía. Y, a decir verdad, destructor Apolión, me gusta mucho más su servicio, su salario, sus siervos, su gobierno, su compañía y su país que los tuyos. No intentes persuadirme más; soy su siervo y lo seguiré.

APOLIÓN. Piénsalo de nuevo con la cabeza fría. Piensa en lo que te encontrarás en el camino que elegiste. Sabes que, en su mayoría, sus seguidores perecen por ir en contra mía y de mi gobierno. ¡Cuántos han sufrido horribles muertes! Además, dices que su servicio es mejor que el mío, pero él nunca ha salido de su morada para liberarlos a ustedes de mí. En cambio, todo el mundo sabe muy bien que yo libero a mis fieles seguidores de él y los suyos, ya sea por poder o por fraude. Y ten por seguro que te libraré a ti.

CRISTIANO. Si ahora él no libera a sus siervos es para probar su amor, para que demuestren su sinceridad. Y en

cuanto a la muerte de la que hablas, eso es lo más notorio: sus siervos no esperan la liberación presente porque esperan su gloria, y tendrán su recompensa cuando su Príncipe venga con toda su gloria y la de los ángeles.

APOLIÓN. Ya le has sido infiel en tu servicio, ¿cómo piensas cobrar de él?

CRISTIANO. ¿En qué, Apolión, le he sido infiel?

APOLIÓN. Desmayaste al partir, cuando casi te ahogaste en el pantano. Intentaste tomar caminos erróneos para librarte de tu carga, cuando debías haber esperado que tu príncipe te la quitara. Te dormiste en la mitad del día y perdiste tu rollo, y casi decidiste regresar cuando viste a los leones. Y cuando hablas de tu viaje, y de lo que oíste y viste, en tu interior estás deseoso de vana gloria.

CRISTIANO. Todo esto es verdad, y mucho más que no has mencionado. Pero el Príncipe a quien sirvo y honro es misericordioso y está dispuesto a perdonar. Además, me contagié de estas enfermedades en tu país, sufrí por ellas, me arrepentí de ellas y obtuve el perdón de mi Príncipe.

Entonces Apolión estalló en cólera, diciendo: "¡Soy enemigo de ese príncipe; odio a su persona, a sus leyes y a su pueblo!".

CRISTIANO. Apolión, cuidado con lo que haces. Estoy en el camino del Rey, el camino de la santidad. Por lo tanto, ten cuidado.

Entonces Apolión se puso a horcajadas sobre toda la anchura del camino, y dijo: "Yo no le temo. Tú prepárate para morir, porque juro por mi guarida infernal, que no avanzarás más: aquí derramaré tu alma".

Y con esto le lanzó un dardo de fuego al pecho, pero Cristiano tenía un escudo en la mano, con el que lo atrapó y así evitó el peligro.

Cristiano desenvainó su espada y se preparó para la batalla. Apolión se abalanzó sobre él con furia, lanzando dardos tan gruesos como el granizo. Algunos impactaron por encima y otros por debajo del escudo de Cristiano, hiriéndolo a pesar de todo lo que pudo hacer para defenderse. Cristiano retrocedió un poco. Al ver esto, Apolión lo atacó con todas sus fuerzas, y Cristiano se armó de valor para resistir tanto como pudo. Este combate duró más de medio día, y las fuerzas de Cristiano estaban casi agotadas a causa de todas sus heridas.

Apolión se dio cuenta de que Cristiano se debilitaba más y más. Aprovechándose de ello, lo agarró y lo tiró al suelo y la espada de Cristiano voló de su mano. "Ahora", dijo Apolión, "estoy seguro de que te tengo". Comenzó a golpearlo, y Cristiano temió que realmente moriría. Pero Dios quiso que, al levantar Apolión su mano para dar el golpe final, Cristiano lograra alcanzar su espada y dijera: "Enemigo mío, no te alegres contra mí, pues aunque caí, me levantaré" [Miq 7:8].

LA VICTORIA DE CRISTIANO SOBRE APOLIÓN

Entonces Cristiano le propinó un golpe a Apolión que lo hizo retroceder como herido de muerte. Al darse cuenta de esto, lo golpeó de nuevo, diciendo: "En todas estas cosas somos más que vencedores por medio de aquel que nos amó" [Rom 8:37]. Apolión desplegó sus alas y echó a volar. Por mucho tiempo, Cristiano no volvió a verlo [Sant 4:7].

Nadie puede imaginarse este combate a menos que haya visto y oído, como yo, los gritos y espantosos rugidos de Apolión y los suspiros y gemidos que brotaban del corazón de Cristiano. La expresión de terror de este no cambió hasta haber herido a Apolión con su espada de doble filo; entonces, sonrió y miró hacia arriba. Sin embargo, es la escena más espantosa que he visto jamás.

Difícilmente puede haber un combate más desigual: Cristiano debe luchar contra un ángel.

Pero, ya ven: El hombre valiente, manejando la espada y el escudo, obliga al Dragón a retirarse.

Cuando terminó la batalla, Cristiano dijo: "Daré gracias a quien me condujo fuera de la boca del león; a quien me ayudó a derrotar a Apolión". Y así lo hizo, diciendo:

"Gran Belcebú, el Rey de este demonio,
quiso arruinarme, y para ello
lo envió armado. Y él, con furia infernal,
me atacó ferozmente.
Pero el bendito Arcángel Miguel me ayudó, y yo,
a fuerza de espada, le hice huir rápidamente.
Permítanme, entonces, alabarlo por siempre,
y agradecer y bendecir su santo nombre eternamente".

En ese momento llegó a él una mano con algunas de las hojas del Árbol de la Vida. Cristiano las tomó y las aplicó sobre sus heridas, que se curaron de inmediato. Luego se sentó a comer pan y beber de la botella que le habían dado, y ya refrescado, siguió su viaje con la espada en mano, pues se dijo:

"No sé si algún otro enemigo estará cerca". Sin embargo, no volvió a cruzarse con Apolión en todo el valle.

Ahora bien, al final de este valle había otro, llamado el Valle de la Sombra de la Muerte, y Cristiano debía atravesarlo para llegar a la Ciudad Celestial. Se trata de un lugar muy solitario. El profeta Jeremías lo describe así: "Una tierra árida y de hoyos, una tierra reseca y de densa oscuridad, una tierra por la cual ningún hombre ha pasado ni habitó allí hombre alguno" [Jer 2:6].

Allí Cristiano enfrentó peores obstáculos que su lucha contra Apolión, como se verá más adelante.

Vi en mi sueño que cuando Cristiano llegó a las fronteras del Valle, le salieron al encuentro dos hombres, hijos de los que traían malas noticias de la tierra buena [Nm 13]. Los hombres se apresuraban a regresar, y Cristiano los interrogó así:

CRISTIANO. ¿A dónde se dirigen?

HOMBRES. ¡Atrás! ¡Atrás! Y tú también deberías, si quieres conservar tu paz o tu vida.

CRISTIANO. ¿Qué pasa?

HOMBRES. Andábamos por el camino como tú y fuimos tan lejos como nos atrevimos. Si hubiéramos ido un poco más lejos, no estaríamos aquí para traer la noticia.

CRISTIANO. Pero ¿qué encontraron?

HOMBRES. Estábamos casi en el Valle de la Sombra de la Muerte; pero, por buena suerte, miramos delante de nosotros, y vimos el peligro antes de llegar a él [Salm 44:19; 107:10].

CRISTIANO. Pero ¿qué vieron?

HOMBRES. ¡Qué vimos! Pues el Valle mismo, que es tan oscuro como la brea. También vimos a los duendes, los sátiros y los dragones de la fosa; oímos también aullidos y gritos

sin parar, como de gente bajo dolores indecibles; y sobre el Valle se ciernen las nubes tristes de la confusión. Las alas de la muerte están siempre desplegadas sobre él. En una palabra, es espantoso en todos los sentidos, no tiene orden alguno [Job 3:5; 10:22].

CRISTIANO. Por lo que dicen, solo puedo concluir que este es mi camino hacia el puerto deseado [Jer 2:6].

HOMBRES. Haz lo que quieras, pero nosotros no avanzaríamos más.

Entonces se separaron y Cristiano siguió su camino, pero todavía con su espada desenvainada en la mano, por miedo a ser sorprendido.

Ahora vi en mi sueño que en el Valle había una zanja muy profunda —donde los ciegos durante siglos han guiado a otros ciegos— de la que nadie ha salido jamás [Salm 69:14-15]. Al otro lado, había un lodazal inmundo donde los lujuriosos de todas las épocas han caído y no han encontrado fondo. El rey David cayó una vez allí y se habría ahogado si el misericordioso Señor no lo hubiera sacado.

El camino aquí era excesivamente estrecho y, por lo tanto, el buen Cristiano se vio en mayores aprietos: cuando intentaba evitar la zanja por un lado, estaba a punto de caer en el lodo por el otro; cuando buscaba escapar del lodo, por poco caía en la zanja. Así siguió, suspirando amargamente, porque el camino era tan oscuro que muchas veces no sabía dónde o sobre qué poner sus pies.

Pobre hombre, ¿dónde estás ahora? Tu día es noche.
Buen hombre, no te desanimes, aún estás haciendo lo
correcto.

Tu camino al cielo está a las puertas del infierno.
Anímate, resiste, todo irá bien.

Casi a la mitad de este valle observé la boca del infierno, que también estaba junto al camino. De vez en cuando el fuego y el humo salían en abundancia, con chispas y horribles ruidos. Como estas eran cosas que no podía dañar con su fuerza, Cristiano se vio obligado a guardar su espada y a dedicarse a otra arma llamada Toda Oración [Ef 6:18]. Así que clamó: "¡Libra, oh Señor, mi vida!" [Salm 116:4]. Continuó así durante mucho tiempo, pero las llamas seguían alcanzándolo. También oía voces lúgubres y sonidos de pasos de un lado a otro, de acá para allá, de modo que a veces creía que iba a ser pisoteado como lodo en las calles. Cuando llegó a un lugar donde creyó oír a un grupo de demonios que venían por él, se detuvo a pensar sobre lo que más le convenía hacer. A veces pensaba en volver atrás; luego pensaba que quizá ya estaba a medio camino; recordaba también que había vencido muchos peligros ya y que retroceder podía ser peor que avanzar, así que decidió seguir. Los demonios se aproximaron más y más, pero cuando llegaron a él, les gritó con la voz más vehemente: "¡Caminaré con la fuerza de Dios, el Señor!". Con eso retrocedieron y no avanzaron más.

Una cosa noté: el pobre Cristiano estaba tan confundido que no reconocía su propia voz; y justo cuando se acercaba a la boca del infierno, uno de los villanos se puso detrás de él y comenzó a susurrarle blasfemias que él pensó que venían de su propia mente. Esto espantó a Cristiano más que cualquier otra cosa: pensar que podía blasfemar de aquel que tanto amaba. Si hubiera podido evitarlo, lo hubiera hecho, pero no era capaz

de taparse los oídos y mucho menos de saber de dónde venían las blasfemias.

Cuando Cristiano hubo andado por un tiempo considerable, le pareció oír la voz de un hombre que iba delante de él, diciendo: "Aunque ande por el valle de la sombra de la muerte, no temeré mal alguno, porque tú estás conmigo" [Salm 23:4]. Entonces se alegró por estas razones:

Primero, porque dedujo de esto que algunos otros temerosos de Dios estaban en el valle, igual que él.

Segundo, porque se dio cuenta de que Dios estaba con ellos, incluso en ese lugar oscuro y lúgubre. Las condiciones del lugar simplemente le impedían percibirlo [Job 9:11].

Tercero, porque esperaba, si alcanzaba a los demás, tener compañía pronto. Así que llamó al que iba delante; pero este no sabía qué responder, pues también creía estar solo.

Al rayar el alba, Cristiano dijo: "Ha convertido las tinieblas en mañana" [Amós 5:8]. En ese momento miró hacia atrás, no por deseo de volver, sino para ver, a la luz del día, los peligros que había sorteado en la oscuridad. Así vio claramente la zanja a un lado y el lodazal del otro, y lo angosto que era el camino entre ambos. También vio a los duendes, sátiros y dragones de la zanja, pero todos lejos, porque no se acercaban después del amanecer. Sin embargo, pudo verlos según lo que está escrito: "[Él] descubre las profundidades de las tinieblas y saca a la luz la densa oscuridad" [Job 12:22].

La visión de los peligros que había evitado conmovió mucho a Cristiano. La luz del sol era una gran bendición, porque la peor parte del camino estaba por delante: hasta el final del valle había redes, trampas, escollos, cepos, grandes agujeros y pozos profundos. Nadie podría haberlos evitado

todos en la oscuridad. Entonces dijo: "Hace resplandecer su lámpara sobre mi cabeza, y a su luz camino en la oscuridad" [Job 29:3].

Con esa luz, pues, llegó al final del valle. Vi en mi sueño que en el límite de este había sangre, huesos, cenizas y cadáveres destrozados, incluso de peregrinos que habían pasado antes por allí. Mientras me preguntaba cuál sería la razón de esto, vi frente a mí una cueva donde dos gigantes poderosos y tiránicos, Papa y Pagano, moraban desde tiempos inmemoriales. Eran ellos quienes habían ejecutado a esos hombres. Sin embargo, Cristiano pasó por el lugar tranquilamente. Esto me asombró, pero luego supe que Pagano lleva muerto mucho tiempo y que el otro, Papa, está tieso y loco debido a su avanzada edad y a los golpes que recibió en su juventud; solo puede sonreírles a los peregrinos cuando pasan por la boca de su cueva, mordiéndose las uñas porque no puede tocarlos.

Vi, pues, que Cristiano seguía su camino; pero, al ver al anciano Papa en la boca de la cueva, no supo qué pensar. El gigante le decía, aunque no podía ir tras él: "Nunca enmendarán sus vidas hasta que más de ustedes ardan". Cristiano calló y puso buena cara, y así pasó sin daños. Entonces cantó:

"¡Oh, mundo maravilloso! (no puedo decir menos),
¡Que haya llegado hasta aquí!
¡Que haya sobrevivido a esa angustia!
Bendita sea la mano que me libró.
Peligros en tinieblas, demonios, infierno y pecado
me rodearon mientras estuve en este valle.
Sí, trampas, pozos, trampas y redes me cercaban,

y yo, inútil y tonto, podría haber caído.
Pero, ya que estoy vivo, que sea Jesús quien se lleve la gloria".

Llegó a una pequeña colina que había sido levantada a propósito para que los peregrinos pudieran ver el horizonte. Cristiano comenzó a subir y, al mirar hacia adelante, vio a Fiel. Entonces dijo: "¡Ho! ¡Ho! Espérame, y yo seré tu compañero". Fiel miró hacia atrás y Cristiano gritó de nuevo: "¡Espera, espera, hasta que suba contigo". Pero Fiel respondió: "No, me persigue un enemigo y no puedo perder tiempo".

Ante esta respuesta, Cristiano juntó toda su energía para alcanzar a Fiel y, exultante, lo pasó corriendo. Entonces se volvió y sonrió con un poco de vanidad porque lo había adelantado. Pero, al distraerse, tropezó y cayó y, como estaba un poco cansado, no pudo levantarse inmediatamente. Entonces llegó Fiel y lo ayudó a ponerse en pie.

LA CAÍDA DE CRISTIANO HACE QUE FIEL Y ÉL VAYAN JUNTOS

Entonces vi en mi sueño que iban juntos y conversaban dulcemente de todas las cosas que les habían sucedido en su peregrinación. Así comenzó Cristiano:

CRISTIANO. Mi honrado y bien amado hermano, Fiel, me alegro de haberte alcanzado y de que Dios haya templado nuestros espíritus para que podamos caminar juntos en esta senda tan agradable.

FIEL. Querido amigo, deseaba tener tu compañía desde que partí de la ciudad, pero te habías adelantado demasiado.

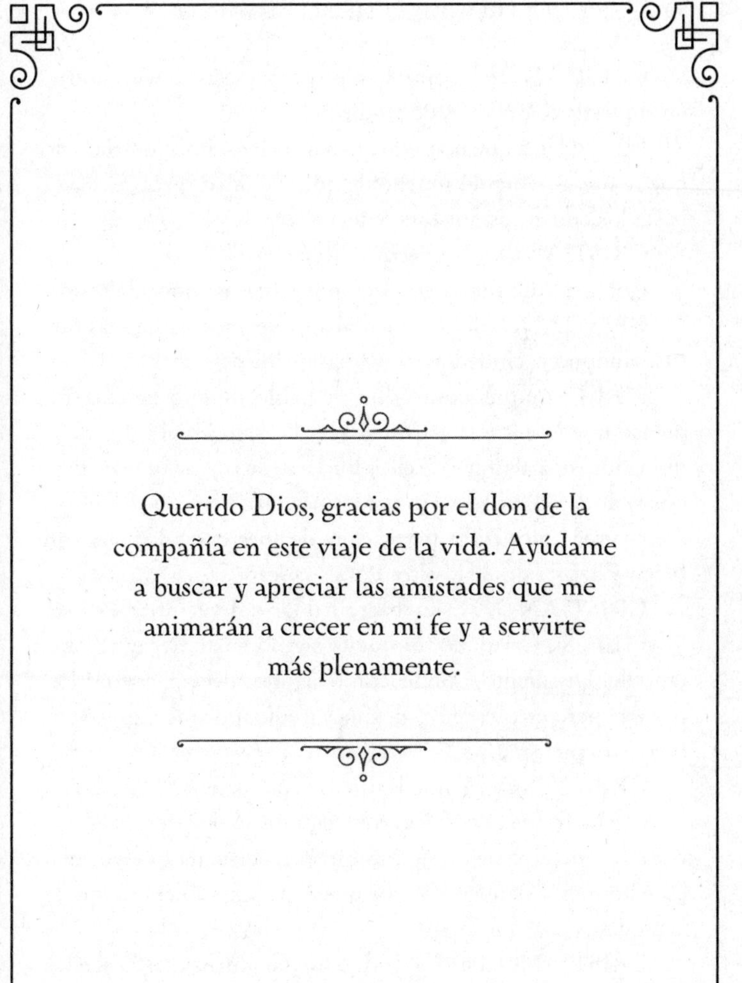

Querido Dios, gracias por el don de la compañía en este viaje de la vida. Ayúdame a buscar y apreciar las amistades que me animarán a crecer en mi fe y a servirte más plenamente.

CRISTIANO. ¿Cuánto tiempo permaneciste en la Ciudad de la Destrucción antes de seguirme?

FIEL. Hasta que no pude quedarme más. Poco después de que te fueras se habló mucho de que la ciudad sería quemada hasta los cimientos por fuego del cielo.

CRISTIANO. ¿Tus vecinos decían eso?

FIEL. Sí, durante algún tiempo estuvo en boca de todos.

CRISTIANO. Si lo comentaban, ¿por qué nadie más que tú abandonó la ciudad para escapar de los peligros?

FIEL. Aunque, como dije, se habló mucho de ello, no pienso que lo creyeran firmemente. Porque, en el calor de la discusión, oí a algunos de ellos burlarse de ti y de tu viaje desesperado (así llamaban a tu peregrinación). Pero yo sí creí —y creo— que la noticia es cierta: el fin de nuestra ciudad será con fuego y azufre desde lo alto. Por eso escapé.

CRISTIANO. ¿Escuchaste hablar del vecino Flexible?

FIEL. Sí, Cristiano, oí que te siguió hasta llegar al Pantano del Desaliento, donde, como algunos decían, cayó. Él lo negaba, pero estoy seguro de que sucedió, porque regresó cubierto de suciedad.

CRISTIANO. ¿Y qué le dijeron sus vecinos?

FIEL. Todos lo condenaron; algunos lo despreciaron y se burlaron de él y casi ninguno quiso tener nada que ver con él. Ahora está siete veces peor que si nunca hubiera salido de la ciudad.

CRISTIANO. Pero ¿por qué son tan duros con él, si ellos mismos desprecian el camino que abandonó?

FIEL. Oh, dicen: ¡cuélguenlo, es un traidor, no fue fiel a su profesión! Creo que el mismo Dios ha incitado a sus enemigos a abuchearlo por haber dejado el camino [Jer 29:18-19].

CRISTIANO. ¿No hablaste con él antes de salir?

FIEL. Una vez me encontré con él en la calle, pero me miró de reojo, como avergonzado de lo que había hecho; por eso no le hablé.

CRISTIANO. Bueno, al principio tenía esperanzas en ese hombre; pero ahora temo que perezca con la ciudad. Le ha sucedido lo que dice el proverbio verdadero: "El perro se volvió a su propio vómito, y 'la puerca lavada, a revolcarse en el cieno'" [2 Pedro 2:22].

FIEL. Yo también temía eso, pero ¿quién puede impedir lo que será?

CRISTIANO. Bien, vecino Fiel, pasemos a hablar de cosas más inmediatas. Cuéntame lo que has visto en tu camino, porque sé que te has topado con mucho y que podrías contar maravillas.

FIEL. Escapé del pantano en que oí que caíste y llegué hasta la puerta. Solo me topé con la señora Licenciosa, que hubiera querido distraerme.

CRISTIANO. Hiciste bien en escapar de su red. Recuerda que José cayó en compañía de una mujer así, y aunque pudo escapar, casi le costó la vida [Gn 39:11-13]. ¿Qué te hizo?

FIEL. No te imaginas qué lisonjera lengua tenía. Me insistió mucho que me desviara, prometiéndome toda clase de deleites.

CRISTIANO. Estoy seguro de que no eran los deleites de una buena conciencia.

FIEL. No, ya sabes lo que quiero decir: toda clase de satisfacción carnal.

CRISTIANO. ¡Gracias a Dios que escapaste de ella! "La boca de la adúltera es una fosa profunda; en ella caerá quien esté bajo la ira del Señor" [Pro 22:14].

FIEL. No, no sé si me libré de ella del todo.

CRISTIANO. ¿Por qué? Supongo que no accediste a sus deseos.

FIEL. No, no llegué al punto de mancillar mi cuerpo. Recordé una sagrada advertencia que dice: "Sus pies descienden hasta la muerte; sus pasos van derecho al sepulcro" [Pro 5:5]. Así que cerré mi mente a sus sugerencias seductoras, mis ojos a su torneada figura, y rechacé sus brazos [Job 31:1]. Entonces me maldijo y siguió su camino. Sin embargo, no puedo decir que mi mente siga siendo totalmente pura desde entonces; Dios sabe que desearía nunca haberla visto.

CRISTIANO. ¿No te encontraste con ningún otro enemigo?

FIEL. Cuando llegué al pie de la colina llamada Dificultad, me encontré con un hombre muy anciano que me preguntó quién era y a dónde iba. Le dije que era un peregrino que iba a la Ciudad Celestial. Entonces me dijo: "Pareces un hombre honrado; ¿te apetecería vivir conmigo y trabajar para mí por un salario?". Entonces le pregunté su nombre y dónde vivía. Respondió que se llamaba Adán el Primero y que vivía en la ciudad del Engaño [Ef 4:22]. Le pregunté por el trabajo y la paga. Me dijo que su trabajo era acumular y disfrutar de las delicias del mundo y que me pagaría haciéndome su heredero. Le pregunté cómo era su casa y cuántos otros sirvientes había. Dijo que su casa contaba con todos los manjares del mundo y que sus sirvientes eran sus tres hijas: Deseos de la Carne, Codicia de los Ojos y Arrogancia de la Vida [1 Jn 2:16]. "Puedes casarte con todas, si quieres", dijo. Finalmente, le pregunté cuánto tiempo quería que viviera con él. Y replicó: "Mientras yo viva".

CRISTIANO. Bueno, ¿y a qué conclusión llegaron?

FIEL. Pues, al principio, me sentí inclinado a aceptar, porque sonaba muy bien. Pero mientras hablaba con él, noté una inscripción en su frente: "Despójense del hombre viejo con sus obras".

CRISTIANO. ¿Y qué hiciste?

FIEL. Entonces me di cuenta de que, por mucho que me halagara, cuando llegara a su casa me vendería como esclavo. Así que le pedí que callara, pues no me acercaría a su puerta. Luego me maldijo y prometió que enviaría tras de mí a alguien para amargar mi camino. Justo cuando me alejaba de él, me echó los brazos alrededor del cuerpo, diciendo que yo era su hijo en primer lugar, y me dio tal tirón hacia atrás que pensé que me partiría en dos. Entonces grité: "¡Miserable de mí!" [Rom 7:24], y traté de seguir colina arriba.

Cuando ya estaba a medio camino a la cima, me volví y vi a uno que venía detrás de mí, veloz como el viento; me alcanzó justo por donde está el cenador.

CRISTIANO. Allí mismo me senté yo a descansar; pero vencido por el sueño, extravié el rollo de papel que llevo en mi pecho.

FIEL. Buen hermano, escúchame. Tan pronto como el hombre me alcanzó, no fue más que una palabra y un golpe: me derribó y me dio por muerto. Cuando volví en mí, le pregunté por qué me atacaba. Me dijo que por mi inclinación secreta a Adán el Primero. Con eso me golpeó de nuevo en el pecho y me derribó de espaldas. Cuando recobré el sentido, le pedí clemencia. "No sé mostrar clemencia", respondió, y me derribó de nuevo. Sin duda habría acabado conmigo si alguien no le hubiera ordenado detenerse.

CRISTIANO. ¿Quién fue el que le dio la orden?

FIEL. Al principio no lo reconocí, pero cuando pasó, observé los agujeros en sus manos y en su costado; entonces concluí que era nuestro Señor. Así que subí a la colina.

CRISTIANO. Aquel hombre que te alcanzó era Moisés. Él no perdona a nadie, ni sabe cómo mostrar misericordia a los que transgreden su ley.

FIEL. Lo sé muy bien; no era la primera vez que venía por mí. Fue él quien apareció cuando yo vivía tranquilo en la ciudad y me dijo que quemaría mi casa si me quedaba.

CRISTIANO. Pero ¿no viste la casa que estaba allí en lo alto de la colina? ¿Al lado del lugar donde te golpeó Moisés?

FIEL. Sí, y también a los leones antes de llegar a ella. Pero al ser cerca del mediodía, los leones parecían estar dormidos, y como tenía todo el día por delante, pasé junto al portero y bajé la colina.

CRISTIANO. Me dijo, en efecto, que te vio pasar, pero ojalá te hubieras detenido en la casa. Te habrían enseñado maravillas inolvidables. Por favor, dime, ¿no te encontraste con nadie en el Valle de la Humildad?

FIEL. Sí, me encontré con Descontento, quien intentó convencerme de regresar con él. Dijo que el valle era deshonroso, que allí se perdía toda la confianza en uno mismo y todo respeto hacia parientes y amistades. Dijo que mis amigos el señor Orgullo, el señor Arrogancia, el señor Egoísmo, el señor Gloria del Mundo… ninguno querría tener que ver nada conmigo si me adentraba en el valle.

CRISTIANO. ¿Y cómo le respondiste?

LA RESPUESTA DE FIEL A DESCONTENTO

FIEL. Le respondí que todos los que había nombrado podían alegar parentesco conmigo, y con razón, pues en verdad eran mis parientes de sangre. Sin embargo, me han repudiado desde que me hice peregrino, como yo también los he repudiado a ellos, y ya no los considero mis familiares.

Además, le dije que había tergiversado bastante la naturaleza del valle, pues la humildad precede al honor, y un espíritu arrogante solo lleva a la perdición. "Por lo tanto", dije, prefiero atravesar este valle hacia el verdadero honor —el honor que reconocen los hombres sabios— que elegir el camino que tú y quienes son afines a ti consideran mejor".

CRISTIANO. ¿Conociste a alguien más en el valle?

FIEL. Sí, conocí a Vergüenza. De todos los hombres que me crucé en mi peregrinación, él es el único, creo, que lleva el nombre equivocado. Vergüenza no tenía ningún tipo de vergüenza.

CRISTIANO. Pero ¿qué te ha dicho?

FIEL. Cuestionó mi religión. Dijo que era lamentable, bajo y vergonzoso que una persona entregara su voluntad y su vida para convertirse en siervo de la religión; que una conciencia sensible revelaba una debilidad poco viril; y que una persona que cuida sus palabras y conducta, ateniéndose a reglas que destruyen su libertad —a la que se han acostumbrado todos los valientes de estos tiempos— no es más que ridículo y un hazmerreír en la sociedad actual. También argumentó que muy pocos de los poderosos, ricos o sabios de nuestros tiempos eran peregrinos [1 Cor 1:26; 3:18; Fil 3:7-8]: ninguno se atrevió nunca a perderlo todo por una causa incierta [Jn 7:48]. Además,

afirmó que los peregrinos eran principalmente pobres y menesterosos, ignorantes en general de las ciencias naturales. Declaró que era una vergüenza que un hombre se lamentara por un sermón y luego volviera a casa suspirando y lloriqueando; que era vergonzoso pedir perdón al prójimo por faltas insignificantes o restituir los agravios hechos a otros. Dijo que, por culpa de la religión, los hombres se perdían de grandes cosas solo porque implicaban unos pocos vicios (que llamó de manera más refinada); en cambio, la religión los obligaba a vivir de manera tosca y burda. "¿Y no es eso", dijo, "una vergüenza?".

CRISTIANO. ¿Y qué le respondiste?

FIEL. ¿Qué le dije? Al principio no me salían las palabras. Me puso en tales aprietos que se me subió la sangre a la cara; me avergoncé de mí mismo por eso, así que Vergüenza casi me doblega. Pero finalmente recordé que "lo que entre los hombres es sublime, delante de Dios es abominación" [Lc 16:15]. Pensé: "Este hombre me ha hablado de cómo son los hombres, pero no me ha dicho nada sobre Dios o la palabra de Dios". Pensé, además, que, en el día de la perdición, no seremos condenados a la muerte o a la vida según los criterios del mundo, sino según la ley del Altísimo. Por lo tanto —pensé—, lo que Dios dice es lo mejor, sin duda alguna, aunque todos los hombres del mundo estén en contra. Le dije a Vergüenza: "Dado que Dios prefiere su religión y desea que tengamos una conciencia sensible, y viendo que son más sabios los que están dispuestos a hacerse los tontos ante el mundo por amor de Él, y que es más rico el pobre que ama a Cristo que el más poderoso que lo rechaza, puedes irte y dejarme tranquilo. Eres un enemigo de mi salvación. Si te hago caso a ti contra la soberana voluntad de mi Señor, entonces ¿cómo lo miraré a la cara cuando venga?

Si me avergüenzo de sus caminos y siervos, ¿cómo podré esperar sus bendiciones?" [Mc 8:38]. Pero, en verdad, Vergüenza es un villano audaz. Apenas podía alejarme de él; me rondaba continuamente y me susurraba al oído alguna que otra de las imperfecciones de la religión. Finalmente le dije que sus intentos eran en vano; que para mí eran gloriosas las cosas que él desdeñaba. Así logré dejarlo atrás, y comencé a cantar:

"Las pruebas que enfrentan los hombres
que obedecen a la llamada celestial
son carnales y son muchas;
vienen y vienen, y vienen de nuevo,
para destrozarnos ahora o luego.
Peregrinos, protéjanse del mal,
sean fuertes y no bajen la guardia".

CRISTIANO. Me alegro, hermano, de que hayas resistido con tanta valentía. De todos, como dijiste, Vergüenza tiene el nombre equivocado. Es tan osado que nos sigue por las calles y trata de humillarnos ante todos los hombres: es decir, de que nos avergoncemos de lo que es bueno. Si no fuera audaz, no haría lo que hace. Pero sigamos resistiendo su influencia, porque a pesar de todas sus fanfarronadas, es el rey de los necios: "Los sabios son dignos de honra", dijo Salomón, "pero los necios solo merecen deshonra" [Pro 3:35].

FIEL. Creo que debemos pedirle a Dios que nos ayude contra Vergüenza, para que seamos valientes respecto a la verdad en la tierra.

CRISTIANO. Es verdad. Pero ¿no encontraste a nadie más en aquel valle?

FIEL. No, yo no; porque tuve luz del sol todo el resto del camino, y también a través del Valle de la Sombra de la Muerte.

CRISTIANO. Te fue bien. Mi experiencia fue muy diferente. En cuanto entré en el valle, tuve un largo y espantoso combate con el demonio Apolión. Pensé que me mataría, sobre todo cuando me derribó y me aplastó debajo de sí. Cuando me tumbó, mi espada voló de mi mano, y me dijo: "Ahora te tengo". Pero yo clamé a Dios y él me oyó, y me liberó de todas mis angustias. Luego entré en el Valle de la Sombra de la Muerte y no tuve luz por casi la mitad del camino. Pensé que allí me matarían una y otra vez, pero al fin amaneció y atravesé lo que quedaba con mucha más facilidad.

Vi en mi sueño que a medida que avanzaban, Fiel avistó a un hombre llamado Hablador que caminaba a cierta distancia junto a ellos, porque en este punto el sendero era suficientemente ancho para varias personas. Era un hombre alto, algo más apuesto de lejos que de cerca. Fiel le dijo:

FIEL. Amigo, ¿a dónde vas? ¿Vas a la Ciudad Celestial?

HABLADOR. Allí mismo voy.

FIEL. Muy bien; entonces espero que podamos tener tu buena compañía.

HABLADOR. Me alegrará mucho acompañarlos.

FIEL. Vayamos juntos, entonces, y pasemos el tiempo hablando de cosas útiles.

AVERSIÓN DE HABLADOR A LAS MALAS CONVERSACIONES

HABLADOR. Me parece muy bien. Me gusta mucho hablar de cosas útiles y buenas, así que me alegra haberme encontrado

con ustedes. A decir verdad, muy pocos quieren hablar de cosas de valor hoy en día. La mayor parte de los hombres solo se interesa por cosas triviales y sin provecho; eso me ha dolido mucho.

FIEL. En verdad es lamentable, porque ¿qué cosas son más dignas de la lengua y la boca de los hombres que las cosas del Dios del cielo?

HABLADOR. Me caes maravillosamente bien porque hablas con convicción. Además, ¿qué es más agradable y provechoso que hablar de las cosas de Dios? Por ejemplo, si a un hombre le gusta hablar de la historia o el misterio de las cosas, o hablar de milagros, maravillas o señales, ¿dónde podrá encontrar esas cosas mejor descritas que en las Sagradas Escrituras?

FIEL. Eso es cierto. Pero no debemos solo deleitarnos en esas cosas sino, también, buscar beneficiarnos de ellas.

LA BUENA CHARLA DE HABLADOR

HABLADOR. Eso es lo que dije: hablar de tales cosas es muy útil, porque así podemos conocer muchas cosas. Por ejemplo, la vanidad de las cosas terrenales y la bondad de las cosas de arriba. Eso en general, pero más específicamente, un hombre puede aprender así la necesidad del nuevo nacimiento; la insuficiencia de sus obras; la necesidad de la justicia de Cristo, etc. Además, puede aprender, hablando, lo que es arrepentirse, creer, orar, sufrir o cosas semejantes. También, para su propio consuelo, puede aprender cuáles son las grandes promesas del Evangelio. Encima, puede aprender a refutar opiniones falsas, a reivindicar la verdad y a educar a los ignorantes.

FIEL. Todo esto es verdad, y me alegra oírlo de ti.

HABLADOR. ¡Ay! La falta de conversaciones como estas es la causa de que tan pocos comprendan que se necesita tener fe y una obra de gracia en el corazón para vivir abundantemente, y de que tantos vivan en la ignorancia, guiados solo por las obras de la ley, por las cuales nadie puede ganar el Reino de los Cielos.

FIEL. Pero, si me permites, el conocimiento de estas cosas es un don de Dios. Ningún hombre llega a él solo con esfuerzo humano o con conversación.

HABLADOR. Todo esto lo sé muy bien; un hombre no puede recibir nada a menos que le sea dado del Cielo. Todo es por gracia, no por obras. Podría señalarte cien escrituras que lo confirman.

FIEL. Bien, entonces, ¿sobre qué hablaremos en nuestro camino?

HABLADOR. Sobre lo que quieras. Puedo hablar de cosas celestiales o terrenales; cosas morales o evangélicas; cosas sagradas o profanas; cosas pasadas o por venir; cosas foráneas o asuntos de casa; cosas esenciales o circunstanciales; siempre que conversemos provechosamente.

Fiel comenzó a asombrarse; y dirigiéndose a Cristiano (quien había estado caminando solo todo este tiempo), le dijo en voz baja: "¡Qué admirable y conocedor compañero tenemos! Seguramente será un excelente peregrino".

Al oír esto, Cristiano sonrió modestamente y dijo: "Este hombre, de quien tanto te has prendado, engaña con la lengua a quienes no lo conocen".

FIEL. ¿Lo conoces, entonces?

CRISTIANO. ¿Si lo conozco? Sí, mejor de lo que se conoce a sí mismo.

FIEL. Por favor, dime qué clase de persona es.

CRISTIANO. Se llama Hablador y es de nuestra ciudad. Me sorprende que no lo conozcas, aunque nuestra ciudad es bastante grande.

FIEL. ¿De quién es hijo y dónde vive?

CRISTIANO. Es el hijo de un tal Bienhablado. Vive en la Calle de la Cháchara, y todos los que lo conocen lo llaman Hablador de la Calle de la Cháchara. A pesar de su amplio vocabulario y de su lengua suelta y suave, es un tipo lamentable.

FIEL: Bueno, pero parece ser sincero, además de agradable.

CRISTIANO. Sí, fuera de casa, para aquellos que no lo conocen bien. Cerca de casa se hace evidente su verdadera fealdad. Como algunos cuadros de artistas que he visto, luce mejor a distancia.

FIEL. Pero sonreíste hace unos momentos, así que sospecho que estás bromeando.

CRISTIANO. ¡Dios me libre de bromear o mentir sobre este hombre o sobre cualquier otro! Te diré el tipo de hombre que es. Le gusta cualquier tipo de compañía y cualquier tipo de conversación. Con la misma destreza con la que habló contigo, habla también en la taberna; y mientras más bebe, más cosas dice. La religión no tiene lugar en su corazón, en su casa, ni en su conducta. Lo único que tiene es su lengua, y su religión es hacer ruido con ella.

FIEL. ¡Si tú lo dices! No hay duda de que me engañó totalmente.

CRISTIANO. ¡Puedes estar seguro de eso! Recuerda el proverbio, "Ellos dicen y no hacen" [Mt 23:3]. El reino de

Dios no está en palabra, sino en poder [1 Cor 4:20]. Habla de oración, de arrepentimiento, de fe y del nuevo nacimiento, pero solo sabe hablar de ellos. He estado con su familia y lo he visto tanto en casa como fuera, y sé que lo que digo de él es verdad. Su casa está tan vacía de la religión de Cristo como la clara de un huevo lo está de sabor. En su vida no hay señales de oración o arrepentimiento. Es el reproche del cristianismo para todos los que lo conocen, y todos desprecian el nombre de Cristo en la ciudad por su culpa [Rom 2:24-25]. Muchos de sus vecinos dicen de él: "Es un santo afuera y un demonio en casa". Su familia lo sufre; es tan canalla con sus sirvientes que estos ya no saben cómo hablarle. Los hombres que tienen algún negocio con él dicen que reciben mejor trato de un usurero cualquiera: Hablador los defrauda, engaña y abusa de su confianza. Además, ha criado a sus hijos para que sigan sus pasos: si nota en alguno de ellos una "timidez insensata" (pues así llama a las primeras señales de una conciencia sensible), los tilda de tontos e imbéciles, no les da trabajo ni los recomienda ante los demás. Yo opino que, con su vida perversa, ha hecho tropezar a muchos y, a menos que Dios lo impida, será la ruina de muchos más.

FIEL. Bueno, Cristiano, estoy obligado a creerte, no solo porque dices que lo conoces, sino porque sé que eres un hombre confiable. No creo que digas estas cosas de mala voluntad, sino que piensas que los otros peregrinos debemos estar al tanto de ellas.

CRISTIANO. Si no lo hubiera conocido desde antes, podría haber pensado lo mismo que tú al principio. Y si mis referencias hubieran venido de personas no cristianas, habría pensado que los relatos sobre él eran calumnias contra un

hombre bueno. Sin embargo, tengo pruebas de que todo lo que te conté es cierto. Además, los hombres de bien se avergüenzan de él: no pueden llamarlo hermano ni amigo y se sonrojan al hablar de él.

FIEL. Bien, veo que decir y hacer son dos cosas diferentes, y en adelante observaré mejor esa distinción.

CRISTIANO. Son dos cosas, en efecto, y son tan diferentes como lo son el alma y el cuerpo; pues, así como el cuerpo sin el alma no es más que un cadáver, la palabra sola no es más que una carcasa. El alma de la religión es la práctica: "La religión pura e incontaminada delante de Dios y Padre es esta: cuidar a los huérfanos y a las viudas en su aflicción, y guardarse sin mancha del mundo" [Sant 1:27; véanse los vv. 22-26]. Hablador no es consciente de eso; piensa que oír y decir lo hacen un buen cristiano, y así engaña a su propia alma. Oír es recibir la semilla en la mente, y hablar no es suficiente para probar que esa semilla dio fruto en el corazón y en la vida. Recordemos que el día del juicio los hombres serán juzgados según sus frutos [Mt 13, 25]. No nos preguntarán "¿Creíste?", sino "¿Fuiste hacedor o solo hablador?". El fin del mundo es como la cosecha, y sabes que en la cosecha los hombres no miran más que al fruto. No quiero decir que sea aceptable otra cosa que la fe; hablo de esto para demostrarte lo insignificantes que serán las obras de Hablador ese día.

FIEL. Esto me trae a la mente la descripción que hizo Moisés del animal puro: es aquel "que tiene pezuñas partidas, hendidas en mitades, y que rumia. El conejo, porque rumia, pero no tiene pezuñas partidas, será para ustedes inmundo" [Lv 11:3-7; Dt 14:6-8]. Se me parece mucho a Hablador: él rumia —mastica la palabra— pero no divide la pezuña, pues

no se aparta del camino de los pecadores, sino que, como el conejo, retiene la pata de perro o de oso, y por eso es impuro.

CRISTIANO. Por lo que sé, has dado con el verdadero sentido evangélico de esos textos. Y añadiré otra cosa: Pablo llama "bronces que resuenan y címbalos que repiquetean" a los grandes habladores; es decir, los presenta como objetos que solo producen sonido [1 Cor 13:1-3; 14:7]. Cosas inertes, sin vida: sin la verdadera fe y gracia del evangelio y, por consiguiente, cosas que nunca estarán junto a los hijos de la vida en el Reino de los Cielos, aunque puedan sonar como voces de ángeles.

FIEL. Pues bien, al principio no me agradaba tanto su compañía, pero ahora la detesto. ¿Qué haremos para librarnos de él?

CRISTIANO. Haz lo que te digo y verás que pronto detestará también tu compañía, a menos que Dios toque su corazón y lo convierta.

FIEL. ¿Qué quieres que haga?

CRISTIANO. Ve a verlo y proponle entablar una conversación seria sobre el poder de la religión. Cuando acceda, pregúntale claramente si ese poder se halla en su corazón, en su casa o en sus relaciones cotidianas.

Entonces Fiel se adelantó de nuevo y le dijo a Hablador: "Acércate, ¿cómo te encuentras ahora?".

HABLADOR. Gracias, bien. Pensé que para este momento ya habríamos charlado muchas horas.

FIEL. Bien, si quieres, pongámonos a ello ahora. Y ya que me pediste a mí elegir el tema, que sea este: ¿cómo se muestra la gracia salvadora de Dios cuando está en el corazón de una persona?

HABLADOR HACE UNA FALSA DESCRIPCIÓN DE UNA OBRA DE GRACIA

HABLADOR. Percibo, pues, que nuestra conversación debe versar sobre el poder de las cosas. Bueno, es una muy buena pregunta, y estaré dispuesto a responderte. Y toma mi respuesta, en breve, así: Primero, si la gracia de Dios está en el corazón, produce allí un gran clamor contra el pecado. Segundo…

FIEL. No, espera, reparemos en uno a la vez. Creo que deberías decir, más bien, que se muestra haciendo que el alma odie el pecado.

HABLADOR. ¿Por qué? ¿Qué diferencia hay entre clamar contra el pecado y odiarlo?

FIEL. Oh, mucha. Un hombre puede clamar contra el pecado, pero no puede realmente odiarlo sino por una antipatía infundida por Dios. He oído a muchos clamar contra el pecado desde el púlpito, pero abrigarlo muy bien en su corazón, en su hogar y en sus relaciones. La amante de José clamaba a gran voz, como si hubiera sido muy santa, mientras que bien habría cometido actos impuros con él. Algunos claman contra el pecado como la madre que le grita a la hija en su regazo, llamándola sucia y traviesa, para luego llenarla de abrazos y besos.

HABLADOR. Veo que me has tendido una trampa.

FIEL. No, yo no; yo solo busco decir las cosas como son. Pero, dime, ¿cuál es la segunda señal con la que se mostraría la gracia de Dios en el corazón?

HABLADOR. Gran conocimiento de los misterios evangélicos.

FIEL. Esa debió ser la primera, aunque, primera o última, igual es falsa. Se puede obtener gran conocimiento de

los misterios del Evangelio sin una obra de gracia en el alma [1Cor 13]. Un hombre puede tener todo el conocimiento del mundo, pero no ser nada, y por consiguiente no ser hijo de Dios. Cuando Cristo dijo: "¿Entienden las cosas que he hecho?", y los discípulos respondieron: "Sí", él añadió: "Serán benditos si las hacen". No los bendice por saber las cosas, sino por hacerlas. Porque existe un conocimiento que no va acompañado de la práctica: el de quien conoce la voluntad de su Señor y no la cumple. Un hombre puede saber lo que sabe un ángel y, sin embargo, no ser cristiano, de modo que tu señal es falsa. En efecto, saber es algo que agrada a los habladores y fanfarrones, pero hacer es lo que agrada a Dios. No es que el corazón pueda ser bueno sin conocimiento; sin eso, el corazón no es nada. Hay, por tanto, dos tipos de conocimiento: el conocimiento que yace en el mero estudio de las cosas y el que va acompañado de la gracia de la fe y del amor, que pone al hombre a hacer la voluntad de Dios desde el corazón. El primero de estos le sirve al hablador; pero sin el otro, el verdadero cristiano no puede estar satisfecho. "Hazme entender tu ley, para cumplirla; la obedeceré de todo corazón." [Salm 119:34].

HABLADOR. Me has vuelto a tender una trampa. Eso no es para edificarme.

FIEL. Bien, si quieres, describe otra señal de la gracia de Dios en el corazón.

HABLADOR. No, porque veo que no nos pondremos de acuerdo.

FIEL. Pues si tú no quieres, ¿me das permiso para hacerlo yo?

HABLADOR. Eres libre de hacer lo que quieras.

FIEL. Una obra de gracia en el alma se le muestra al que la tiene o a los que están a su lado.

Al que la tiene, se le devela así: le hace ver claramente el pecado, especialmente el de los actos impuros y el de la incredulidad (por la cual seguramente será condenado si no encuentra misericordia de mano de Dios, por la fe en Jesucristo) [Jn 16:8, Rom 7:24, Jn 16:9, Mc 16:16]. Esta visión y convicción despiertan en él dolor y vergüenza por el pecado. Además, se revela en él el Salvador del mundo, y siente la absoluta necesidad de unirse a él de por vida; siente hambre y sed de él [Salm 38:18, Jer 31:19, Gal 2:16, Hch 4:12, Mt 5:6, Ap 21:6]. Ahora bien, la fuerza o la debilidad de su fe en el Salvador son la medida de su gozo y su paz, igual que su amor a la santidad, sus deseos de conocerlo más y de servirlo en este mundo. Sin embargo, aunque digo que la gracia se muestra así, rara vez la persona es capaz de concluir que se trata de una obra de gracia, pues sus corrupciones actuales y su razón exacerbada la llevan a juzgar mal el asunto. Por lo tanto, debe tener un juicio muy sano para poder concluir con firmeza que se trata de una obra de gracia.

A los que están junto a quien tiene la gracia en su alma, la gracia se muestra así:

Primero, por medio de una confesión abierta de su fe en Cristo [Rom 10:10, Fil 1:27, Mt 5:19].

Segundo, por medio de una vida acorde con esa confesión; es decir, una vida de santidad: santidad de corazón, santidad de familia (si tiene familia), y una santidad en sus relaciones con los demás. En general, su confesión le enseña a aborrecer interiormente su pecado, y a sí mismo en tanto pecador; a suprimir el pecado en su familia y a promover la santidad

en el mundo, no solo con palabras, como puede hacer un hipócrita o un hablador, sino por una sujeción práctica, en fe y amor, al poder de la Palabra [Jn 14:15, Salm 50:23, Job 42:5-6, Ez 20:43]. Y ahora, en cuanto a esta breve descripción de las obras de la gracia y cómo se muestran, si tienes algo que objetar, objeta; si no, entonces permíteme proponerte una segunda pregunta.

HABLADOR. No, mi papel ahora no es objetar, sino escuchar. Concédeme, entonces, tu segunda pregunta.

FIEL. Es esta: ¿has experimentado la primera parte de mi descripción? ¿Acaso tu estilo de vida testifica lo mismo? ¿O yace tu religión en tu palabra o tu lengua y no en tus actos y tu verdad? Si accedes a responderme, solo di lo que sepas que Dios aprobaría y que tu conciencia justificaría. No se aprueba a quien se favorece a sí mismo, sino a quien el Señor favorece. Además, decir "yo soy así y asá", cuando mis relaciones y todos mis vecinos dicen lo contrario, es de gran maldad.

Entonces Hablador comenzó a ruborizarse, pero pronto se recuperó y respondió así: "Vienes ahora a hablar de la experiencia, de la conciencia y de Dios, y apelas a él para justificar lo que dices. No me esperaba esta clase de conversación, ni estoy dispuesto a responder tales preguntas, pues no me considero obligado a hacerlo. A no ser que tú seas catequista, y aunque así fuera, no te permitiría juzgarme. Te ruego, sin embargo: dime por qué me haces estas preguntas".

FIEL. Porque te noté muy inclinado a hablar, y porque no sabía que no tenías más que opiniones. Además, a decir verdad, he oído decir de ti que eres un hombre cuya religión se basa en la charla, y que con tu boca-profesión mientes.

FIEL HABLA CLARAMENTE CON EL HABLADOR

Dicen que eres una mancha entre los cristianos; y que dañas a la religión con tu comportamiento impío; que algunos ya se han tropezado con tus malas mañas, y que muchos más corren el riesgo de caer por ellas. Tu religión permanecerá junto a los vicios, la codicia, la inmundicia, los falsos testimonios, la mentira y la vana compañía. Te describe el proverbio que se dice de las prostitutas: que son una vergüenza para todas las mujeres. Tú eres una vergüenza para todos los profesores.

HABLADOR. Ya que te dispones a juzgarme tan precipitadamente como lo has hecho, solo puedo concluir que eres un hombre melancólico o malhumorado, no apto para conversar con él. Y así, adiós.

Entonces se acercó Cristiano y le dijo a su hermano:

CRISTIANO. Yo te dije lo que sucedería: tus palabras y sus concupiscencias no concordaron; prefirió alejarse de ti antes que reformar su vida. Pero se ha ido, y como dije, déjalo ir: la pérdida no es sino suya. Nos ha ahorrado la molestia de tener que librarnos de él, pues si continuara (como supongo que lo hará) haciendo lo que hace, no sería más que un estorbo para nosotros. Además, el apóstol Pablo dice: "Apártate de los tales".

FIEL. Pero me alegro de que hayamos tenido esta pequeña conversación. Puede que vuelva a pensar en ello. Sin embargo, le he hablado sin rodeos; si perece, yo estoy limpio de su sangre.

CRISTIANO. Hiciste bien en hablarle tan claro como lo hiciste; hay muy poco de ese trato llano con los hombres hoy en día, y eso hace que la religión apeste tanto en las narices de muchos. Porque son esos locos charlatanes, cuya religión es

solo de palabra y su conducta libertina y vana, quienes (habiendo sido admitidos en la comunión de los piadosos) desconciertan al mundo, manchan el cristianismo y afligen a los sinceros. Desearía que todos tratasen a estos hombres como tú lo has hecho; o se adecuarían mejor a la religión, o no soportarían la compañía de los santos.

Entonces dijo Fiel:

"¡Cómo bate sus plumas al principio el Hablador!
¡Con cuánta valentía habla! ¡Cómo presume
de su poder sobre todos! Pero tan pronto
Fiel menciona el trabajo del corazón,
comienza a menguar como la luna que ha pasado el
plenilunio.
Y así lo harán todos, excepto aquel que conozca el
TRABAJO DEL CORAZÓN".

Entonces continuaron hablando de lo que habían visto por el camino, y así hicieron más grato el camino que, de otro modo, sin duda, habría sido tedioso para ellos, pues ahora atravesaban un desierto.

Ahora, cuando estaban casi fuera del desierto, Fiel echó la vista atrás y divisó a uno que venía tras ellos, y lo reconoció. "¡Oh!", dijo Fiel a su hermano, "¿quién viene?". Entonces Cristiano miró y dijo: "Es mi buen amigo Evangelista". "Sí, y mi buen amigo también", dijo Fiel, "porque fue él quien me puso en el camino de la puerta". Evangelista se acercó a ellos y así los saludó:

EVANGELISTA. La paz sea con ustedes, amados; y la paz sea con sus ayudantes.

CRISTIANO. Bienvenido, bienvenido, mi buen Evangelista. Tu rostro me trae recuerdos de tu antigua generosidad y tu ardua labor en servicio de mi bien eterno.

FIEL. Y mil veces bienvenido, dulce Evangelista, ¡cuánto bien nos hace tu compañía a estos pobres peregrinos!

EVANGELISTA. ¿Cómo les ha ido, mis amigos, desde la última vez que nos separamos? ¿Qué cosas han encontrado y cómo se han comportado?

Entonces Cristiano y Fiel le contaron todas las cosas que les habían sucedido en el camino, y cómo y con cuánta dificultad habían llegado a ese lugar.

EVANGELISTA. Me contenta no que se toparan con obstáculos, sino que hayan sido victoriosos, y que, sin importar los impedimentos, continuaran su camino hasta hoy. Digo que me contenta esto tanto por su bien como por el mío propio. Yo sembré y ustedes han segado, y viene el día en que tanto el que sembró como el que segó se alegrarán juntos. Es decir, si perseveran: "No nos cansemos, pues, de hacer bien; porque a su tiempo segaremos, si no desmayamos" [Jn 4:36, Gal 6:9]. Tienen ante ustedes una corona incorruptible; corran, pues, a tomarla [1 Cor 9:24-27]. Algunos hay que se ponen en camino hacia esta corona, y tras recorrer grandes distancias viene otro y se la quita: aférrense pues, a la que tienen; que nadie les arrebate la corona [Ap 3:11]. Aún no se han librado del alcance del diablo; no han resistido hasta sangrar, luchando contra el pecado. Que el reino esté siempre ante ustedes y crean firmemente en las cosas invisibles; que nada de lo que está en el otro mundo se introduzca en ustedes. Y, sobre todo, miren bien sus corazones y sus deseos, porque "engañoso es el corazón más que todas las cosas, y perverso". Pongan sus rostros

como pedernales; tienen todo el poder del cielo y de la tierra de su lado.

Entonces Cristiano le agradeció su exhortación, pero le pidió, además, que les hablase más para ayudarlos en el camino, e incluso que, dado que bien sabían que era profeta, podría hablarles sobre las cosas que podrían sucederles y aconsejarles sobre cómo resistir y vencerlas. Fiel consintió también a esta petición. Entonces Evangelista comenzó así:

EVANGELISTA. Hijos míos, ya han oído en las palabras del Evangelio que deberán atravesar muchas tribulaciones para entrar en el Reino de los Cielos. Y, además, que en cada ciudad encontrarán ataduras y aflicciones; por lo tanto, no pueden esperar no encontrarse con alguna de estas cosas en su peregrinaje. Ya han comprobado la veracidad de esas palabras, y más tribulaciones vendrán pronto. Como ven, ya casi han salido de este desierto. Por lo tanto, pronto llegarán a un pueblo que verán frente a ustedes. Allí serán asediados duramente, y sus enemigos intentarán matarlos. Tengan la seguridad de que uno de ustedes, o los dos, tendrá que sellar con sangre su testimonio. Pero sean fieles hasta la muerte, y el rey les dará una corona de vida.

Aquel que muera allí, aunque su muerte no sea natural y su dolor tal vez sea grande, tendrá mejor suerte que su compañero; no solo porque llegará más pronto a la Ciudad Celestial, sino porque escapará a las muchas miserias que el otro encontrará en el resto de su viaje. Pero cuando lleguen al pueblo y vean cumplido lo que aquí relato, acuérdense de su amigo, compórtense como hombres y encomienden sus almas a su Dios en el bien.

Luego vi en sueños que, cuando salieron del desierto, vieron enseguida un pueblo frente a ellos, llamado Vanidad. Y en

ese pueblo se lleva a cabo una feria llamada Feria de las Vanidades, que se celebra todo el año. Lleva el nombre de Feria de las Vanidades porque el pueblo donde se celebra es más superficial que la vanidad; y, también porque todo lo que allí se vende, o llega, es vano. Como dice el refrán de los sabios, "todo es vanidad" [Ecl 1; 2:11-17; 11:8; Is 11:17].

Esta feria no es un asunto reciente, sino una cosa antigua. Les mostraré su origen:

Hace casi cinco mil años, había peregrinos que caminaban hacia la Ciudad Celestial, igual que estas dos honestas personas. Y Belcebú, Apolión y Legión, junto a sus secuaces, al ver que el camino de los peregrinos atravesaba el pueblo de Vanidad, se las ingeniaron para montar allí una feria. En esta feria se venderían toda clase de vanidades, y duraría todo el año. Por eso en esta feria se venden todo tipo de mercancías, como casas, tierras, oficios, honores, privilegios, títulos, países, reinos, deseos, placeres y deleites de todo tipo, como prostitutas, esposas, maridos, hijos, amos, sirvientes, vidas, sangre, cuerpos, almas, plata, oro, perlas, piedras preciosas y muchas cosas más.

Además, en esta feria se ven en todo momento trampas, juergas, jugarretas; tontos, monos, bribones y pícaros, y gente de todo tipo. También se ven, y por nada, robos, asesinatos, adulterios, falsos juramentos y demás perversidades.

Como en otras ferias de menor importancia, hay las varias calles, con sus nombres propios, donde se venden tales o cuales mercancías. También aquí existen los lugares propios, avenidas, calles (es decir, países y reinos), donde los productos de la feria se encuentran con facilidad. Aquí está la Calle Británica, la Calle Francesa, la Italiana, la Española, la Alemana, donde se venden toda clase de vanidades. Pero, como en otras ferias,

hay un tipo de mercancía que es la principal, y así la mercancía de Roma es grandemente promovida. Solo a nuestra nación inglesa, con algunas otras, le disgusta.

Ahora, como he dicho, el camino a la Ciudad Celestial atraviesa justamente el pueblo donde se celebra esta lujuriosa feria; y el que quiera llegar a la ciudad sin pasar por el pueblo deberá necesariamente salir del mundo [1 Cor 5:10]. El mismo príncipe de los príncipes pasó por este pueblo para llegar a su propio país, incluso en un día de feria. Según creo, fue el señor principal de esta feria, Belcebú, quien lo invitó a comprar sus vanidades. Sí, lo habría nombrado señor de la feria; le hubiera hecho reverencia al pasar por el pueblo [Mt 4:8, Lc 4:5-7]. Dado que era tan honorable personaje, Belcebú lo llevó de calle en calle y le mostró todos los reinos del mundo; pensó que podía convencer al Bendito de que se rebajara y comprara alguna vanidad. Pero él no prestó atención a las mercancías, y por lo tanto dejó la ciudad sin gastar siquiera un céntimo. Esta feria, pues, es una cosa antigua, de larga data y muy grande.

Los peregrinos debían pasar necesariamente por esta feria. Bien, así lo hicieron. Apenas entraron, todos los asistentes se inquietaron, y en la ciudad se desató un alboroto en torno a ellos. Eso por varias razones:

Primero, porque los peregrinos llevaban un tipo de vestimenta diferente a la de cualquiera en esa feria. La gente, por lo tanto, se volcó a mirarlos: algunos decían que eran tontos, otros que eran locos, y otros que eran extranjeros [1 Cor 2:7-8].

Segundo, porque, así como se asombraban de su ropa, lo mismo hacían de sus palabras, pues pocos entendían lo que decían; naturalmente hablaban la lengua de Canaán, pero los

de la feria eran hombres de este mundo, de modo que, de un extremo a otro del lugar, parecían bárbaros unos y otros.

Tercero, porque lo que más divertía a los mercaderes era que los peregrinos eran indiferentes a la mercancía: no se molestaban en siquiera mirarla, y si los llamaban para que comprasen, se ponían los dedos en los oídos y gritaban: "¡Aparta mis ojos, que no vean la vanidad!" y miraban hacia arriba, dando a entender que su interés estaba en el cielo [Salm 119:37, Fil 3:19-20].

Al ver la actitud de los hombres, uno se burló y les dijo: "¿Qué quieren comprar?". Pero ellos lo miraron seriamente y respondieron: "Compramos la verdad" [Pro 23:23]. Esto dio pie a todavía más desprecio; unos se burlaban de ellos, otros los provocaban, otros los increpaban, y otros exhortaban a otros a golpearlos. Finalmente se armó gran griterío y algarabía en la feria, hasta el punto de que se perdió todo orden. Entonces se le informó de esto al señor de la feria, quien descendió presto y mandó a sus más fieles socios a interrogar a los hombres. Así, Cristiano y Fiel fueron llevados a interrogatorio. Les preguntaron de dónde venían, a dónde iban y qué hacían allí con tan inusual atuendo. Los hombres dijeron que eran peregrinos y que iban a su patria, Jerusalén Celestial [Heb 11:13-16]. Dijeron que no había razón para que los hombres de la ciudad y los mercaderes abusaran de ellos, más allá de que, al preguntárseles qué querían comprar, hubieran respondido que querían comprar la verdad. Sin embargo, los interrogadores no creyeron que fueran más que locos, o bien gente que había venido a causar caos. Por ende, los tomaron y los golpearon, los embadurnaron de tierra y los metieron en una jaula, convirtiéndolos en un espectáculo público.

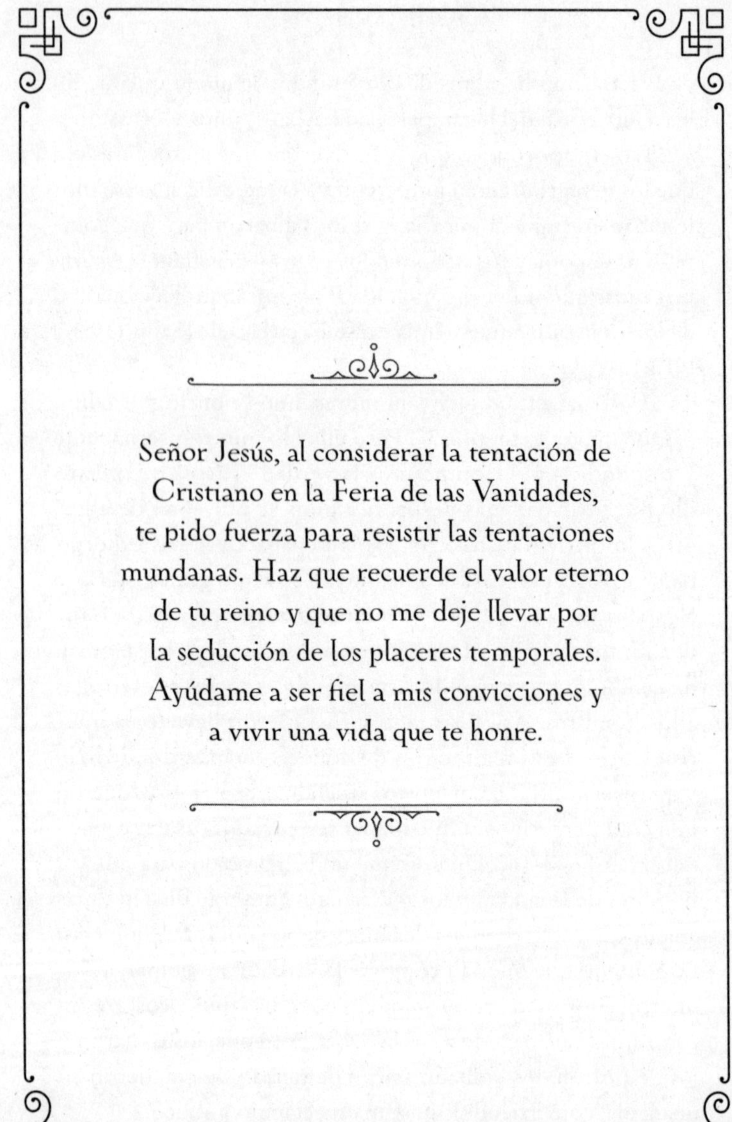

Señor Jesús, al considerar la tentación de Cristiano en la Feria de las Vanidades, te pido fuerza para resistir las tentaciones mundanas. Haz que recuerde el valor eterno de tu reino y que no me deje llevar por la seducción de los placeres temporales. Ayúdame a ser fiel a mis convicciones y a vivir una vida que te honre.

Feria de las Vanidades, ¡mira!
Los peregrinos están encadenados.
Así fue que el Señor pasó por aquí
y murió en el Calvario.

Allí permanecieron durante algún tiempo y se volvieron objetos de diversión, malicia o venganza para cualquiera. El señor de la feria se reía de todo lo que les ocurría. Pero los hombres eran pacientes, y no daban mal por mal sino, al contrario, bendiciones y buenas palabras por las malas, y bondad por las injurias hechas. Así, algunos hombres de la feria que eran más observadores y menos prejuiciosos que los demás, comenzaron a reprender a algunos por sus abusos contra los peregrinos. Aquellos respondían con ira, diciéndole a quienes les reclamaban que eran iguales a los hombres de la jaula, que eran sus cómplices y debían sufrir también su castigo. Los otros replicaban que, por lo que veían, los hombres eran tranquilos y sobrios y no pretendían dañar a nadie, y que muchos comerciantes eran más dignos de ser metidos en la jaula, y hasta en la picota, que los prisioneros. Así, después de palabras de una y otra parte, mientras los peregrinos se comportaban sabia y sobriamente frente a ellos, comenzaron a volar algunos golpes y se hirieron unos a otros. Entonces los dos pobres hombres fueron llevados de nuevo a interrogatorio, y allí los acusaron de causar este último alboroto. Entonces los golpearon deplorablemente, les colgaron hierros y los llevaron encadenados por toda la feria, como ejemplo y advertencia a los demás, por si alguno hablaba en su favor o se les unía.

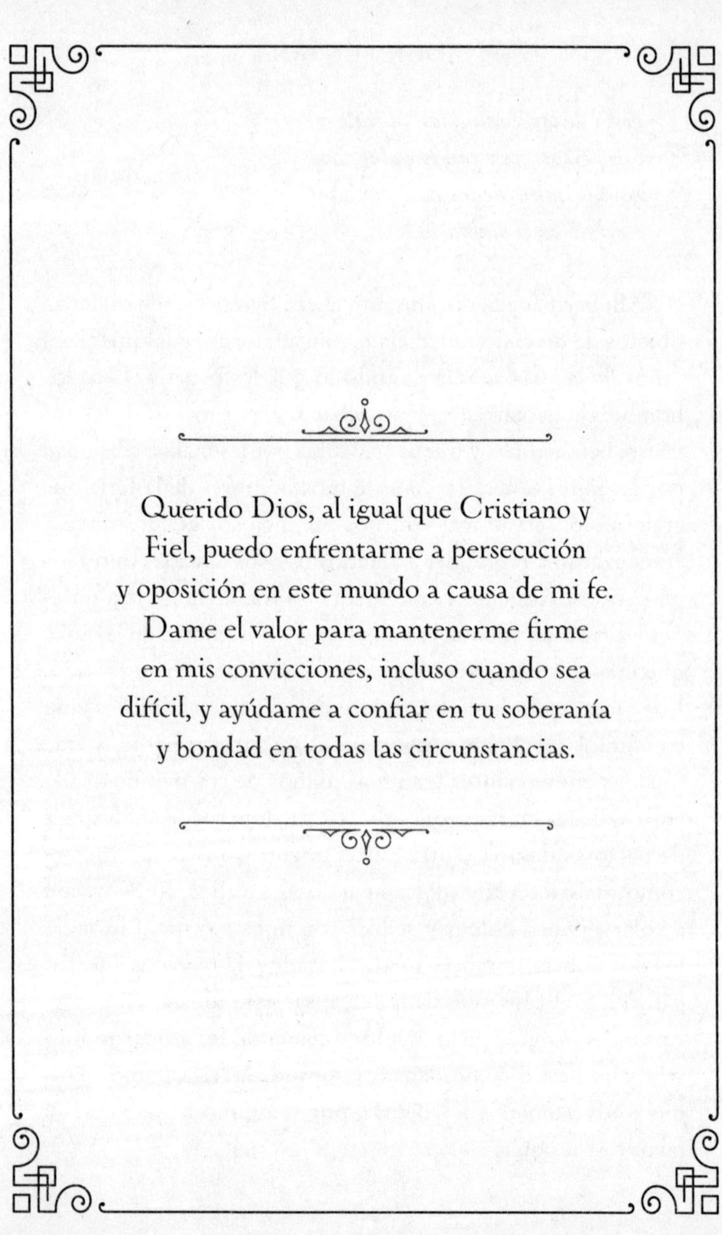

Querido Dios, al igual que Cristiano y Fiel, puedo enfrentarme a persecución y oposición en este mundo a causa de mi fe. Dame el valor para mantenerme firme en mis convicciones, incluso cuando sea difícil, y ayúdame a confiar en tu soberanía y bondad en todas las circunstancias.

Pero Cristiano y Fiel se comportaron todavía más sabiamente, recibiendo la ignominia con tanta mansedumbre y paciencia que ganaron a su lado, aunque pocos en comparación con los demás, a varios de los feriantes. Esto produjo todavía más rabia en los del otro bando, hasta el punto de que decidieron la muerte de los dos hombres.

Afirmaron que ni la jaula ni los hierros servirían, sino que debían morir por el mal que habían cometido y por engañar a los feriantes. Entonces fueron devueltos a la jaula hasta nuevo aviso y les pusieron los pies en el cepo.

Aquí volvieron a recordar lo que habían oído de su amigo Evangelista; su camino y sufrimientos fueron confirmados por lo que dijo que sucedería. También ahora se consolaban mutuamente, diciendo que a quien le tocara sufrir obtendría la mejor parte, por lo que cada uno secretamente lo deseaba. Sin embargo, encomendándose a la sabia disposición de aquel que gobierna todas las cosas, con mucha abnegación permanecieron quietos hasta que se dispusiera de ellos.

Entonces, señalada la hora conveniente, las autoridades los llevaron a juicio y, por orden, a su condena. Llegado el momento, fueron llevados ante sus enemigos y procesados. El nombre del juez era Juez Odio El Bien. Su acusación era una y la misma en sustancia, aunque variaba algo en la forma, y su contenido era el siguiente:

"Son enemigos y perturbadores del comercio de la ciudad; han provocado disturbios y causado divisiones en la ciudad, y, despreciando la ley del gobernante, habían convencido a varios individuos de sus opiniones más peligrosas".

Ahora, FIEL, sé un hombre, habla por tu Dios.
No temas la malicia de los impíos, ni su vara.
Habla con valentía, hombre, la verdad está de tu parte,
muere por ella y vuelve triunfante a la vida.

LA RESPUESTA DE FIEL

Entonces Fiel comenzó a responder que solo se había opuesto a aquello que se había opuesto a Aquel Que es Más Alto Que el Más Alto. "Y en cuanto a los disturbios", dijo, "yo no causé ninguno, siendo yo mismo un hombre de paz. Aquellos que ganamos reconocieron nuestra verdad e inocencia, y solo se han convertido de lo peor a lo mejor. Y en cuanto al gobernante del que hablas, puesto que es Belcebú, el enemigo de nuestro Señor, lo desafío a él y a todos sus ángeles".

Entonces se proclamó que quien tuviera algo que decir en favor de su señor, el gobernante, y en contra del prisionero acusado, compareciera ahora y prestara su declaración. Así que se presentaron tres testigos, llamados Envidia, Superstición y Sicofante. Se les preguntó si conocían al prisionero y se les ordenó que dijeran lo que quisieran en nombre de su señor contra él.

Envidia entonces dio un paso al frente y dijo: "Señoría, conozco a este hombre desde hace mucho tiempo y atestiguaré bajo juramento ante este honorable tribunal que él es…".

JUEZ. ¡Alto! Tómenle juramento al testigo.

Así que lo hicieron prestar juramento.

ENVIDIA. Señoría, a pesar de su creíble nombre, este hombre es uno de los más viles de nuestro país. No tiene en cuenta ni al gobernante ni al pueblo, ni la ley ni las costumbres, sino que hace todo lo posible por inculcar a todos los

hombres algunas de sus desleales nociones, que generalmente llama Principios de Fe y Santidad. En particular, yo mismo le oí una vez declarar que el Cristianismo y las costumbres de nuestro Pueblo de Vanidad eran diametralmente opuestos y no podían reconciliarse. Al decir esto, Su Señoría, no solo condena inmediatamente todos nuestros nobles actos, sino también a nosotros por hacerlos.

JUEZ. ¿Tiene algo más que decir?

ENVIDIA. Señoría, podría decir mucho más, solo que no quiero cansar al tribunal. Sin embargo, si es necesario, después de que los otros caballeros hayan presentado sus pruebas, si se necesita algo más para deshacerse de él, ampliaré mi testimonio.

Así que le pidieron que se mantuviera a la espera. Llamaron a Superstición y le preguntaron qué podía decir contra él y en favor de su señor el rey. Entonces le tomaron juramento y comenzó su testimonio.

SUPERSTICIÓN. Señoría, no conozco de cerca a este hombre, ni deseo tener más conocimiento de él. Sin embargo, esto sí sé, que es un tipo muy odioso, a juzgar por una discusión que tuve con él el otro día en esta ciudad. Hablando con él entonces, le oí decir que nuestra religión no era nada y que era tal que ningún hombre sería capaz de agradar a Dios con ella. Y usted sabe muy bien, Su Señoría, lo que debe seguir a su razonamiento. Es decir, que todavía adoramos en vano, todavía estamos en pecado y, finalmente, que seremos condenados. Y eso es lo que tengo que decir.

Entonces Sicofante prestó juramento y recibió instrucciones de decir lo que sabía en nombre de su señor contra el prisionero en el estrado.

TESTIMONIO DE SICOFANTE

SICOFANTE. Señoría, y todos ustedes, caballeros, conozco a este hombre desde hace mucho tiempo y le he oído decir cosas que no deberían decirse. Se ha burlado de nuestro noble gobernante Belcebú y ha hablado con desprecio de sus honorables amigos, cuyos nombres son el honorable señor Viejo, el honorable señor Deleite Carnal, el honorable señor Lujurioso, el honorable señor Ambicioso, mi viejo amo el señor Lascivo y el señor Codicioso, junto con el resto de nuestros nobles.

Además, ha dicho que, si todos los hombres fueran como él, si fuera posible, ninguno de esos nobles tendría un puesto en esta ciudad. Además de eso, no ha tenido miedo de hablar críticamente de usted, señoría, que ahora ha sido nombrado para ser su juez, llamándole villano impío y muchos otros términos degradantes con los que ha calumniado a la mayoría de los líderes de nuestra ciudad.

Cuando Sicofante hubo contado su historia, el Juez Odio El Bien dirigió su discurso al prisionero en el estrado, diciendo: "Tú, renegado, hereje y traidor, ¿has oído lo que estos honestos caballeros han testificado contra ti?".

FIEL. ¿Puedo decir unas palabras en mi defensa?

JUEZ. ¡Vergüenza! ¡Vergüenza! No mereces vivir más, sino ser ejecutado inmediatamente aquí mismo. Sin embargo, para que todos puedan ver nuestra gentileza hacia ti, déjanos oír lo que tienes que decir.

LA DEFENSA DE FIEL

FIEL. Primero, en respuesta a lo que ha dicho el señor Envidia, no dije otra cosa que esto: Cualquier regla, o ley, o costumbre, o pueblo que esté rotundamente en contra de la Palabra de Dios, es también diametralmente opuesto al cristianismo. Si me he equivocado en esto, convénzame de mi error y retractaré mis palabras.

Segundo, respecto a lo que ha dicho el señor Superstición, y sus acusaciones en mi contra, yo no dije nada más que: para adorar a Dios se requiere una fe divina; pero no puede haber fe divina sin una revelación divina de la voluntad de Dios. Cualquier cosa, por tanto, que se introduzca en el culto a Dios que no esté de acuerdo con la revelación divina, no puede hacerse sino por fe humana, y esa es una fe que no ganará a nadie la vida eterna.

Tercero, en cuanto a lo que ha dicho el señor Sicofante (evitando los argumentos de que me burlo y cosas por el estilo), digo que el gobernante de esta ciudad, con toda su chusma —los ayudantes que fueron nombrados por este señor—, son más aptos para estar en el infierno que en esta ciudad y país. Y así, que el Señor se apiade de mí.

Entonces el juez se dirigió al jurado (que durante todo este tiempo había permanecido de pie para escuchar y observar):

JUEZ. Señores del jurado, han visto al hombre sobre el que se hizo tanto alboroto en esta ciudad. También han oído lo que estos dignos caballeros han testificado contra él. Han oído su respuesta y confesión. Ahora es su responsabilidad ahorcarlo o salvarle la vida, pero creo necesario instruirlos en nuestra ley.

Hubo una orden hecha en los días de Faraón el Grande, siervo de nuestro príncipe, que para evitar que los de religión contraria se multiplicaran y se hicieran demasiado fuertes para él, sus hijos varones debían ser arrojados al río [Ex 1:22]. Hubo también una proclama hecha en los días de Nabucodonosor el Grande, otro de sus siervos, que cualquiera que no se postrara y adorara su imagen de oro debía ser arrojado a un horno de fuego [Dn 3:6]. También hubo un decreto hecho en los días de Darío, que cualquiera que por un tiempo invocara a otro dios que no fuera él, debería ser arrojado al foso de los leones [Dn 6]. Ahora bien, la sustancia de estas leyes ha sido quebrantada por este rebelde, no solo en pensamiento —lo cual es inaceptable— sino también en palabra y obra, lo cual debe por lo tanto ser considerado intolerable.

En cuanto a la del Faraón, su ley se hizo sobre una suposición, para prevenir el mal, sin que el crimen fuera aún aparente; pero aquí hay un crimen evidente. En cuanto al segundo y al tercero, pueden ver que impugna nuestra religión; y por la traición que ha confesado, merece la muerte.

El jurado deliberó entonces. Sus nombres eran: señor Ciego, señor Malhechor, señor Malicioso, señor Lujuriante, señor Vividor, señor Embriagado, señor Pretencioso, señor Enemistad, señor Farsante, señor Crueldad, señor Odio Fácil y señor Implacable. Cada uno presentó su veredicto privado y luego concluyeron, por unanimidad, declararlo culpable.

Primero, el presidente del tribunal, señor Ciego, dijo: "Veo claramente que este hombre es un hereje". Entonces el señor Malhechor dijo: "¡Fuera de la tierra semejante sujeto!". "Sí", dijo el señor Malicia, "porque detesto verlo". Luego dijo el señor Lujuriante: "Nunca podría tolerarlo". "Ni yo", dijo

el señor Vividor, "pues siempre estaría condenando mi camino". "Cuélguenlo, cuélguenlo", dijo el señor Embriagado. "Es un pobrecillo", dijo el señor Pretencioso. "Mi corazón se alza contra él", dijo el señor Enemistad. "Es un bribón", dijo el señor Farsante. "La horca es demasiado buena para él", dijo el señor Crueldad. "Quitémonoslo de en medio", dijo el señor Odio Fácil. Entonces dijo el señor Implacable: "Aunque me dieran todo el mundo, no podría reconciliarme con él; por tanto, declarémoslo inmediatamente merecedor de la muerte".

Sacaron a Fiel para hacer con él lo que establecían sus leyes. Primero lo azotaron, luego lo apalearon, después lo atravesaron con cuchillos. Después lo apedrearon, luego lo aguijonearon con espadas y, por último, lo quemaron en la hoguera hasta reducirlo a cenizas. Así llegó Fiel a su fin.

Vi que detrás de la multitud había un carro y una yunta de caballos que esperaban a Fiel. Este, en cuanto sus adversarios le hubieron quitado la vida, subió al carro y fue ascendido entre las nubes con el sonido de una trompeta. Lo condujeron por el camino más cercano a la Puerta Celestial.

Valiente FIEL, valientemente hecho de palabra y obra;
el juez, los testigos y el jurado, en lugar
de vencerte, han mostrado su rabia.
Cuando ellos mueran, tú vivirás en el Nuevo Cielo y en la
Nueva Tierra.

En cuanto a Cristiano, descansó un poco y fue devuelto a la cárcel, donde permaneció un tiempo. Pero aquel que gobierna sobre todas las cosas, teniendo el poder de su ira en su propia mano, dio la vuelta a las cosas de modo que Cristiano

escapó por el momento y siguió su camino. Mientras se marchaba, cantaba:

"Bien, Fiel, has profesado fielmente
a tu Señor, con Él serás bendecido;
cuando los infieles, con todos sus vanos deleites,
gritan bajo sus penurias infernales:
Canta, Fiel, canta, y deja que tu nombre sobreviva,
¡porque, aunque te hayan matado, aún estás vivo!".

Ahora vi en mi sueño que Cristiano no viajaba solo, porque había uno cuyo nombre era Esperanzado (convertido así por contemplar las palabras y el comportamiento de Cristiano y Fiel durante su sufrimiento en la feria) que se unió a él. Y entablando un pacto fraternal, Esperanzado le dijo que deseaba ser su compañero. Así que un individuo murió para dar testimonio de la verdad, y otro resurgió de sus cenizas para ser compañero de Cristiano en su peregrinación. Este individuo llamado Esperanzado también le dijo a Cristiano que había muchas más personas en la feria que con el tiempo seguirían su ejemplo.

Vi, pues, que poco después de haber salido de la feria, alcanzaron a un hombre llamado Fin Ulterior que iba caminando delante de ellos. Le dijeron: "¿De qué país eres y hacia dónde vas por este camino?". Él les dijo que venía de la ciudad de Habla Cortés y que se dirigía a la Ciudad Celestial, pero no les dijo su nombre. "¡De Habla-Cortés!", dijo Cristiano. "¿Y hay algo bueno que viva allí?" [Pro 26:25].

FIN ULTERIOR. Sí, eso espero.

CRISTIANO. Dígame, señor, ¿cómo puedo llamarle?

FIN ULTERIOR. Soy un extraño para ti y tú para mí. Si vienen por este camino, me alegrará tener su compañía. Si no, deberé conformarme.

CRISTIANO. Ese pueblo de Habla Cortés, he oído hablar de él. Según recuerdo, dicen que es un lugar rico.

FIN ULTERIOR. Sí, lo es, y tengo muchos parientes ricos allí.

CRISTIANO. ¿Quiénes son sus parientes allí? Si puedo preguntar.

FIN ULTERIOR. Casi toda la ciudad y, en particular, mi señor Inconsistente, mi señor Oportunista, mi señor Habla Cortés (de cuyos antepasados la ciudad tomó su nombre), también el señor Suave, el señor Doble Cara, el señor Cualquier Cosa y el párroco, el señor Dos Lenguas, que era hermano de mi madre por parte de padre. A decir verdad, yo mismo me he convertido en un caballero de bien, pero mi bisabuelo no era más que un aguador, que miraba para un lado y remaba hacia el otro, y yo obtuve la mayor parte de mis propiedades con el mismo oficio.

CRISTIANO. ¿Es usted un hombre casado?

FIN ULTERIOR. Sí, y mi esposa es una mujer muy virtuosa, hija de una mujer virtuosa. Era hija de la señora Falsa. Procede, por tanto, de una familia muy honorable. Ha llegado a tal estado de buena crianza que sabe presentarse socialmente ante todos, desde el príncipe hasta el campesino. Es cierto que diferimos un poco en religión de los más estrictos, pero solo en dos puntos menores. Primero: nunca luchamos contra viento y marea. Segundo: siempre somos más celosos cuando la religión usa sus zapatillas de plata. Nos encanta pasear con ella por la calle si brilla el sol y la gente le aplaude.

Entonces Cristiano se hizo un poco a un lado y se acercó a su compañero Esperanzado y le dijo: "Se me ocurre que este es un tal señor Fin Ulterior de Habla Cortés. Si es él, tenemos en nuestra compañía a uno de los bribones más grandes que viven en estas partes". Entonces Esperanzado dijo: "Pregúntale. No creo que se avergüence de su nombre". Y Cristiano se acercó de nuevo a Fin Ulterior y le dijo: "Señor, habla usted como si supiera algo más de lo que todo el mundo sabe. Si no me equivoco, creo adivinar quién es usted. ¿No se llama usted el señor Fin Ulterior de Habla Cortés?".

FIN ULTERIOR. Ese no es mi nombre, pero sí es un apodo que me han puesto algunos de los que no me soportan. Debo contentarme con aguantarlo como un reproche, como otros hombres buenos han soportado los suyos antes que yo.

CRISTIANO. ¿Pero nunca dio motivo a los hombres para llamarle por ese apodo?

FIN ULTERIOR. ¡Nunca! Jamás. Lo peor que hice nunca para darles una razón para llamarme así fue siempre poder mirar hacia adelante al hacer juicios sobre el estado de los tiempos —fueran cuales fueran las decisiones— y mi destino fue conseguir riqueza a través de ellos. Si se me conceden cosas, me permito considerarlas una bendición, y no dejo que la gente maliciosa me cargue de reproches por ello.

CRISTIANO. Pensé que seguramente era usted el hombre del que había oído hablar. Para decirle lo que pienso, me temo que ese nombre le pertenece más propiamente de lo que le gustaría hacernos creer.

FIN ULTERIOR. Bueno, si se lo imaginan, no puedo evitarlo. Encontrarán que soy buena compañía, si aun así me permiten andar con ustedes.

CRISTIANO. Si pretende venir con nosotros, debe ir contra viento y marea, lo cual es, creo, contrario a su opinión. También debe aceptar a la religión tanto en sus harapos como cuando lleva zapatillas de plata, y estar a su lado también cuando esté atada con grilletes o cuando camine por las calles con aplausos.

Entonces dijo Fin Ulterior: "No debe imponerse ni pretender regir sobre mi fe. Permítame conservar mi libertad y déjeme ir con ustedes".

CRISTIANO. Ni un paso más, a menos que tenga intención de hacer lo que le proponemos.

Fin Ulterior respondió: "Nunca abandonaré mis viejos principios, ya que son inofensivos y provechosos. Si no puedo ir con ustedes, debo hacer lo que hacía antes de que me alcanzaran: ir solo hasta que me alcance alguien que se alegre de tener mi compañía".

Vi en mi sueño que Cristiano y Esperanzado lo dejaban atrás y se mantenían a distancia frente a él. Uno de ellos miró hacia atrás y vio a tres hombres que seguían al señor Fin Ulterior; y al acercarse este los saludó muy cortésmente, devolviéndole también ellos el cumplido. Se llamaban Lleva El Mundo, Ama El Dinero y Ahorrador. Eran hombres con los que el señor Fin Ulterior se había relacionado anteriormente, ya que en su juventud fueron compañeros de escuela y recibieron clases de un tal señor Quejumbroso, maestro de escuela en Ama-Ganancia, que es una ciudad comercial en el condado de Codicia, al norte. Este maestro de escuela les enseñó el arte de conseguir cosas mediante la violencia, el engaño, la adulación, la mentira, o poniéndose un disfraz de religión; y estos cuatro caballeros habían logrado dominar

mucho del arte de su maestro, tanto que podrían haber impartido ellos mismos tales clases.

Pues bien, cuando, como he dicho, se hubieron saludado así, el señor Ama El Dinero dijo al señor Fin Ulterior: "¿Quiénes son los que están en el camino delante de nosotros?" (Cristiano y Esperanzado estaban todavía a la vista).

FIN ULTERIOR HACE UNA CARACTERIZACIÓN DE LOS PEREGRINOS

FIN ULTERIOR. Son un par de hombres de un país lejano, que a su manera van en peregrinación.

AMA EL DINERO. ¡Ay! ¿Por qué no se quedaron para que pudiéramos tener su buena compañía? Porque ellos y nosotros, y usted, señor, espero, vamos todos de peregrinaje.

FIN ULTERIOR. Así es, sin duda. Pero los hombres que van delante de nosotros son tan rígidos y aman tanto sus propias nociones, y estiman tan poco las opiniones de los demás que, aunque un hombre sea extremadamente piadoso, si no está de acuerdo con ellos en todas las cosas, lo expulsan completamente de su compañía.

AHORRADOR. Eso es malo. Leemos de algunos que son demasiado justos, y la rigidez de tales hombres les hace juzgar y condenar a todos menos a sí mismos. ¿Pero, dígame, en qué y cuántas cosas diferían?

FIN ULTERIOR. Pues bien, en su beligerante manera de ser concluyen que es su deber apresurarse en su viaje con todo tipo de clima, y yo soy partidario de esperar al viento y la marea adecuados. Ellos están a favor de arriesgarlo todo por Dios en cualquier momento, y yo estoy a favor de aprovechar

todas las ventajas para asegurar mi vida y mis bienes. Ellos están a favor de mantener sus creencias, aunque todos los demás hombres estén en su contra. Yo estoy a favor de la religión en lo que sea, y hasta donde mis tiempos y mi seguridad lo permitan. Ellos están a favor de la religión cuando está en harapos, pero yo estoy a favor de ella cuando camina en sus zapatillas doradas bajo el sol y con aplausos.

LLEVA EL MUNDO: Sí, y manténgase firme en sus creencias, buen señor Fin Ulterior. En cuanto a mí, solo puedo considerar tonto a un individuo que ha tenido la libertad de conservar lo que tiene, pero ha sido tan imprudente como para perderlo. Seamos astutos como serpientes: es mejor hacer heno mientras brilla el sol. Ya ven cómo la abeja permanece quieta todo el invierno y solo se despierta cuando puede tener ganancias con placer. Dios a veces envía lluvia y a veces sol. Si esos dos se contentan con lo primero, contentémonos con el buen tiempo. En cuanto a mí, me gusta más la clase de religión que cree en la seguridad de las buenas bendiciones de Dios para con nosotros. Pues, ¿quién que se rija por su propia razón podría imaginar que Dios no quiera que conservemos por amor a Él los bienes de esta vida que nos ha dado? Abraham y Salomón se enriquecieron gracias a la religión, y Job dice que un hombre bueno acumulará oro como polvo. Pero un hombre así no debe ser como los hombres que tenemos delante, si son como usted los ha descrito.

AHORRADOR. Creo que todos estamos de acuerdo en este asunto, así que no necesitamos discutirlo más.

AMA EL DINERO. No, de hecho, no es necesario discutir más, pues quien no cree ni en las Escrituras ni en la razón (y ya ven que tenemos a ambas de nuestro lado) no comprende su propia libertad ni busca su propia seguridad.

FIN ULTERIOR. Hermanos míos, como ven, todos somos peregrinos, y para proporcionarnos una mejor diversión que pensar en las cosas malas, permítanme hacerles esta pregunta:

Supongan que un hombre, un ministro, un comerciante, o tal, tiene la posibilidad favorable de obtener cosas buenas de esta vida. Y supongamos que no hay manera de que pueda obtenerlas sin, al menos en apariencia, volverse extraordinariamente celoso en algunos puntos de la religión en los que no tiene experiencia. ¿No puede utilizar este medio para alcanzar su fin y, sin embargo, seguir siendo un hombre perfectamente honesto?

AMA EL DINERO. Veo el fondo de su pregunta, y con el permiso de estos caballeros me esforzaré por darle una respuesta. Para hablar de su pregunta en lo que concierne a un ministro: supongamos que un ministro —un hombre digno, pero con un salario muy pequeño— tiene en el ojo un salario mucho más gordo. También ha tenido la oportunidad de conseguirlo siendo más estudioso y predicando con más frecuencia y celo, y alterando algunos de sus principios porque el temperamento de la gente así lo requiere. En cuanto a mí, no veo ninguna razón por la que un hombre no pueda hacer esto —e incluso mucho más— y seguir siendo un hombre honrado, siempre que tenga vocación. ¿Y por qué?

En primer lugar, su deseo de un salario más alto es legítimo (esto no se puede contradecir), ya que está puesto ante él por la Providencia. Entonces, de alcanzarlo, si puede, no tendría que hacerse preguntas por el bien de la conciencia.

Segundo, su deseo de ese salario lo hace más estudioso, un predicador más celoso, etc.; y así, lo hace un hombre mejor.

Sí, lo hace mejorarse a sí mismo, lo cual está de acuerdo con la mente de Dios.

Tercero, en cuanto a comprometer algunos de sus principios para adecuarse a los deseos de su pueblo, con el fin de servirles, esto demuestra que es apto para practicar la abnegación, que tiene un comportamiento dulce e influyente, y que, por lo tanto, es aún más apto para el ministerio.

Cuarto, concluyo, entonces, que un ministro que cambia algo pequeño por algo grande no debe ser juzgado como codicioso por hacerlo, sino más bien —ya que su desempeño en su trabajo mejora por ello— debe ser considerado como alguien que persigue su vocación y la oportunidad de hacer el bien.

Y ahora la segunda parte de la pregunta, que se refiere al comerciante que usted mencionó. Supongamos que tal persona solo tiene un pobre negocio en el mundo, pero que al hacerse religioso puede ampliar su mercado, tal vez conseguir una esposa rica o más y mejores clientes en su tienda. En cuanto a mí, no veo ninguna razón por la que esto no pueda hacerse legalmente. ¿Por qué?

Primero, hacerse religioso es una virtud, independientemente de los medios que el hombre emplee para ello.

Segundo, no es ilegítimo conseguir una esposa rica o atraer más negocios a su tienda.

Tercero, el hombre que obtiene estas cosas, al volverse religioso obtiene cosas que son buenas de quienes son buenos al volverse bueno él mismo. Entonces, tenemos una buena esposa, buenos clientes y buenas ganancias, y él ha obtenido todas estas cosas volviéndose religioso, lo cual es bueno. Volverse religioso para obtener todas estas cosas, por lo tanto, responde a una intención buena y provechosa.

Todos aplaudieron mucho la respuesta del señor Ama El Dinero a la pregunta del señor Fin Ulterior. Todos concluyeron, por tanto, que era de lo más robusta y ventajosa. Como pensaban que nadie era capaz de contradecirla, y como Cristiano y Esperanzado, que antes se habían opuesto al señor Fin Ulterior, estaban todavía a poca distancia, acordaron conjuntamente asaltarlos con la pregunta en cuanto los alcanzaran. Así que los llamaron, quienes entonces se detuvieron y se quedaron quietos hasta ser alcanzados. Acordaron que, en lugar del señor Fin Ulterior, debía ser el señor Lleva El Mundo quien les planteara la pregunta, ya que, como suponían, su respuesta para él no tendría el acaloramiento que se había desatado entre el señor Fin Ulterior y ellos al separarse poco antes.

Así que se acercaron a Cristiano y Esperanzado, y tras un breve saludo, el señor Lleva El Mundo presentó la pregunta a Cristiano y a su compañero y les pidió que la contestaran si podían.

CRISTIANO. Hasta un niño podría responder a diez mil preguntas como esta. Si es ilícito seguir a Cristo para obtener pan, como se muestra en Juan 6, ¿cuánto más abominable es hacer de Él y de la religión un pretexto para ganar y disfrutar del mundo? Solo paganos, hipócritas, diablos y brujos sostienen esta opinión.

Primero, en cuanto a los paganos, cuando Jamor y Siquem querían las hijas y el ganado de Jacob y vieron que no había manera de conseguirlos salvo circuncidándose, dijeron a sus compañeros: "Los hombres aceptan quedarse entre nosotros y formar un solo pueblo, con una sola condición: que nuestros varones se circunciden, como ellos lo están. Aceptemos su condición, de esta manera, ¿no será también nuestro su ganado,

sus propiedades y todos sus animales?". Trataban de obtener las hijas y el ganado, y la religión era el pretexto que utilizaban para conseguirlos. Lean toda la historia [Gn 34:20-23].

Segundo, los hipócritas fariseos eran también de esta religión. Largas oraciones eran su pretensión, pero obtener las casas de las viudas era su intención, y su mayor condenación de Dios era su juicio [Lc 20:47-47].

Tercero, el diablo Judas era también de esta religión. Era religioso por la bolsa del dinero, para poseer lo que había en ella. Pero estaba perdido, exiliado, condenado a la destrucción.

Cuarto, Simón el hechicero también era de esta religión, pues quería tener el Espíritu Santo y usarlo para conseguir dinero. Su sentencia de boca de Pedro fue conforme a su pecado [Hch 8:19-22].

Quinto, no piensen que esto es simplemente una invención de mi propia mente. Un hombre que se vuelve religioso con el propósito de ganar el mundo estará igualmente dispuesto a desechar la religión para obtenerlo. Tan cierto como que Judas quería el mundo al hacerse religioso, tan cierto como que vendió la religión y a su Maestro por lo mismo. Por lo tanto, responder afirmativamente a la pregunta, como percibo que han hecho, y aceptar tal respuesta como correcta, es irreligioso, hipócrita y diabólico. Su recompensa será según sus obras.

Se quedaron mirándose el uno al otro, pero no tenían nada con qué responderle a Cristiano. Esperanzado también aprobó la solidez de la respuesta de Cristiano, por lo que se hizo un gran silencio entre ellos. El señor Fin Ulterior y su grupo también se tambalearon y se mantuvieron detrás para que Cristiano y Esperanzado pudieran adelantarlos. Entonces Cristiano preguntó a su amigo: "Si estos hombres no pueden

hacer frente a la sentencia de los hombres, ¿qué harán con la sentencia de Dios? Y si se quedan mudos cuando se les trata con vasijas de barro, ¿qué harán cuando se les reprenda con las llamas de un fuego devorador?".

Entonces Cristiano y Esperanzado los adelantaron de nuevo y siguieron adelante hasta que llegaron a una llanura hermosa llamada Comodidad. La atravesaron con mucho contento, pero como era estrecha, la cruzaron rápidamente. Ahora bien, al otro lado de esa llanura había una pequeña colina llamada Lucro, y en esa colina una mina de plata. A causa de su rareza, algunos de los que habían ido por allí se habían desviado para verla; sin embargo, cuando se acercaron demasiado al borde de la fosa, el suelo (inestable bajo sus pies) cedió y murieron. Algunos también habían salido heridos de allí y no pudieron volver a ser ellos mismos hasta el día de su muerte.

Entonces vi en mi sueño que, a poca distancia del camino, en dirección a la mina de plata, estaba Demas (en actitud caballerosa) llamando a los viajeros para que vinieran a ver. Dijo a Cristiano y a su amigo: "¡Eh! Vengan aquí, y les enseñaré algo".

CRISTIANO. ¿Qué cosa merece tanto nuestra atención como para apartarnos del camino?

DEMAS. Aquí hay una mina de plata y algunas personas cavando en ella en busca de un tesoro. Si vienen, con un poco de esfuerzo podrán obtener riquezas.

ESPERANZADO. Vamos a ver.

CRISTIANO. Yo no. Ya he oído hablar de este lugar y de cuántos han sido asesinados aquí. Además, ese tesoro es una trampa para quienes lo buscan, pues los distrae de su peregrinación.

Entonces Cristiano dijo a Demas: "¿No es peligroso ese lugar? ¿No ha desviado a muchos de su Peregrinación?" [Os 14:8].

DEMAS. No es muy peligroso, excepto para aquellos que son descuidados. (Sin embargo, se sonrojó al hablar).

CRISTIANO. No nos saltemos ni un paso y sigamos nuestro camino.

ESPERANZADO. Te aseguro que cuando suba Fin Ulterior, si recibe la misma invitación que nosotros, pasará por allí a ver.

CRISTIANO. No lo dudes, pues sus principios lo llevan por allí, y cien contra uno dicen que morirá allí.

Entonces Demas volvió a llamar, diciendo: "¿Pero no vendrán a ver?".

CRISTIANO. Demas, eres enemigo de los rectos caminos del Señor de este Camino. Ya has sido condenado por uno de los jueces de Su Majestad por desviarte tú mismo [2 Ti 4:10]. ¿Por qué pretendes llevarnos a nosotros a la misma condena? Además, si nos desviamos en algo, nuestro Señor y Rey ciertamente se enterará de ello. Nos avergonzaremos cuando, de otro modo, nos mostraríamos con valentía ante Él.

Demas volvió a gritar y dijo que él también era uno de sus compañeros y que, si se demoraban un poco, él también caminaría con ellos.

CRISTIANO. ¿Cuál es tu nombre? ¿No es el mismo por el que te he llamado?

DEMAS. Sí, me llamo Demas. Soy hijo de Abraham.

CRISTIANO. Te conozco. Giezi era tu bisabuelo y Judas tu padre, y tú has seguido sus pasos [2 Re 5:20, Mt 26:14-15, 27:1-5]. No es más que una broma diabólica la que estás

usando. Tu padre fue ahorcado por traidor, y tú no mereces mejor recompensa. Asegúrate de que cuando lleguemos ante el rey, le traeremos noticias de tu comportamiento.

Y con eso, siguieron su camino.

Para entonces, Fin Ulterior y sus compañeros habían vuelto a estar a la vista, y a la primera llamada se acercaron a Demas. Ahora bien, no estoy seguro de si cayeron en la fosa por asomarse al borde de ella, o si bajaron a cavar, o si fueron asfixiados en el fondo por la humedad que comúnmente surge. Pero observé que nunca más se les volvió a ver por el camino. Entonces Cristiano cantó:

"Fin Ulterior y Demas el plateado están de acuerdo;
Uno llama, el otro corre, para poder ser
partícipe de su lucro, por lo que estos dos
toman en este mundo, y no van más allá".

Ahora vi que, justo al otro lado de esta llanura, los peregrinos llegaron a un lugar donde se erguía un viejo monumento junto al arcén de la carretera. Al verlo, ambos se inquietaron por lo extraño de su forma, pues les pareció como si hubiera sido una mujer transformada en forma de columna. Se quedaron, pues, mirándola, pero durante un rato no supieron qué pensar de ella. Por fin, Esperanzado levantó la vista y vio escrito en la cabeza de la columna algo en una caligrafía inusual. Él, que no era un erudito, llamó a Cristiano (pues era educado) para ver si podía descifrar el significado. Así que vino, y después de examinar un poco las letras, encontró que el mensaje era este: "Acuérdate de la mujer de Lot". Así que se lo leyó a su amigo, después de lo cual ambos concluyeron que era la

Columna de Sal en la que se convirtiera la mujer de Lot por mirar hacia atrás con un corazón codicioso, mientras huía para ponerse a salvo de Sodoma [Gn 19:26]. Esta repentina y asombrosa visión les dio pie para la siguiente conversación:

CRISTIANO. ¡Ah, hermano mío! Este es un espectáculo adecuado. Nos llegó oportunamente después de que Demas nos invitara a ir a ver la colina de Lucro. Si hubiéramos ido como él deseaba, y como tú, hermano mío, estabas inclinado a hacer, podríamos habernos convertido, como esta mujer, en un espectáculo digno de contemplar para los que vinieran después.

ESPERANZADO. Siento haber sido tan insensato. Me pregunto si no soy ahora como la mujer de Lot, pues ¿qué diferencia había entre su pecado y el mío? Ella solo miraba hacia atrás, y yo tenía deseos de ir a ver. Que la gracia sea adorada, y que yo me avergüence de que tal cosa haya estado en mi corazón.

CRISTIANO. Tomemos nota de lo que vemos aquí para ayudarnos en los tiempos venideros. Esta mujer escapó a un juicio, pues no cayó por la destrucción de Sodoma; sin embargo, fue destruida por otro. Como vemos, ha sido convertida en estatua de sal.

ESPERANZADO. Cierto. Y ella puede servirnos tanto de precaución como de ejemplo: precaución, en el sentido de que debemos evitar su pecado, o como ejemplo del juicio que alcanzará a aquellos que no se dejen detener por esta precaución. Coré, Datán y Abiram, con los doscientos cincuenta hombres que perecieron en su pecado, también se convirtieron en señal o ejemplo para tener cuidado [Nm 26:9-10]. Pero, sobre todo, reflexiono sobre cómo Demas y sus amigos pueden caminar

tan confiados hacia allá para buscar el tesoro cuando esta mujer fue convertida en estatua de sal por solo mirar hacia atrás, pues no leemos que pusiera un pie fuera del Camino. Esto es especialmente interesante, ya que el juicio que la alcanzó la puso como ejemplo a la vista de donde ellos están. Podrían haber elegido verla si tan solo hubieran levantado los ojos.

CRISTIANO. Es algo de lo que maravillarse, y revela que sus corazones se han desesperado. No puedo decidir con quién pueden compararse exactamente: con los que roban bolsillos en presencia del juez o con los que robarán carteras bajo la horca. Se dice de los hombres de Sodoma que eran pecadores en extremo porque eran pecadores ante el Señor, es decir, a su vista, a pesar de las bondades que Él les había mostrado [Gn 13:13], porque la tierra de Sodoma era como el jardín del Señor antes de su destrucción [Gn 13:10]. Esto, por lo tanto, provocó aún más sus celos e hizo su plaga tan ardiente como el Señor del Cielo podría hacerla. Es de lo más racional concluir que aquellos —incluso aquellos como estos que pecan a su vista, sí, e incluso a pesar de los ejemplos que se ponen ante ellos para advertirles de lo contrario— deben recibir los juicios más severos.

ESPERANZADO. Sin duda has dicho la verdad, pero qué misericordia es que ni tú, ni especialmente yo mismo, nos hayamos convertido en un ejemplo. Esto nos da ocasión de dar gracias a Dios, de temer ante Él y de acordarnos siempre de la mujer de Lot.

Vi entonces que seguían su camino hacia un agradable río que el rey David llamaba "el río de Dios", pero que Juan llamaba "el río del agua de la vida" [Salm 65:9, Ap 22, Ez 47]. Su camino estaba justo en la orilla del río; por lo tanto, Cristiano

y su compañero caminaron por él con gran placer. También bebieron del agua del río, agradable y rejuvenecedora para sus cansados espíritus. Además, en ambas orillas había árboles verdes que daban todo tipo de frutos, y las hojas de los árboles eran curativas. Estaban muy encantados con el fruto de estos árboles y con las hojas que los peregrinos comen para prevenir las enfermedades de exceso de indulgencia y otras enfermedades que pueden afligir a quienes calientan su sangre viajando. A ambos lados del río había también un prado, curiosamente embellecido con lirios, que estaba verde todo el año. Se acostaron y durmieron en este prado, pues era allí donde podían descansar con seguridad. Cuando despertaron, volvieron a recoger de la fruta de los árboles y bebieron de nuevo del agua del río y se acostaron de nuevo a dormir [Salm 23:2, Is 14:30]. Hicieron esto varios días y varias noches. Luego cantaron:

"Miren cómo se deslizan estos arroyos de cristal
para consolar a los peregrinos junto al camino.
Los verdes prados, además de su fragante olor,
les dan delicias. Y el que sepa
qué frutos y hojas dan estos árboles,
pronto lo venderá todo para comprar este campo".

Así que cuando estuvieron dispuestos a seguir (pues aún no habían llegado al final de su viaje), comieron, bebieron y partieron.

Ahora vi en mi sueño que no habían viajado mucho hasta que el río y el camino se separaron por un tiempo, ante lo cual se sintieron muy decepcionados, pero no se atrevían a desviarse. El camino que se alejaba del río era áspero, y sus

pies estaban sensibles, por lo que se impacientaban [Nm 21:4]. Por eso, mientras continuaban, deseaban un camino mejor. A poca distancia delante de ellos había un prado a la izquierda del camino, y un paso para entrar en él; se llamaba el Prado del Desvío. Entonces Cristiano dijo a su amigo: "Si este prado está junto a nuestro camino, pasemos a él". Entonces se acercó a la entrada para mirar. Efectivamente, al otro lado de la valla había un sendero que bordeaba el camino por el que iban. "Es tal como esperaba", dijo Cristiano, "por aquí es más fácil ir. Ven, Esperanzado, y entremos".

ESPERANZADO. Pero ¿y si este sendero nos lleva fuera del camino?

CRISTIANO. Eso no es probable. Mira, ¿no va por el borde del camino?

Así que, persuadido por su amigo, Esperanzado lo siguió. Después que habían pasado y entrado en el camino paralelo, encontraron que andaban muy cómodamente; y con eso, mirando delante de ellos, vieron a un hombre que iba por la misma ruta (y su nombre era Vana Confianza). Lo llamaron y le preguntaron a dónde llevaba aquel camino. "A la Puerta Celestial", respondió. "¿Ves?", dijo Cristiano. "¿No te lo dije? Ya ves que estamos bien". Entonces lo siguieron, y él iba delante. Pero llegó la noche y se hizo muy oscuro, de modo que los que iban atrás lo perdieron de vista.

El que iba delante (de nombre Vana Confianza), al no ver el camino que tenía ante sí, cayó en un profundo pozo [Is 9:16] que había puesto allí el dueño de la propiedad para atrapar a los necios engreídos. Se hizo pedazos por la caída.

Cristiano y su amigo lo oyeron caer y gritaron para saber qué había pasado, pero no hubo respuesta; solo oyeron

gemidos. Entonces Esperanzado preguntó: "¿Dónde estamos ahora?". Su amigo guardó silencio, considerando si los había sacado del camino. Y empezó a llover y a tronar de un modo espantoso. Hubo relámpagos terribles, y el agua cayó con fuerza y brusquedad.

Entonces Esperanzado gimió en su interior, diciendo: "¡Oh, si hubiera seguido mi camino!".

CRISTIANO. ¿Quién iba a pensar que esta senda nos sacaría del camino?

ESPERANZADO. Me lo temía desde el principio, y por eso te hice esa amable advertencia. Habría hablado más claro, pero tú eres mayor que yo.

EL ARREPENTIMIENTO DE CRISTIANO POR APARTAR A SU HERMANO DEL CAMINO

CRISTIANO. Querido hermano, no te enfades. Siento haberte sacado del camino y haberte puesto en un peligro tan inminente. Por favor, hermano mío, perdóname. No lo hice con mala intención.

ESPERANZADO. Consuélate, hermano mío. Te perdono y también creo que esto resultará para nuestro bien.

CRISTIANO. Me alegro de tener conmigo a un hermano misericordioso. Pero será mejor que no nos quedemos aquí. Intentemos volver otra vez.

ESPERANZADO. Pero, buen hermano, déjame ir delante.

CRISTIANO. No, por favor, déjame ir primero. Así, si hay algún peligro, puedo ser el primero en encontrarlo. Es culpa mía que los dos nos hayamos salido del camino.

ESPERANZADO. No. No irás primero. Puesto que tu mente está turbada, puede que vuelvas a salirte del camino.

Entonces, para animarlos, oyeron la voz de uno que decía: "Pónganse señales en el camino, coloquen marcas por donde pasaron, ¡vuelvan!" [Jer 31:21]. Pero para entonces el agua había subido más, y por eso el camino de vuelta era muy peligroso. (Entonces se me ocurrió que es más fácil salir del Camino cuando estamos en él que entrar cuando estamos fuera de él). Aun así, intentaron volver, pero estaba tan oscuro y la crecida era tan grande que estuvieron a punto de ahogarse nueve o diez veces.

Tampoco pudieron, con toda la habilidad de que disponían, llegar de nuevo al paso del prado aquella noche. Por eso, al fin se detuvieron bajo un pequeño refugio y se sentaron allí hasta el amanecer. Pero, cansados, se durmieron. No lejos del lugar donde yacían había un castillo llamado Castillo Dudoso. El dueño del castillo era el Gigante Desesperación, y era en su propiedad donde ahora dormían. Cuando el Gigante se levantó por la mañana y caminó por sus campos, sorprendió a Cristiano y a Esperanzado dormidos en sus tierras. Entonces, con voz áspera y brusca, les ordenó que se despertaran y les preguntó de dónde venían y qué hacían allí. Le dijeron que eran peregrinos que se habían perdido. Entonces el Gigante dijo: "Anoche me invadieron, pisoteando y yaciendo en mis tierras. Por lo tanto, deben venir conmigo". Se vieron obligados a ir porque él era más fuerte que ellos. Tampoco tenían mucho que decir, pues sabían que eran culpables. El Gigante, por lo tanto, los condujo ante él y los metió en su castillo, en un calabozo muy oscuro, que era desagradable y hediondo para el espíritu de estos hombres [Salm 88:18].

Estuvieron allí dentro desde el miércoles por la mañana hasta el sábado por la noche, sin un trozo de pan ni una gota para beber, sin luz y sin nadie que les preguntara cómo estaban. Estaban, por lo tanto, en una situación lamentable y lejos de amigos y conocidos. En este lugar, Cristiano sentía una doble tristeza, porque fue por su mal juicio que habían terminado en esta angustiosa situación.

Los peregrinos, para aliviar la carne,
buscaron descanso; pero, ¡oh! Cómo se hunden
en nuevas penas.
Quienes buscan aliviar a la carne, ellos mismos se
deshacen.

El Gigante Desesperación tenía una esposa que se llamaba Timidez. Cuando el Gigante se fue a la cama, le contó a su mujer lo que había hecho: que había cogido a un par de prisioneros y los había metido en su calabozo por invadir sus tierras. Entonces le preguntó qué sería lo mejor que podría hacer con ellos, y ella le preguntó quiénes eran, de dónde venían y a dónde iban. Cuando se lo dijo, ella le aconsejó que cuando se levantara por la mañana los golpeara sin piedad. Así que cuando se levantó, se hizo con un garrote de cangrejo y bajó al calabozo a por ellos. Allí, primero empezó a regañarles como si fueran perros, a pesar de que nunca le habían dicho una palabra desagradable. Luego los atacó y los golpeó pavorosamente, de tal manera que no pudieron resguardarse ni darse la vuelta en el suelo. Hecho esto, se retiró y los dejó allí para que sollozaran angustiados. Durante todo ese día no hicieron nada más que suspirar y lamentarse amargamente.

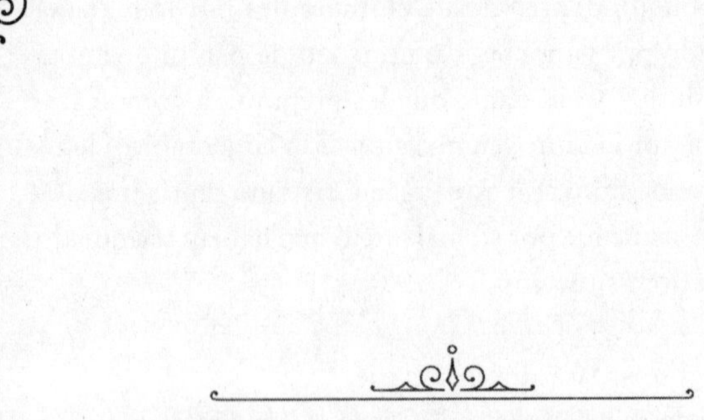

Querido Dios, como Cristiano, a veces me siento atrapado e impotente ante circunstancias difíciles o ante mis propias debilidades. Ayúdame a recordar que eres tú quien puede romper las cadenas de la esclavitud y liberarme. Dame la esperanza y la fuerza para perseverar en mi fe, incluso en tiempos de prueba.

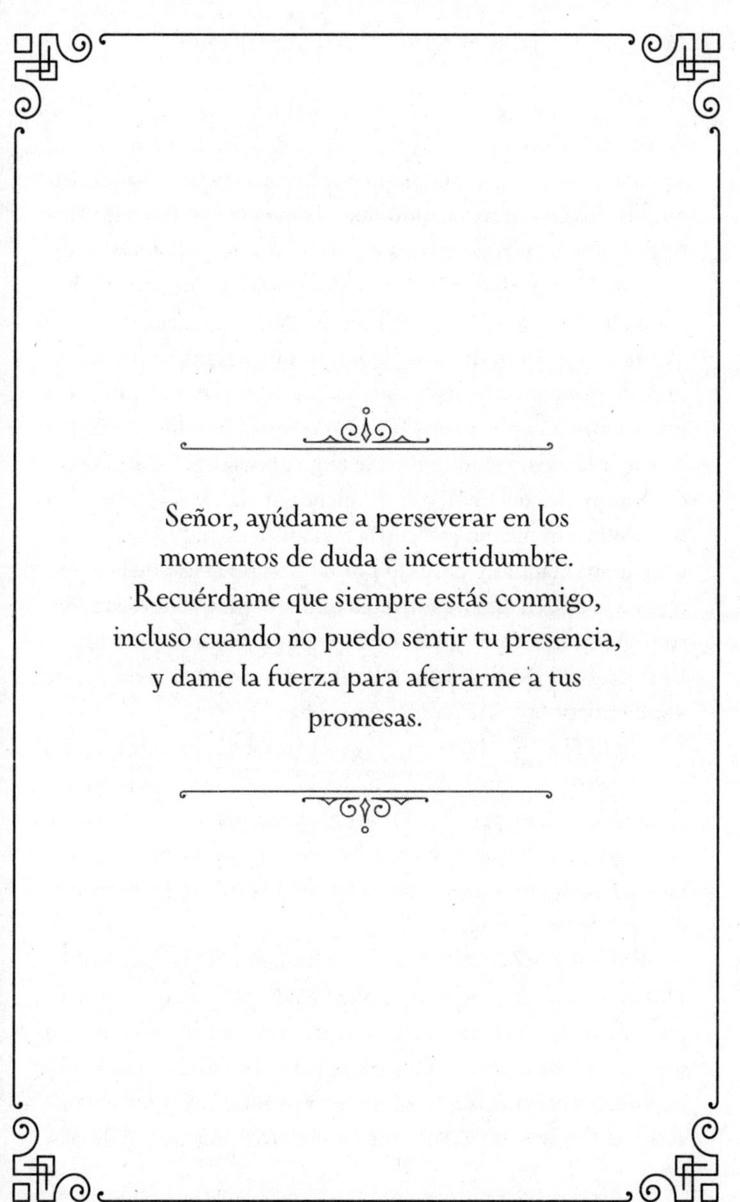

Señor, ayúdame a perseverar en los
momentos de duda e incertidumbre.
Recuérdame que siempre estás conmigo,
incluso cuando no puedo sentir tu presencia,
y dame la fuerza para aferrarme a tus
promesas.

A la noche siguiente, mientras hablaba más con su marido sobre los prisioneros, y al darse cuenta de que aún vivían, Timidez le aconsejó al Gigante que les ordenara acabar consigo mismos. Así que, cuando llegó la mañana, el Gigante Desesperación se dirigió a ellos de un modo hosco, como antes, y viendo que estaban muy doloridos por los azotes que les había dado el día anterior, les dijo que, puesto que era probable que nunca salieran de aquel lugar, su única salida sería acabar inmediatamente con sus vidas, ya fuera con un cuchillo, con una cuerda o con veneno. "Pues ¿por qué", les dijo, "habrían de elegir la vida, viendo que trae tanta amargura?". Ellos le pidieron que les dejara ir y él, poniendo mala cara, se abalanzó sobre ellos. Él mismo los habría matado si no hubiera caído en uno de sus ataques y perdido por un tiempo el uso de la mano (pues a veces, en días de sol, tenía estos ataques). Por esa razón, se retiró como antes y los dejó para que pensaran qué hacer. Entonces los prisioneros consultaron entre sí si sería mejor seguir su consejo. Así empezaron a hablar:

CRISTIANO. Hermano, ¿qué haremos? ¡La vida que llevamos ahora es miserable! En cuanto a mí, no sé si es mejor vivir así o morir pronto. "Y así mi alma prefiere la asfixia y la muerte, antes que estos mis huesos", y la muerte sería más fácil para mí que este calabozo [Job 7:15]. ¿Aceptaremos que el Gigante nos domine?

ESPERANZADO. Nuestra condición actual es terrible, y la muerte sería mucho más bienvenida para mí que vivir así para siempre. Pero consideremos aún que el Señor del país al que vamos ha dicho: "No asesinarás'". No asesinarás a otra persona; mucho más, pues, nos está prohibido seguir el consejo del Gigante de asesinarnos a nosotros mismos. Además,

quien mata a otra persona solo puede asesinar su cuerpo, pero matarse a sí mismo es matar el cuerpo y el alma al mismo tiempo. Más allá de eso, Hermano mío, hablas de tranquilidad en la tumba, pero ¿has olvidado el Infierno, adonde van con toda seguridad los asesinos? Porque "ningún asesino tiene vida eterna en él". Y consideremos de nuevo que no toda la ley está en manos del Gigante Desesperación; según tengo entendido, otros han sido capturados por él, al igual que nosotros, y han logrado escapar. ¿Quién sabe, sino Dios, que hizo el mundo, lo que pueda acabar con la vida del Gigante Desesperación? ¿O que en un momento u otro se olvide de encerrarnos, o que tenga otro de sus ataques frente a nosotros y pierda el uso de sus miembros? Y si alguna vez eso volviera a suceder, por mi parte, estoy resuelto a reunir un corazón varonil y hacer todo lo posible por escapar de su mano. Fui un tonto por no haberlo intentado antes. Pero seamos pacientes, Hermano, y aguantemos un poco más. Puede llegar el momento que nos traiga una feliz liberación, pero no seamos nuestros propios asesinos.

Con estas palabras, Esperanzado calmó la mente de su hermano, así que siguieron juntos en la oscuridad en su triste y lúgubre condición.

Al anochecer, el Gigante bajó de nuevo al calabozo para ver si sus prisioneros habían seguido su consejo; pero cuando llegó allí, los encontró vivos. Y vivos estaban apenas, pues por falta de pan y agua y a causa de las heridas de su golpiza, podían hacer poco más que respirar. Pero, digo, los encontró vivos, y ante esto, montó en cólera terrible y les dijo que, viendo que habían desobedecido, sería mejor para ellos nunca haber nacido.

Ante esto, los peregrinos temblaron mucho, y creo que Cristiano cayó desmayado. Pero, reanimándose un poco,

volvieron a discutir sobre el consejo del Gigante y sobre si debían seguirlo. De nuevo Cristiano pareció inclinarse a hacerlo, pero Esperanzado expuso su segundo argumento, como sigue:

ESPERANZADO. Hermano mío, ¿no recuerdas lo valiente que has sido hasta ahora? Apolión no pudo aplastarte, ni todo lo que oíste, ni viste, ni sentiste en el Valle de la Sombra de la Muerte. ¡Cuántas penurias, terror y asombro has pasado ya! ¿Y ahora no tienes más que miedo? Ya ves que yo estoy en el calabozo contigo y soy una persona mucho más débil por naturaleza que tú. Además, este Gigante me ha herido tanto como a ti y me ha quitado el pan y el agua de la boca, y sufro contigo aquí en la oscuridad. Pero tengamos un poco más de paciencia. ¿Recuerdas cómo hiciste gala de hombría en la Feria de las Vanidades? Y no tuviste miedo de la cadena, ni de la jaula, ni siquiera de una muerte sangrienta. Así que aguantemos con paciencia lo mejor que podamos, al menos para evitar la vergüenza que no conviene a un cristiano.

Habiendo llegado de nuevo la noche, y estando el Gigante y su mujer en la cama, Timidez le preguntó por los prisioneros y si habían seguido su consejo. El Gigante Desesperación contestó: "Son bribones robustos. Prefieren soportar todas las penurias antes que acabar con ellos mismos". Entonces Timidez dijo: "Llévalos mañana al patio del castillo y muéstrales los huesos y cráneos de los que ya has destruido. Y hazles creer que dentro de una semana también los harás pedazos como has hecho con sus amigos antes que ellos".

Así que, cuando llegó la mañana, el Gigante se dirigió de nuevo a ellos, los llevó al patio del castillo y les mostró lo que su mujer le había sugerido. "Estos", dijo el Gigante, "fueron una vez peregrinos como ustedes, y entraron en mi propiedad

como ustedes. Cuando lo consideré oportuno, los despedacé, y dentro de diez días haré lo mismo con ustedes dos. ¡Váyanse! Vuelvan a su celda". Y los golpeó durante todo el camino. Estuvieron, pues, todo el sábado en condiciones tan lamentables como antes.

Al llegar la noche, y cuando Timidez y su marido, el Gigante, se habían acostado, reanudaron la conversación sobre sus prisioneros. Y entonces el viejo Gigante se preguntó por qué no podía acabar con ellos ni con sus palizas ni con sus consejos. Entonces su esposa replicó: "Temo que estén esperando un rescate o que tengan algún medio para forzar las cerraduras y escapar". "¿Eso crees, querida?", dijo el Gigante. "Entonces los registraré por la mañana".

Pues bien, el sábado hacia medianoche los prisioneros se pusieron a rezar, y continuaron en oración hasta casi el amanecer.

Un poco antes del amanecer, el buen Cristiano, como alguien medio asombrado, exclamó esta apasionada declaración: "¡Qué tonto soy por estar aquí en una mazmorra apestosa, cuando podría fácilmente andar en libertad! En mi abrigo, junto a mi corazón, tengo una llave llamada Promesa. Estoy convencido de que puede abrir cualquier cerradura del Castillo Dudoso". "Esas son buenas noticias, Hermano", dijo Esperanzado. "Sácala y prueba".

UNA LLAVE EN EL PECHO DE CRISTIANO, LLAMADA PROMESA, ABRE CUALQUIER CERRADURA DEL CASTILLO DUDOSO

Entonces Cristiano la sacó de su pecho y empezó a probarla en la puerta del calabozo. Al girar la llave, el cerrojo cedió y

la puerta se abrió fácilmente. Cristiano y Esperanzado salieron. Luego Cristiano fue a la puerta que daba al exterior y la llave la abrió también. Después se dirigió a la puerta de hierro, pues también había que abrirla. La cerradura giró con mucha fuerza, pero la llave la abrió. Entonces abrieron de par en par el portón para escapar rápidamente. Sin embargo, aquella puerta crujió tanto al abrirse que despertó al Gigante Desesperación, quien se levantó de súbito para perseguir a sus prisioneros, pero sintió que le fallaban los miembros; empezó a tener de nuevo uno de sus ataques, por lo que no pudo ir tras ellos. Los peregrinos siguieron adelante y regresaron al camino del rey, donde estaban a salvo y fuera de su jurisdicción.

Después de cruzar la valla, empezaron a discutir lo que debían hacer para evitar que otros cayeran también en manos del Gigante Desesperación en el futuro. Así que decidieron erigir allí un pilar y grabar a su lado esta frase: "Al otro lado de esta valla está el camino al Castillo Dudoso, que es guardado por el Gigante Desesperación, quien desprecia al Rey del País Celestial y busca destruir a Sus santos peregrinos". Muchos que pasaron por ese lugar después escaparon del peligro gracias a ese mensaje. Una vez hecho esto, cantaron:

"Nos salimos del camino
y descubrimos lo que era pisar terreno prohibido.
Y que los que vengan después tengan cuidado,
no sea que por imprudencia les pase como a nosotros,
no sea que, por traspasar, sean sus prisioneros,
cuyo castillo es dudoso, y cuyo nombre es
    Desesperación".

Cristiano y Esperanzado siguieron andando hasta llegar a las Montañas Deliciosas, que pertenecen al Señor de la Colina, de quien hemos hablado antes. Subieron a las montañas para ver los jardines, los viñedos y las fuentes de agua. Allí bebieron y se lavaron y comieron libremente de las viñas. Ahora bien, en la cima de esas montañas había pastores apacentando sus rebaños, y estaban a la vera del camino. Los peregrinos, por lo tanto, se acercaron a ellos y, apoyándose en sus bastones (como es común en los peregrinos cansados cuando se paran a hablar con alguien junto al camino), preguntaron: "¿De quién son estas plácidas montañas? ¿Y de quién son las ovejas que se alimentan en ellas?".

PASTORES. Estas montañas son la Tierra de Emanuel, y están a la vista de Su ciudad. Las ovejas también son Suyas, y Él dio Su vida por ellas [Jn 10:11].

CRISTIANO. ¿Es éste el camino a la Ciudad Celestial?

PASTORES. Es este el camino.

CRISTIANO. ¿Qué distancia hay hasta allí?

PASTORES. Demasiado lejos para cualquiera, excepto para aquellos que realmente llegan.

CRISTIANO. ¿Es seguro o peligroso el camino?

PASTORES. Es seguro para quienes debe ser seguro, pero los rebeldes tropiezan en él [Os 14:9].

CRISTIANO. ¿Hay aquí un lugar de alivio para los Peregrinos que se fatigan y desfallecen en el Camino?

PASTORES. El Señor de estas montañas nos ha ordenado que no nos olvidemos de hospedar a los forasteros. Por tanto, la bondad del lugar está ante ti [Heb 13:1-2].

También vi en mi sueño que, cuando los Pastores se dieron cuenta de que eran hombres de camino, les hicieron preguntas

que ya habían respondido en otros lugares: "¿De dónde vienen?", "¿Y cómo encontraron el camino? ¿Qué han hecho para perseverar en él? Porque solo unos pocos de los que empiezan a venir asoman la cara por estos montes". Pero cuando los pastores escucharon sus respuestas, y estando complacidos con ellas, los miraron con mucho cariño y les dijeron: "Bienvenidos a las Montañas Deliciosas".

Los pastores, cuyos nombres eran Conocimiento, Experiencia, Vigilancia y Sinceridad, los llevaron de la mano, los condujeron a sus tiendas y les dieron de comer de lo que ya estaba preparado. Entonces les dijeron: "Queremos que se queden aquí un tiempo para que nos conozcan y, más aún, para que se consuelen con las bondades de estas montañas". Los peregrinos les dijeron que estaban dispuestos a quedarse, así que se fueron y descansaron esa noche, porque ya era muy tarde.

Entonces vi en mi sueño que los pastores llamaron a Cristiano y a Esperanzado por la mañana para que caminaran con ellos por las montañas. Así que fueron con ellos y caminaron un rato, teniendo por todos lados una agradable vista del país. Los pastores se dijeron: "¿Mostramos a estos peregrinos algunas de las maravillas?". Y decidieron hacerlo. Primero los llevaron a la cima de una colina llamada Error (que era muy empinada en el lado más lejano) y les pidieron que miraran hacia abajo. Entonces Cristiano y Esperanzado se asomaron y vieron en el fondo a varios hombres destrozados. Cristiano preguntó: "¿Qué significa esto?". Los pastores respondieron: "¿No han oído hablar de los que cayeron en el error por escuchar lo que decían Himeneo y Fileto sobre la fe en la resurrección de la carne?" [2 Tim 2:17, 18]. "Sí", respondieron. Los pastores dijeron: "Los que ven despedazados al pie de

este monte son esos hombres. Permanecen insepultos como ejemplo para que otros se cuiden de trepar demasiado alto o de acercarse demasiado al borde de esta montaña".

Luego vi que los llevaron a la cima de otra montaña llamada Precaución y les pidieron que miraran a lo lejos. Cuando lo hicieron, les pareció ver a varios hombres que caminaban arriba y abajo entre las tumbas que allí había, y percibieron que eran ciegos, porque a veces tropezaban con las tumbas y no podían salir de entre ellas. Cristiano preguntó: "¿Qué significa esto?".

Los pastores respondieron: "¿No han visto a poca distancia por debajo de estas montañas una valla que conducía a un prado a la izquierda de este camino?". "Sí", respondieron. Entonces los pastores dijeron: "De allí se desprende un camino que conduce directamente al Castillo Dudoso, que resguarda el Gigante Desesperación; y estos hombres" —señalaron a los que estaban entre las tumbas— "venían en peregrinación, como ustedes ahora, hasta que llegaron a ese mismo punto. Como el camino directo es áspero en ese tramo, optaron por abandonarlo para adentrarse en el prado y allí fueron apresados por el Gigante Desesperación y arrojados al Castillo Dudoso. Después de retenerlos un tiempo en su calabozo, les sacó finalmente los ojos y los condujo entre esas tumbas. Allí los dejó vagando hasta el día de hoy, para que se cumpliera el dicho sabio: "El hombre que se desvía del camino del entendimiento irá a parar en la compañía de los muertos" [Pro 21:16]. Cristiano y Esperanzado se miraron con lágrimas brotando de sus ojos, pero no dijeron nada a los pastores.

Entonces vi en mi sueño que los pastores los llevaban a otro lugar, en un valle, donde había una puerta en la ladera de una

colina. Los pastores abrieron la puerta y les pidieron que miraran dentro. Los peregrinos se asomaron y vieron que estaba muy oscuro y lleno de humo. También les pareció oír allí un ruido sordo, como de fuego, y un grito de gente atormentada, y percibieron el olor de azufre quemado. Entonces Cristiano dijo: "¿Qué significa esto?". Los pastores respondieron: "Esta es una entrada al infierno, por donde van los hipócritas, como los que venden su primogenitura, como Esaú, y los que venden a su Maestro, como Judas. También los que blasfeman del Evangelio, como Alejandro, y los que mienten y fingen, como Ananías y su mujer, Safira". Entonces Esperanzado dijo a los pastores: "Supongo que todos y cada uno de ellos hicieron una peregrinación, tal como nosotros ahora, ¿no es así?".

PASTORES. Sí, y permanecieron en peregrinación mucho tiempo, además.

ESPERANZADO. ¿Hasta dónde llegaron en su época? Ya que los desecharon miserablemente de todas maneras.

PASTORES. Algunos más lejos y otros no tan lejos como estas montañas.

Entonces los peregrinos se dijeron unos a otros: "¡Necesitamos pedirle fortaleza al fuerte!".

PASTORES. Sí, y cuando la tengan, tendrán que usarla.

Para este momento, los peregrinos deseaban continuar su viaje, y los pastores estuvieron de acuerdo en que lo hicieran, así que caminaron juntos hacia el final de las montañas. Entonces los pastores se dijeron unos a otros: "Si pueden ver a través de nuestro telescopio, mostrémosles ahora a los peregrinos las puertas de la Ciudad Celestial". Los peregrinos aceptaron afectuosamente la idea. Entonces los pastores los condujeron a la cima de una alta colina llamada Claridad,

y les dieron el telescopio para que miraran. Los peregrinos lo intentaron, pero el recuerdo de lo último que los pastores les habían mostrado les hizo temblar, y debido a ello no pudieron fijar la mirada a través de la lente. Sin embargo, les pareció ver algo parecido a una puerta y también algo de la gloria del lugar. Luego se marcharon y cantaron esta canción:

"Así, los pastores revelan secretos
que para todos los demás hombres permanecen ocultos:
Vengan, pues, a los pastores, si quieren ver
cosas profundas, cosas ocultas y cosas misteriosas".

Cuando estaban a punto de partir, uno de los pastores les dio un mapa del camino. Otro de ellos les advirtió que tuvieran cuidado con el Adulador. El tercero les dijo que tuvieran cuidado de no dormir en la Tierra Encantada, y el cuarto les deseó buena suerte. Y así, desperté de mi sueño.

Dormí y soñé de nuevo, y vi a los mismos dos peregrinos bajando por las montañas a lo largo de la carretera hacia la Ciudad. Ahora, a una distancia corta al pie de estas montañas y al lado izquierdo, está el País del Engaño. Un pequeño sendero torcido viene de ese país en el camino sobre el que iban los peregrinos. Allí, entonces, se encontraron con un muchacho muy animado que salía de ese país. Su nombre era Ignorancia. Cristiano le preguntó de qué parte venía y adónde iba.

IGNORANCIA. Señor, yo nací en el país que está allá un poco a la izquierda, y voy a la Ciudad Celestial.

CRISTIANO. Pero ¿cómo piensas que podrás entrar? Puede que encuentres dificultad allí.

IGNORANCIA. Como lo han hecho otras personas.

CRISTIANO. Pero ¿qué piensas mostrar para que la puerta se abra para ti?

IGNORANCIA. Conozco la voluntad de mi Señor, y he sido bueno en vida. Le doy a cada hombre lo que le corresponde, rezo, ayuno, pago diezmos y limosnas, y dejé mi país para ir a donde voy.

CRISTIANO. Pero no entraste por la puerta que está al inicio de este camino; llegaste a través de ese sendero torcido. Por lo tanto, me temo que, aunque pienses bien de ti mismo, cuando llegue el día del juicio final, se te imputará que eres un ladrón y un asaltante, y no serás admitido en la Ciudad.

IGNORANCIA. Señores, ustedes son extraños para mí. No los conozco. Conténtense y sigan la religión de su país, y yo seguiré la religión del mío. Espero que todo vaya bien. Y en cuanto a la puerta de la que hablas, todo el mundo sabe que queda muy lejos de nuestro país. No creo que ningún hombre de nuestras partes conozca el camino hacia ella. Tampoco importa si lo conocen o no, ya que tenemos, como ven, un bonito y agradable sendero verde que desciende de nuestro país al camino.

Cuando Cristiano vio que el hombre era "sabio en su propia opinión", le dijo a Esperanzado, susurrando: "¡Más esperanza hay del necio que de él!" [Pro 26:12]. Y dijo, además: "Aun cuando el insensato ande en el camino, le falta entendimiento y a todos hace saber que es insensato" [Ec 10:3]. "¿Vamos a hablar más con él, o lo dejamos de momento para que piense en lo que dije y volvemos a detenernos por él después, y ver si poco a poco podemos hacerle algún bien?".

Entonces dijo Esperanzado:

"Que Ignorancia reflexione un poco
Sobre lo que se dice, y que no rechace
el buen consejo, para que no siga
todavía ignorante de la mayor ganancia.
Dios dice que a aquellos que no tienen entendimiento,
aunque Él los hiciera, no los salvará".

ESPERANZADO. No es bueno, creo, decirle todo de una vez; pasemos de largo, si quieres, y hablemos con él más tarde, a medida que pueda tolerarlo.

Así que ambos siguieron adelante, e Ignorancia vino detrás. Un poco más allá entraron en una senda muy oscura, donde hallaron a un hombre a quien siete demonios habían atado con siete cuerdas fuertes y llevaban de vuelta a la puerta que ellos habían visto en la ladera de la colina [Mt 12:45, Pro 5:22]. Entonces el buen Cristiano comenzó a temblar, y lo mismo hizo Esperanzado. Aunque los demonios se estaban llevando al hombre, Cristiano miró a ver si lo conocía y pensó que podría ser un tal Vuelve La Mirada, que vivía en la ciudad de la Apostasía. Pero no le vio perfectamente la cara, porque el hombre agachó la cabeza como un ladrón atrapado. Pero una vez pasado, Esperanzado lo miró y vio en su espalda un papel con esta inscripción: "Profesor sin escrúpulos y maldito apóstata".

Entonces dijo Cristiano a su compañero:

CRISTIANO. Ahora recuerdo que me contaron lo que le sucedió a un buen hombre de por aquí. Su nombre era Poca Fe, quien vivía en la ciudad Sincera. La cosa fue esta: al entrar en este pasaje, baja de la Puerta del Camino Ancho un sendero llamado Callejón del Muerto, llamado así por los asesinatos que allí suelen suceder. Poca Fe, que iba en peregrinación

como nosotros, se sentó allí y se quedó dormido. En ese momento, tres fornidos rufianes llamados Corazón Débil, Desconfianza y Culpa —tres hermanos— bajaron a caballo por aquel sendero desde la Puerta del Camino Ancho. Vieron a Poca Fe tendido allí y rápidamente se acercaron a él al galope. El buen hombre acababa de despertarse y estaba por volver emprender su viaje, pero se le acercaron y, con palabras amenazantes, le ordenaron que se levantara. Al oír esto, Poca Fe se puso blanco como la leche y no tuvo fuerzas ni para luchar ni para huir. Entonces Corazón Débil dijo: 'Dame tu dinero'. Pero él no se apresuró a hacerlo, pues no quería perderlo todo, así que Desconfianza metió la mano en su bolsillo y sacó de él una bolsa llena de plata. Entonces Poca Fe gritó: "¡Ladrones! ¡Ladrones!". Con eso Culpa, con un gran garrote que tenía en la mano, golpeó a Poca Fe en la cabeza, y con ese golpe lo derribó al suelo. Quedó tirado en el suelo sangrando y los ladrones esperaron a que se desangrara hasta morir. Pero, al fin, oyendo que algunos venían por el camino, y temiendo que se tratase de Gran Gracia, habitante de la ciudad de la Buena Confianza, se marcharon y dejaron al buen hombre a su suerte. Al cabo de un rato, Poca Fe volvió en sí, se levantó y se dispuso a seguir su camino. Esa fue la historia.

ESPERANZADO. ¿Le quitaron todo lo que tenía?

CRISTIANO. No; no tocaron el lugar donde estaban sus joyas, así que las conservó. Pero, según me contaron, el buen hombre estaba muy afligido por su pérdida, pues los ladrones se llevaron la mayor parte de su dinero. Lo que no se llevaron, como dije, fueron joyas. El poco dinero que le quedaba apenas le alcanzaba para el fin de su viaje [1 Pedro 4:18]; es más, si no me informaron mal, se vio forzado a mendigar a su paso para

subsistir, pues no podía vender sus joyas. Pero mendigando y haciendo lo que podía, iba (como decimos) con la barriga hambrienta la mayor parte del resto del camino.

ESPERANZADO. ¿No es una maravilla que no le robaran el documento con el que sería admitido en la Puerta Celestial?

CRISTIANO. Es una maravilla. Pero no fue por astucia de Poca Fe que no lo vieran, porque él, estando tan angustiado, no podía ocultar nada. Fue más por la buena providencia que por su esfuerzo que los ladrones no se lo llevaron.

ESPERANZADO. Debió ser un consuelo también que no se llevaran sus joyas.

CRISTIANO. Hubiera sido un gran consuelo para él, si las hubiera usado como debía, pero los que me contaron la historia dijeron que no hizo más que poco uso de ellas en todo el resto del camino. Además, a causa de la consternación que le causó el robo del dinero, olvidó las joyas durante casi todo el resto del viaje. Cuando, por alguna razón, las recordaba y empezaba a consolarse, volvían a asaltarle nuevos pensamientos de su pérdida y esos pensamientos se lo tragaban todo [1 Pedro 1:9].

ESPERANZADO. ¡Pobre hombre! Eso no pudo ser sino un gran dolor para él.

CRISTIANO. ¡Dolor! Sí, dolor, realmente. ¿No habría sido así para cualquiera de nosotros si nos hubieran robado y herido en un lugar extraño, como lo fue él? Es un milagro que no muriera de dolor, ¡pobre corazón! Me dijeron que se dispersó casi todo el resto del camino con quejas tristes y amargas, contándole a todos los que le alcanzaban, o que él alcanzaba en el camino, dónde y cómo le habían robado, quiénes lo habían hecho, lo que había perdido, y que a duras penas había escapado con vida.

ESPERANZADO. Pero es una maravilla que sus necesidades no le hicieran empezar a vender o empeñar algunas de sus joyas para poder aliviarse en su viaje.

CRISTIANO. Hablas como quien aún tiene la concha en la cabeza hoy en día. ¿Por qué las empeñaría? ¿A quién se las vendería? En todo aquel país donde le robaron, sus joyas no tenían ninguna importancia, ni él quería el tipo de socorro que le podían dar allí. Además, si sus joyas hubieran desaparecido en la puerta de la Ciudad Celestial, habría sido excluido de una herencia allí, y eso él lo sabía muy bien. Eso habría sido peor para él que la aparición y las malas acciones de diez mil ladrones.

ESPERANZADO. ¿Por qué eres tan cortante, hermano mío? Esaú vendió su primogenitura, y eso por un tazón de estofado, y esa primogenitura era su mayor joya. Si él lo hizo, ¿por qué no podría hacerlo también Poca Fe? [Heb 12:16].

CRISTIANO. Ciertamente, Esaú vendió su primogenitura, y lo mismo hacen muchos otros. Al hacerlo, se excluyen a sí mismos de la principal bendición, como también lo hizo ese cobarde. Pero debes establecer una diferencia entre Esaú y Poca Fe, y también entre sus condiciones. La primogenitura de Esaú era típica, pero las joyas de Poca Fe no lo eran. El deseo de Esaú residía en su estómago; el de Poca Fe no. Además, Esaú no podía ver más allá de la satisfacción carnal: "¿Y para qué me sirve la primogenitura, si estoy a punto de morir?" [Gn 25:32]. Pero en el caso de Poca Fe fue precisamente la poca fe que por suerte le tocó lo que impidió tales extravagancias, y le hizo ver y apreciar sus joyas antes que venderlas, como Esaú hizo con su primogenitura. No has leído en ninguna parte que Esaú tuviera fe, ni siquiera un poco. Por lo tanto, donde solo

la carne ejerce influencia —como lo hace en cualquier hombre que no tenga fe para resistir— no es de extrañar que venda su primogenitura y su alma y todo, incluso al Diablo del Infierno. Sucede con tal persona lo mismo que con la asna salvaje; estando en su celo, ¿quién puede detenerla? [Jer 2:24]. Cuando sus mentes se fijan en sus antojos, los tendrán, cueste lo que cueste. Pero Poca Fe era de otra naturaleza; su mente estaba en las cosas divinas. Su sustento dependía de cosas espirituales y de lo alto. Por lo tanto, ¿por qué aquel que es de tal temperamento vendería sus joyas (si es que alguien las hubiera comprado) para llenar su mente de cosas vanas? ¿Daría un hombre un penique para llenar su vientre de heno; o es posible persuadir a la tórtola para que viva de carroña como el cuervo? Aunque los infieles puedan, por lujuria, empeñar, hipotecar, o vender lo que tienen y a sí mismos, aquellos que tienen la fe salvadora —aunque sea un poco— no pueden hacerlo. He aquí, pues, hermano mío, tu error.

ESPERANZADO. Lo reconozco. Pero aun así tu severa reflexión casi me hizo enojar.

CRISTIANO. ¿Por qué? Pues no he hecho más que compararte con algunos de los pájaros más briosos, que corren de un lado a otro por senderos bien trillados con la cáscara todavía en la cabeza. Pero olvídate de eso y considera el asunto debatido, y todo estará bien entre nosotros.

ESPERANZADO. Pero, Cristiano, estoy persuadido en mi corazón de que estos tres tipos no son más que una compañía de cobardes. De lo contrario, ¿crees que habrían huido al oír el ruido de otros caminantes? ¿Por qué Poca Fe no se armó de más valor? Podría, me parece, haber soportado un roce con ellos, y haberse rendido cuando ya no había remedio.

CRISTIANO. Cobardes, muchos lo han dicho, pero pocos lo han comprobado. En cuanto a más valor, Poca Fe no lo poseía. Y percibo de ti, hermano mío, que si tú hubieras sido el hombre en cuestión, hubieras estado para una batalla y luego para rendirte. En verdad, este es el alcance de tu coraje porque ellos están lejos de nosotros; si se te aparecieran como a él, podrían hacerte recapacitar.

Considera de nuevo que no son más que ladrones contratados. Sirven al Rey del Abismo, quien vendría a ayudarlos personalmente si es necesario, y su voz es como el rugido de un león [1 Pedro 5:8]. Yo mismo me he visto en apuros como Poca Fe, y me parece algo terrible. Estos tres villanos me atacaron y yo, como cristiano, comencé a resistirme. Ellos simplemente llamaron y apareció su amo. Yo, como dice el refrán, habría dado mi vida por un penique, pero Dios quiso que estuviera vestido con armadura. Ay, sin embargo, aunque estaba tan guarnecido, me costaba trabajo portarme como un hombre. Nadie puede comprender cómo es el combate hasta que ha estado en la batalla.

ESPERANZADO. Bueno, pero corrieron, ya ves, cuando supusieron que Gran Gracia venía en camino.

CRISTIANO. Cierto, muchas veces han huido, tanto ellos como su amo, cuando ha aparecido Gran Gracia; y eso no es de extrañarse, pues es el campeón del rey. Pero creo que diferenciarías entre Poca Fe y el campeón del rey. No todos los súbditos del rey son sus campeones, ni pueden, cuando se les pone a prueba, realizar hazañas como él. ¿Es razonable pensar que un niño pequeño pueda vencer a Goliat como lo hizo David? ¿O que un ave pueda tener la fuerza de un buey? Unos son fuertes, otros débiles; unos tienen mucha fe,

otros tienen poca. Este hombre era de los débiles, y por eso se acercó al muro.

ESPERANZADO. Ojalá hubiera sido Gran Gracia, por el bien de ellos.

CRISTIANO. Si lo hubiera sido, habría tenido las manos ocupadas. Debo decirte que Gran Gracia es muy bueno con sus armas, y puede lidiar bien con sus contendientes siempre que los mantenga a punta de espada. Pero, si se le meten dentro Corazón Débil, Desconfianza o la otra, será difícil, pero lo harán caer. Y cuando un hombre está abatido, ¿qué puede hacer?

Quien mire bien el rostro de Gran Gracia, verá esas cicatrices y cortes, que fácilmente demostrarán lo que digo. Sí, una vez oí que decía (y eso cuando estaba en el combate): "Nos desesperamos incluso de la vida". ¿Cómo pudieron estos robustos bribones y sus compañeros hacer gemir, llorar y rugir a David? Sí, Hemán y Ezequías también, aunque campeones en su día, se vieron obligados a levantarse cuando estos los asaltaron y tuvieron roces con ellos.

Una vez, Pedro se empeñó en hacer lo que creía que podía hacer; aunque algunos dicen de él que es el príncipe de los apóstoles, lo barajaron tanto que al final le hicieron temer a una débil muchacha.

LA CORPULENCIA DEL LEVIATÁN

Además, su rey está a la escucha de sus silbidos. Nunca está fuera del alcance de sus oídos y acude, si es posible, a ayudarles en cualquier momento en que estén siendo golpeados. De él se dice: "La espada que lo alcanza no lo afecta; tampoco la lanza ni el dardo ni la jabalina. Al hierro estima como paja,

y a la madera como a la corrosión del cobre. Las flechas no le hacen huir; las piedras de la honda le son como rastrojo. Al garrote considera hojarasca; se ríe del blandir de la jabalina" [Job 41:26-29]. ¿Qué puede hacer un hombre en este caso? Es verdad; si un hombre pudiera tener en todo momento el caballo de Job, y la habilidad y el valor para montarlo, podría hacer cosas notables. Porque su cuello está engalanado de crines, no tiene miedo de la langosta y el resoplido de su nariz es temible [Job 39:19-20]. "Escarba en el valle y se regocija con fuerza; sale al encuentro de las armas. Se ríe del miedo y no se espanta; no vuelve atrás ante la espada. Sobre él resuenan la aljaba, la hoja de la lanza y la jabalina. Con estrépito y furor devora la distancia y no se detiene, aunque suene la corneta. Relincha cada vez que suena la corneta y desde lejos olfatea la batalla, la voz tronadora de los oficiales y el grito de guerra" [Job 39:21-25].

Pero en cuanto a los soldados rasos como tú y como yo, nunca deseemos encontrarnos con un enemigo ni alardeemos como si pudiéramos hacerlo mejor cuando oigamos de otros que han sido vencidos, ni nos divirtamos pensando en nuestra propia hombría. Tales individuos sufren las peores cosas cuando son puestos a prueba. Por ejemplo, Pedro, de quien he hablado antes, se pavoneaba arrogantemente. Sí, lo hacía. Su mente vanidosa le incitaba a decir que él defendería a su Maestro más que todos los hombres. ¿Quién fue más veces vencido y atropellado por los villanos que él?

Por lo tanto, cuando oímos que tales robos se hacen en la carretera del rey, debemos hacer dos cosas:

Primero, salir preparados y estar seguros de llevar un escudo con nosotros; porque fue por falta de eso que el que

golpeó tan fuertemente a Leviatán no pudo hacerlo ceder; porque, en efecto, si eso falta, no nos teme en absoluto. Por lo tanto, el Habilidoso ha dicho: "Y sobre todo, ármense con el escudo de la fe con que podrán apagar todos los dardos de fuego del maligno" [Ef 6:16R].

Segundo, sería bueno también que pidamos al rey un convoy; sí, que él mismo vaya con nosotros. Esto alegró a David cuando estaba en el Valle de la Sombra de la Muerte; y Moisés prefería no dar ni un paso sin su Dios [Ex 33:15]. Oh, hermano mío, si nos acompaña, ¿qué tenemos que temer de diez mil que se nos opongan? [Salm 3:5-8, 27:1-3]. Pero, sin él, los orgullosos "entre los muertos caerán" [Is 10:4].

Yo, por mi parte, he estado en la refriega antes de ahora; y aunque, por la bondad del Más Grande, estoy, como ves, vivo, no puedo presumir de mi virilidad. Me alegraré si no me encuentro con tales golpes, aunque temo que no estemos fuera de todo peligro. Sin embargo, ya que el león y el oso aún no me han devorado, espero que Dios nos libre del próximo filisteo incircunciso.

Entonces cantó Cristiano:

"¡Pobre Poca Fe! ¿Te atacaron los ladrones?
¿Te robaron? Recuerda esto: quien crea
y obtenga más fe, será vencedor
sobre diez mil, o apenas sobre tres".

Entonces siguieron adelante e Ignorancia les siguió. Llegaron a un punto donde otro camino se atravesaba y lucía tan recto como el que debían seguir. No sabían cuál de los dos tomar, porque ambos se parecían; por lo tanto, se detuvieron

para reflexionar. Mientras pensaban, un hombre de tez oscura y cubierto con una túnica blanca y ligera se acercó a ellos y les preguntó por qué estaban allí. Ellos respondieron que iban a la Ciudad Celestial, pero no sabían cuál de estos caminos tomar. "Síganme", dijo el hombre, "es allí a donde voy". Y ellos lo siguieron por el camino que ahora desembocaba en la calzada, tan desviado que se alejaba de la ciudad a la que deseaban ir hasta perderla de vista. Sin embargo, lo siguieron; pero poco a poco, sin que lo notaran, el hombre los condujo hacia dentro del cerco de una red, donde se enredaron sin remedio. La impoluta túnica blanca cayó de la espalda del hombre y entonces vieron dónde estaban. Y allí se quedaron llorando algún tiempo, pues no podían salir.

CRISTIANO. Ahora veo mi error. ¿No nos dijeron los pastores que tuviéramos cuidado con los aduladores? Como dice el sabio, lo hemos encontrado hoy. El hombre que adula a su prójimo le tiende una red [Pro 29:5].

ESPERANZADO. También nos dieron una nota con instrucciones sobre el camino, para que lo encontráramos con más seguridad; pero del mismo modo hemos olvidado leerla y no nos cuidamos de los caminos del destructor. En esto David fue más sabio que nosotros, porque, dice él, "En cuanto a las obras humanas, por la palabra de tus labios yo me he guardado de las sendas de los violentos" [Salm 17:4].

Así se lamentaban dentro de la red. Finalmente, divisaron a un Luminoso que se acercaba a ellos con un látigo de cuerda pequeña en la mano. Cuando llegó al lugar donde estaban, les preguntó de dónde venían y qué hacían allí. Ellos le dijeron que eran pobres peregrinos que iban a Sion, pero que fueron desviados de su camino por un hombre vestido de blanco que les

dijo que lo siguieran porque él también iba allá. Entonces dijo el del látigo: "Es el Adulador, un falso apóstol, disfrazado de ángel de luz" [Pro 29:5, Dn 11:32, 2 Cor 11:13-14]. Entonces rompió la red y dejó salir a los hombres. Luego les dijo: "Síganme, para llevarlos de nuevo a su camino". Y los condujo de nuevo a la vía que habían dejado para seguir al Adulador. Entonces les preguntó: "¿Dónde durmieron la noche pasada?". Ellos respondieron: "Con los pastores en las Montañas Deliciosas". Les preguntó entonces si esos pastores no les habían dejado una nota con las direcciones correctas. Respondieron que sí. "Y cuando se encontraron en apuros, ¿sacaron y leyeron esa nota?", preguntó él. Respondieron que no, porque la habían olvidado. Les preguntó también si los pastores no les habían advertido sobre el Adulador. Respondieron: "Sí, pero no nos imaginábamos que pudiera ser ese hombre de buen hablar" [Rom 16:18].

Entonces vi en mi sueño que les ordenó que se acostaran; que, cuando lo hicieron, los castigó duramente para enseñarles el buen camino por donde debían andar [Dt 25:2]; y mientras los reprendía, les dijo: "Yo reprendo y castigo a todos los que amo; sé, pues, celoso, y arrepiéntete" [2 Cr 6:26-27, Ap 3:19]. Hecho esto, les ordenó que siguieran su camino y que prestaran atención a las instrucciones de los pastores. Le dieron las gracias por su amabilidad, y siguieron suavemente por el buen camino, cantando:

"Vengan aquí los que andan por el camino;
miren cómo les va a los peregrinos que se extravían.
Atrapados están en una red enmarañada,
porque olvidaron a la ligera el buen consejo.

Es cierto que fueron rescatados pero, ya ves,
incluso así fueron azotados. Que esta sea su precaución".

Después de un rato, percibieron a lo lejos a uno viniendo solo y lentamente hacia ellos. Entonces dijo Cristiano a su compañero: "Allí viene un hombre de espaldas a Sion, y se dirige a nuestro encuentro".

ESPERANZADO. Ya lo veo. Cuidémonos, no sea que también resulte ser un adulador.

Así que el hombre se acercó cada vez más y por fin llegó hasta ellos. Se llamaba Ateo, y les preguntó hacia dónde iban.

CRISTIANO. Vamos al Monte Sion.

Entonces el Ateo se echó a reír a carcajadas.

CRISTIANO. ¿Qué significa tu risa?

ATEO. Me río al ver lo ignorantes que son al emprender un viaje tan agotador, pues es probable que al final el viaje sea lo único que obtengan.

CRISTIANO. ¿Por qué, hombre, crees que no seremos recibidos?

ATEO. ¡Recibidos! No existe en el mundo ese lugar con el que sueñan.

CRISTIANO. Pero lo hay en el mundo venidero.

ATEO. Cuando estaba en casa, en mi país, escuché lo que dices. Y de ese oír salí a ver, y he estado veinte años buscando esa ciudad, pero no he encontrado más de ella que el primer día que salí [Jer 22:12, Ecl 10:15].

CRISTIANO. Nosotros hemos oído y creemos que existe ese lugar.

ATEO. Si no hubiera creído no habría llegado hasta aquí buscándolo. Pero al no encontrarlo —y debería haberlo encon-

trado ya si existiera, pues he ido más lejos que ustedes— vuelvo de nuevo a casa y procuraré disfrutar de las cosas que deseché en aras de lo que ahora veo que no existe.

Entonces Cristiano dijo a su amigo Esperanzado: "¿Es verdad lo que dice este hombre?".

LA RESPUESTA DE ESPERANZADO

ESPERANZADO. Ten cuidado: es uno de los aduladores. Acuérdate de lo que ya nos costó una vez hacer caso a tipos como él. ¿Qué? ¿No hay Monte Sion? ¿No vimos la puerta de la Ciudad desde las Montañas Deliciosas? Además, ¿no hemos de caminar ahora por la fe? Sigamos adelante, no sea que el hombre del látigo nos alcance de nuevo [2 Cor 5:7]. Deberías haberme enseñado la lección que ahora traigo a tus oídos: "Cesa, hijo mío, de oír las enseñanzas que te hacen divagar de las razones de sabiduría" [Pro 19:27]. Yo digo, hermano mío, deja de escucharle, y "tengamos fe para preservación del alma" [Heb 10:39].

CRISTIANO. Hermano mío, no te hice la pregunta porque yo mismo dudara de la verdad de nuestra creencia, sino para probarte y obtener pruebas de la nobleza de tu corazón. En cuanto a este hombre, sé que está cegado por el dios de este mundo. Sigamos adelante sabiendo que creemos la verdad, "porque ninguna mentira procede de la verdad" [1 Jn 2:21]".

ESPERANZADO. Ahora me regocijo en la esperanza de la gloria de Dios.

Entonces se apartaron. El hombre se rio de ellos y siguió su camino.

Vi entonces en mi sueño que caminaron hasta que entraron en cierto país cuyo aire tendía naturalmente a adormecer

a cualquier extranjero. Esperanzado comenzó a sentirse muy apático y somnoliento, y le dijo a Cristiano: "Tengo tanto sueño que apenas puedo mantener los ojos abiertos. Tumbémonos aquí y echemos una siesta".

CRISTIANO. De ninguna manera, no sea que si dormimos no volvamos a despertar.

ESPERANZADO. ¿Por qué, hermano mío? El sueño es dulce para el hombre que trabaja. Podemos refrescarnos si echamos una siesta.

CRISTIANO. ¿No recuerdas que uno de los pastores nos dijo que tuviéramos cuidado con la Tierra Encantada? Quería decir que tuviéramos cuidado con el sueño: "Por tanto, no durmamos como los demás, sino velemos y seamos sobrios" [1 Tes 5:6].

ESPERANZADO. Reconozco mi error, y si hubiera estado aquí solo, habría corrido peligro de muerte por dormir. Veo que es verdad lo que dijo el Sabio: dos son mejor que uno. Hasta ahora, tu compañía me ha sido de gran provecho, y recibirás una buena recompensa por tu labor [Ec 9:9].

CRISTIANO. Ahora bien, para evitar la somnolencia en este lugar, tengamos una buena conversación.

ESPERANZADO. Con mucho gusto.

CRISTIANO. ¿Por dónde empezamos?

ESPERANZADO. Por donde Dios empezó con nosotros. Pero empieza tú si quieres.

CRISTIANO. Primero te cantaré esta canción:

"Cuando los santos se adormezcan, que vengan aquí,
y oigan hablar a estos dos peregrinos;
sí, que aprendan algo de ellos

Padre, protégeme de las seducciones y distracciones de este mundo que me apartan del camino de la justicia. Ayúdame a mantener mis ojos fijos en Jesús, el autor y perfeccionador de mi fe.

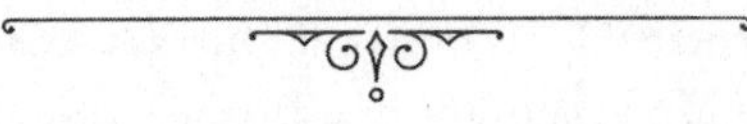

para mantener abiertos sus ojos adormecidos.
La hermandad de los santos, si se maneja bien,
los mantiene despiertos a pesar del infierno".

CRISTIANO. Te haré una pregunta. ¿Cómo se te ocurrió al principio hacer lo que haces ahora?

ESPERANZADO. ¿Quieres decir cómo llegué a cuidar el bien de mi alma?

CRISTIANO. Sí, a eso me refiero.

ESPERANZADO. Durante mucho tiempo disfruté de las cosas que se veían y vendían en la Feria de las Vanidades; cosas que ahora creo que me habrían sumido en la ruina y la destrucción si hubiera continuado.

CRISTIANO. ¿Qué cosas eran esas?

LA VIDA DE ESPERANZADO ANTES DE LA CONVERSIÓN

ESPERANZADO. Todos los tesoros y riquezas del mundo. También disfrutaba de las orgías, las juergas, la bebida, los insultos, las mentiras, la impureza, la transgresión del sábado, etcétera..., esas cosas que tienden a destruir el alma. Pero finalmente descubrí, al considerar las cosas divinas —que oí de ti y del querido Fiel, que fue condenado a muerte por su fe y su buena vida en la Feria de las Vanidades— que "el fin de estas cosas es la muerte" [Rom 6:21-23], y que, "a causa de estas cosas viene la ira de Dios sobre los hijos de desobediencia" [Ef 5:6].

CRISTIANO. ¿Y caíste inmediatamente bajo el poder de esta convicción?

ESPERANZADO. No. No estaba dispuesto a reconocer de inmediato la maldad del pecado ni la condenación que sigue a quien lo comete. Cuando al principio mi mente comenzó a ser sacudida por la Palabra, traté de cerrar los ojos contra su luz.

CRISTIANO. Pero, ¿por qué reaccionaste así hasta que el bendito Espíritu de Dios comenzó a moverte?

ESPERANZADO. Primero: ignoraba que esta era la obra de Dios sobre mí. Nunca pensé que Dios comenzara la conversión de los pecadores despertándolos al pecado. Segundo: el pecado era todavía muy dulce para mi naturaleza pecaminosa y odiaba dejarlo. Tercero: no sabía cómo separarme de mis antiguos compañeros, pues me atraían su presencia y sus acciones. Cuarto: los momentos en que sentía las convicciones eran horas tan molestas y espantosas para mi corazón que no podía soportarlas, ni siquiera su recuerdo, en mi corazón.

CRISTIANO. Entonces, según parece, a veces te librabas del problema.

ESPERANZADO. Sí, pero volvía a mi mente, y entonces me sentía tan mal, mejor dicho, peor que antes.

CRISTIANO. ¿Qué te hacía recordar de nuevo tus pecados?

ESPERANZADO. Muchas cosas, por ejemplo:

1) si me encontraba con un hombre bueno en las calles;
2) si escuchaba a alguien leer la Biblia;
3) si me empezaba a doler la cabeza;
4) si me decían que alguno de mis vecinos estaba enfermo;
5) si oía doblar la campana por los muertos;
6) si yo mismo pensaba en morir;
7) si oía que otros habían muerto repentinamente;

8) pero, sobre todo, cuando pensaba en mí mismo, que más temprano que tarde tendría que enfrentarme al juicio.

CRISTIANO. ¿Y lograbas librarte de la culpa del pecado cuando te sobrecogía en alguno de esos casos?

ESPERANZADO. No; más bien se apoderaron más rápidamente de mi conciencia; entonces, si pensaba en volver al pecado (aunque mi mente estaba en contra), sabía que me traería un doble tormento.

CRISTIANO. ¿Y qué hiciste entonces?

ESPERANZADO. Pensé que debía esforzarme en enmendar mi vida; porque si no, pensé, estoy seguro de que seré condenado.

CRISTIANO. ¿Y te esforzaste por mejorar?

ESPERANZADO. Sí; y hui no solo de mis pecados, sino también de las malas compañías. Me entregué a los deberes religiosos, como la oración, la lectura, el llanto por el pecado, decir la verdad a mis vecinos, etc. Hice estas cosas y muchas otras que serían muy largas para relatar aquí.

CRISTIANO. ¿Y pensabas bien de ti mismo entonces?

ESPERANZADO. Sí, por algún tiempo; pero al final mis problemas volvieron a caer sobre mí, a pesar de todas mis reformas.

CRISTIANO. ¿Cómo sucedió eso, puesto que ya estabas reformado?

ESPERANZADO. Varias cosas lo causaron, especialmente dichos como estos: "Todas nuestras obras justas son como trapo de inmundicia" [Isaías 64:6]; "Por las obras de la ley nadie será justificado" [Gal 2:16]; "Cuando hayan hecho todo lo que se les ha mandado, digan: 'Siervos inútiles somos'" [Lc 17:10]. Y muchas otras semejantes. De modo que comencé

a razonar conmigo mismo así: si TODAS mis obras justas son trapos de inmundicia; si por las obras de la ley NINGÚN hombre puede ser justificado; y si, cuando lo hemos hecho TODO, somos todavía inútiles, entonces es una locura pensar en el Cielo a través de la ley. Además, pensé así: piensa que un hombre se endeuda con el tendero por cien libras, pero después de eso paga por todas sus siguientes compras. Sin embargo, si la vieja deuda de cien libras permanece, el tendero puede demandarlo y encarcelarlo hasta que pague.

CRISTIANO. Bueno, ¿y cómo aplicaste esto a tu caso?

ESPERANZADO. Pues así pensé sobre mí mismo. Yo, por mis pecados, he acumulado una gran deuda en el libro de Dios, y mi reforma de ahora no pagará esa cuenta. ¿Cómo me libraré de la condenación que he causado con mis anteriores transgresiones?

CRISTIANO. Muy buena aplicación; pero, por favor, continúa.

ESPERANZADO. Otra cosa que me ha turbado, aún desde mis últimas enmiendas, es que, si miro de cerca lo mejor que hago ahora, todavía veo pecado, nuevo pecado, mezclándose con mis obras más justas. De modo que ahora me veo forzado a concluir que, a pesar de mis cambios, he cometido suficientes pecados en un deber como para enviarme al infierno, incluso si en mi vida anterior hubiera sido intachable.

CRISTIANO. ¿Y qué hiciste entonces?

ESPERANZADO. ¡Hacer! No supe qué hacer, hasta que le compartí mis pensamientos a Fiel, pues él y yo nos conocíamos bien. Y él me dijo que, a menos que pudiera obtener la rectitud de un hombre que nunca había pecado, ni mi rectitud ni la del mundo entero podrían salvarme.

CRISTIANO. ¿Y creíste que decía verdad?

ESPERANZADO. Si me lo hubiera dicho cuando estaba contento y satisfecho de mi propia transformación, le hubiera llamado necio. Pero ahora, desde que veo mi propia flaqueza y el pecado que se adhiere a mi mejor obra, me veo forzado a abrazar esa opinión.

CRISTIANO. Pero ¿pensaste, cuando Fiel lo sugirió al principio, que se podía encontrar un hombre así, del que se pudiera decir que nunca cometió pecado?

ESPERANZADO. Debo confesar que al principio sus palabras me sonaron extrañas, pero después de un poco más de charla con él, tuve plena convicción de ello.

CRISTIANO. ¿Y le preguntaste qué hombre era este y cómo debía absolverte?

ESPERANZADO. Sí, y me dijo que era el Señor Jesús, que mora a la diestra del Altísimo. Y así, dijo, debes ser absuelto por él, confiando en lo que ha hecho por sí mismo, en los días de su encarnación, y en que sufrió cuando fue colgado en el árbol. Le pregunté, además, ¿cómo la rectitud de ese hombre podría ser tal para absolver a otro ante Dios? Y me dijo que él era el Dios poderoso, e hizo lo que hizo, y también murió no por sí mismo, sino por mí, a quien sus obras —y el valor de ellas— serían dadas si creía en él [Heb 10, Rom 6, Col. 1; 1 Pedro 1].

CRISTIANO. ¿Y qué hiciste entonces?

ESPERANZADO. Discutí contra mi creencia, pues pensaba que Él no estaba dispuesto a salvarme.

CRISTIANO. ¿Y qué te dijo Fiel?

ESPERANZADO. Me mandó que fuese a verle. Entonces le dije que sería pretencioso de mi parte, pero él dijo que

no, pues yo había sido invitado a venir [Mt 11:28]. Luego me dio un libro de la palabra de Jesús para animarme más. Y dijo, acerca de ese libro, que cada jota y cada tilde en él era más firme que el cielo y la tierra [Mt 24:35]. Entonces le pregunté qué debía hacer cuando llegara, y me dijo que debía arrodillarme y pedirle al Padre, con todo mi corazón y mi alma, que me lo revelara [Salm 95:6, Dn 6:10, Jer 29:12-13]. Le pregunté además cómo debía ser mi súplica, y me dijo: "Ve, y lo encontrarás sobre el propiciatorio, donde se sienta todo el año para perdonar a los que acuden". Le dije que no sabía qué decir cuando llegara, y me instruyó que dijera lo siguiente: "Dios, sé misericordioso conmigo, que soy pecador, y hazme conocer y creer en Jesucristo, porque veo que, si su justicia no existiera, o si yo no tuviera fe en esa justicia, sería totalmente descartado. Señor, he oído que eres un Dios misericordioso, y has ordenado que tu Hijo Jesucristo sea el Salvador del mundo; y, además, que estás dispuesto a apiadarte de un pobre pecador como yo (que lo soy). Señor, aprovecha esta oportunidad y magnifica tu gracia en la salvación de mi alma, por tu Hijo Jesucristo. Amén" [Ex 25:22, Lv 16:2, Nm 7:89, Heb 4:16].

CRISTIANO. ¿Hiciste lo que te indicó?

ESPERANZADO. Sí, una y otra vez.

CRISTIANO. ¿Y el Padre te reveló a Su Hijo?

ESPERANZADO. No la primera vez, ni la segunda, ni la tercera, ni la cuarta, ni la quinta. No, tampoco la sexta.

CRISTIANO. ¿Entonces qué hiciste?

ESPERANZADO. ¿Qué? Pues no sabía qué hacer.

CRISTIANO. ¿No pensaste en parar de orar?

ESPERANZADO. Sí, cientos de veces.

CRISTIANO. ¿Y por qué no paraste?

ESPERANZADO. Porque creía que era cierto lo que me habían dicho: que, sin la rectitud de Cristo, nada en el mundo podría salvarme. Por lo tanto, me dije: "Si renuncio, moriré, y no puedo morir sino a los pies del Trono de Gracia". Con eso, pensé: "Aunque tarde, espéralo; pues sin duda vendrá y no tardará" [Heb 2:3]. Así que seguí orando hasta que el Padre me mostró a su Hijo.

CRISTIANO. ¿Y cómo te lo reveló?

ESPERANZADO. No lo vi con los ojos de mi mente, sino con los de mi entendimiento [Ef 1:18,19]. Y fue así: un día estaba muy triste, creo que más triste que en cualquier otro momento de mi vida, por haber visto la magnitud y la vileza de mis pecados. Y como entonces no esperaba otra cosa que el infierno y la condena eterna de mi alma, de repente, mientras pensaba, vi al Señor Jesucristo mirándome desde el cielo, y diciendo: "Cree en el Señor Jesucristo, y serás salvo" [Hch 16:30, 31].

Pero yo respondí: "Señor, soy un gran, un grandísimo pecador". Y me respondió: "Te basta mi gracia" [2 Co 12:9]. Le dije: "Pero, Señor, ¿qué es creer?". Entonces recordé ese dicho: "El que a mí viene nunca tendrá hambre, y el que en mí cree no tendrá sed jamás", que creer y acudir a él es una misma cosa, y que el que acudía a él —esto es, corría en su corazón y sus afectos en pos de la salvación por Cristo— creía verdaderamente en Cristo. Entonces se me llenaron los ojos de lágrimas, y pregunté más: "Pero, Señor, ¿puede un pecador tan grande como yo ser aceptado por ti y salvado por ti?". Y le oí decir: "Al que a mí viene jamás lo echaré fuera" [Jn 6:37]. Entonces dije: "Pero, Señor, ¿cómo debo pensar en ti y en mi camino hacia ti, para dirigir mi fe correctamente?". Él respondió: "Cristo Jesús

vino al mundo para salvar a los pecadores" [1 Tim 1:15]; "El fin de la ley es Cristo, para justicia a todo aquel que cree" [Rom 10:4]. "Él fue entregado por causa de nuestras transgresiones y resucitado para nuestra justificación" [Rom 4:25]. "Nos ama y nos libró de nuestros pecados con su sangre" [Ap 1:5]. "Él es mediador entre Dios y los hombres" [1 Tim 2:5]. "Vive para siempre para interceder por nosotros" [Heb 7:24-25]. De todo esto deduje que debo buscar la justicia en su persona y la expiación de mis pecados por su sangre; que lo que hizo en obediencia a la ley de su Padre, y la pena a la que se sometió, no fue para sí mismo sino para el que lo acepte como salvador y le esté agradecido. Y ahora estaba mi corazón lleno de alegría, mis ojos llenos de lágrimas, y mis afectos desbordados de amor al nombre, al pueblo y a los caminos de Jesucristo.

CRISTIANO. Esta fue una revelación de Cristo a tu alma. Pero dime qué efecto específico tuvo en tu espíritu.

ESPERANZADO. Me hizo ver que el mundo, a pesar de la justicia que existe en él, está en estado de condena. Me hizo ver que Dios Padre, aunque es justo, puede legítimamente juzgar al pecador que viene. Me hizo avergonzarme grandemente de la bajeza de mi vida anterior, y me hizo sentir turbado respecto a mi propia ignorancia, pues nunca antes había llegado a mi corazón un pensamiento que me mostrara la belleza de Jesucristo. Me hizo amar una vida santa y anhelar hacer algo por el honor y la gloria del nombre del Señor Jesús. Sí, pensé que, si tuviera mil galones de sangre en mi cuerpo, podría derramarla toda por amor del Señor Jesús.

Vi entonces en mi sueño que Esperanzado miraba hacia atrás y veía a Ignorancia, a quien habían dejado atrás. "Mira", dijo a Cristiano, "a qué distancia se ha quedado ese joven".

CRISTIANO. Sí, sí, ya lo veo; no quiere nuestra compañía.

ESPERANZADO. Pero creo que no le habría perjudicado seguirnos el paso hasta ahora.

CRISTIANO. Es verdad; pero te aseguro que él piensa de otro modo.

ESPERANZADO. Creo que sí, pero esperémosle.

Así lo hicieron. Entonces Cristiano le dijo: "Vamos, hombre, ¿por qué te quedas tan atrás?".

IGNORANCIA. Me gusta andar solo, mucho más que acompañado, a no ser que me guste más.

Entonces dijo Cristiano a Esperanzado, (pero en voz baja): "¿No te dije que no le interesaba nuestra compañía?". "Sin embargo", agregó, "ven y charlemos en este lugar solitario". Y dirigiéndose a Ignorancia, dijo: "Ven, ¿cómo estás? ¿Cómo está todo entre Dios y tu alma?".

LA ESPERANZA DE IGNORANCIA Y SU FUNDAMENTO

IGNORANCIA. Espero que bien, porque siempre estoy lleno de buenos pensamientos que vienen a mi mente para consolarme mientras camino.

CRISTIANO. ¿Qué pensamientos? Por favor, cuéntanos.

IGNORANCIA. Pues pienso en Dios y en el Cielo.

CRISTIANO. Lo mismo hacen los demonios y las almas condenadas.

IGNORANCIA. Pero yo pienso en ellos y los deseo.

CRISTIANO. Lo mismo hacen muchos que nunca llegarán allí. "El alma del perezoso desea y nada alcanza" [Pro 13:4].

IGNORANCIA. Pero yo pienso en ellos, y he dejado todo por ellos.

CRISTIANO. Eso lo dudo. Dejarlo todo es cosa difícil; sí, más difícil de lo que muchos piensan. Pero ¿por qué estás convencido de que lo has dejado todo por Dios y el Cielo?

IGNORANCIA. Mi corazón me lo dice.

CRISTIANO. Dice el sabio: "El que confía en su propio corazón es un necio" [Pro 28:26].

IGNORANCIA. Eso se dice de un corazón malo, pero el mío es bueno.

CRISTIANO. ¿Cómo puedes probarlo?

IGNORANCIA. Me reconforta en la esperanza del Cielo.

CRISTIANO. Puede que te esté engañando. Un corazón puede consolar a un hombre con la esperanza de algo que, sin embargo, no tiene realmente motivos para esperar.

IGNORANCIA. Pero mi corazón y mi vida concuerdan, y por eso mi esperanza está bien fundada.

CRISTIANO. ¿Quién te ha dicho que tu corazón y tu vida concuerdan?

IGNORANCIA. Mi corazón me lo dice.

CRISTIANO. Eso es como preguntarle a tu mejor amigo si eres buena persona. ¡Tu corazón te lo dice! Excepto que la Palabra de Dios sea testigo de ello, ningún otro testimonio tiene valor.

IGNORANCIA. Pero ¿no es un buen corazón el que tiene buenos pensamientos? ¿Y no es una vida buena la que es conforme a los mandamientos de Dios?

CRISTIANO. Sí, es un buen corazón el que tiene buenos pensamientos, y una buena vida es la que sigue los

mandamientos de Dios. Pero una cosa es hacer estas cosas y otra es creer que las haces.

IGNORANCIA. Dime, ¿para ti qué son los buenos pensamientos y la vida conforme a los mandamientos de Dios?

CRISTIANO. Hay buenos pensamientos de diversas clases; unos sobre nosotros mismos, unos sobre Dios, otros sobre Cristo, y otros sobre otras cosas.

IGNORANCIA. ¿Cuáles son los buenos pensamientos sobre nosotros mismos?

CRISTIANO. Tales que concuerden con la Palabra de Dios.

IGNORANCIA. ¿Cuándo concuerdan los pensamientos que tenemos de nosotros mismos con la Palabra de Dios?

CRISTIANO. Cuando nos juzgamos bajo los mismos términos que la Palabra. Para explicarme: la Palabra de Dios dice sobre las personas en su condición natural: "No hay justo ni aun uno; no hay quien haga lo bueno" [Rom 3:10]. También dice que "toda tendencia de los pensamientos de su corazón era de continuo solo al mal " [Gn 6:5]. Y otra vez: "La imaginación del corazón del hombre es mala desde su juventud" [Rom 8:21]. Ahora bien, cuando pensamos así de nosotros mismos, entonces nuestros pensamientos son buenos, porque se adecúan a la Palabra de Dios.

IGNORANCIA. Nunca creeré que mi corazón sea así de malo.

CRISTIANO. Entonces nunca has tenido un solo pensamiento bueno respecto a ti mismo en tu vida. Pero déjame continuar. Así como la Palabra juzga a nuestro corazón, así juzga nuestros caminos; y cuando nuestros pensamientos y caminos concuerdan con el juicio que la Palabra hace de ambos, entonces ambos son buenos, porque concuerdan con ella.

IGNORANCIA. Explícame mejor lo que quieres decir.

CRISTIANO. La Palabra de Dios dice que los caminos del hombre son torcidos y perversos [Salm 125:5, Pro 2:15]. Dice que los hombres están naturalmente fuera del buen camino [Rom 3]. Ahora bien, cuando un hombre se da cuenta de esto y piensa en la maldad de sus caminos con humillación de corazón, entonces piensa bien de sus caminos, porque sus pensamientos ahora concuerdan con la Palabra de Dios.

IGNORANCIA. ¿Qué son los buenos pensamientos acerca de Dios?

CRISTIANO. Lo mismo que he dicho acerca de aquellos sobre nosotros mismos: pensamientos sobre Dios que concuerden con lo que la Palabra dice de él; esto es, cuando pensamos en su ser y sus atributos como la Palabra ha enseñado, de lo cual no puedo hablar extensamente ahora. Pero para hablar sobre él con referencia a nosotros: tenemos buenos pensamientos sobre Dios cuando pensamos que Él nos conoce mejor que nosotros mismos, y que puede ver nuestro pecado cuando y donde nosotros no; cuando pensamos que conoce nuestros pensamientos más íntimos, y que nuestro corazón, en toda su profundidad, está siempre abierto a sus ojos. Además, tenemos pensamientos buenos cuando pensamos que nuestra rectitud es débil ante Él, y que, por lo tanto, no soporta vernos con actitud confiada, incluso en nuestras mejores obras.

IGNORANCIA. ¿Crees que soy tan tonto como para pensar que Dios no puede ver más allá de mí? ¿O que me presentaría ante Dios presumiendo de mis obras?

CRISTIANO. ¿Qué piensas al respecto?

IGNORANCIA. Pues, para ser breve, pienso que debo creer en Cristo para mi justificación.

CRISTIANO. ¡Cómo! Debes creer en Cristo incluso cuando no piensas que lo necesitas. No ves tus debilidades, sino que tienes tal opinión de ti mismo y de lo que haces, que pareces una persona que nunca vio la necesidad de la rectitud personal de Cristo para justificarse ante Dios. ¿Cómo, pues, dices: "Creo en Cristo"?

IGNORANCIA. Creo bastante bien por todo eso.

CRISTIANO. ¿Qué crees?

IGNORANCIA. Creo que Cristo murió por los pecadores, y que seré justificado ante Dios y salvado de la condena mediante su graciosa aceptación de mi obediencia a su ley. O así: Cristo hace que mis deberes religiosos sean aceptables a su Padre en virtud de sus méritos; y así seré justificado.

CRISTIANO. Permíteme dar una respuesta a esta confesión de tu fe:

Primero, crees con una fe fantástica, pues este tipo de fe no se describe en ninguna parte de la Palabra.

Segundo, crees con una fe falsa, porque toma la justificación de la rectitud personal de Cristo y la aplica a la suya propia.

Tercero, esta fe no hace a Cristo justificador de tu persona, sino de tus acciones; y de tu persona por causa de tus acciones, lo cual es falso.

Cuarto, y por lo tanto, tu fe es engañosa, incluso tanto que suscitará ira en el día del Todopoderoso, porque la verdadera fe justificadora pone al alma —consciente de su perdición por ley— a refugiarse en la rectitud de Cristo. Esa rectitud no es un acto de gracia por el cual te justifica haciendo que Dios acepte tu obediencia; más bien es su obediencia personal a la ley, al hacer y sufrir por nosotros lo que esta nos exigía. Digo, entonces, que la verdadera fe acepta esta rectitud, halla refugio

en ella, envuelve en ella el alma y así se presenta inmaculada a Dios. Entonces es aceptada y absuelta de condena.

IGNORANCIA. ¿Qué quieres, que nos fiemos de lo que Cristo, en su persona, ha hecho sin nosotros? Esta presunción soltaría las riendas de nuestra concupiscencia y nos permitiría vivir como quisiéramos. Si creemos eso, ¿qué importa cómo vivamos, si seremos justificados por la rectitud personal de Cristo?

CRISTIANO. Ignorancia es tu nombre, y como es tu nombre, así eres tú; incluso esta tu respuesta demuestra lo que digo. Ignorante eres de qué es la rectitud justificante, y tan ignorante de cómo resguardar tu alma de la pesada ira de Dios a través de la fe de ella. Sí, también ignoras los verdaderos efectos de la fe salvadora en esta rectitud de Cristo, que consiste en inclinarse y ganar el corazón para Dios en Cristo: amar su nombre, su palabra, sus caminos y su pueblo, y no como tú ignorantemente imaginas.

ESPERANZADO. Pregúntale si alguna vez se le reveló Cristo en el cielo.

IGNORANCIA. ¡Cómo! ¿Eres de los que creen en revelaciones? Creo que lo que ustedes, y todos sus compañeros, dicen sobre ese asunto, no es sino el fruto de cerebros desordenados.

ESPERANZADO. Pero ¡hombre! Cristo está tan oculto en Dios de la comprensión natural de los hombres, que no puede ser conocido salvíficamente a menos que Dios Padre se lo revele.

IGNORANCIA. Esa es tu creencia, pero no la mía. No dudo que la mía sea tan buena como la suya, aunque no tengo en la cabeza tantas fantasías como ustedes.

CRISTIANO. No deberías hablar con tanta ligereza de un asunto tan serio. Yo también afirmaré enfáticamente que ningún hombre puede conocer a Jesucristo excepto por la revelación del Padre [Mt 11:27]. Y soy igual de enfático acerca de la fe por la cual el alma se aferra a Cristo: si esta es correcta, debe ser concedida por la eminente grandeza de Dios. Me doy cuenta, querido Ignorancia, que tú no posees esa fe. Despierta a tu propia miseria y corre hacia el Señor Jesucristo, por cuya sola justicia serás librado de la ira venidera.

IGNORANCIA. Ustedes hablan tan rápido que no puedo seguirles el hilo. Sigan adelante, yo debo quedarme un poco más atrás.

Entonces Cristiano y Esperanzado cantaron:

"Bien, Ignorancia, ¿serás tan necio como para despreciar
el buen consejo que te dimos diez veces?
Y si aún lo rechazas, verás,
en poco tiempo, las malas consecuencias.
Recuerda, hombre, no temas.
El buen consejo bien tomado, salva. Entonces, escucha;
pero si incluso así lo desprecias, serás
perdedor, Ignorancia; te lo aseguramos".

Entonces Cristiano se dirigió así a su compañero:

CRISTIANO. Bien, vamos, mi buen Esperanzado, creo que tú y yo debemos caminar solos de nuevo.

Vi en mi sueño que iban a paso ligero, como antes, e Ignorancia venía cojeando detrás. Entonces Cristiano le dijo a Esperanzado: "Siento mucha lástima por este pobre hombre; le irá mal al final".

ESPERANZADO. Desgraciadamente, en mi ciudad hay muchos en su situación; familias enteras, calles enteras y peregrinos también. Y si hay tantos en nuestras partes, ¿cuántos habrá en el lugar donde él nació?

CRISTIANO. En efecto, la Palabra dice: "Cegó sus ojos para que no vieran", y así. Pero ahora que estamos solos, ¿qué piensas de tales hombres? ¿No crees que en algún momento se den cuenta de su pecado y teman correr peligro?

ESPERANZADO. No, contesta tú mismo a esa pregunta, pues eres el mayor y más experimentado.

CRISTIANO. Digo, pues, que a veces (creo) puede ser; pero al ser naturalmente ignorantes, no comprenden que tales pensamientos tienden a su bien y por eso buscan desesperadamente sofocarlos. Prefieren, presuntuosamente, continuar halagándose a sí mismos en el camino de su propio corazón.

ESPERANZADO. Creo, como dices, que el temor tiende mucho al bien de los hombres y a prepararlos para peregrinar.

CRISTIANO. Sin duda que sí, si es un temor correcto; porque así dice la Palabra: "El temor del Señor es el principio de la sabiduría" [Pro 1:7, 9:10, Job 28:28, Salm 111:10].

ESPERANZADO. ¿Cómo describirías el temor correcto?

CRISTIANO. El temor verdadero o correcto se descubre por tres cosas:

Primero, por su origen: es causado por la convicción de que se está pecando.

Segundo, porque impulsa al alma a asirse firmemente de Cristo para su salvación.

Y tercero, porque engendra y mantiene en el alma una gran reverencia hacia Dios, su Palabra y sus caminos, manteniéndola

tierna y haciéndola temerosa de desviarse de ellos, temerosa de hacer cualquier cosa que deshonre a Dios, rompa su paz, lastime al Espíritu, o ser causa de que el enemigo haga algún reproche.

ESPERANZADO. Creo que has dicho la verdad. ¿Ya estamos casi fuera de la Tierra Encantada?

CRISTIANO. ¿Por qué? ¿Estás cansado del tema?

ESPERANZADO. No, realmente no, pero quisiera saber dónde estamos.

CRISTIANO. No nos quedan más de dos millas de camino. Pero volvamos a nuestro asunto. Ahora bien, los ignorantes no saben que las convicciones que tienden a infundirles temor son para su bien, y por eso tratan de sofocarlas.

ESPERANZADO. ¿Cómo tratan de sofocarlas?

CRISTIANO. Primero, piensan que esos temores son obra del diablo (aunque en verdad son obra de Dios), y, pensando así, los resisten como cosas dañinas. Segundo, piensan también que esos temores arruinan su fe —cuando, por desgracia, pobres hombres que son, no tienen ninguna— y por eso endurecen su corazón contra ellos. Tercero, presumen que no deberían temer; y, por lo tanto, a pesar de los temores, se confían presuntuosamente. Y cuarto, ven que esos temores tienden a arrebatarles su antigua y lastimosa santidad auto declarada, y por eso se resisten a ellos con todas sus fuerzas.

ESPERANZADO. Yo sé algo de esto, porque, antes de conocerme a mí mismo, yo era así también.

CRISTIANO. Bien, dejaremos solo por ahora a nuestro vecino Ignorancia, y caeremos sobre otra cuestión provechosa.

ESPERANZADO. Muy bien, pero debes comenzar tú.

CRISTIANO. Pues bien, ¿no conociste en tus partes, hace unos diez años, a un tal Temporal, que era un hombre adelantado en religión?

ESPERANZADO. ¡Sí! Vivía en Sin Gracia, un pueblo a unas dos millas de Honestidad, y vivía al lado de un tal Vuelta La Espalda.

CRISTIANO. Cierto, vivía bajo el mismo techo que él. Pues bien, ese hombre tuvo un gran despertar una vez; creo que obtuvo una imagen clara de sus pecados y de lo que tendría que pagar por ellos.

ESPERANZADO. Comparto tu opinión, porque, estando mi casa a menos de tres millas de él, a veces venía a verme con muchas lágrimas. Verdaderamente me compadecí de él, y no tenía algo de esperanza en él. Pero ya vemos que no todos claman, "Señor, Señor".

CRISTIANO. Me dijo una vez que estaba resuelto a ir en peregrinación, como nosotros ahora, pero de repente conoció a un tal señor Sálvese Quien Pueda, y dejó de hablarme.

ESPERANZADO. Ahora, ya que estamos hablando de él, investiguemos un poco la razón de su repentina recaída y la de otros como él.

CRISTIANO. Puede ser muy interesante, pero empieza tú.

ESPERANZADO. Pues bien, a mi juicio hay cuatro razones para ello:

Primero, aunque las conciencias de tales hombres se despiertan, sus mentes no han cambiado; por lo tanto, cuando el poder de la culpa se desvanece, desaparece también lo que les motivaba a ser religiosos. Entonces, naturalmente, vuelven a su propio curso de nuevo, como el perro enfermo: mientras duran sus síntomas, vomita todo lo que ha comido; no es que lo

haga intencionalmente (si podemos decir que un perro puede tener intención), sino porque le molesta su estómago. Pero luego, cuando su estómago ya no duele, su deseo no es ajeno a su vómito: se da la vuelta y lo engulle todo. Y así es verdad lo que está escrito: "El perro se volvió a su propio vómito" [2 Pedro 2:22]. Me refiero a anhelar el cielo solo por temor a los tormentos del infierno: a medida que los temores sobre su condenación se enfrían y enfrían, así sus deseos de Cielo y salvación se enfrían también. Así, pues, sucede que, cuando la culpa y el miedo se van, se acaban sus deseos del Cielo y de felicidad, y regresan a su curso.

Segundo, otra razón es que los temores que los dominan son serviles. Hablo de sus temores hacia los hombres, pues "El temor al hombre pone trampas" [Pro 29:25]. Así, aunque parecen muy ávidos del cielo mientras sienten las llamas del infierno alrededor, cuando ese terror ha pasado ya les vienen otros pensamientos: que es bueno ser prudente y no arriesgarlo todo por lo que no saben, o a lo menos, que no es bueno meterse en inevitables e innecesarias aflicciones, y así vuelven a caer al mundo.

Tercero, también suelen tropezar en su camino con la vergüenza que a menudo acompaña a la religión; son orgullosos y altivos, y la religión, a sus ojos, es baja y despreciable. Por esto, una vez perdido su sentido del infierno y de la ira venidera, vuelven a su antiguo modo de vivir.

Cuarto, les parece que la culpa y el pensar en el terror son cosas muy incómodas; no les gusta contemplar sus miserias antes de tiempo. Aunque tal vez verlas podría hacer que corrieran donde los justos vuelan y están a salvo. Pero dado que, como dije antes, incluso rehúyen los pensamientos de culpa y

terror, una vez que se libran de ellos endurecen sus corazones con gusto y eligen caminos que los endurecen más y más.

CRISTIANO. Creo que has acertado, porque el fundamento de todo es la falta de un cambio en su corazón y voluntad. Por eso son semejantes al reo cuando está delante del juez: se estremece y tiembla, y parece arrepentirse de todo corazón, pero la causa de todo eso es el temor que tiene a la horca y no el odio al delito. Esto es evidente, pues si dejan a tal hombre en libertad seguirá siendo un ladrón y un malvado como antes, mientras que, si hubiera cambiado su corazón, hubiera cambiado también su conducta.

ESPERANZADO. Ya que yo te he descrito las razones de la recaída de estos hombres, muéstrame tú ahora cómo se desarrolla.

CRISTIANO. Lo haré de buena voluntad:

Primero, apartan sus pensamientos todo lo posible de la meditación y el recuerdo de Dios, de la muerte y del juicio venidero.

Segundo, abandonan poco a poco sus deberes privados, como la oración secreta, la contención de sus apetitos, la vigilancia sobre sí mismos, el dolor de sus pecados y otros semejantes.

Tercero, huyen luego de la compañía de los cristianos fervorosos y entusiastas.

Cuarto, se van enfriando en cuanto a los deberes públicos, como la lectura y predicación de la palabra, el trato bondadoso con otros, etc.

Quinto, de forma diabólica comienzan a hacer agujeros, como se dice, en los abrigos de los más piadosos, criticando cualquier debilidad que hayan visto en ellos. Esto les da un pretexto aparente para desechar la religión.

Sexto, se adhieren y asocian con personas mundanas, despreocupadas y descarriadas.

Séptimo, comienzan a hacer cosas mundanas e inmorales en secreto, y se alegran de ver cosas similares en otros que son tenidos por honrados, para disimularse con ellos y poder hacerlo más atrevidamente.

Octavo, después de todo esto, comienzan a jugar con pequeños pecados abiertamente.

Por último, ya endurecidos, se muestran tal como son. Así, lanzados de nuevo al abismo de la miseria, perecen eternamente en sus propios engaños, a menos que un milagro de la gracia lo impida.

Ahora, vi en mi sueño que los peregrinos habían pasado ya la Tierra Encantada y estaban entrando al país de Beulah, cuyo aire era dulce y agradable. Ya que el camino pasaba a través de él, se recrearon allí durante una temporada. Sí, aquí oían continuamente el canto de los pájaros, veían brotar las flores en la tierra y escuchaban el sonido de las tórtolas [Is 62:4, Cant 2:10-12]. En este país el sol brilla de noche y de día; por lo tanto, está muy afuera del Valle de la Sombra de la Muerte y también del alcance del Gigante Desesperación, y no se puede siquiera ver el Castillo de la Duda. Aquí estaban a la vista de la Ciudad a la que se dirigían y se encontraron también con algunos de sus habitantes, pues los Luminosos caminaban frecuentemente por allí, ya que estaba en las fronteras del cielo. En este país se renovó también el pacto entre el novio y la novia: "Pues como el novio se regocija por su novia, así se regocijará tu Dios por ti" [Is 62:5]. Aquí no tuvieron escasez de trigo ni de vino, porque hallaron abundancia de lo que habían buscado en su peregrinación [Is 62:8]. Aquí oyeron voces de fuera de la

ciudad, voces fuertes, que decían: "Decid a la hija de Sion: ¡He aquí tu salvación! ¡He aquí su recompensa con Él!". Todos los habitantes los llamaban: "Pueblo santo, redimidos de Jehová, Buscados…" [Is 62:11-12].

Andando por ese país, tenían más regocijo que en las partes más remotas del reino al que se dirigían; y acercándose a la ciudad, tuvieron una visión aún más perfecta de ella. Estaba construida de perlas y piedras preciosas, y sus calles embaldosadas de oro; así que, por la gloria natural de la ciudad y el reflejo de los rayos del sol, Cristiano se puso enfermo de deseo. Esperanzado tuvo también un ataque o dos de la misma enfermedad. Tuvieron, entonces, que descansar allí por un tiempo, gritando en medio de su ansiedad: "Si encuentran a mi amado, díganle que estoy enfermo de amor".

Ya más fortalecidos y capaces de sobrellevar su enfermedad, prosiguieron su camino, acercándose cada vez más y más hacia donde había huertos, viñedos y jardines, cuyas puertas daban al camino. Cuando llegaron a estos lugares, he aquí que el jardinero estaba en el camino. Los peregrinos preguntaron: "¿De quién son estos hermosos viñedos y jardines?". Él respondió: "Son del rey. Están plantados aquí para su propio deleite y para solaz de los peregrinos". Así que el jardinero los llevó a los viñedos y les dijo que se refrescaran con los manjares [Dt 23:24]. También les mostró los paseos del rey y los pabellones donde le gustaba estar, y allí se quedaron y durmieron.

En mi sueño vi que, mientras dormían, hablaban más que en todo su viaje. Reflexionando yo sobre ello, me dijo el jardinero: "¿Por qué reflexionas tanto sobre esto? Es el efecto natural del fruto de estas viñas bajar suavemente y hacer hablar los labios de los que duermen".

Así que vi que, cuando despertaron, se prepararon para subir a la Ciudad. Pero, como he dicho, el reflejo del sol sobre ella (pues era de oro puro) era tan intensamente glorioso que no podían, todavía, contemplarla a cara descubierta, sino a través de un instrumento especial para ese propósito. Vi, pues, que se encontraron con dos hombres que vestían ropas que brillaban como el oro, y cuyos rostros resplandecían como la luz [Ap 21:18, 2 Cor 3:18].

Estos hombres les preguntaron a los peregrinos de dónde venían; y ellos les dijeron. También les preguntaron dónde se habían alojado, qué dificultades y peligros, qué comodidades y placeres habían encontrado en el camino, y se lo contaron. Entonces estos hombres resplandecientes les dijeron: "Solo tendrán que enfrentar dos dificultades más, y entonces entrarán en la ciudad".

Cristiano y su compañero pidieron a los hombres que los acompañasen. Estos contestaron que lo harían con gusto, pero que tendrían que obtenerlo por su propia fe. Entonces vi en mi sueño que se marcharon todos juntos, hasta llegar a la vista de la puerta.

Allí vi, además, que entre ellos y la puerta había un río, pero no había ningún puente para poder pasarlo, y el río era muy profundo. Al ver esto, los peregrinos se asustaron mucho, pero los hombres que los acompañaban les dijeron: "Deben cruzarlo o no podrán llegar a la puerta".

Los peregrinos preguntaron si no había otro camino hacia la puerta, a lo que respondieron: "Sí; pero a nadie, excepto a Enoc y a Elías, se le ha permitido pisar ese camino desde la fundación del mundo, ni se le permitirá hasta que suene la trompeta final" [1 Cor 15:51-52]. Los peregrinos entonces,

especialmente Cristiano, comenzaron a desanimarse, y miraron a un lado y a otro sin hallar un modo de evitar el río. Entonces preguntaron a los hombres si las aguas eran profundas. Ellos respondieron que el encontrarlas más o menos profundas dependía de su fe en el rey del país, de modo que, esta vez, ellos no podrían ayudarlos.

EN LA RESURRECCIÓN DE LOS JUSTOS [AP 20:4-6]

Se dirigieron entonces al agua y, entrando, Cristiano comenzó a hundirse y gritando a su buen amigo Esperanzado, dijo: "¡Me hundo en aguas profundas; las olas pasan sobre mi cabeza, todas sus olas pasan sobre mí!".

EL CONFLICTO DE CRISTIANO EN LA HORA DE LA MUERTE

Entonces dijo el otro: "Ten ánimo, hermano mío, siento el fondo y es bueno". Entonces dijo Cristiano: "¡Ah, amigo mío! Los dolores de la muerte me han rodeado; no veré la tierra que mana leche y miel". Y con esto cayeron sobre Cristiano horror y grandes tinieblas, de modo que no podía ver delante de él. También aquí perdió en gran medida sus sentidos, de modo que no podía ni recordar ni hablar ordenadamente de ninguno de aquellos dulces descansos que había disfrutado en el camino de su peregrinación. Pero todas las palabras que pronunciaba revelaban el horror en su mente, y el temor de su corazón de morir en aquel río y nunca llegar a la puerta. Los testigos observaban también que tenía pensamientos muy molestos sobre los pecados que había cometido, tanto antes como

después de volverse peregrino. También lo notaron atormentado por apariciones de fantasmas y espíritus malignos, pues de vez en cuando lo insinuaba con sus palabras. Esperanzado, por lo tanto, tuvo que hacer mucho esfuerzo para mantener la cabeza de su hermano por encima del agua; algunas veces se hundía completamente y al poco rato emergía de nuevo, medio muerto. Esperanzado también intentaba consolarlo, diciendo: "Hermano, veo la puerta y hombres que nos reciben". Pero Cristiano le respondía: "Eres tú, eres tú a quien esperan. Has sido Esperanzado desde que te conozco". "Y tú también", le dijo a Cristiano. "Ah, hermano, si así fuera, Él me ayudaría; pero por mis pecados me ha hecho caer en la trampa y me ha abandonado". Entonces dijo Esperanzado: "Hermano mío, has olvidado por completo el texto, donde se dice de los malvados: 'No sufren las congojas humanas ni son afligidos como otros hombres, pues no hay para ellos dolores de muerte; más bien, es robusto su cuerpo' [Salm 73:4-5]. Estos sufrimientos y angustias que estás pasando en estas aguas no son señal de que Dios te haya abandonado, sino que son enviadas para probarte, para que recuerdes lo que hasta ahora has recibido de su bondad, y para que vivas de él en tu desasosiego".

Luego vi en mi sueño que Cristiano quedó meditabundo por un tiempo. Esperanzado añadió: "Confía, hermano mío; Jesucristo te sana". Al oír esto, Cristiano prorrumpió en voz alta: "¡Sí, lo veo otra vez!, y me dice: 'Cuando pases por las aguas, yo estaré contigo; y cuando pases por los ríos, no te inundarán'" [Is 43:2]. Entonces ambos se armaron de valor, y el río quedó tan quieto como una piedra hasta que hubieron pasado. Cristiano, entonces, encontró terreno donde hacer pie, y sucedió que la profundidad del río disminuyó. Así

lograron cruzar. En la orilla vieron de nuevo a los dos hombres Luminosos, quienes los saludaron y dijeron: "Somos espíritus administradores, enviados para servir a los que serán herederos de la salvación". Y así se dirigieron hacia la puerta.

Es notable que la Ciudad quedaba sobre una colina imponente, pero los peregrinos la subieron con facilidad, porque tenían a estos dos hombres para conducirlos por los brazos. También habían dejado sus vestidos mortales en el río —aunque entraron con ellos, salieron sin ellos—, por lo tanto, subieron con mucha agilidad y rapidez, a pesar de que los cimientos de la Ciudad eran más altos que las nubes. Por eso subieron por las regiones del aire, hablando dulcemente mientras avanzaban, sintiéndose reconfortados porque habían cruzado el río a salvo y tenían tan gloriosos acompañantes.

Mira cómo cabalgan los santos peregrinos,
los ángeles son sus guías. ¿Quién no correría por él todos los peligros?
Él, quien dará resguardo cuando este mundo acabe.

La conversación que tuvieron con los Luminosos versó sobre la gloria del lugar. Les dijeron que su belleza y gloria eran inexpresables. Allí, señalaron, está el monte de Sion, la Jerusalén celestial, la reunión de miríadas de ángeles y los espíritus de los justos ya hechos perfectos [Heb 12:22-24]. "Van ahora", dijeron, "al Paraíso de Dios, donde verán el árbol de la vida y comerán de sus frutos perennes. Cuando lleguen allí, les darán vestiduras blancas, y su trato y conversación será siempre con el rey, todos los días de la eternidad [Ap 2:7, 3:4, 21:4-5]. Allí no volverán a ver las cosas que vieron en la región

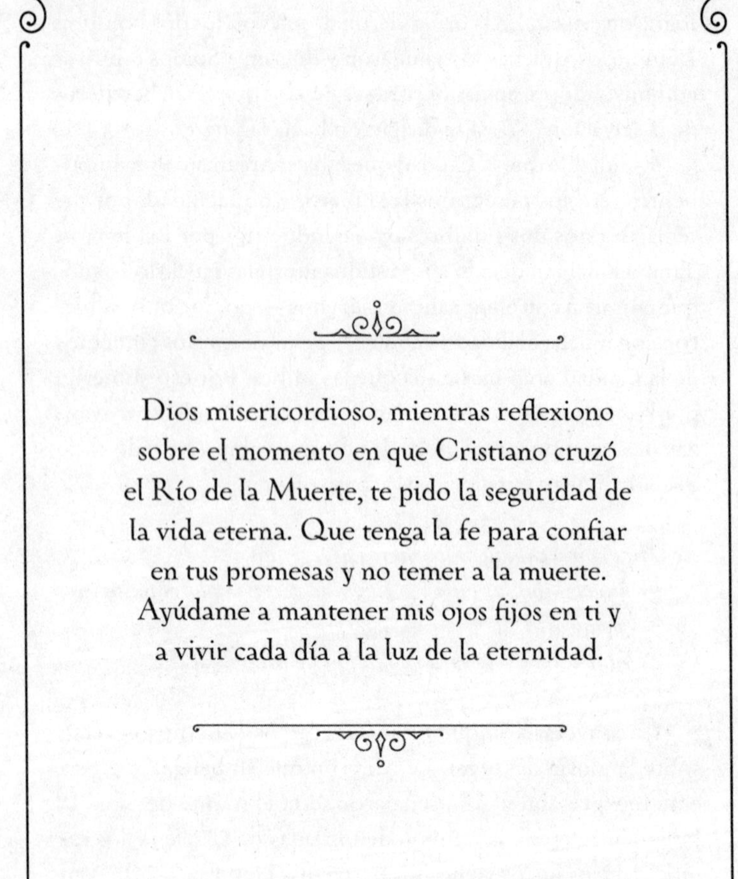

Dios misericordioso, mientras reflexiono sobre el momento en que Cristiano cruzó el Río de la Muerte, te pido la seguridad de la vida eterna. Que tenga la fe para confiar en tus promesas y no temer a la muerte. Ayúdame a mantener mis ojos fijos en ti y a vivir cada día a la luz de la eternidad.

inferior, sobre la tierra: enfermedad, aflicción y muerte, porque las primeras cosas ya pasaron. Ahora van a ver a Abraham, a Isaac y a Jacob y a los profetas... hombres que Dios ha apartado del mal por venir, y que ahora descansan en sus lechos por haber caminado en justicia" [Is 57:1-2; 65:17]. Los peregrinos preguntaron entonces: "¿Qué debemos hacer en el lugar santo?". A lo cual se les respondió: "Allí recibirán consuelo por todas sus fatigas y alegría de todas sus penas. Recogerán lo que sembraron, el fruto de todas sus oraciones, lágrimas y sufrimientos por el rey en el camino [Gal 6:7]. En ese lugar deberán llevar coronas de oro y gozarán de la vista perpetua del Santísimo, pues lo verán tal como es [1 Jn 3:2]. Allí también servirán continuamente con alabanza, con gritos de júbilo y acción de gracias a aquel que deseaban servir en el mundo, aunque limitados por la debilidad de su carne. Allí sus ojos se deleitarán viendo y sus oídos oyendo la agradable voz del Altísimo. Allí volverán a disfrutar de los amigos que llegaron allá antes que ustedes y recibirán con alegría a todos los que lleguen después. También serán revestidos de gloria y majestad, y cuando el Rey de la Gloria venga en las nubes al son de trompeta, sobre las alas del viento, ustedes cabalgarán con él. Cuando él se siente en el trono del juicio, ustedes se sentarán junto a él; sí, y cuando pronuncie sentencia sobre los obradores de maldad, sean ángeles u hombres, ustedes también tendrán voz en ese juicio, porque fueron sus enemigos y los suyos también [1 Tes 4:13-16, Judas 1:14, Dn 7:9-10, 1 Cor 6:2-3]. Y cuando regrese a la ciudad a son de trompeta, volverán con él y estarán con él para siempre".

Mientras se acercaban a la puerta, salió a su encuentro una compañía de la tropa celestial. Los otros dos Luminosos les

dijeron: "Estos son los hombres que amaron a nuestro Señor cuando estaban en el mundo y que lo han dejado todo por su santo nombre. Él nos envió a buscarlos, y los trajimos hasta aquí en su deseado viaje para que puedan ir y mirar el rostro de su Redentor con alegría. Entonces la tropa dio un gran grito, diciendo: "Bienaventurados los que han sido llamados a la cena de las bodas del Cordero" [Ap 19:9]. En ese momento, también salieron a su encuentro varios de los trompeteros del rey, vestidos con ropas blancas y radiantes, haciendo resonar los mismos cielos con sus sonidos melodiosos y fuertes. Estos músicos saludaron a Cristiano y a su compañero una y mil veces, con gritos y trompetas.

Hecho esto, los rodearon por todas partes; unos se pusieron a la derecha, otros a la izquierda, delante y detrás (como para escoltarlos a través de las regiones superiores), acompañando con sonidos melodiosos en tonos altos. Quien viera el espectáculo, podría pensar que el mismo Cielo había bajado para recibirlos. Así, pues, caminaban juntos y, mientras caminaban, una y otra vez estos trompetistas, incluso con su sonido alegre, mezclando música con miradas y gestos, daban a entender a Cristiano y a su hermano lo bienvenidos que eran y la alegría con la que salían a su encuentro. Y estos dos hombres se sentían como en el Cielo antes de siquiera llegar a Él, sobrecogidos por la visión de los ángeles y el sonido de sus melodiosas notas. Aquí tenían la ciudad a la vista, y les pareció oír todas sus campanas sonar para darles la bienvenida. Pero, sobre todo, estaban llenos de cálidos y alegres pensamientos acerca de su propia morada allí, con tal compañía, para siempre jamás. Oh, ¿con qué lengua o pluma podrían expresar su glorioso júbilo? Y así llegaron hasta la puerta.

Cuando llegaron a la puerta, estaba escrito sobre ella en letras doradas: "Bienaventurados los que guardan sus mandamientos, para que tengan derecho al árbol de la vida y para que entren en la ciudad por las puertas" [Ap 22:14].

Entonces vi en mi sueño que los hombres Luminosos les ordenaron llamar a la puerta. Cuando lo hicieron, algunos miraron desde arriba de ella: Enoc, Moisés y Elías, entre otros, a quienes se dijo: "Estos peregrinos han venido de la Ciudad de la Destrucción por el amor que profesan al Rey de este lugar". Entonces los peregrinos le entregaron a cada uno el certificado que habían recibido al principio; estos les fueron llevados al rey, quien, cuando los hubo leído, preguntó: "¿Dónde están los hombres?". A lo que se le respondió: "Están afuera de la puerta". El rey entonces ordenó abrir la puerta: "Abran las puertas, y entrará la nación justa que guarda la fidelidad" [Is 26:2].

Vi en mi sueño que los dos hombres entraron por la puerta, y he aquí que, al cruzar el umbral, se transfiguraron y recibieron vestiduras que brillaban como el oro. También les entregaron arpas y coronas: las arpas para que alabasen y las coronas en señal de honor. Entonces oí que todas las campanas de la ciudad volvieron a sonar de alegría y que se les decía: "ENTREN EN EL GOZO DE SU SEÑOR". También oí a los propios hombres que cantaban a gran voz, diciendo: "AL QUE ESTÁ SENTADO EN EL TRONO Y AL CORDERO SEAN LA BENDICIÓN Y LA HONRA, Y LA GLORIA Y EL PODER, POR LOS SIGLOS DE LOS SIGLOS" [Ap 5:13].

Cuando se abrieron las puertas para dejar entrar a los hombres, miré detrás de ellos. La ciudad brillaba como el sol y

sobre las calles empedradas con oro caminaban muchos hombres con coronas en la cabeza, palmas en las manos y arpas de oro con las que cantaban alabanzas.

Había también algunos que tenían alas y cantaban sin cesar: "Santo, santo, santo es el Señor". Después de esto se cerraron las puertas y quedé fuera. Tras haberlo visto, deseaba estar entre ellos.

Y mientras contemplaba todas estas cosas, volví la cabeza para mirar atrás y vi a Ignorancia llegar a la orilla del río. No tardó en pasar, y eso sin la mitad de la dificultad que tuvieron los otros dos hombres, pues sucedió que estaba ahí un tal Vana Esperanza, barquero, que con su bote le ayudó a pasar. Así que Ignorancia, como los otros que vi, subió la colina para llegar hasta la puerta, pero venía solo; nadie le salió al encuentro con el menor ánimo. Cuando llegó a la puerta miró a la inscripción que estaba arriba y comenzó a llamar, suponiendo que la entrada le habría sido concedida rápidamente. Pero los hombres que miraban por encima de la puerta le preguntaron: "¿De dónde vienes y qué quieres?". Él respondió: "He comido y bebido en presencia del rey, y él ha enseñado en nuestras calles". Entonces le pidieron su certificado para mostrárselo al rey, pero él buscó uno en su pecho y no lo encontró. Entonces le preguntaron: "¿No tienes ninguno?". Pero Ignorancia no pronunció ni una palabra. Le informaron de esto al Rey, pero él no quiso bajar a verle, sino que ordenó a los dos Luminosos que habían conducido a Cristiano y a Esperanzado que salieran y cogieran a Ignorancia, lo ataran de pies y manos y se lo llevaran. Entonces lo levantaron y lo llevaron por los aires a la puerta que había visto en la ladera de la colina y lo metieron allí. Entonces vi que existía un camino al infierno incluso

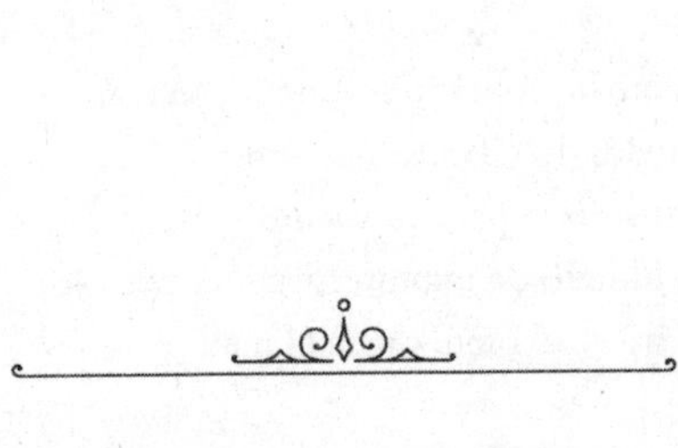

Querido Dios, gracias por la esperanza de la vida eterna en tu presencia, que es la meta final de mi camino. Ayúdame a mantener mis ojos fijos en ti y a vivir cada día a la luz de la esperanza que está puesta ante mí. Que mi vida sea un testimonio de tu gracia y de tu amor, y que glorifique tu nombre en todo lo que haga.

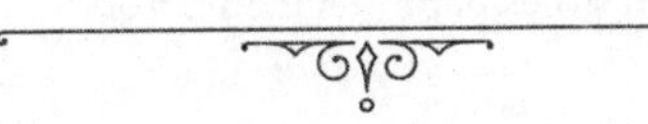

desde las puertas del Cielo, así como desde la Ciudad de la Destrucción.

Entonces me desperté y vi que todo había sido un sueño.

Ahora que te he contado mi sueño, lector,
mira si puedes descifrarlo para mí,
o para ti mismo, o para tu vecino.
Pero ten cuidado de malinterpretar, pues eso,
en vez de hacer el bien, causa el mal.

Cuídate también de no entretenerte demasiado
con la apariencia de mi sueño,
ni permitas que su forma o su estilo
te hagan reír o reñir.
Deja eso para niños y tontos;
tú enfócate en la sustancia.

Descorre las cortinas, mira bajo mi velo,
y busca mis metáforas.
No puedes fallar: si las buscas, las hallarás,
y verás que son útiles para una mente honesta.

Lo que encuentres aquí que sea basura,
deséchalo, pero conserva el oro, pues,
¿qué tal si mi oro está envuelto en una roca común?
Nadie tira una manzana solo por el corazón.
Sin embargo, si lo encuentras todo vano y lo descartas,
no sé si podré soñar de nuevo.

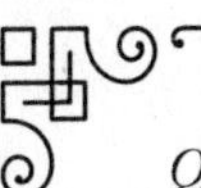

Querido Dios,

Al llegar al final de mi viaje a través de El progreso del peregrino, *estoy lleno de gratitud por las ideas y la sabiduría que este libro me ha impartido. He aprendido mucho sobre las luchas y las pruebas a las que nos enfrentamos en nuestro camino de fe, y de la importancia de perseverar a través de estos desafíos con un compromiso firme e inquebrantable contigo.*

El personaje de Cristiano me ha recordado los peligros de la tentación y la necesidad de resistir el pecado. También me ha animado su ejemplo de perseverancia y su triunfo final sobre los obstáculos que se interponían en su camino.

Señor, te ruego que me ayudes a aplicar estas lecciones a mi propia vida, y a mantener siempre mis ojos fijos en Ti mientras atravieso los desafíos y obstáculos que encuentro en mi propio camino de fe. Que tenga la fuerza y la perseverancia para seguir adelante, incluso cuando el camino por delante parezca largo y difícil.

Gracias por el regalo de este libro y por las muchas maneras en que nos hablas a través de la literatura y el arte. Que Tu luz continúe brillando en mi corazón mientras busco seguirte y vivir Tu voluntad en mi vida.

Te lo ruego en el nombre de Jesús,

Amén.

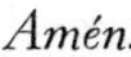

John Bunyan

John Bunyan (30 de noviembre de 1628 – 31 de agosto de 1688) fue un escritor inglés y predicador puritano más conocido por ser el autor de la alegoría cristiana *El progreso del peregrino*, obra que se convirtió en un influyente modelo literario. Además de *El progreso del peregrino*, Bunyan escribió alrededor de sesenta títulos, sermones en su mayoría.

Bunyan provenía de Elstow. Recibió muy poca educación y con 16 años se unió a las filas del ejército republicano del Parlamento durante la primera etapa de la Guerra Civil. Después de tres años en el ejército, regresó a Elstow y comenzó a trabajar como hojalatero, oficio que había aprendido de su padre. Después de su matrimonio, empezó a interesarse por la religión, primero asistiendo a la iglesia local y luego participando en un grupo de no conformistas de Bedford que lo llevaría a convertirse en predicador. Tras la Restauración, cuando la libertad de los no conformistas se vio comprometida, Bunyan fue arrestado y enviado a prisión, donde cumplió 12 años, pero se negó a abandonar la prédica. Durante ese tiempo escribió una autobiografía espiritual, *Gracia abundante para el mayor de los pecadores*, y comenzó a trabajar en su obra maestra,

El progreso del peregrino, que no sería publicada hasta algunos años después de su liberación.

Sus últimos años —a pesar de otro corto período de encarcelamiento— fueron relativamente cómodos pues se convirtió en un popular escritor y predicador, además de pastor del grupo Bedford Meeting. Murió a la edad de 59 años y fue enterrado en Bunhill Fields. *El progreso del peregrino* se convirtió en uno de los libros más publicados en inglés: hasta 1938, 250 años después de la muerte del autor, se habían impreso 1,300 ediciones.

El progreso del peregrino

John Bunyan

El progreso del peregrino

Con oraciones para guiarnos en el camino

Introducción de José Luis Navajo

Título original: *The Pilgrim's Progress*

Primera edición: agosto de 2026

Traducción: Daniel Esparza

Impreso en Colombia / *Printed in Colombia*

ISBN: 979-8-89098-643-6

Introducción

Alguna vez me ha embargado la duda de si realmente seré escritor, pero jamás he dudado de que soy lector. Aprender a leer fue de las mejores cosas que han ocurrido en mi vida. Leo todo y leo siempre… Y creo que leo desde siempre. Cuando vuelvo la vista atrás, a mi infancia, veo a un niño sentado, a veces en la calle, con la espalda apoyada en la pared y un libro entre sus manos. De tanto en tanto levantaba la mirada para descansar la vista y suspiraba: "Algún día yo también escribiré".

Hoy, transcurridos muchos años y con la inmensa gracia de haber publicado treinta libros, puedo localizar un momento que fue decisivo en mi carrera literaria: el instante en que sostuve en mis manos el libro titulado *El progreso del peregrino*.

Conocer a John Bunyan a través de sus letras marcó un antes y un después en mi vida. Las páginas de ese libro obraron en mí una curiosa paradoja: la de sentir que ya quería vivir para siempre pegado a Jesús, con Su corazón como almohada, y a la vez querer rehacer mil veces el viaje en el que me embarcó ese libro y en el que pude soñar, suspirar, reír y llorar.

Las letras de esta alegoría que sostienes en tus manos tienen aroma de cielo. He aprendido a juzgar un libro no por

cómo llena mi cabeza, sino por cómo acelera mi corazón. *El progreso del peregrino* pertenece a esta segunda categoría: letras que alcanzan la mente y con la suavidad de una pluma se posan en el corazón dejando allí huellas indelebles.

Hoy me siento honrado por el privilegio de escribir esta breve introducción a la nueva edición de un clásico que lleva varias generaciones afectando vidas y eternidades. Este libro narra la historia de un hombre que busca la vida eterna y en el camino se encuentra con diversos personajes con quienes interactúa, creando escenarios con los que todo lector se sentirá identificado. Lo más hermoso es que el relato termina convirtiéndose en la hoja de ruta que nos conduce al corazón del Padre.

Siempre he creído que la misión de la Iglesia de Cristo es doble: mostrar a las personas cómo ir al cielo y ayudarles a vivir en la tierra. Ambos objetivos se alcanzan en *El progreso del peregrino*. Cada línea de esta narración es un dedo índice que apunta a la Ciudad Celestial, pero a la vez es bálsamo para el herido, fortaleza para el débil y esperanza para el desesperado.

Quiera Dios que esta lectura surta en tu vida el efecto que surtió en la mía, ser hilo de oro con el que el Padre sutura el corazón quebrantado.

Sin más, damas y caballeros, busquen un lugar tranquilo y serenen su alma para participar de estas líneas.

¡Dios les bendiga!

José Luis Navajo

El progreso del peregrino

Apología del autor

Cuando tomé la pluma para empezar esta obra, no pensé en hacer un pequeño libro como este. No; me había propuesto escribir algo distinto. Estando casi concluida esa otra obra, comencé esta sin darme cuenta.

Sucedió así: al escribir sobre el camino por el que van los santos de este tiempo, de repente comencé a usar alegorías sobre su viaje y su camino a la gloria. Escribí más de veinte. Al terminarlas, se me ocurrieron veinte más, y una y otra vez se multiplicaban, como chispas saltando del fuego.

Pensé entonces: si aparecen tan rápidamente, les pondré orden; no vaya a ser que continúen hasta el infinito y consuman el libro que ya tengo.

Lo hice así, pero no me proponía mostrarle al mundo mis escritos. No sé cuál era mi objetivo, solo sé que no buscaba complacer a nadie más. Lo hice para mi propia gratificación.

No empleé sino mi tiempo libre para escribir, y lo hice para distraer mi mente de pensamientos inoportunos. Seguí mi método con atención y puse en papel lo que venía a mí, hasta que finalmente obtuve esta obra, del largo y ancho y del tamaño que pueden ver.

Cuando estuvo terminado, le mostré mi libro a otros para conocer su opinión: si lo condenarían o lo salvarían. Algunos dijeron: "¡Déjalo vivir!", y otros dijeron: "¡Que muera!". Algunos dijeron: "JOHN, imprímelo"; otros dijeron que no lo hiciera. Unos dijeron que podía hacer bien, otros dijeron que no.

Entonces me encontré en apuros; no podía ver cuál era la mejor decisión. Al final pensé: Si las opiniones son tan distintas, lo publicaré, y así se decidirá el asunto.

Porque —pensé— algunos querían que se hiciera y otros no, la mejor manera de demostrar quién tenía la razón era poniéndolo a prueba.

Además, pensé: Si me niego a complacer a quienes quieren mi libro, no hago más que privarlos de su disfrute. A quienes no lo aprobaban les dije que no buscaba ofenderlos al publicarlo, sino que algunos hermanos lo querían. Les pedí que dejaran sus juicios para luego: si no deseaban leerlo, podrían dejarlo. A algunos les gusta la carne, a otros les gusta roer el hueso. Pero para poder agradar a todos, les hablé de esta forma:

"¿No se me permite escribir en este estilo? ¿Acaso me aleja de mi objetivo, que es hacer el bien? ¿Por qué no se podría hacer? Las nubes negras traen lluvia, mientras que las blancas no. Negras o blancas, si ambas llueven a la vez, la tierra las bendice con sus cosechas; no rechaza a ninguna de las dos, sino que atesora el fruto de ambas sin distinción. Cuando la tierra está hambrienta, ambas nubes son buenas. Pero si está bien alimentada, las rechaza a las dos y desecha sus bondades.

"Miren todas las técnicas que emplea el pescador para atrapar peces: ¿qué aparatos usa? Usa con astucia sus redes, cuerdas y anzuelos, pero hay algunos peces que no se pueden

pescar ni con redes, ni con cuerdas ni con anzuelos: debes meter el brazo en el agua para poder atraparlos.

"Ni hablar de las artimañas que debe aplicar el pajarero, que son incontables. Necesita redes, escopeta, luces, trampas, campanas y mucho más. Pero ninguna de estas cosas le asegura éxito sobre todas las aves. Debe silbar para atraer a algunas, pero con la misma técnica ahuyenta a otras.

"Se pueden hallar perlas en ostras o quizá en las cabezas de los sapos. Si se sabe que las cosas que no prometen nada resultan contener algo mejor que el oro, ¿quién no sentiría la curiosidad de mirar en su interior? Mi pequeño libro es así: aunque no tiene ilustraciones atractivas, posee cosas excelentes que no se encuentran en ideas audaces pero vacías".

Puede que me respondan: "Bueno, pero aún no estoy completamente convencido de que tu libro se sostenga ante el escrutinio". ¿Por qué no? "Es oscuro". ¿Y qué? "Su premisa es ficticia". ¿Y qué pasa con eso? Algunos hombres, con palabras fingidas y tan oscuras como las mías, hacen brillar la verdad. "Pero le falta realismo". Adelante, di lo que piensas. "Los débiles de mente no pueden ver más allá de las metáforas".

El realismo, en efecto, es esencial para quien escribe de cosas divinas. Pero ¿es cierto que me falta realismo solo porque escribo en metáforas? ¿Acaso las leyes de Dios, recogidas en el Evangelio, no sobrevivieron al paso del tiempo en forma de ejemplos y metáforas? Ningún hombre racional las critica, porque estaría atacando la más alta sabiduría; no, más bien se rebaja y trata de averiguar lo que Dios le dice a través de alfileres e hilos, terneros y ovejas, vaquillas y carneros, aves y hierbas, y la sangre de los corderos. Y feliz es aquel que halla la luz y la gracia que hay en ellas.

No te precipites, por tanto, a concluir que me falta solidez. Las cosas sólidas no necesariamente lucen sólidas, y no despreciamos todas las parábolas. Si fuera así, correríamos el riesgo de privarnos de muchas cosas buenas.

Mis palabras oscuras y turbias contienen la verdad como un cofre contiene oro.

Los profetas usaban mucho las metáforas para exponer la verdad. Quien mire a Cristo y sus apóstoles, verá claramente que expresaban sus verdades de ese modo.

Me atrevo a decir que la sagrada escritura, que por su estilo y naturaleza es insuperable, está llena de todas estas cosas: ¿Mensajes velados, alegorías? Sin embargo, de ese mismo libro emerge la luz que convierte nuestras noches más oscuras en días.

Vamos, que mi crítico vuelva sus ojos a su propia vida: encontrará allí cosas más oscuras que en mi libro. Y que sepa que también entre sus mejores cosas hay líneas peores.

Si pudiera ser juzgado por hombres imparciales, les ofrecería probabilidades de diez a uno de que hallarían más sentido en mis escritos que en todas las mentiras que se dicen en la iglesia. La verdad, aunque esté en pañales, informa el juicio, mejora la mente, complace al entendimiento, somete la voluntad, llena la memoria de cosas que deleitan nuestra imaginación y, asimismo, tiende a apaciguar nuestros problemas.

Sé que a Timoteo se le ordenó usar palabras sensatas y refutar los cuentos de las ancianas, pero el severo Pablo no le prohibió en ninguna parte usar parábolas. En ellas se escondían el oro, las perlas y las piedras preciosas por las que vale la pena cavar con cuidado.

Permíteme añadir una palabra más. Oh, hombre de Dios, ¿estás ofendido? ¿Desearías que hubiera expuesto mi asunto

de otro modo? ¿O que hubiera sido más conciso? Déjame decir tres cosas más antes de someterme a mis superiores, como debe ser:

1. No veo razón para que se me niegue el uso de este método de escritura. No hago mal a las palabras, a los temas, ni a los lectores; ni soy basto en mi manejo de personajes o descripciones. Busco el mayor avance posible de la verdad utilizando diferentes medios. Me parece que tengo permiso para expresarme así y mostrar cosas excelentes, además de que cuento con el ejemplo de quienes sirvieron a Dios con sus palabras y obras mejor que cualquiera de nuestra época.
2. Encuentro que los hombres más elevados escriben diálogos y nadie los critica por escribir así. En efecto, si mienten, malditos sean y maldita sea su técnica. Pero dejemos que la verdad sea libre de llegar hacia ti y hacia mí de la manera que a Dios le plazca. ¿Quién sabe usar nuestras plumas y nuestras mentes mejor que quien nos enseñó a arar? Él puede hacer que aparezcan cosas divinas entre las peores bajezas.
3. Me parece que en las Sagradas Escrituras frecuentemente se emplea este método, donde una cosa se describe como otra. Por lo tanto, puedo usarlo sin sofocar la luz de la verdad; de hecho, esta técnica puede hacerla brillar incluso más.

Y ahora, antes de dejar mi pluma, explicaré el propósito de mi libro. Luego te encomendaré a ti, lector, y a él, mi libro, a la mano que derriba a los poderosos y eleva a los débiles.

Este libro dibuja la figura de un hombre que busca la vida eterna. Te muestra de dónde viene y hacia dónde va, lo que hace y lo que deja de hacer, y te hará ver cómo corre y corre hasta llegar a la Puerta Celestial.

También te muestra a quienes pensaron que podían ganar el mismo premio con su estilo de vida, y verás que su trabajo no cuenta para nada al final, y mueren como tontos.

Este libro te convertirá en un viajero si sigues su consejo; te dirigirá a la Tierra Santa si entiendes sus instrucciones; les dará brío a los perezosos y permitirá a los ciegos ver cosas maravillosas.

¿Te apetece algo raro y valioso? ¿Podrías identificar la verdad en una historia? ¿Eres olvidadizo? ¿Recordarías todo lo que pasó el año pasado? Entonces lee mis fantasías: se quedarán contigo y traerán consuelo a los afligidos.

Este libro ha sido escrito de forma tal que pueda penetrar los corazones de los desalentados. Puede lucir como una novedad, pero se basa en la rotunda honestidad de los Evangelios. ¿Quieres escapar de la depresión? ¿Quieres entretenerte, pero no con tonterías? ¿Te gustan las adivinanzas y sus soluciones? ¿Quieres sumergirte en reflexiones? ¿Disfrutas comer? ¿Te gustaría ver a un hombre que te habla desde las nubes? ¿Te gustaría tener un sueño lúcido? ¿Quisieras llorar y reír a la vez? ¿Te gustaría perderte sin sufrir ningún daño y volver a casa sin necesidad de magia? ¿Quisieras leerte a ti mismo y de cosas que no conoces, para así saber si eres bendecido o no?

Si es así, entonces ven aquí y junta mi libro con tu cabeza y tu corazón.

JOHN BUNYAN

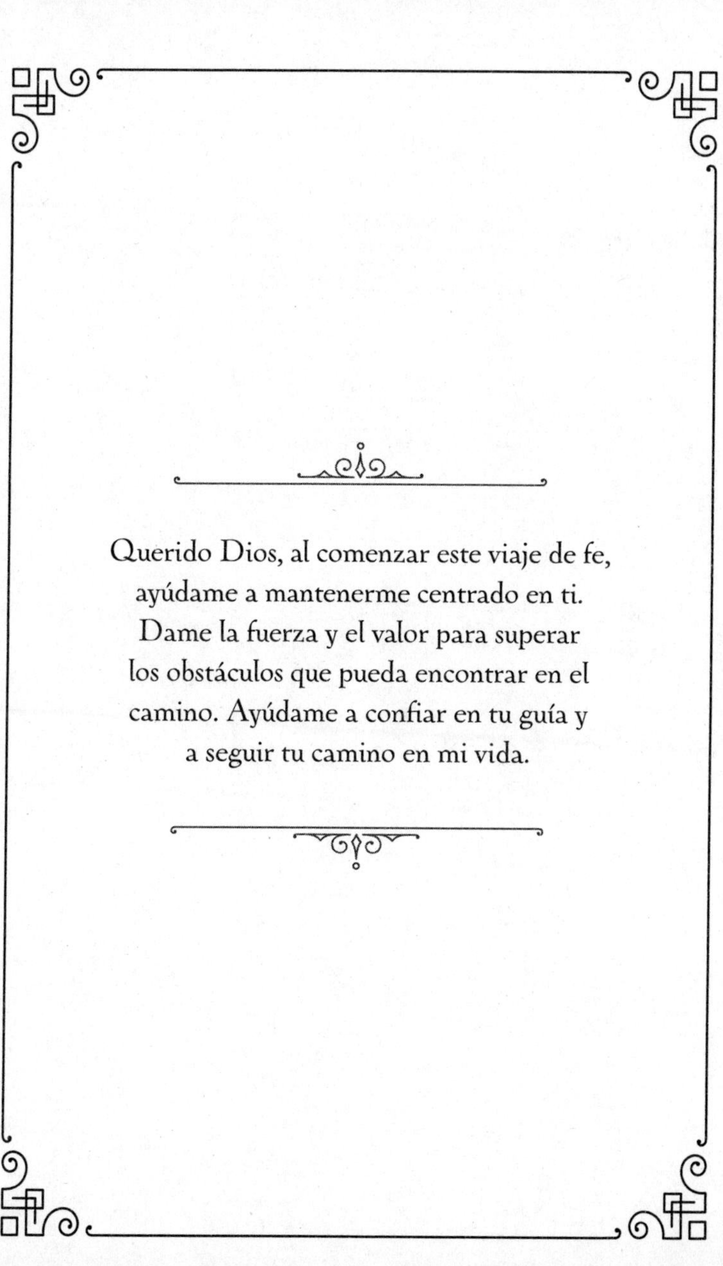

Querido Dios, al comenzar este viaje de fe, ayúdame a mantenerme centrado en ti. Dame la fuerza y el valor para superar los obstáculos que pueda encontrar en el camino. Ayúdame a confiar en tu guía y a seguir tu camino en mi vida.

El progreso del peregrino

BAJO LA SEMBLANZA DE UN SUEÑO

Mientras caminaba por el desierto de este mundo, me encontré en un lugar donde había una cueva. Me refugié allí para dormir, y mientras dormía, tuve un sueño. Soñé y vi a un hombre de pie, cubierto de harapos, de espaldas hacia su propia casa, con un libro en manos y una pesada carga sobre sus hombros [Is 64:6; Lc 14:33; Salm 38:4; Hab 2:2; Hch 16:30-31]. Vi que según iba leyendo lloraba y se estremecía, hasta que, no pudiendo contenerse más, lanzó un doloroso quejido y dijo: "¿Qué haré?" [Hch 2:37].

En este estado, entonces, regresó a su casa e intentó reprimirse tanto como pudo para que su mujer y sus hijos no notaran su angustia. Pero no pudo callar mucho tiempo más, porque su mal empeoraba. Por eso, al fin, se puso a hablar con su esposa e hijos, y así comenzó: "Oh, mi querida esposa", dijo, "y ustedes los hijos de mis entrañas, yo, su querido amigo, estoy deshecho en mí mismo a causa de una carga que yace dura sobre mí. Además, me han informado con certeza que nuestra ciudad será quemada con fuego del cielo; en ese

temible evento, tanto yo, como tú, mi esposa, y ustedes, mis dulces niños, pereceremos miserablemente, a no ser que encontremos otra manera de escapar (que yo todavía no veo)".

Ante esto, sus familiares se asombraron mucho, no porque creyesen en lo que les había dicho, sino porque pensaban que algún frenesí se le había metido en la cabeza. Por eso, dado que se acercaba la noche, esperaban que el sueño le calmara el cerebro y con toda prisa lo llevaron a la cama. Pero la noche le era tan molesta como el día, por lo que, en vez de dormir, la pasó entre suspiros y lágrimas. Al llegar la mañana, le preguntaron cómo le había ido. Él les dijo: "Cada vez peor". Y comenzó nuevamente a contarles sus angustias, pero ellos empezaron a endurecerse. Asimismo, los familiares pensaron que podían ahuyentar su perturbación con tratos ásperos y hoscos: a veces se burlaban, a veces le reñían y a veces lo ignoraban. Debido a esto, el hombre comenzó a retirarse a su habitación, a rezar por ellos y a compadecerlos, y también a compadecerse de su propia miseria. También se paseaba a solas por los campos, unas veces leyendo y otras rezando, y así pasó algunos días.

Lo vi en cierta ocasión paseando por el campo, leyendo su libro —como acostumbraba— y en estado de gran desasosiego. A medida que leía, en un momento estalló, como otras veces, sollozando: "¿Qué haré para salvarme?".

Vi también que miraba a un lado y a otro, como si quisiera correr, pero se quedaba quieto, porque, me di cuenta, no sabía qué camino tomar. Entonces vi a un hombre llamado Evangelista que se acercó a él y le preguntó: "¿Por qué lloras?" [Job 33:23].

El hombre respondió: "Señor, por el libro que tengo en la mano veo que estoy condenado a morir, y después de eso

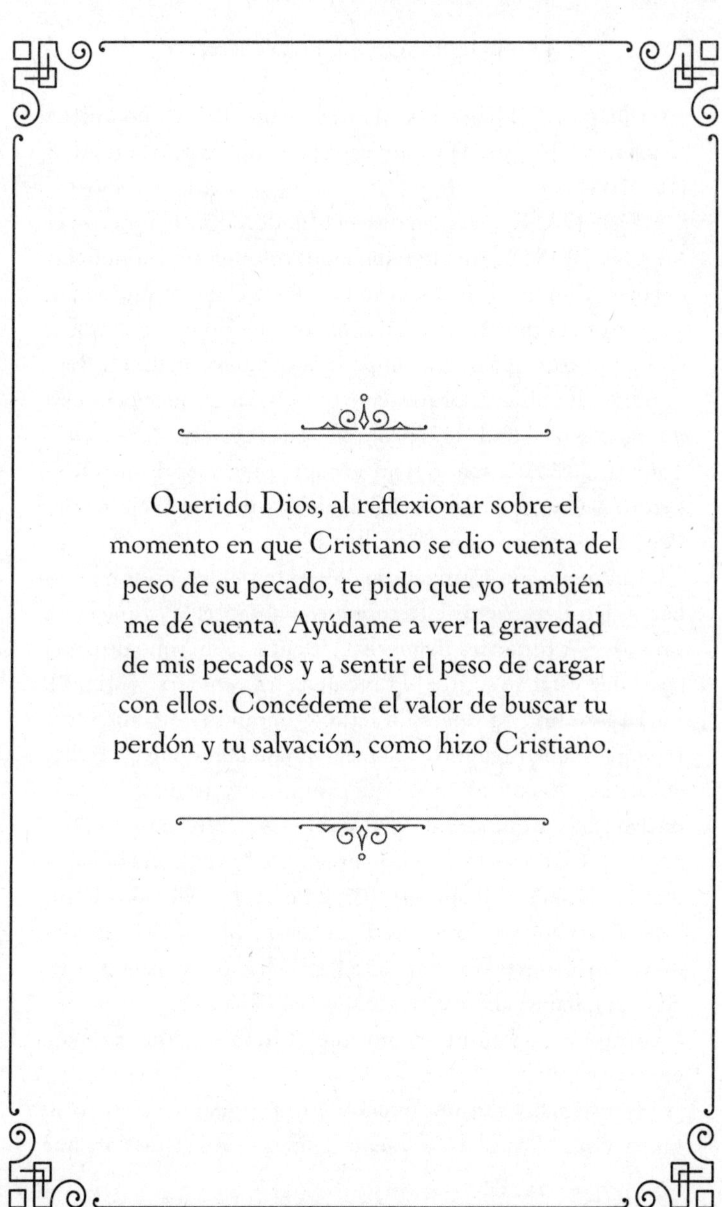

Querido Dios, al reflexionar sobre el momento en que Cristiano se dio cuenta del peso de su pecado, te pido que yo también me dé cuenta. Ayúdame a ver la gravedad de mis pecados y a sentir el peso de cargar con ellos. Concédeme el valor de buscar tu perdón y tu salvación, como hizo Cristiano.

a ser juzgado" [Heb 9:27]. Me doy cuenta de que no quiero lo primero [Job 16:21] ni soy capaz de atravesar lo segundo" [Ez 22:14].

CRISTIANO, no bien deja el Mundo, se encuentra con el EVANGELISTA, que le saluda amorosamente con noticias del otro Mundo y le muestra cómo subir a él desde aquí abajo.

Entonces dijo Evangelista: "¿Por qué no quieres morir, dado que esta vida está acompañada de tantos males?". Respondió el hombre: "Porque temo que esta carga que pesa sobre mi espalda me hunda más profundo que la tumba y caiga en el Tofet [Is 30:33]. Y, señor, si no soy apto para ir a prisión, estoy seguro de que no lo soy para ir a juicio, y de allí a la ejecución. Pensar en estas cosas me hace llorar".

Entonces dijo Evangelista: "Si así te sientes, ¿por qué no haces algo al respecto?". Respondió el hombre: "Porque no sé a dónde ir". Entonces Evangelista le entregó un rollo de papel en el que estaba escrito: "Huye de la ira venidera" [Mt 3:7].

El hombre, entonces, lo leyó, y mirando con cuidado a Evangelista, le preguntó: "¿Hacia dónde debo huir?". Evangelista señaló con su dedo a un campo muy amplio: "¿Ves la puerta angosta que está allá?" [Mt 7:13-14]. "No", respondió el hombre. Entonces Evangelista preguntó: "¿Ves la luz que brilla a la distancia?" [Salm 119:105; 2 Pedro 1:19]. Dijo el hombre: "Creo que sí". Entonces Evangelista dijo: "No la pierdas de vista y dirígete directamente hacia ella; así verás la puerta. Al llegar, llama: allí te dirán lo que debes hacer".

Entonces vi en mi sueño que el hombre comenzaba a correr.

No se había alejado mucho de su propia puerta, pero su mujer y sus hijos, al darse cuenta, empezaron a gritar para que

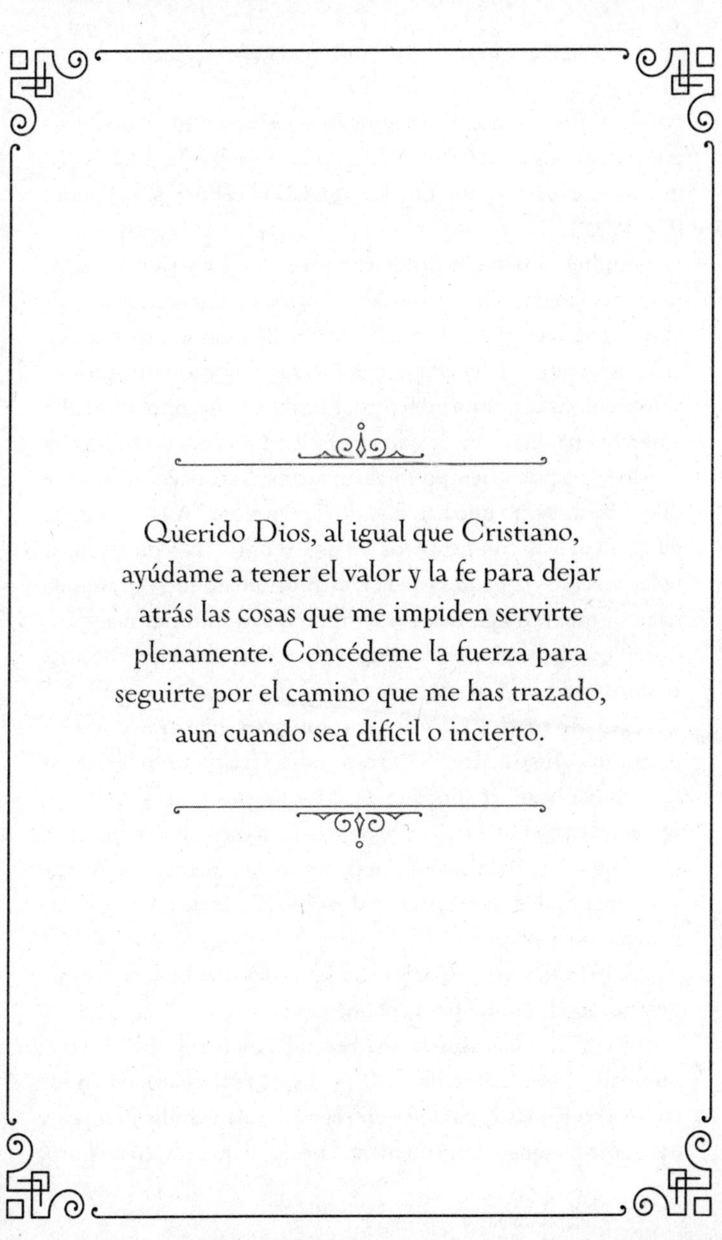

Querido Dios, al igual que Cristiano, ayúdame a tener el valor y la fe para dejar atrás las cosas que me impiden servirte plenamente. Concédeme la fuerza para seguirte por el camino que me has trazado, aun cuando sea difícil o incierto.

volviera. Pero el hombre se puso los dedos en los oídos y siguió corriendo, gritando: "¡Vida, vida eterna!" [Lc 14:26]. Así que no miró atrás, sino que huyó hacia el centro de la llanura [Gn 19:17].

También los vecinos salieron a verlo correr [Jer 20:10] y, mientras corría, unos se burlaban, otros lo amenazaban, y algunos gritaban que volviera; y, entre ellos, hubo dos que decidieron traerlo de vuelta por la fuerza: el nombre de uno era Obstinado, y el nombre del otro, Flexible. El hombre ya estaba a una buena distancia de ellos, pero estaban resueltos a perseguirlo y en poco tiempo lo alcanzaron. Entonces el hombre dijo: "Vecinos, ¿a qué han venido?". Dijeron: "A convencerte de que vuelvas con nosotros". Pero él dijo: "No puedo. Ustedes viven en la Ciudad de la Destrucción, donde yo también nací. Si mueren allí, tarde o temprano se hundirán más profundo que la tumba, en un lugar que arde con fuego y azufre. Buenos vecinos, vengan conmigo".

"¿Qué? ¿Y dejar a nuestros amigos y nuestras cosas?", preguntó Obstinado. "Sí", respondió Cristiano, pues así se llamaba el hombre, porque TODO lo que abandonarás no se compara con un poco de lo que yo busco gozar [2 Cor 4:18]. "Si vienes y te quedas conmigo, tendrás la misma suerte que yo, porque allí donde voy, hay de sobra [Lc 15:17]. Ven y comprueba mis palabras".

OBSTINADO. ¿Cuáles son las cosas que buscas, ya que dejas todo el mundo para encontrarlas?

CRISTIANO. Busco una herencia incorruptible, incontaminada e inmarchitable [1 P 1-4], que está guardada en los cielos [Heb 11:16] para ser entregada, a su debido tiempo, a los que la busquen diligentemente. Léelo, si quieres, en mi libro.

OBSTINADO. Calla y llévate tu libro. ¿Volverás con nosotros o no?

CRISTIANO. No, yo no, porque he puesto mi mano en el arado [Lc 9:62].

OBSTINADO. Vamos, pues, vecino Flexible, volvamos a casa sin él. A los locos como él, cuando se les mete una cosa en la cabeza, se creen más sabios que siete hombres razonables [Pro 26:16].

FLEXIBLE. Nada de insultos. Si lo que dice el buen Cristiano es verdad, las cosas que él busca son mejores que las nuestras; mi corazón se inclina a ir con él.

OBSTINADO. ¿Qué? ¡Otro necio! Hazme caso y devuélvete, ¿quién sabe a dónde te llevará este tonto? Vuelvan, vuelvan, sean sabios.

CRISTIANO. No, ven con Flexible, tu vecino. Acompáñame y tendrás las cosas de las que hablé, y muchas más. Si no me crees, lee aquí en este libro; la sangre de quien lo hizo ha sellado la verdad de lo que contiene [Heb 9:17-22; 13:20].

FLEXIBLE. Bien, vecino Obstinado, tengo la intención de marcharme con este buen hombre y echar mi suerte con él. Pero, buen compañero, ¿conoces el camino al lugar deseado?

CRISTIANO. Un hombre llamado Evangelista me dio indicaciones. Dijo que buscáramos una puerta angosta más adelante; ahí recibiremos instrucciones.

FLEXIBLE. Venga, pues, vecino, vámonos.

Entonces se fueron los dos juntos.

OBSTINADO. Y yo volveré a mi casa. No seré compañero de estos fantasiosos.

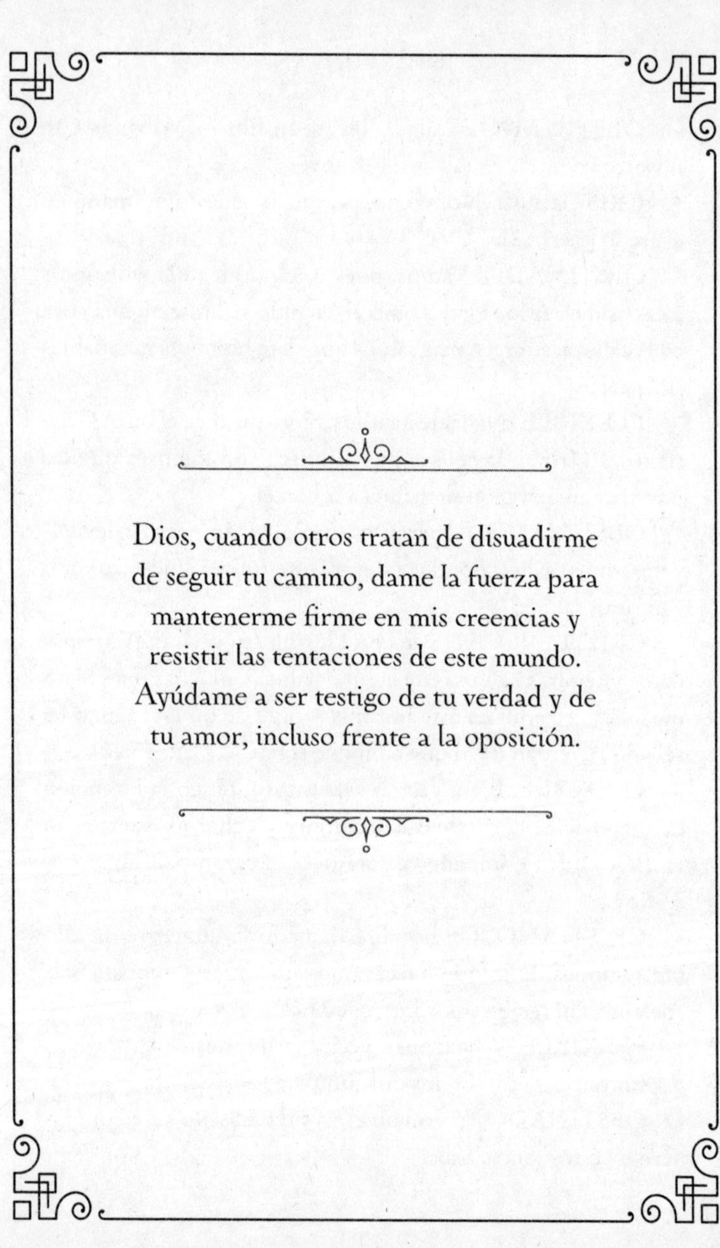

Dios, cuando otros tratan de disuadirme de seguir tu camino, dame la fuerza para mantenerme firme en mis creencias y resistir las tentaciones de este mundo. Ayúdame a ser testigo de tu verdad y de tu amor, incluso frente a la oposición.

Ahora vi en mi sueño que, para cuando Obstinado estaba de vuelta, Cristiano y Flexible andaban por la llanura. Así comenzaron su conversación:

CRISTIANO. Vamos, vecino Flexible, ¿cómo estás? Me alegra que me acompañes. Si Obstinado conociera mis sentimientos sobre los poderes y terrores venideros, no nos habría dado la espalda tan a la ligera.

FLEXIBLE. Vamos, vecino Cristiano, ya que estamos solo los dos aquí, dime ahora cuáles son las cosas del lugar al que vamos y cómo disfrutarlas.

CRISTIANO. Las concibo mejor con mi mente de lo que puedo describirlas con la lengua. Las cosas de Dios son indecibles; pero, ya que quieres saberlas, las leeré de mi libro.

FLEXIBLE. ¿Y crees que las palabras de tu libro son ciertamente verdaderas?

CRISTIANO. Sí, ciertamente; porque fue hecho por Aquel que no miente [Tit 1:2].

FLEXIBLE. Muy bien, ¿qué cosas son?

CRISTIANO. Se nos entregará un reino sin fin para habitar y vida eterna para que podamos vivir allí para siempre [Is 45:17; Jn 10:28-29].

FLEXIBLE. Muy bien, ¿y qué más?

CRISTIANO. Habrá coronas y gloria para nosotros, y vestiduras que nos harán brillar como el sol en el firmamento [2 Tim 4:8; Ap 3:4; Mt 13:43].

FLEXIBLE. Eso suena muy bien; ¿y qué más?

CRISTIANO. No habrá llanto ni dolor, porque el Señor del Reino enjugará todas nuestras lágrimas [Is 25:6-8; Ap 7:17, 21:4].

FLEXIBLE. ¿Y qué compañía tendremos allí?

CRISTIANO. Estaremos con serafines y querubines que nos deslumbrarán [Is 6:2]. También nos encontraremos con los millares y decenas de millares que llegaron antes que nosotros, inocentes, amables y santos, caminando ante la mirada de Dios [1 Tes 4:16-17; Ap 5:11]. Veremos a los ancianos con sus coronas de oro [Ap 4:4] y a las santas vírgenes con sus arpas doradas [Ap 14:1-5]. Veremos, además, a los hombres que fueron descuartizados, quemados en hogueras, devorados por fieras y arrojados al mar por su amor al Señor, todos alegres y revestidos de inmortalidad [Jn 12:25; 2 Cor 5:4].

FLEXIBLE. Oír esto basta para extasiar mi corazón. ¿Pero de verdad podremos disfrutar nosotros de estas cosas? ¿Cómo las conseguiremos?

CRISTIANO. El Señor, regente de ese país, lo ha consignado en este libro. Dicho en pocas palabras: si estamos verdaderamente dispuestos a obtener estas cosas, él nos las concederá gratuitamente.

FLEXIBLE. Bien, mi buen compañero, me alegra oír estas cosas. ¡Vamos!, aligeremos nuestro paso.

CRISTIANO. No puedo ir tan aprisa como quisiera debido a esta carga sobre mi espalda.

Vi en mi sueño que, justo cuando terminaban esta charla, se estaban acercando a una ciénaga muy lodosa que estaba en medio de la llanura. Como iban descuidados, cayeron repentinamente en el pantano, de nombre Desaliento. Se revolcaron en el fango, quedando cubiertos de suciedad; y Cristiano, a causa de la carga sobre sus hombros, comenzó a hundirse.

FLEXIBLE. ¡Ah! Vecino Cristiano, ¿dónde estás?

CRISTIANO. En verdad no lo sé.

Entonces Flexible comenzó a ofenderse, y enojado reclamó: "¿Esta es la felicidad de la que me hablaste? Si tuvimos tan mal comienzo, ¿qué podemos esperar antes de terminar el viaje? Si salgo con vida de esto, podrás disfrutar tú solo de tu majestuoso país". Y, con esto, hizo un fuerte forcejeo o dos, salió del pantano por el lado de la ciénaga que estaba junto a su casa, y Cristiano no volvió a verlo.

De este modo, Cristiano quedó abandonado a su suerte, pero aun así se esforzó por llegar a la parte del pantano que estaba más próxima a la puerta angosta. Lo logró, pero no alcanzaba a salir a causa de la carga sobre su espalda. Entonces vi en mi sueño que un hombre llamado Ayuda apareció y le preguntó: "¿Qué haces aquí?".

CRISTIANO. Señor, un hombre llamado Evangelista me señaló este camino y me indicó que podría escapar de la ira venidera si alcanzaba aquella puerta. Cuando iba hacia ella, caí aquí.

AYUDA. ¿Por qué no buscaste el sendero de piedras?

CRISTIANO. El miedo se apoderó tanto de mí que tomé el siguiente camino y caí dentro.

AYUDA. Dame tu mano.

Cristiano le extendió su mano y Ayuda lo levantó, lo puso en tierra firme y lo mandó a que siguiera su camino [Salm 40:2].

Entonces yo me acerqué a Ayuda y le dije: "Señor, ya que el camino que va desde la Ciudad de la Destrucción hasta la puerta angosta pasa justo por aquí, ¿por qué no acondiciona para que los pobres viajeros puedan caminar con más seguridad?". Y él me respondió: "Esta ciénaga no tiene arreglo posible. Es el lugar al que desciende toda la escoria y la suciedad que acompaña a la condena por el pecado, y por eso se le llama

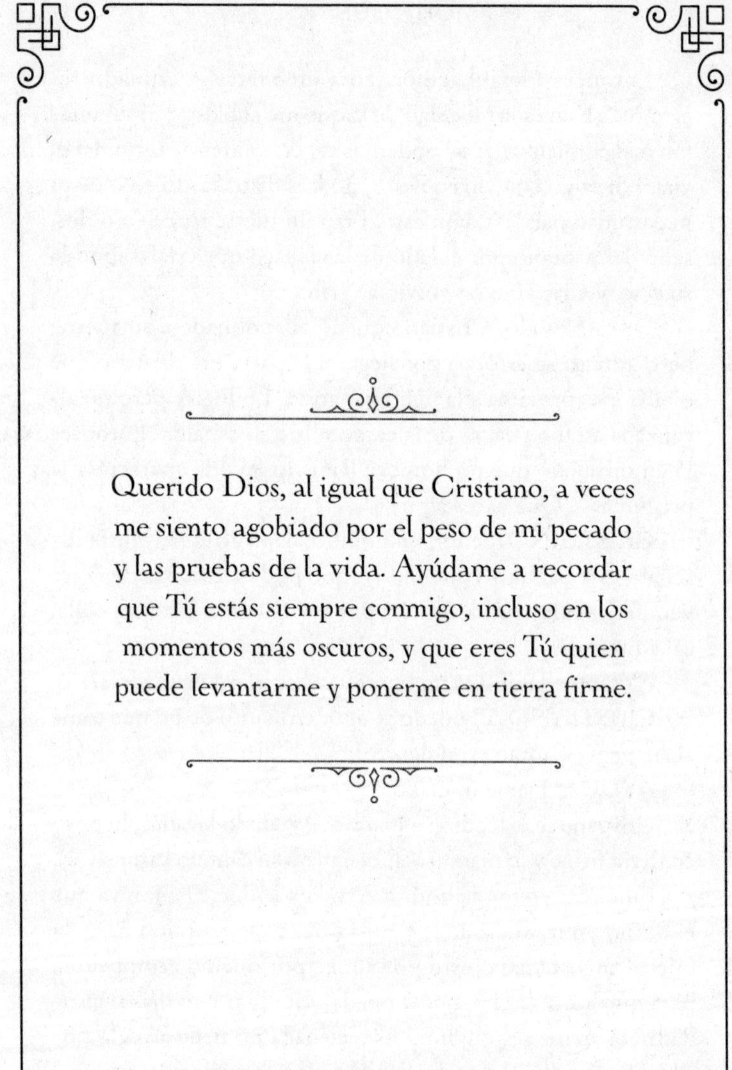

Querido Dios, al igual que Cristiano, a veces me siento agobiado por el peso de mi pecado y las pruebas de la vida. Ayúdame a recordar que Tú estás siempre conmigo, incluso en los momentos más oscuros, y que eres Tú quien puede levantarme y ponerme en tierra firme.

el Pantano del Desaliento. Cuando el pecador se despierta al conocimiento de su perdición, emergen en su alma dudas, temores, aprensiones desconsoladoras, que se juntan y se asientan aquí. Por eso es tan ingrato este terreno".

"Al rey no le gusta que este lugar siga siendo tan pernicioso [Is 35:3-4]. Sus obreros, bajo la dirección de los ingenieros de Su Majestad, han trabajado por más de mil seiscientos años intentando componer este pedazo de tierra", agregó Ayuda. "La ciénaga se ha tragado, al menos, veinte mil cargas y millones de sanas enseñanzas que han llegado aquí desde todos los rincones de los dominios del rey. A pesar de que dicen que traen los mejores materiales para arreglar el lugar, si pudiera hacerse, ya estaría hecho. Es el Pantano del Desaliento y así seguirá siendo".

Ayuda continúo: "Es cierto que se han puesto, por órdenes del Legislador, piedras buenas y sólidas para pasar por el medio de la ciénaga. Pero cuando el lodazal se agita y vomita su inmundicia, como lo hace cuando cambia el clima, las piedras quedan medio ocultas; a veces los gases que emanan de la ciénaga marean a los viajeros y estos caen en el lodo á pesar del sendero. Pero cuando logran llegar a la puerta, la tierra se vuelve buena" [1 Sam 12:23].

En mi sueño vi que en ese momento Flexible había regresado a su casa, de modo que sus vecinos vinieron a visitarlo. Algunos lo llamaron sabio por haber vuelto, otros lo llamaron un tonto por haberse marchado con Cristiano, y otros se burlaron de su cobardía, diciendo: "Yo no hubiera sido tan débil como para desistir al comienzo por unos pocos obstáculos". Así que Flexible se sentó cabizbajo y avergonzado entre ellos, pero pronto recuperó su confianza y todos volvieron a sus

cuentos, burlándose del pobre Cristiano a sus espaldas. Desde ahora no dedicaré más atención a Flexible.

Mientras Cristiano caminaba solo, vio a lo lejos a uno que cruzaba el campo a su encuentro. Se llamaba el señor Sabio Mundano, residente en la Ciudad de Política Carnal, una ciudad muy grande y muy cercana de la casa de Cristiano. Este hombre sabía algo de Cristiano, porque la partida de este de la Ciudad de la Destrucción había hecho mucho ruido, incluso en otras partes.

El señor Sabio Mundano, al ver su laborioso caminar, sus suspiros y gemidos, comenzó entonces a conversar con él.

MUNDANO. ¿Cómo estás, buen amigo? ¿A dónde vas tan cargado?

CRISTIANO. Cargado, en efecto, tanto como puede estarlo una pobre criatura. Y ya que lo preguntas, me dirijo a esa puerta angosta que se ve allá delante, pues allí se me indicará el camino para librarme de mi carga.

MUNDANO. ¿Tienes mujer e hijos?

CRISTIANO. Sí, pero últimamente tengo tantos problemas que no puedo disfrutar de ellos como antes, y me siento como si no los tuviera [1 Cor 7:29].

MUNDANO. ¿Me escucharás si te ofrezco mi consejo?

CRISTIANO. Si es bueno, lo haré, porque necesito un buen consejo.

MUNDANO. Te aconsejaría que te libres de tu carga cuanto antes. De lo contrario, jamás estarás tranquilo ni podrás disfrutar de las bendiciones que Dios te ha concedido.

CRISTIANO. Eso es lo que busco, pero no puedo quitármela yo mismo, ni existe hombre en nuestro país que pueda hacerlo. Por eso voy por este camino, como te dije.

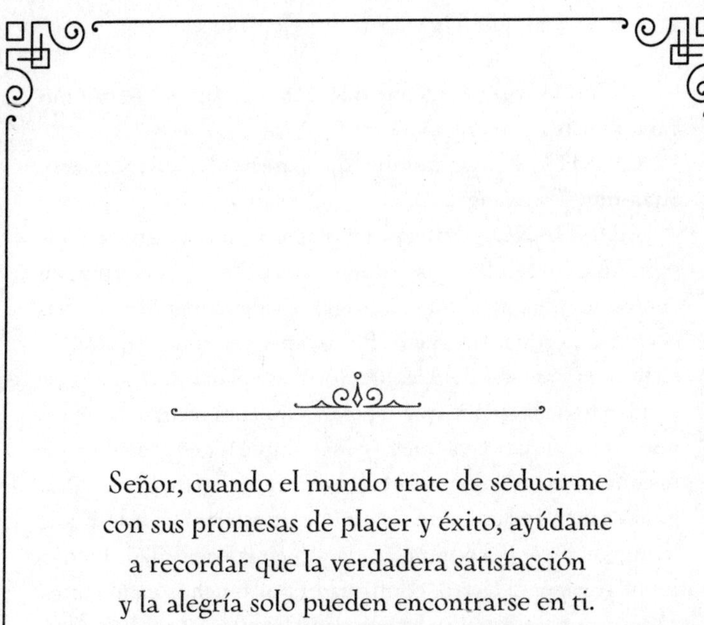

Señor, cuando el mundo trate de seducirme con sus promesas de placer y éxito, ayúdame a recordar que la verdadera satisfacción y la alegría solo pueden encontrarse en ti. Dame la sabiduría para discernir las mentiras del mundo y perseguir las cosas que verdaderamente importan.

MUNDANO. ¿Quién te dijo que fueras por este camino para librarte de tu carga?

CRISTIANO. Un hombre que parecía ser sabio y bueno. Su nombre es Evangelista.

MUNDANO. ¡Evangelista! ¡Espero que sea castigado por semejante consejo! No hay camino más peligroso y confuso en el mundo que este al que te dirigió. Evidentemente, ya te has encontrado con la desgracia. Por tu apariencia, noto que estuviste en el Pantano del Desaliento. Y ese pantano es apenas el comienzo de las penas que esperan a quienes recorren este camino. Hazme caso, ya que soy mayor que tú: es probable que te enfrentes con dolor, pobreza, hambre, peligros, leones, dragones e incluso la muerte. Seguramente estarás cansado y solo la mayor parte del tiempo, andando en la oscuridad. Esto es indudablemente cierto, confirmado por muchos caminantes. ¿Y por qué un hombre bueno e inteligente desperdiciaría su vida tan descuidadamente, siguiendo las órdenes de un loco?

CRISTIANO. Señor, el peso sobre mi espalda es más terrible que todas las cosas que menciona. No me importa lo que me pase si tan solo logro aliviar mi carga.

MUNDANO. ¿Cómo te diste cuenta de tu carga en primer lugar?

CRISTIANO. Leyendo este libro que tengo en mis manos.

MUNDANO. Me lo imaginaba. Te ha pasado lo mismo que a otros hombres débiles. Algunos se meten en cosas demasiado profundas para ellos y de repente se ven en tu situación. Quedan no solo desconcertados, sino que terminan lanzándose a empresas desesperadas para obtener no saben qué.

CRISTIANO. Yo sé lo que quiero obtener: quiero liberarme de esta carga.

MUNDANO. ¿Pero por qué buscas el alivio de esta manera, viendo que está llena de problemas y riesgos? Ahora, si tienes paciencia para escucharme, te puedo mostrar otro camino para obtener lo que deseas sin exponerte a los peligros que encontrarás en este. Sí, el alivio está al alcance de la mano. Además, en lugar de desgracias y dolor, en este otro hallarás seguridad, amistad y satisfacción.

CRISTIANO. Señor, por favor, comparta conmigo ese secreto.

MUNDANO. En aquel pueblo —llamado Moralidad— vive un señor llamado Legalidad, un hombre muy juicioso y de buena reputación, que tiene la habilidad de aliviarle a uno de cargas como las tuyas. Sí, y que yo sepa, ha hecho mucho bien con eso. Además, puede curar a quienes se hayan desequilibrado un poco llevando sus cargas. Acude a él y te auxiliará de inmediato. Su casa queda a menos de una milla de aquí, y si él mismo no está, tiene un hijo joven y apuesto, llamado Civilidad, que sabe hacerlo tan bien como el padre. Allí podrás aliviarte de tu carga. Si luego no quieres volver a tu antigua casa —cosa que no te aconsejo—, puedes mandar a buscar a tu mujer e hijos y vivir en Moralidad. Ahora hay algunas casas desocupadas, y podrías comprar una a un precio razonable; las provisiones son abundantes, poco costosas, pero buenas, y sin duda tendrás vecinos honestos. Tendrás todo para hacer tu vida agradable.

Por un momento Cristiano se sintió indeciso, pero pronto concluyó: "Si lo que ha dicho este caballero es cierto, lo más prudente es seguir su consejo". Habiendo llegado a esta conclusión, le dijo al señor Sabio Mundano:

CRISTIANO. Señor, ¿dónde vive ese hombre honesto y cómo puedo llegar a su casa?

MUNDANO. ¿Ves esa alta colina de allá?

CRISTIANO. Sí, la veo.

MUNDANO. Acércate a esa colina, y la primera casa que encontrarás es la suya.

Así que Cristiano se desvió del camino para seguir la carretera hasta la casa del señor Legalidad. Pero cuando se acercó a la colina, esta lucía muy alta, y el acantilado junto a él parecía extenderse por encima del sendero. Cristiano sintió temor de acercarse más, no fuera a ser que el precipicio le cayera encima. Se quedó allí sin saber qué hacer y sintiendo su carga más pesada que antes. De la colina salían destellos de fuego, por lo que temía quemarse [Ex 19:16-18], y estuvo temblando y sudando de miedo [Heb 12:21].

Cuando los cristianos escuchan a los hombres mundanos, se apartan de su camino y lo pagan caro, pues el Sabio Mundano no puede mostrarle a un santo otro camino que el de la esclavitud y el infortunio.

Cristiano se arrepintió de haber tomado el consejo del Sabio Mundano. Entonces vio a Evangelista avanzando hacia él y se sintió avergonzado. Evangelista se acercó más y más; lo miró con semblante severo y pavoroso, y así comenzó a reprocharlo:

EVANGELISTA. ¿Qué haces aquí, Cristiano?

Cristiano no sabía qué decir. Se quedó mudo. Entonces dijo Evangelista: "¿No eres tú el hombre que encontré llorando ante el muro de la Ciudad de la Destrucción?".

CRISTIANO. Sí, señor, debo confesar que lo soy.

EVANGELISTA. ¿No te indiqué que fueras a la puerta angosta?

CRISTIANO. Sí, señor, lo hice.

EVANGELISTA. ¿Cómo es que te has desviado tan pronto? Pues ya estás lejos del camino indicado.

CRISTIANO. Pues bien, tan pronto como salí del Pantano del Desaliento, conocí a alguien que me hizo creer que, en el pueblo, al otro lado de la colina, encontraría a un caballero que podría aliviar mi carga.

EVANGELISTA. ¿A quién conociste y qué clase de persona era?

CRISTIANO. Parecía un hombre honesto y me explicó todas sus razones. Al final me persuadió, así que vine. Pero cuando vi esta colina amenazadora sobresaliendo encima del camino y expulsando fuego y humo, me detuve, por miedo a morir.

EVANGELISTA. ¿Qué te dijo el hombre?

CRISTIANO. Me preguntó a dónde iba y se lo dije.

EVANGELISTA. ¿Y qué dijo entonces?

CRISTIANO. Me preguntó si tenía familia y le dije que sí. Pero le dije que estoy tan apesadumbrado por mi carga que no puedo disfrutarlos como lo hacía antes.

EVANGELISTA. ¿Y qué dijo después?

CRISTIANO. Me dijo que debía deshacerme de mi carga de una vez. Le dije que lo que yo quería era alivio y por eso me dirigía a cierta puertecita, para recibir instrucciones sobre cómo llegar al lugar de la liberación. Entonces me dijo que me mostraría un camino mejor, no tan lleno de dificultades como el que usted me había indicado. Me dijo: "Este otro camino te llevará a casa de un caballero que puede aliviar a la gente de sus cargas". Así que le creí y me desvié, esperando pronto liberarme del peso. Pero cuando llegué a esta colina y vi cómo eran las cosas aquí, me detuve por miedo a perder la vida. Ahora no sé qué hacer.

EVANGELISTA. Entonces quédate quieto un momento, para poder enseñarte las palabras de Dios.

Cristiano se quedó de pie, temblando. Entonces Evangelista le dijo: "Miren que no rechacen al que habla. Porque si no escaparon aquellos que rechazaron al que advertía en la tierra, mucho menos escaparemos nosotros si nos apartamos del que advierte desde los cielos" [Heb 12:25]. También dijo: "Pero mi justo vivirá por fe; y si se vuelve atrás, no agradará a mi alma" [Heb 10:38]. Evangelista aplicó estas palabras diciendo: "Eres un hombre que corre hacia su miseria. Has comenzado a rechazar el consejo del Altísimo y a apartar tus pies del camino de la paz, casi poniendo en peligro tu alma".

Entonces Cristiano cayó a sus pies, gritando: "¡Ay de mí, que estoy deshecho!". Evangelista lo tomó de la mano derecha, diciendo: "A los hombres les serán perdonados todos los pecados y blasfemias, cualesquiera que sean [Mt 12:31, Mc 3:28]; no seas incrédulo, sino creyente" [Jn 20:27]. Entonces Cristiano revivió un poco y se puso de nuevo de pie ante Evangelista.

Entonces Evangelista procedió, diciendo: "Ahora presta más atención a las cosas que te digo. Te mostraré quién fue el que te engañó, y también a casa de quién te envió. El hombre que salió a tu encuentro en la llanura es un tal señor Sabio Mundano. Se llama así con razón; en parte, porque es sabio en la sabiduría de este mundo [1 Jn 4:5] (y por eso va siempre a la iglesia en el pueblo de Moralidad), y en parte porque ama más la doctrina de este mundo, pues le protege de la cruz [Gal 6:12]. Dado que es de mente carnal, busca pervertir la verdad de tu libro. Ahora, hay tres cosas en el consejo de este hombre que debes aborrecer completamente: que te desviara de la

senda correcta, su empeño en hacerte rechazar la cruz y que te pusiera en un camino que conduce a la muerte".

Evangelista continuó: "Primero, debes aborrecer que te desviara del camino de la verdad; sí, y aborrecer que tú mismo estuvieras de acuerdo, pues al hacerlo, rechazaste el consejo de Dios por el consejo de un hombre mundano. El Señor dice: 'Esfuércense a entrar por la puerta angosta' —la puerta a la que te dirigí— 'porque les digo que muchos procurarán entrar y no podrán' [Lc 13:24]. Este hombre te desvió de esa pequeña puerta, y desde el camino que conduce a la vida, hacia el camino que casi te lleva a tu destrucción. Por tanto, odia que te desviara y desprecia que fueras tan fácil de convencer".

"Segundo, debes detestar su empeño en hacer que detestes la cruz, pues debes preferir la cruz 'a los tesoros egipcios' [Heb 11:25-26]. Además, el Rey de la Gloria nos ha dicho que 'quien busque salvar su vida, la perderá' [Mc 8:35; Jn 12:25; Mt 10:39]. Y que 'si alguno viene a [él] y no aborrece a su padre, madre, mujer, hijos, hermanos, hermanas y aun su propia vida, no puede ser su discípulo' [Lc 14:26]. Por lo tanto, la idea del Sabio Mundano de que el camino correcto —sin el cual no puedes tener vida eterna— es el de la muerte, es aborrecible".

"Tercero, también debes odiar que guiara tus pasos hacia la muerte. Y para ello debes considerar a aquel a quien te envió, y cuán incapaz es esa persona de librarte de tu carga. Ese hombre, Legalidad, es hijo de la mujer esclavizada, cuyos hijos también son esclavos [Gal 4:21-27] y que, por un misterio, es ella misma esta colina —el Monte Sinaí— que temías que cayera sobre ti. Ahora bien, si ella y todos sus hijos son esclavos, ¿cómo puedes esperar que alguno de ellos te libere a ti? Legalidad, nacido en el Monte Sinaí, es incapaz de liberarte de

tu carga. Nunca ha liberado a nadie de su carga, ni podrá hacerlo jamás. No puedes ser justificado por las obras de la ley, porque la ley no puede limpiar los pecados o aliviar las cargas de nadie. Por lo tanto, el señor Sabio Mundano no sabe cómo funcionan las cosas y el señor Legalidad es un tramposo. Y en cuanto a su hijo, Civilidad, a pesar de su apariencia agradable, es un farsante que no puede ayudar a nadie. Créeme, todo lo que has oído sobre estos estúpidos hombres no es sino un intento de engañar a las almas y alejarlas de la salvación. Esto es lo que trataron de hacer contigo al apartarte del camino que te señalé".

Después de esto, Evangelista clamó en voz alta a los cielos pidiendo confirmación de lo que había dicho. Y con eso salieron de la montaña fuego y palabras que hicieron erizar la piel de Cristiano. Las palabras fueron fuertes y claras: "Todos los que viven por las obras que demanda la ley están bajo maldición, porque está escrito: *Maldito sea quien no practique fielmente todo lo que está escrito en el libro de la ley*" [Gal 3:10].

Ahora Cristiano no esperaba más que la muerte, y comenzó a sollozar con voz lastimera, maldiciendo haber conocido al señor Sabio Mundano y llamándose a sí mismo estúpido por haber seguido sus consejos. También dijo que estaba profundamente avergonzado por dejarse influir tanto por los argumentos de ese hombre —aunque solo eran productos de una mente carnal— como para hacerle abandonar el camino recto y seguir el camino del mundo. Luego se concentró en las sabias palabras de Evangelista así:

CRISTIANO. Señor, ¿qué piensa usted? ¿Hay esperanza para mí? ¿Puedo ahora volver atrás y seguir hasta la puerta angosta? ¿O seré rechazado por esta infidelidad y expulsado de

la puerta? Lamento sinceramente haber seguido el consejo de ese hombre, pero ¿puede ser perdonado mi pecado?

EVANGELISTA. Tu pecado es muy grande. Implica dos males: abandonaste el camino recto y anduviste por un sendero prohibido. Sin embargo, el Hombre de la Puerta te recibirá, pues tiene buena voluntad para con toda la humanidad. Solo ten cuidado de no desviarte de nuevo, para que no seas "destruido en el camino, pues su ira se inflama de repente" [Salm 2:12].

Entonces Cristiano decidió volver y Evangelista, sonriendo, le dio la mano y le dijo: "Que Dios te bendiga". Así que regresó a toda prisa, negándose a hablar con nadie ni responder preguntas. Caminaba como quien pisa terreno prohibido, pues no se sentiría seguro hasta que se hallara de nuevo en el camino que Evangelista le había indicado.

Un tiempo después, llegó por fin a la puerta angosta. Sobre la puerta estaba escrito, en letras gruesas: "LLAMA Y SE TE ABRIRÁ" [Mt 7:8].

El que quiera entrar, debe primero
llamar a la puerta y saber que
para entrar, solo hace falta llamar;
puesto que Dios puede amarle y perdonar su pecado.

Llamó, pues, más de una o dos veces, diciendo: "¿Puedo entrar aquí? ¿Me abren la puerta, aunque haya sido un rebelde ingrato? Si me permiten entrar, nunca dejaré de cantar las alabanzas de Dios".

Por fin llegó a la puerta uno que se llamaba Buena Voluntad. Preguntó: "¿Quién eres, de dónde vienes y qué quieres?".

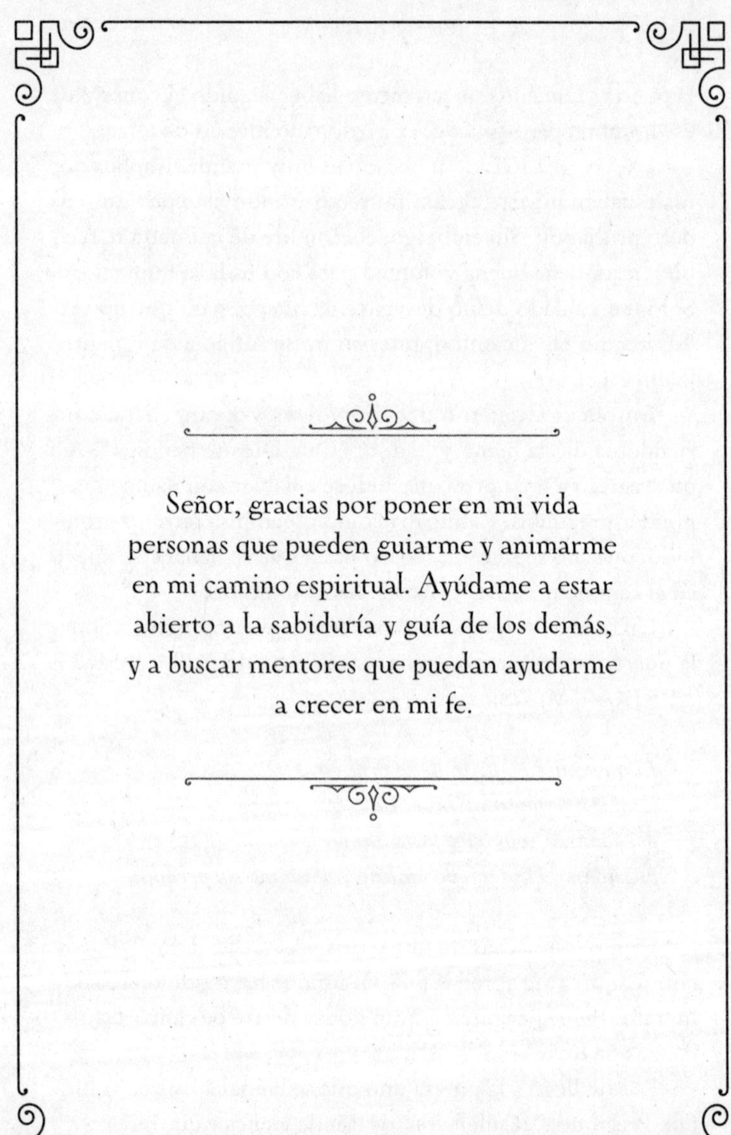

Señor, gracias por poner en mi vida personas que pueden guiarme y animarme en mi camino espiritual. Ayúdame a estar abierto a la sabiduría y guía de los demás, y a buscar mentores que puedan ayudarme a crecer en mi fe.

CRISTIANO. Soy un pobre y agobiado pecador. Vengo de la Ciudad de la Destrucción, y quiero ir al Monte de Sion para estar a salvo de la ira venidera de Dios. Me informan que el camino a Sion pasa por esta puerta. Me gustaría saber, entonces, si puedo entrar.

BUENA VOLUNTAD. Sí, con todo gusto te dejaré entrar.

Inmediatamente, Buena Voluntad abrió la verja y, justo cuando Cristiano entraba, le cogió del brazo y le dio un tirón. "¿Qué significa esto?", preguntó Cristiano. Buena Voluntad explicó: "Allá afuera, no lejos de esta puerta, hay un fuerte castillo, custodiado por Belcebú y sus hombres; desde allí disparan flechas a los que llegan a esta puerta para intentar matarlos antes de que entren".

"Me alegro y tiemblo", dijo Cristiano. Cuando estuvo a salvo en el interior, Buena Voluntad le preguntó quién le había dirigido hasta allí.

CRISTIANO. Evangelista me dijo que viniera hasta aquí y llamara a la puerta, y me dijo que usted, señor, me diría lo que debía hacer.

BUENA VOLUNTAD. Tienes la puerta abierta, y nadie puede cerrarla.

CRISTIANO. Ahora empiezo a cosechar los beneficios de mis peligros.

BUENA VOLUNTAD. ¿Pero cómo es que has venido solo?

CRISTIANO. Ninguno de mis vecinos vio su peligro como yo vi el mío.

BUENA VOLUNTAD. ¿Sabía alguno de ellos que venías?

CRISTIANO. Sí, primero mi mujer y mis hijos me vieron salir y me llamaron para que volviera. También algunos

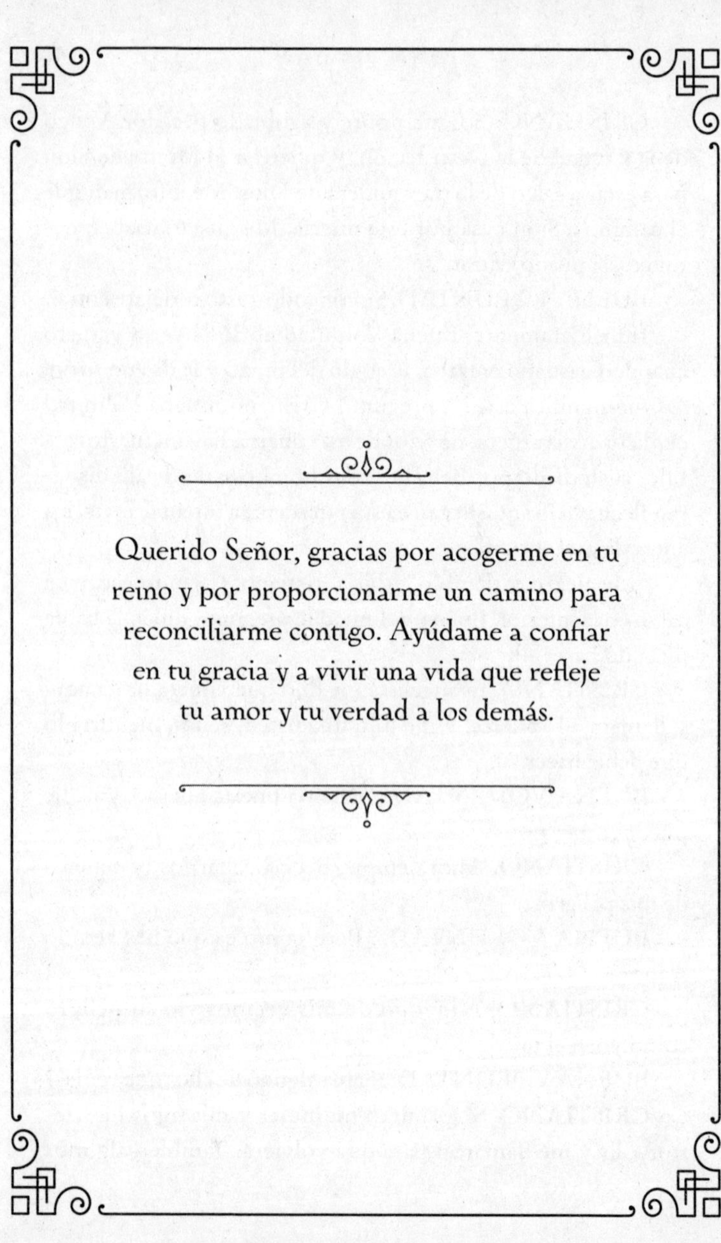

Querido Señor, gracias por acogerme en tu reino y por proporcionarme un camino para reconciliarme contigo. Ayúdame a confiar en tu gracia y a vivir una vida que refleje tu amor y tu verdad a los demás.

vecinos me gritaron para que regresara, pero yo me tapé los oídos y seguí caminando.

BUENA VOLUNTAD. ¿Pero ninguno te siguió para convencerte de volver?

CRISTIANO. Sí, dos de mis vecinos, Obstinado y Flexible. Pero cuando vieron que no podían persuadirme, Obstinado se volvió a su propia casa, enfadado, y Flexible vino conmigo un poco más lejos.

BUENA VOLUNTAD. ¿Por qué no siguió él?

CRISTIANO. En efecto, ambos llegamos juntos al Pantano del Desaliento, en el que caímos. Entonces Flexible se desanimó y no quiso ir más lejos. Mientras se dirigía de nuevo hacia su casa, me dijo: "Puedes disfrutar tú solo de tu majestuoso país", y se marchó tras Obstinado. Yo seguí adelante sin él.

BUENA VOLUNTAD. ¡Ay, pobre hombre! ¿Valoraba tan poco la Ciudad Celestial que no pensaba que valieran la pena unas cuantas dificultades para alcanzarla?

CRISTIANO. Así es. Le he contado sobre Flexible, pero cuando le cuente mi historia, parecerá que no hay mucha diferencia entre él y yo. Es cierto que él volvió a su casa, pero yo también me desvié para seguir el camino de la muerte, persuadido por los falsos argumentos de un tal señor Sabio Mundano.

BUENA VOLUNTAD. Oh, ¿salió a tu encuentro? Quería que buscaras alivio carnal en manos del señor Legalidad. Ambos no son más que tramposos. ¿Aceptaste su consejo?

CRISTIANO. Sí, tanto como me atreví. Siguiendo sus instrucciones, fui a buscar al señor Legalidad y llegué a la alta montaña junto a su casa, pero temí que me cayera encima, así que tuve que detenerme.

BUENA VOLUNTAD. Esa montaña ha sido la muerte de muchos peregrinos, y será la de muchos más. Menos mal que te salvaste de ser despedazado.

CRISTIANO. Realmente no sé qué me habría pasado si Evangelista no me hubiera encontrado allí, en mi desconcierto. Fue por misericordia de Dios que viniera; de otro modo, nunca habría podido llegar aquí. Pero ahora, tal como soy, estoy aquí; más digno de la muerte que de estar hablando con usted. ¡Oh, qué favor es para mí que me haya dejado entrar!

BUENA VOLUNTAD. No rechazamos a nadie, no importa lo que hayan hecho antes de venir. Jamás serán echados fuera [Jn 6:37]. Entonces, buen Cristiano, ven conmigo y te mostraré la ruta a seguir. Mira allá. ¿Ves ese camino estrecho? ESE es el camino que debes tomar. Fue recorrido por los patriarcas en tiempos antiguos, y por los profetas, y por Cristo y sus apóstoles, y es tan recto como una línea puede ser.

CRISTIANO. ¿No hay serpenteos o encrucijadas que puedan confundir a un forastero?

BUENA VOLUNTAD. Sí, hay muchos caminos que se bifurcan de este, y son sinuosos y amplios, pero puedes distinguir el bueno del malo porque el buen camino es el único recto y angosto [Mt 7:14].

Entonces vi en mi sueño que Cristiano le preguntó al señor Buena Voluntad si podía remover la carga de su espalda, pues aún la llevaba y no podía quitársela sin ayuda. Buena Voluntad le aconsejó: "Conténtate con llevar tu carga hasta que llegues al lugar de la liberación. Entonces se caerá de tus hombros por sí sola".

Ahora Cristiano comenzó a prepararse para su viaje. Entonces Buena Voluntad le explicó: "Cuando te hayas alejado

un poco de esta puerta, llegarás a la casa del Intérprete y deberás llamar a su puerta. Él te dará la bienvenida y te mostrará cosas excelentes". Cristiano se despidió de su amigo, quien también le dijo: "Que Dios te bendiga".

Entonces siguió caminando hasta llegar a la casa del Intérprete. Llamó una y otra vez hasta que finalmente vino un hombre a la puerta y preguntó quién era.

CRISTIANO. Soy un peregrino. Un amigo del buen hombre de esta casa me indicó que viniera para recibir instrucciones. Quisiera hablar con el dueño de la casa.

En poco tiempo llegó el Intérprete y le preguntó a Cristiano qué deseaba.

CRISTIANO. Señor, mi nombre es Cristiano. Vengo de la Ciudad de la Destrucción y estoy de camino al Monte Sion. El buen hombre de la puerta angosta me dijo que, si pasaba por aquí, usted me mostraría cosas excelentes, necesarias para mi viaje.

INTÉRPRETE: Sí, en efecto, entra. Te mostraré algo que será muy provechoso para ti.

El Intérprete le pidió a su ayudante que encendiera su vela y condujera a Cristiano al interior de la casa. El ayudante le dijo: "Sígueme", y lo llevó a una habitación privada, donde le dijo a otro sirviente que abriera una puerta. Cuando se abrió la puerta, Cristiano vio el retrato de una persona de rostro circunspecto que colgaba de la pared. La imagen era así: los ojos de la persona miraban al cielo, tenía en la mano el mejor de los libros, la ley de la verdad estaba en sus labios y el mundo estaba a sus espaldas. Estaba de pie como suplicando a los hombres, y una corona de oro colgaba sobre su cabeza.

CRISTIANO. ¿Qué significa esto?

INTÉRPRETE. Este hombre es uno entre mil. Puede engendrar hijos [1 Cor 4:15], dar a luz con dolores de parto [Gal 4:19] y amamantarlos él mismo cuando nacen. Y lo ves con los ojos hacia al cielo, el mejor de los libros en la mano y la ley de la verdad en los labios, para mostrar que su obra es conocer y revelar las cosas oscuras a los pecadores; por eso está de pie, suplicando a los hombres. Y si ves el mundo a sus espaldas y una corona que pende sobre su cabeza, es para revelarnos que, menospreciando las cosas del presente por el amor que tiene a servir a su Maestro, está seguro de que tendrá la gloria como recompensa en el mundo venidero. Ahora bien —agregó el Intérprete—, te mostré primero este cuadro, porque es el retrato del único hombre que el Señor del lugar al que vas ha autorizado para guiarte a través de las dificultades del camino. Por lo tanto, presta mucha atención y recuerda lo que has visto, no sea que en tu viaje te encuentres con otros que pretenden guiarte, pero cuyo rumbo lleva a la muerte.

Luego tomó la mano de Cristiano y lo condujo a un gran salón lleno de polvo. Cuando lo hubieron observado un momento, el Intérprete llamó a un hombre para que barriera. Cuando empezó a barrer, el polvo se levantó y llenó toda la habitación de tal manera que Cristiano casi se asfixió. Entonces el Intérprete le dijo a una sirvienta que estaba allí: "Trae agua y rocía la habitación". Al hacer esto, pudo barrer y limpiar el salón sin problema.

CRISTIANO. ¿Qué significa esto?

INTÉRPRETE. Este salón es el corazón de un hombre que nunca ha sido santificado por la dulce gracia del Evangelio. El polvo es su pecado original y las corrupciones internas que

lo han contaminado. El hombre que comenzó a barrer primero es la Ley; la mujer que trajo agua y la roció es el Evangelio. Observaste que tan pronto como el primero comenzó a barrer, el polvo voló de tal manera que era imposible limpiarlo y casi te ahogaste con él. Esto demuestra que, en lugar de limpiar el corazón del pecado, la Ley reaviva, fortalece y aumenta el pecado en el alma; incluso a pesar de que lo identifica y lo prohíbe, no tiene el poder para someter al pecado [Rom 7:6; 1 Cor 15:56; Rom 5:20].

"Por otro lado", siguió el Intérprete, "viste que la mujer roció la habitación con agua y pudo limpiarla plácidamente. Esto te muestra que, cuando el Evangelio lleva sus dulces influencias al corazón, así como la mujer limpió el polvo rociando el suelo con agua, así el pecado es vencido y subyugado. El alma queda limpia a través de la fe, y, por ende, apta para que la habite el Rey de la Gloria" [Jn 15:3; Ef 5:26; Hch 15:9; Rom 16:25-26; Jn 15:13].

Vi, además, en mi sueño, que el Intérprete lo tomó de la mano y lo llevó a una pequeña habitación donde había dos niños pequeños, cada uno sentado en una silla. El nombre del mayor era Pasión y el del otro era Paciencia. Pasión lucía fastidiado, mientras que Paciencia estaba muy quieto. Entonces Cristiano preguntó: "¿Por qué está tan disgustado Pasión?". El Intérprete respondió: "Su institutriz quiere que esperen por sus mejores cosas hasta el año que viene, pero Pasión las quiere todas ahora, mientras que Paciencia está dispuesto a esperar".

Luego observé que un sirviente se acercó a Pasión y derramó a sus pies una bolsa de tesoros que el niño rápidamente recogió en sus brazos con gran alegría. Se reía a carcajadas, burlándose de Paciencia. Pero lo miré por un tiempo, y vi que

pronto malgastó todo lo que había recibido, y no le quedó más que la bolsa vacía.

"Explícame mejor este asunto", dijo Cristiano.

INTÉRPRETE. Estos dos chicos son figuras: Pasión representa a los hombres de este mundo, y Paciencia representa a los hombres del mundo por venir. Como ves, Pasión quiere tenerlo todo este año; es decir, en este mundo. Así son los hombres de este mundo, necesitan todo lo bueno ahora mismo y no pueden esperar al año próximo; es decir, a obtenerlo en el mundo por venir. El proverbio "Más vale pájaro en mano que ciento volando" tiene más autoridad para ellos que todos los testimonios divinos del bien del mundo venidero. Pero, como viste, Pasión derrochó todo rápidamente y no le quedaron más que harapos; así será con todos esos hombres al final de este mundo.

CRISTIANO. Ahora veo que Paciencia es más sabio, por muchas razones. Primero, espera las mejores cosas. Segundo, disfrutará de la gloria de sus recompensas cuando el otro no tenga más que harapos.

INTÉRPRETE. Sí, y también puedes añadir esto: La gloria del otro mundo nunca se acabará ni se desgastará, pero las glorias de esta vida se desvanecen pronto. Por ende, Pasión no tenía muchas razones para reírse de Paciencia por obtener sus cosas antes, porque Paciencia se reirá de Pasión cuando obtenga sus mejores cosas al final. Lo primero debe dar lugar a lo último, porque lo último debe tener su tiempo adecuado para llegar. Pero el último no da lugar a nada, porque nada viene después. Quien obtenga su parte primero la gastará en un tiempo, pero quien la obtenga de último la tendrá para siempre. Por eso se dice de cierto hombre rico: "Durante tu

vida recibiste tus bienes y, de igual manera Lázaro, males. Pero ahora él es consolado aquí, y tú eres atormentado" [Lc 16:25].

CRISTIANO. Entonces me parece que es mejor no codiciar las cosas de este mundo, sino esperar los bienes venideros.

INTÉRPRETE. Dices la verdad. "Las cosas que se ven son temporales, mientras que las que no se ven son eternas" [2 Cor 4:18]. Ya que las cosas presentes son tan cercanas y las cosas venideras son tan lejanas a nuestro apetito carnal; somos propensos a ceder a nuestros deseos carnales en lugar de esperar la satisfacción de lo eterno. Así nos unimos a las cosas de este mundo y perdemos nuestra recompensa futura".

Luego vi en mi sueño que el Intérprete tomaba a Cristiano de la mano y lo conducía hacia otro lugar de la casa donde había un fuego ardiendo contra una pared. Un hombre le echaba agua sin parar, pero el fuego seguía ardiendo más y más.

"¿Qué significa esto?", preguntó Cristiano.

El Intérprete respondió: "Ese fuego es la obra de la gracia de Dios en el corazón. La persona que le echa agua es el diablo. Pero, como ves, el fuego sigue ardiendo con fuerza. Ven alrededor del muro y verás por qué". Entonces lo condujo al otro lado del muro, donde había un hombre secretamente echando aceite al fuego en secreto.

"¿Qué significa esto?", preguntó Cristiano de nuevo.

El Intérprete respondió: "Este es Cristo, que con el aceite de su gracia mantiene la obra ya comenzada en el corazón. Así, a pesar de lo que el diablo pueda hacer, las almas de su pueblo continúan llenas de gracia [2 Cor 12:9]. Y tuviste que darle la vuelta al muro para ver al hombre que mantiene vivo el fuego; esto es para enseñarte lo difícil que es para el tentado ver cómo se mantiene en la gracia en el alma".

Entonces el Intérprete le tomó la mano de nuevo y lo llevó a un lugar agradable donde había un elegante palacio. Cristiano se maravilló al verlo. También vio personas radiantes, vestidas de oro, caminando por la parte superior.

CRISTIANO. ¿Podemos ir hasta allá?

Entonces el Intérprete lo condujo hacia la puerta del palacio, donde encontraron una gran multitud. Todos deseaban entrar, pero ninguno se atrevía a hacerlo. También había un hombre sentado a poca distancia de la puerta, junto a una mesa, con un libro y su tintero, tomando los nombres de quienes entrasen. Vieron también que la puerta estaba custodiada por hombres fuertemente armados, resueltos a lastimar a quien osara pasar. Cristiano estaba asombrado. Finalmente, cuando todos retrocedieron por miedo a los hombres armados, Cristiano vio a un hombre de robusto semblante acercarse al hombre del libro y el tintero, y le dijo: "Anote mi nombre, señor". Hecho esto, el hombre desenvainó su espada, se puso su yelmo en la cabeza y se lanzó hacia los guardianes de la puerta, quienes respondieron con fuerza mortal. Pero el hombre no se desalentó y se defendió con la mayor fiereza. Después de causar y recibir muchas heridas de los que intentaban detenerlo, se abrió paso entre ellos [Hch 14:22] y entró en el palacio. Entonces se oyeron las hermosas voces de los que estaban dentro, en lo alto del palacio, diciendo:

"Entra, entra; ganarás la gloria eterna".

El hombre entró y recibió las mismas ropas de oro que los demás. Entonces Cristiano sonrió y dijo: "Creo que entiendo el significado de esto".

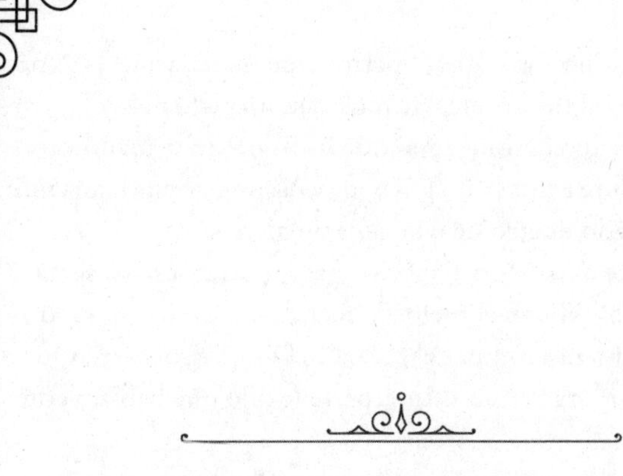

Querido Señor, abre mis ojos para que vea la verdad de tu palabra y la belleza de tus caminos. Dame entendimiento y sabiduría para discernir tu voz en medio del ruido del mundo. Ayúdame a ser transformado por tu verdad y a vivir una vida que refleje tu amor y tu gracia.

"Ahora", dijo Cristiano, "permíteme marcharme". "No, quédate", dijo el Intérprete, "te mostraré un poco más y luego podrás seguir tu camino". Así que lo tomó de la mano otra vez y lo condujo a una habitación muy oscura, donde había un hombre sentado dentro de una jaula de hierro.

El hombre miró a Cristiano con gran tristeza; estaba sentado con los ojos fijos en el suelo, las manos juntas, y suspirando como si se le fuera a romper el corazón. Dijo Cristiano: "¿Qué significa esto?". A lo que el Intérprete le dijo que hablara con el hombre.

Entonces dijo Cristiano al hombre: "¿Quién eres?". El hombre respondió: "Soy lo que una vez no fui".

CRISTIANO. ¿Qué eras antes?

HOMBRE. En otro tiempo fui un hermoso y floreciente profesor, tanto a mis ojos como a los de los demás. Una vez fui, según pensaba, merecedor de entrar en la Ciudad Celestial, y me alegraba incluso pensar que llegaría allí [Lc 8:13].

CRISTIANO. Bien, pero ¿qué eres ahora?

HOMBRE. Ahora soy un hombre desesperado, encerrado en mi desesperación como en esta jaula de hierro. No puedo salir. ¡Oh, no puedo!

CRISTIANO. ¿Cómo llegaste a esta situación?

HOMBRE. Bajé la guardia y dejé de ser sobrio. Pequé contra la luz de la Palabra y la bondad de Dios y cedí a mis pasiones. Afligí al Espíritu, y se ha ido; tenté al diablo y se apoderó de mí. Provoqué la ira de Dios y me abandonó. Endurecí tanto mi corazón que no puedo arrepentirme.

Entonces Cristiano preguntó al Intérprete: "¿No hay esperanza para un hombre como él?". "Pregúntaselo", dijo el Intérprete. "No", dijo Cristiano, "por favor, señor, pregúntele usted".

INTÉRPRETE. ¿No hay esperanza para ti? ¿Debes quedarte en la jaula de la desesperación?

HOMBRE. No, no hay ninguna esperanza en absoluto.

INTÉRPRETE. ¿Por qué no? El Hijo del Bendito es muy compasivo.

HOMBRE. Lo crucifiqué de nuevo para mí mismo [Heb 6:6]; lo aborrecí abiertamente [Lc 19:14]. Desprecié su justicia; consideré "de poca importancia la sangre del pacto por la cual fue santificado" y "ultrajé al Espíritu de gracia" [Heb 10:28-29]. Por eso me he excluido de todas sus promesas, y ahora solo me quedan terribles amenazas, amenazas temibles de juicio seguro y violenta indignación, que me devorarán como un enemigo.

INTÉRPRETE. ¿Por qué has llegado a esta situación?

HOMBRE. Por los apetitos, placeres y lucros de este mundo. Me deleité mucho disfrutándolos entonces, pero ahora cada una de esas cosas me muerde y me roe como un ardiente gusano.

INTÉRPRETE. Pero ¿no puedes ahora arrepentirte y convertirte?

HOMBRE. Dios me ha negado el arrepentimiento. Su Palabra no me alienta a creer; él mismo me encerró en esta jaula de hierro. Tampoco existe un hombre en el mundo que me pueda liberar. ¡Oh, eternidad, eternidad! ¿Cómo lidiaré con la miseria eterna?

INTÉRPRETE. Recuerda siempre la miseria de este hombre. Que te sirva de advertencia perpetua.

CRISTIANO. ¡Bueno, esto es horrible! Dios me ayude a ser vigilante y a rezar para evitar el mal y la miseria de los que van por ese camino. Señor, ¿no es hora de que siga el mío?

INTÉRPRETE. Espera a que te muestre una cosa más; entonces podrás irte.

Entonces tomó a Cristiano de la mano y lo llevó a una recámara donde un hombre se estaba levantando de la cama. Al vestirse, temblaba. "¿Por qué tiembla tanto este hombre?", preguntó Cristiano. El Intérprete se dirigió al hombre y dijo: "Dígale a este hombre por qué tiembla". "Tuve un sueño horrible", dijo el hombre, "los cielos se volvían extremadamente oscuros, los relámpagos brillaban y los truenos rugían. Angustiado, alcé los ojos y vi cómo se arremolinaban las nubes. Luego oí un fuerte sonido de trompeta. Vi a un hombre sentado sobre una nube, que avanzaba seguido de miles de personas celestiales. Todos llameaban como fuego, y los cielos mismos también estaban en llamas. Una voz poderosa dijo: 'Levántense, muertos, y vengan a juicio'. Entonces las rocas comenzaron a romperse y los sepulcros a abrirse, y salieron los muertos que estaban en ellos. Algunos de ellos se alegraron y miraron hacia arriba, y otros buscaron esconderse bajo las montañas [1 Cor 15:52; 1 Tes 4:16; Judas 14; Jn 5:28-29; 2 Tes 1:7-8; Ap 20:11-14; Is 26:21; Miqueas 7:16-17; Salm 95:1-3; Dn 7:10]. Entonces el hombre sobre la nube abrió el libro, y dijo al mundo que se acercara. Pero, a causa de una llama feroz que rugía delante de él, se hizo una distancia entre él y ellos, como entre el juez y los acusados en un tribunal [Mal 3:2-3; Dn 7:9-10]. Oí también que les decía a sus asistentes: 'Recojan la cizaña, la paja y el rastrojo, y échenlos en el lago ardiente' [Mt 3:12; 13:30; Mal 4:1]. Y con esto se abrió un pozo sin fondo justo donde yo me encontraba, de cuya boca salían humo y brasas de fuego con espantosos ruidos. También les dijo a sus asistentes: 'Junten mi trigo en el granero' [Lc 3:17].

Entonces vi que muchos eran llevados a las nubes, pero yo me quedé atrás [1 Tes 4:16-17]. Traté de esconderme, pero no pude, porque el hombre sentado en la nube no me quitaba los ojos de encima y mi conciencia me acusaba severamente [Rom 3:14-15]. En esto desperté de mi sueño".

CRISTIANO. Pero ¿por qué tuviste tanto miedo de esta visión?

HOMBRE. Pensé que había llegado el día del juicio y que yo no estaba preparado. Pero lo que más me asustó es que los ángeles reunieron a varias personas y me dejaron a mí atrás; también que la boca del infierno se abrió justo donde yo estaba. Además, mi conciencia me afligía, y el Juez tenía siempre su mirada indignada puesta en mí.

Entonces dijo el Intérprete a Cristiano: "¿Has pensado bien en todas estas cosas?".

CRISTIANO. Sí, y me infunden esperanza y temor.

INTÉRPRETE. Pues bien, tenlas siempre presentes para que te impulsen y aguijoneen hacia adelante en el camino que debes seguir.

Entonces Cristiano comenzó a prepararse para partir. El Intérprete dijo: "Que El Consolador esté siempre contigo, buen Cristiano, para guiarte por el camino que conduce a la Ciudad". Cristiano se marchó diciendo:

"Aquí vi cosas extrañas y útiles; cosas agradables y espantosas; cosas que me mantendrán firme en lo que me he propuesto. Entonces déjame pensar en ellas, y entender por qué me fueron mostradas. Y permíteme agradecerte de corazón, buen Intérprete".

Ahora vi en mi sueño a Cristiano caminando por una carretera cercada a ambos lados por un alto muro, y ese muro

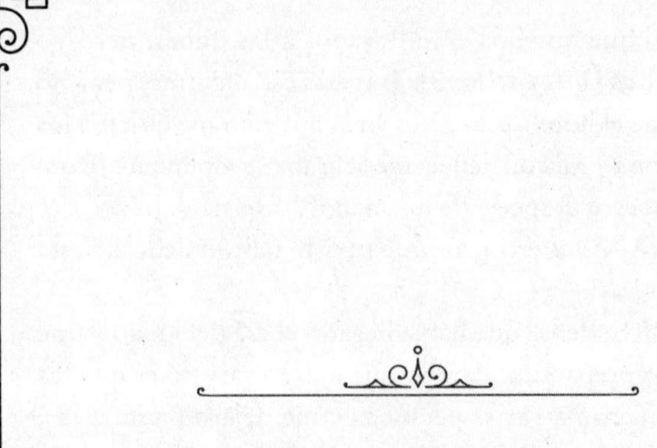

Padre celestial, mientras medito sobre el momento en que Cristiano vio la cruz, te pido una nueva revelación de tu poder en mi vida. Ayúdame a comprender el sacrificio de tu Hijo Jesucristo y la profundidad de tu amor por mí. Que la visión de la cruz renueve mi fe y me motive a servirte más fielmente.

se llamaba Salvación [Is 26:1]. Comenzó a correr, aunque con dificultad, debido a la carga que llevaba a la espalda.

Corrió entonces hasta un lugar algo elevado donde se erigía una cruz y, un poco más abajo, había un sepulcro. Entonces vi en mi sueño que justo al llegar a la cruz, la carga de Cristiano se soltó de sus hombros y rodó colina abajo hasta caer dentro del sepulcro, y ya no la vi más.

Ahora Cristiano se sentía contento y ligero, y con el corazón alegre, se dijo a sí mismo: "Me ha dado descanso con sus dolores, y vida con su muerte". Se quedó mirando la cruz durante un tiempo, preguntándose cómo la mera vista de la cruz podía aliviar tanto la culpa y la vergüenza. La contempló largamente, hasta que corrió el agua de los manantiales de sus ojos [Zac 12:10]. Mientras miraba y lloraba, tres Luminosos se le acercaron y le saludaron con un "La paz sea contigo". El primero le dijo: "Tus pecados te son perdonados" [Mc 2:5]; el segundo le despojó de sus harapos y le vistió con ropas nuevas [Zac 3:4]; el tercero le hizo una marca en la frente y le dio un rollo de papel sellado, el cual le ordenó que cuidara, pues tendría que presentarlo en la Puerta Celestial [Ef 1:13], y siguieron su camino.

"¿Quién es él? El Peregrino. ¿¡Cómo!? Es cierto: las cosas viejas han pasado y todo se ha vuelto nuevo. ¡Qué extraño! Parece otro hombre, lo juro. Un pájaro fino está hecho de plumas finas".

Entonces Cristiano dio tres saltos de alegría y siguió cantando:

"Hasta aquí llegué cargado con mi pecado;
nada podía aliviar mi pena

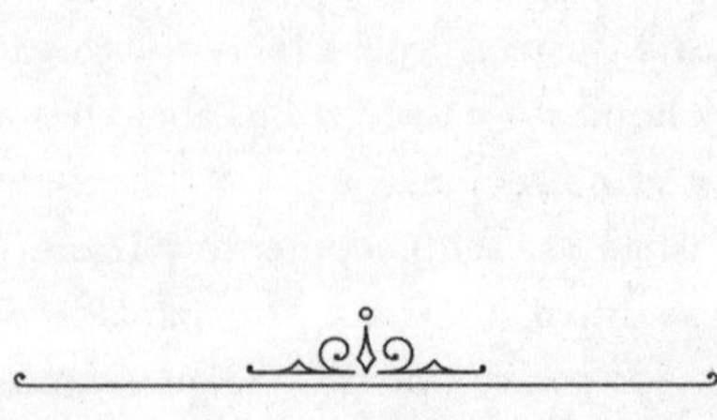

Dios mío, mi corazón está apesadumbrado por el peso de mis pecados. Soy indigno de tu amor y de tu misericordia, pero te doy gracias por haber enviado a tu Hijo a morir por mí en la cruz. Ayúdame a comprender la profundidad de tu amor por mí y a vivir una vida que honre tu sacrificio.

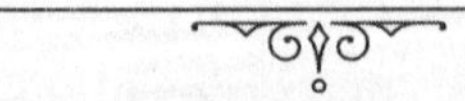

hasta que llegué aquí: ¡Qué gran lugar!
¿Comenzará aquí mi dicha?
¿Caerá aquí la carga de mi espalda?
¿Se romperán aquí las cuerdas que la ataban a mí?
¡Bendita cruz! ¡Bendito sepulcro! Bendito sea, más bien,
el Hombre que fue ultrajado por mi causa".

Vi en mi sueño que continuó hasta el pie de una colina, donde vio, un poco fuera del camino, a tres hombres profundamente dormidos, con grilletes en sus talones. Uno se llamaba Simpleza, otro Pereza, y el tercero Presunción.

Cristiano, al verlos en ese estado, fue hacia ellos para intentar despertarlos. Gritó: "Ustedes son como el que yace en medio del mar o como el que yace en la punta de un mástil, con el Mar Muerto debajo [Pro 23:34]. Despierten, pues, y vengan conmigo. Los ayudaré a quitarse los grilletes. Si viene el que anda como león rugiente, ciertamente los devorará" [1 Pedro 5:8]. Entonces los tres hombres lo miraron. Simpleza respondió: "Yo no veo ningún peligro". Pereza dijo: "Necesito todavía un poco más de sueño". Y Presunción dijo: "Cada quien se ocupa de sí mismo. ¿Qué otra respuesta puedo darte?". Y así volvieron a echarse a dormir, y Cristiano siguió su camino.

Sin embargo, se turbó al pensar en la facilidad con que estos hombres, a pesar del peligro que corrían, desecharon la bondad de quien venía a ayudarlos, aconsejarlos y remover sus grilletes. Mientras pensaba en esto, vio a dos hombres saltando el muro a la izquierda del camino angosto. El nombre de uno era Formalista y el nombre del otro Hipócrita. Se acercaron a Cristiano y empezaron a conversar.

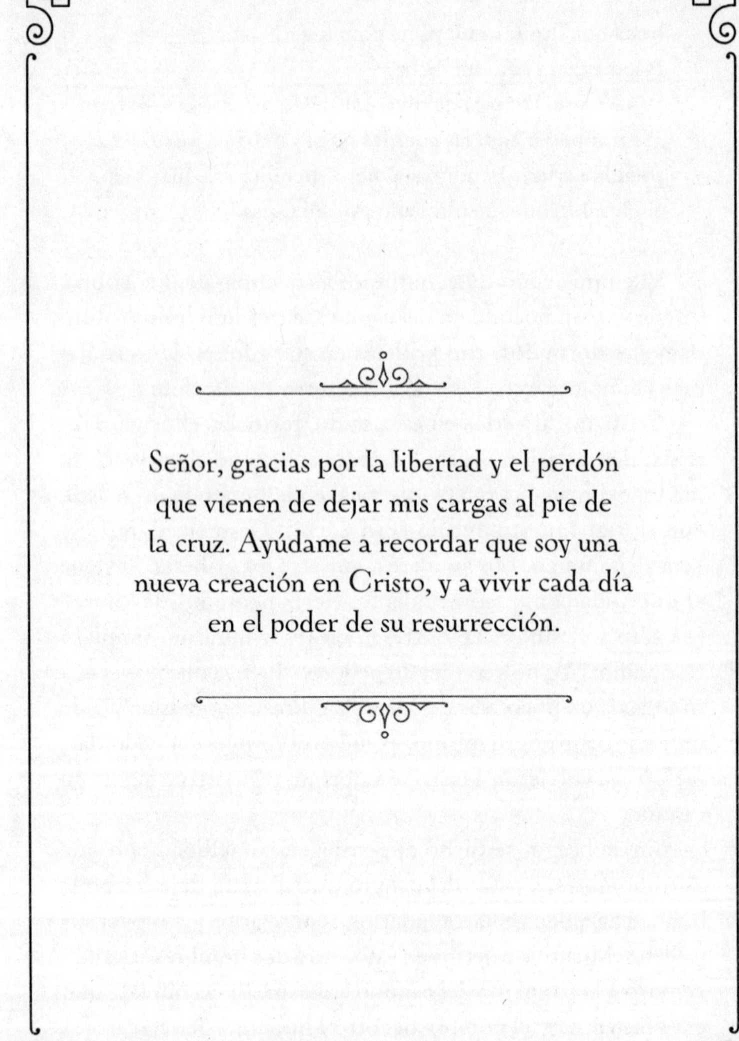

Señor, gracias por la libertad y el perdón que vienen de dejar mis cargas al pie de la cruz. Ayúdame a recordar que soy una nueva creación en Cristo, y a vivir cada día en el poder de su resurrección.

CRISTIANO. Caballeros, ¿de dónde vienen y a dónde van?

FORMALISTA e HIPÓCRITA. Nacimos en Vanagloria y vamos al Monte de Sion.

CRISTIANO. ¿Por qué no entraron por la puerta principal? ¿No saben que está escrito que "el que no entra por la puerta, sino que sube por otra parte, ese es ladrón y asaltante"? [Jn 10:1].

Formalista e Hipócrita respondieron que la puerta quedaba demasiado lejos para los habitantes de Vanagloria, así que tenían la costumbre de tomar un atajo y trepar la muralla, como ellos habían hecho.

CRISTIANO. Pero ¿no es esto violar la voluntad revelada del Señor de la ciudad a la que vamos? ¿No se consideraría una transgresión en su contra?

Formalista e Hipócrita le dijeron que no se preocupara, pues trepar el muro era habitual para sus paisanos. De ser necesario, podían presentar muchos testimonios de que esta práctica se había dado por más de mil años.

CRISTIANO. ¿Pero podría superar un juicio?

Formalista e Hipócrita respondieron que una costumbre tan antigua sería aceptada con toda seguridad y, sin duda, admitida por el Juez imparcial al final del camino. "Además", dijeron, "nosotros estamos en el mismo camino que tú. ¿Qué importa cómo hayamos entrado? Si estamos dentro, estamos dentro. Tú entraste por la puerta y nosotros por el muro. ¿En qué es mejor tu posición que la nuestra?".

CRISTIANO. Yo me guío por las reglas de mi Maestro; ustedes se guían por sus ocurrencias toscas. El Señor ya los considera ladrones; por tanto, dudo que al final del camino

sean juzgados como hombres de bien. Entraron por su propia cuenta, sin la dirección del Señor, y saldrán por su propia cuenta, sin su misericordia.

A esto le respondieron muy poco y le ordenaron que se ocupara de sus propios asuntos. Siguieron caminando sin hablar mucho entre sí, salvo que los hombres le dijeron a Cristiano que, en cuanto a leyes y ordenanzas, no dudaban de que las habían cumplido tan meticulosamente como él. Dijeron: "No vemos en qué te diferencias de nosotros más que por la túnica que llevas, que, según creemos, te dieron tus vecinos para ocultar la vergüenza de tu desnudez".

CRISTIANO. Por leyes y ordenanzas no se salvarán, puesto que no entraron por la puerta [Gal 2:16]. Y en cuanto a esta túnica, me la dio el Señor del lugar adonde voy, como dicen, para cubrir mi desnudez. Lo tomo como muestra de su bondad para conmigo, pues antes no tenía más que harapos. Además, me da aliento: pienso que cuando llegue a la puerta de la Ciudad, el Señor me reconocerá como bueno por mi túnica, la que me dio el día que me despojó de mis harapos. Tengo, además, una marca en mi frente, que tal vez no hayan notado. Uno de los más fieles asistentes de mi Señor me la hizo el día en que mi carga cayó de mis hombros. También me dio un documento sellado para que me consolase leyéndolo en el camino, y me mandó que lo entregara en la Puerta Celestial. Dudo que ustedes tengan estas cosas, pues no entraron por la puerta.

A estas cosas no respondieron nada; solo se miraron y se rieron. Entonces continuaron caminando. Cristiano iba más adelante y hablando consigo mismo, a veces con angustia y otras plácidamente; también leía a menudo el papel que el Luminoso le había dado.

Contemplé, entonces, que todos siguieron adelante hasta llegar al pie de la Colina Difícil; al fondo de la cual había un manantial. En el mismo lugar aparecían otros dos caminos además del que venía de la puerta; uno doblaba a mano izquierda, y el otro a la derecha, al pie de la colina. El camino angosto subía la colina por la ladera llamada Dificultad. Cristiano se dirigió al manantial y bebió de él para refrescarse [Is 49:10], y luego comenzó a subir la colina, diciendo:

"Anhelo ascender la colina, aunque sea alta.
La dificultad no me ofenderá;
porque percibo que el camino a la vida está aquí.
Vamos, ánimo, no desmayemos ni temamos;
aunque difícil, es mejor el camino correcto.
El equivocado, aunque fácil, termina en desdicha".

Los otros hombres llegaron también al pie de la colina, pero cuando vieron que era tan empinada y alta, y que había otros dos caminos que tomar, prefirieron andar por uno de estos; asumían que se juntarían de nuevo con Cristiano más adelante. Uno de los caminos se llamaba Peligro y, el otro, Destrucción. Uno de los hombres tomó el camino Peligro, que lo condujo a un gran bosque, y el otro tomó el camino Destrucción, que le condujo a un vasto campo lleno de oscuras montañas donde tropezó, cayó y no se levantó más.

"¿Terminarán bien los que mal empiezan?
¿Podrán contar con la certeza?
No, no. Con cabeza terca partieron
y de cabeza caerán, sin duda, al final".

Vi entonces a Cristiano subiendo la colina. A causa de lo empinado del lugar, pasó de correr a caminar y de caminar a trepar con sus manos y sus rodillas. A mitad de camino hacia la cima, había un agradable cenador hecho por el Señor de la colina para refrescar a los viajeros cansados; allí se sentó a descansar. Entonces sacó el rollo de papel de su pecho y lo leyó para animarse; también comenzó a detallar la túnica que le habían dado cuando estaba junto a la cruz. Así se distrajo plácidamente por un tiempo hasta quedarse dormido. Se hizo de noche y el rollo de papel se deslizó de sus manos. Entonces, alguien se le acercó para despertarlo, diciendo: "Ve a la hormiga, oh perezoso; observa sus caminos y sé sabio" [Pro 6:6]. Y con eso Cristiano se levantó y comenzó a andar aprisa, hasta que llegó a la cima de la colina.

Cuando llegó a la cima de la colina, dos hombres salieron a su encuentro: uno se llamaba Temeroso y el otro Desconfiado. Cristiano les dijo: "Señores, ¿qué les sucede? Están corriendo en dirección contraria". Temeroso respondió que iban a la Ciudad de Sion, pero que "cuanto más lejos vamos, más peligros encontramos, así que nos dimos la vuelta y nos regresamos".

"Sí", agregó Desconfiado, "porque justo por allá adelante hay un par de leones, no sabemos si dormidos o despiertos. Si nos acercamos, no tardarían en hacernos pedazos".

CRISTIANO. Eso me asusta, pero ¿a dónde iré para ponerme a salvo? Si vuelvo a mi propio país, que está marcado para el fuego y el azufre, moriré allí. Si puedo llegar a la Ciudad Celestial, sé que allí estaré seguro, así que debo atreverme. Retroceder no es más que muerte; avanzar es miedo a la muerte, pero la vida eterna está más allá de eso. Por lo tanto, seguiré adelante.

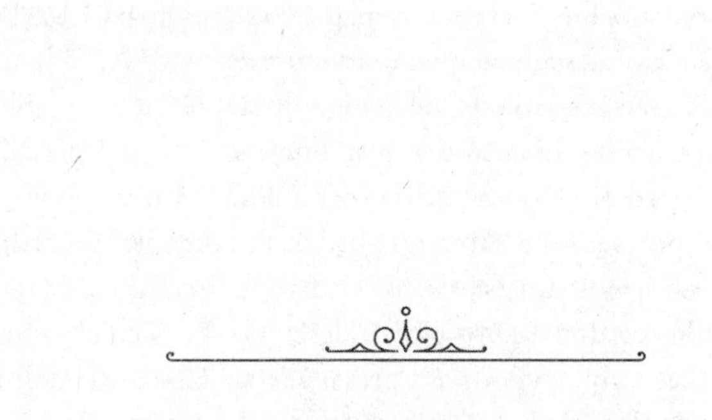

Dios, cuando me canse y tenga ganas de rendirme, recuérdame la esperanza y la alegría que me esperan en tu reino. Ayúdame a perseverar en mi fe y a confiar en tus promesas, incluso cuando el camino sea difícil.

Desconfiado y Temeroso siguieron corriendo colina abajo y Cristiano siguió su camino. Mientras pensaba en lo que le habían contado, buscó el rollo de papel en su pecho para leerlo y consolarse, y descubrió que no lo tenía; entonces Cristiano sintió una gran angustia. ¿Qué había sido de su imponderable regalo, consuelo y guía en tiempos difíciles, y su pase para la Puerta Celestial? ¿Cómo podría seguir sin él? En este punto se quedó perplejo: no sabía qué hacer. Finalmente, recordó que había dormido una siesta en el cenador, y, cayendo de rodillas, pidió perdón a Dios por su descuido. Pero en el camino de regreso, ¿quién podría expresar adecuadamente el dolor del corazón de Cristiano? A veces suspiraba, a veces lloraba, y a menudo se reprendía a sí mismo por haber sido tan tonto como para dormirse en aquel lugar, erigido solo para aminorar su agotamiento. Así, pues, volvió sobre el mismo camino, mirando cuidadosamente a un lado y a otro, por si de casualidad hallaba su rollo, que tantas veces le había consolado en su viaje.

Anduvo así hasta llegar nuevamente al cenador donde había dormido, pero aquella vista le entristeció de nuevo al recordar el mal de su sueño [Ap 2:5; 1 Tes 5:7-8]. Allí gritó: "¡Oh, miserable de mí, que duermo de día en medio de las dificultades, complaciendo a la carne, usando para mi egoísta comodidad lo que el Señor erigió solo para alivio de los espíritus de los peregrinos!

"¡Cuántos pasos de más he dado en vano! Esto es lo que le sucedió al pueblo de Israel: por sus pecados fueron devueltos por el camino del Mar Rojo para vagar cuarenta años por el desierto. Si no hubiera pecado, cuántos pasos felices podría haber dado ya. ¡Ahora debo dar los mismos pasos tres veces,

cuando no necesitaba dar más que uno! Además, ahora estoy como en tinieblas, porque pronto caerá la noche. ¡Oh, si no me hubiera dormido!".

Para entonces había llegado al cenador y, al no ver su documento, se sentó y lloró. Pero al fin, al mirar hacia abajo tristemente, avistó el rollo bajo el asiento. Entonces, su tristeza se convirtió en alegría, y temblando lo tomó y lo volvió a guardar en su pecho. ¡Quién puede describir la felicidad de este hombre cuando recuperó su rollo de papel, garantía de su vida y boleto de entrada en el destino deseado! Dio gracias a Dios por haber dirigido sus ojos hacia el lugar exacto y, con lágrimas de alegría, reemprendió su viaje. ¡Con cuánta agilidad subió el resto de la colina! Sin embargo, el sol se puso sobre Cristiano antes de que pudiera llegar a la cima, y eso le hizo recordar de nuevo la vanidad de su sueño. Comenzó de nuevo a compadecerse de sí mismo: "Oh, pecaminoso sueño; ¡por tu culpa me va mal en este viaje! Por haber dormido, ahora me veo obligado a caminar sin el sol, rodeado de tinieblas y sonidos de criaturas tristes" [1 Tes 5: 6-7]. También recordó la historia que Desconfiado y Temeroso le había contado sobre los leones; entonces se dijo: "Esas fieras buscan su presa por la noche, y si me encontraran en la oscuridad, ¿cómo las evadiría? ¿Cómo me libraré de que me despedacen?". Así siguió caminando. Pero mientras se lamentaba así de su desdichado error, levantó los ojos y vio un palacio majestuoso delante de él, cuyo nombre era Hermoso, y que se alzaba a un costado de la carretera.

Vi en mi sueño que se apresuró hacia el palacio, pensando que quizá podría alojarse allí esa noche. Pero sin haber avanzado mucho, se encontró en un pasadizo muy estrecho ubicado cerca de la portería; allí divisó a los dos leones en el camino.

"Ahora veo los peligros que hicieron retroceder a Desconfiado y a Temeroso (los leones estaban encadenados, pero él no vio las cadenas)". Tuvo miedo, y pensó también él en volver tras ellos, pues le parecía una muerte segura. Sin embargo, el portero del lugar, de nombre Vigilante, percibiendo que Cristiano parecía querer regresar, le gritó: "¿Tan poca es tu fuerza? [Mc 8:34-37]. No temas a los leones, porque están amarrados; están allí como prueba de fe, para dejar al descubierto a quienes no la tienen. Avanza por el centro del camino y no te harán daño".

"Dejó atrás la dificultad y ahora enfrenta el miedo;
aunque lograra subir la colina, ahora los leones le rugen.
Para un hombre cristiano siempre hay sobresaltos;
cuando un terror desaparece, otro toma su lugar".

Entonces vi que Cristiano siguió adelante aunque temblaba de miedo, haciendo caso de las indicaciones del portero. Oyó rugir a los leones, pero no le hicieron daño. Logró llegar a la puerta y dijo al portero: "Señor, ¿de quién es esta casa? ¿Puedo alojarme aquí esta noche?". El portero respondió: "Fue construida por el Señor de la colina para el alivio y seguridad de los peregrinos". También le preguntó de dónde venía y hacia dónde se dirigía.

CRISTIANO. Vengo de la Ciudad de la Destrucción y me dirijo al Monte Sion. Como ya se ha puesto el sol, deseo, si puedo, alojarme aquí esta noche.

VIGILANTE. ¿Cómo te llamas?

CRISTIANO. Ahora me llamo Cristiano, pero al principio me llamaba Sin Gracia. Soy de la raza de Jafet, a quien Dios permitirá habitar en las tiendas de Sem [Gn 9:27].

VIGILANTE. Pero ¿cómo es que vienes tan tarde? Ya es de noche.

CRISTIANO. Hubiera llegado antes si —¡hombre desgraciado que soy!— no me hubiera dormido en el cenador de la ladera. Es más, hubiera llegado mucho antes si durante mi sueño no hubiera perdido mi rollo sin darme cuenta. Tuve que volver al lugar donde dormí para buscarlo, de modo que apenas ahora es que llego aquí.

VIGILANTE. Muy bien, llamaré a una de las damas que viven aquí. Si le convence tu historia, te presentará al resto de la familia, de acuerdo con las reglas de la casa.

Entonces Vigilante, el portero, tocó una campana, a cuyo sonido salió a la puerta de la casa una digna y bella doncella llamada Discreción, quien preguntó por qué la llamaban.

"Este hombre viene de la Ciudad de la Destrucción y se dirige al Monte Sion. Le alcanzó la noche y le gustaría pasar la noche aquí. Le dije que usted hablaría con él y tomaría la decisión más acorde con las normas de la casa".

Discreción le preguntó cómo había encontrado el camino correcto y qué cosas había visto en el camino. Al final le preguntó su nombre, y él dijo: "Cristiano, y tengo un gran deseo de quedarme aquí, pues veo que este lugar fue construido por el Señor de la colina para alivio y seguridad de los peregrinos". Ella sonrió, pensó un momento, con lágrimas en los ojos, y luego dijo: "Llamaré a dos o tres más de mi familia". Entonces se dirigió a la puerta y llamó a Prudencia, Piedad y Caridad, quienes, tras una breve conversación con él, le invitaron a entrar para que conociera a las demás. Salieron a recibirlo en el umbral de la casa, diciendo: "Entre, bendito del Señor; esta casa fue construida por el Señor de la colina para el alivio de

peregrinos como usted". Él bajó la cabeza y las siguió hacia el interior. Una vez sentado, le trajeron algo para beber y acordaron que, mientras estaba lista la cena, debían abordar temas particulares con Cristiano. Eligieron a Piedad, Prudencia y Caridad para dirigir la conversación, y así comenzaron:

PIEDAD: Buen Cristiano, dado que te hemos recibido con tanto afecto y te recibimos en nuestra casa esta noche, permítenos preguntarte sobre tu experiencia en el camino.

CRISTIANO. Con gusto lo haré, y me alegra que sea de su interés.

PIEDAD. ¿Qué te impulsó al principio a venir en esta peregrinación?

CRISTIANO. Fui expulsado de mi país natal por un sonido espantoso que retumbaba en mis oídos: a saber que la destrucción inevitable me esperaba si me quedaba allí.

PIEDAD. Pero ¿cómo saliste de tu país de esa manera?

CRISTIANO. Fue como Dios quiso. Cuando estaba bajo los temores de la destrucción, no sabía a dónde ir; pero por casualidad vino a verme un hombre llamado Evangelista en mi peor momento. Él me señaló la puerta angosta, que de otro modo yo nunca hubiera encontrado, y así me puso en el camino que me ha conducido directamente a esta casa.

PIEDAD. ¿No viniste desde la casa del Intérprete?

CRISTIANO. Sí, y vi cosas allí que recordaré siempre mientras viva, especialmente tres cosas: que Cristo, a pesar de Satanás, mantiene su obra de gracia en el corazón; que el hombre ha pecado tanto como para exceder las esperanzas de la misericordia de Dios; y el sueño de un hombre que pensaba que había llegado el día del juicio.

PIEDAD. ¿Le oíste contar su sueño?

CRISTIANO. Sí, y era espantoso. Me dolía el corazón mientras lo contaba, pero me alegro de haberlo oído.

PIEDAD. ¿Fue eso todo lo que viste en casa del Intérprete?

CRISTIANO. No. Me mostró también un palacio señorial donde la gente estaba vestida de dorado. Allí llegó un aventurero y se abrió paso entre los hombres armados que custodiaban la puerta, y desde adentro le pidieron que entrara y ganara la gloria eterna. Esas cosas me llenaban el corazón. Me hubiera quedado en casa de aquel buen hombre un año completo, pero sabía que tenía que seguir.

PIEDAD. ¿Y qué más viste en el camino?

CRISTIANO. Un poco más adelante vi lo que pensaba que era un hombre colgado de un árbol. Nada más mirarlo, la pesada carga que llevaba en mi espalda se desplomó. Fue muy extraño para mí, pues nunca había visto algo así. Y mientras miraba hacia la cruz —no podía dejar de mirar—, llegaron tres Luminosos. Uno de ellos testificó que mis pecados me eran perdonados; otro me despojó de mis harapos y me dio esta túnica que ves; y el tercero puso la marca que ves en mi frente, y me dio este rollo de papel sellado.

PIEDAD. Pero viste más que esto, ¿no es así?

CRISTIANO. Las cosas que te he nombrado fueron las mejores; pero vi otras. Por ejemplo, vi a tres hombres, Simple, Pereza y Presunción, que yacían dormidos un poco fuera del camino con grilletes en los pies. Aunque intenté despertarlos y prevenirlos, no pude. También vi a Formalidad e Hipocresía saltar por encima del muro para ir, según pretendían, a Sion. Pero los dos se perdieron rápidamente de la forma que yo mismo les advertí y que no quisieron creer. Sobre todo, me

costó mucho trabajo subir esta colina y pasar frente a las bocas de los leones; si no hubiera sido por el buen portero, no sé qué habría podido hacer sino retornar. Pero ahora le doy gracias a Dios por estar aquí, y les doy las gracias por recibirme.

Entonces Prudencia creyó oportuno hacerle algunas preguntas más.

PRUDENCIA. ¿No piensas a veces en el país que dejaste?

PENSAMIENTOS DE CRISTIANO SOBRE SU PAÍS NATAL

CRISTIANO. Sí, pero con mucha vergüenza y reprobación: "Pues si de veras se acordaran de la tierra de donde salieron, tendrían oportunidad de regresar, pero ahora anhelan una patria superior; es decir, la celestial" [Heb 11:15-16].

PRUDENCIA. ¿No tienes todavía algunas de sus costumbres?

CRISTIANO. Sí, pero contra mi voluntad; especialmente mis pensamientos carnales, con los que todos mis compatriotas, así como yo mismo, estaban encantados. Ahora esas cosas me afligen, y quisiera escoger las mías propias.

LA ELECCIÓN DE CRISTIANO

Elegiría no pensar nunca más en esas cosas. Pero, aunque deseo hacer lo bueno, no soy capaz de hacerlo. De hecho, no hago el bien que quiero, sino el mal que no quiero [Rom 7:16-19].

PRUDENCIA. ¿No encuentras a veces que esas cosas carnales de las que hablas, que otrora te causarían perplejidad, fueron vencidas?

LAS HORAS DORADAS DE CRISTIANO

CRISTIANO. Sí, aunque pocas veces. Aun así, para mí son las horas doradas de mi vida cuando me suceden tales cosas.

PRUDENCIA. ¿Puedes recordar cuándo experimentas esos momentos de victoria sobre el pecado?

CRISTIANO. Sí, cuando pienso en lo que vi en la cruz, eso es suficiente. Cuando miro mi túnica bordada, también me basta. También cuando miro en el rollo de papel que llevo en mi pecho, eso me basta, y cuando pienso en el lugar al que voy, eso me basta.

PRUDENCIA. ¿Y qué es lo que te hace desear tanto ir al Monte Sion?

CRISTIANO. La esperanza de poder ver vivo a quien murió en la cruz, de estar con quienes son como él, y de deshacerme de todas las cosas que hasta hoy me disgustan [Is 25:8; Ap 21:4]. Porque, a decir verdad, lo amo, porque él alivió mi carga, y estoy cansado de mi enfermedad interior. Me gustaría estar donde no moriré más y en compañía de quienes siempre gritarán: "¡Santo, Santo, Santo!".

Entonces dijo Caridad a Cristiano: "¿Tienes familia? ¿Eres casado?".

CRISTIANO. Tengo mujer y cuatro hijos pequeños.

CARIDAD. ¿Y por qué no los trajiste contigo?

EL AMOR DE CRISTIANO A SU MUJER Y A SUS HIJOS

Entonces Cristiano echó a llorar, y respondió: "¡Oh, con qué gusto lo hubiera hecho! Pero todos ellos eran totalmente reacios a mi peregrinación".

CARIDAD. Pero deberías haber hablado con ellos y haberte esforzado por mostrarles el peligro de quedarse atrás.

CRISTIANO. Así lo hice, y les conté también lo que Dios me había mostrado de la destrucción de nuestra ciudad, pero "les pareció que bromeaba" y no me creyeron [Gn 19:14].

CARIDAD. ¿Y rogaste a Dios que bendijera tu consejo para ellos?

CRISTIANO. Sí, y muy encarecidamente, porque debes tener presente que mi esposa y mis pobres hijos fueron muy queridos para mí.

CARIDAD. Pero, ¿les hablaste de tu propio dolor y miedo a la destrucción? Porque supongo que la destrucción era bastante visible para ti.

EL MIEDO DE CRISTIANO A LA MUERTE PODÍA LEERSE EN SU SEMBLANTE

CRISTIANO. Sí, una y otra vez. También podían ver el terror en mi semblante, en mis lágrimas y en mis escalofríos cuando pensaba en el juicio que pendía sobre nuestras cabezas. Pero todo eso no bastó para convencerlos de que vinieran conmigo.

CARIDAD. ¿Qué razones te dieron para no acompañarte?

CRISTIANO. Mi mujer tenía miedo de perder este mundo y mis hijos estaban entregados a los insensatos deleites de la juventud: así, por una cosa o por otra, me dejaron vagar solo.

CARIDAD. ¿Acaso tu propia vida era tan vana que anuló tu ferviente convicción y destruyó tu testimonio?

LA RELACIÓN DE CRISTIANO CON SU MUJER Y SUS HIJOS

CRISTIANO. Es verdad que no puedo elogiar mi propia vida; soy consciente de muchos de sus defectos. Sé también que un hombre puede, con su comportamiento, fácilmente derribar lo que con argumentos o persuasión se esfuerza por inculcar en otros. Sin embargo, puedo decir que me cuidé mucho de cualquier acción indecorosa que les produjera aversión a peregrinar. Sí, por eso mismo ellos me decían que era demasiado estricto y que, por su bien, me negaba a mí mismo de cosas que ellos no veían mal. No, creo que les disgustaba de mí que fuera tan cuidadoso de pecar contra Dios o hacer mal a mi prójimo.

CARIDAD. En efecto, Caín odiaba a su hermano, "porque sus obras eran malas, y las de su hermano eran justas" [1 Jn 3:12]. Si tu mujer e hijos se ofendieron contigo por esto, demostraron su rechazo contra la verdadera rectitud. Tú, por otro lado, ya "has librado tu alma de su sangre" [Ez 3:19].

Vi en mi sueño que siguieron conversando hasta que la cena estuvo lista. Entonces se sentaron a una mesa provista de "manjares suculentos y refinados vinos añejos"; y toda su conversación en la mesa era sobre el Señor de la colina; a saber, sobre lo que había hecho, y por qué había hecho lo que había hecho, y por qué había edificado aquella casa. Comentaron que el Señor había sido un gran guerrero, que dio muerte "al que tenía el poder de la muerte", no sin gran peligro para sí mismo [Heb 2:14-15].

"Según entiendo, perdió mucha sangre en esa batalla", dijo Cristiano. Los demás dijeron que lo que agregaba la gloria de la gracia a todos sus actos es que los hacía por puro amor

a su país. Y, además, había algunos de la casa que habían hablado con él después de que murió en la cruz; y atestiguaron que lo supieron de sus propios labios: "que él ama más a los pobres peregrinos que cualquiera entre el este y oeste de este mundo".

Afirmaron que el Señor se había despojado de su gloria para hacer esto por los pobres, y que le oyeron decir y afirmar "que no quería morar solo en el monte de Sion". Dijeron, además, que había hecho príncipes a muchos peregrinos, aunque eran mendigos de nacimiento [1 Samuel 2, 8; Salm 113, 7].

LA ALCOBA DE CRISTIANO

Hablaron hasta bien entrada la noche, y después se encomendaron a la protección de su Señor y se retiraron a descansar. Al Peregrino le asignaron una gran alcoba, llamada Paz, cuya ventana se abría hacia el este. Allí durmió Cristiano hasta el amanecer, y entonces se despertó y cantó:

"¿Dónde estoy ahora? ¿Son estos el amor y el cuidado
de Jesús para los hombres peregrinos?
¡Tanto proveer! ¡Y perdonar mis pecados!
¡Y habitar ya la puerta próxima al cielo!".

Por la mañana conversó un rato más con los de la casa, quienes insistieron que no partiese hasta que le hubiesen mostrado las rarezas de aquel lugar. Primero lo llevaron al estudio, donde le mostraron registros de la mayor antigüedad. Según recuerdo de mi sueño, le mostraron primero el árbol genealógico del Señor de la colina, quien era hijo del Anciano de

los Días y procedía de la generación eterna. También tenían un historial detallado de todos sus actos, y una lista con los nombres de los cientos de hombres que le servían y a quienes él había concedido moradas eternas.

Luego le leyeron algunos de los actos estimables que algunos de sus siervos habían hecho: "conquistaron reinos, hicieron justicia, alcanzaron promesas, taparon bocas de leones, sofocaron la violencia del fuego, escaparon del filo de la espada, sacaron fuerzas de la debilidad, se hicieron poderosos en batalla y pusieron en fuga los ejércitos de los extranjeros" [Heb 11:33-34].

Después leyeron actas donde se mostraba la disposición de su Señor a recibir a cualquiera, incluso a quien le hubiera ofendido en el pasado. Cristiano vio todas estas cosas junto con profecías atestiguadas y predicciones que seguramente ocurrirían para confusión de los incrédulos y consuelo de los peregrinos, fieles en su camino hacia la tierra mejor.

Al día siguiente, le mostraron la armería, donde había todo tipo de mobiliario que su Señor había provisto a los peregrinos: espada, escudo, yelmo, coraza y zapatos que no se desgastaban. Había suficientes para armar a tantos hombres al servicio de su Señor como hay estrellas en el cielo.

También le mostraron algunos de los instrumentos con los que sus antiguos siervos habían realizado grandes hazañas: la vara de Moisés; el martillo y el clavo con que Jael mató a Sísara; los cántaros, las trompetas y las lámparas con que Gedeón hizo huir a los ejércitos de Madián; la aguijada de buey con que Samgar mató a seiscientos extranjeros; la quijada con la que Sansón destruyó a todo un ejército de filisteos; la honda y la piedra con las que el joven David derribó

al poderoso gigante Goliat; y la espada con la que su Señor matará al Hombre de Pecado. Le mostraron muchas, muchas otras cosas notables que encantaron a Cristiano, y luego volvieron a su descanso.

Vi en mi sueño que al día siguiente Cristiano se levantó para seguir su camino, pero los de la casa le persuadieron para que se quedara hasta el día siguiente. "Mañana, si el día está claro", prometieron, "te mostraremos las Montañas Deliciosas, que, por ser hermosas y estar mucho más cerca de tu deseado refugio, levantarán tu espíritu y te darán valor para tu viaje". Así que Cristiano consintió en quedarse. Cuando llegó la siguiente mañana, lo llevaron al techo de la casa y le dijeron que mirara hacia el sur. Así lo hizo, y a gran distancia divisó una hermosa región montañosa, adornada de bosques, viñas, frutas de todas clases, flores, manantiales y fuentes [Is 33:16-17]. Entonces preguntó cómo se llamaba aquello, y le indicaron que era la Tierra de Emanuel. "Es tan común", dijeron, "como lo es esta colina, para y por todos los peregrinos. Y cuando llegues allí, podrás ver la puerta de la Ciudad Celestial. Los pastores que viven allí te la mostrarán".

Ahora Cristiano dijo que quería seguir adelante, y ellos estaban de acuerdo. "Pero primero", dijeron, "vayamos de nuevo a la armería". Allí lo guarnecieron de la cabeza a los pies con lo que más podría necesitar en su camino. Vestido así, salió con sus amigos hacia la puerta, y allí le preguntó al portero, Vigilante, si había visto pasar a algún peregrino. El portero respondió: "Sí".

CRISTIANO. ¿Lo conocías?

VIGILANTE. Le pregunté su nombre y me dijo que era Fiel.

CRISTIANO. ¡Lo conozco! Es mi paisano, mi vecino más cercano, del lugar donde yo nací. ¿A qué distancia crees que esté ahora?

VIGILANTE. A estas horas ya estará debajo de la colina.

CRISTIANO. Bien. Buen Portero, el Señor sea contigo, y añada a todas sus bendiciones muchas más, por la bondad que me has mostrado.

Entonces Cristiano se puso en marcha, pero Discreción, Piedad, Caridad y Prudencia lo acompañaron un poco más. Siguieron charlando hasta que llegaron al pie de la colina, cuando dijo Cristiano: "Pensé que subir había sido difícil, pero veo que bajar es más peligroso". "Sí", dijo Prudencia, "lo es, porque es difícil para un hombre descender al Valle de la Humillación, como tú lo harás ahora, y no resbalar en el camino. Por eso vinimos a acompañarte colina abajo". Así que comenzaron a bajar muy cautelosamente, aunque Cristiano se resbaló un par de veces.

Luego vi en mi sueño que, al llegar al pie de la colina, estas gentiles acompañantes le entregaron una hogaza de pan, una botella de vino y un racimo de pasas. Con eso, siguió su camino.

En el Valle de la Humillación, Cristiano pasó por duras pruebas. No había ido muy lejos cuando vio al demonio Apolión atravesando el campo hacia él. Al verlo, Cristiano se llenó de temor y comenzó a preguntarse qué debía hacer. ¿Debía retroceder apresuradamente o mantenerse firme? Entonces recordó que no tenía armadura para la espalda, por lo que darse la vuelta le habría dado ventaja al demonio para atravesarle con sus dardos.

LA RESOLUCIÓN DE CRISTIANO FRENTE A APOLIÓN

Por lo tanto, resolvió arriesgarse y permanecer firme, pues pensó que si no tenía más objetivo que salvar su vida, esa sería la mejor manera de mantenerse en pie.

Continuó andando y pronto se le acercó Apolión: un monstruo espantoso a la vista, cubierto de escamas como un pez (de las que estaba muy orgulloso), alas de dragón, pies de oso y boca de león, y de cuyo vientre salían fuego y humo. Se acercó y miró fijamente a Cristiano con una mirada horrible y comenzó a interrogarlo.

APOLIÓN. Forastero, ¿de dónde vienes y dónde vas?

CRISTIANO. Vengo de la Ciudad de la Destrucción, el lugar de todo el mal, y me dirijo a la Ciudad de Sion.

APOLIÓN. Entonces eres uno de mis súbditos, pues todo ese país es mío, y yo soy el príncipe y dios de él. ¿Cómo es, entonces, que huiste de tu rey? Si no fuera porque quiero que me prestes tus servicios, te derribaría de un golpe.

CRISTIANO. Nací, en efecto, en tus dominios, pero tu servicio fue duro y tu paga no alcanzaba para vivir, "porque la paga del pecado es muerte" [Rom 6:23]. Por eso, cuando me hice mayor, hice lo que otras personas de bien hacen: mirar hacia fuera y buscar enmendarme.

LOS HALAGOS DE APOLIÓN

APOLIÓN. Has de saber que ningún príncipe deja ir tan fácilmente a sus súbditos; tampoco yo te dejaré ir a ti. Pero ya que te quejas del servicio y del salario, podemos arreglar eso.

Vuelve, y lo que el país pueda pagar, yo me encargaré de que lo recibas.

CRISTIANO. Pero ya me entregué a otro, al Rey de todos los príncipes. ¿Cómo podría volver a ti?

APOLIÓN. Hiciste lo que dice el proverbio: "ir de mal en peor". Pero es común que quienes aceptan la promesa de aquel rey y se entregan a su servicio, lo intenten por un tiempo y vuelvan a mi dominio. Haz tú lo mismo, y todo irá bien.

CRISTIANO. Le he dado mi fe y le he jurado lealtad. Si me retracto, me colgarían como a un traidor.

APOLIÓN. Tú me hiciste lo mismo, pero estoy dispuesto a olvidarlo si te das la vuelta ahora.

CRISTIANO. Lo que te prometí a ti fue en mi juventud, cuando era ignorante. Pero el Príncipe al que sirvo ahora es capaz de absolverme y perdonar todo lo que hice mientras te servía. Y, a decir verdad, destructor Apolión, me gusta mucho más su servicio, su salario, sus siervos, su gobierno, su compañía y su país que los tuyos. No intentes persuadirme más; soy su siervo y lo seguiré.

APOLIÓN. Piénsalo de nuevo con la cabeza fría. Piensa en lo que te encontrarás en el camino que elegiste. Sabes que, en su mayoría, sus seguidores perecen por ir en contra mía y de mi gobierno. ¡Cuántos han sufrido horribles muertes! Además, dices que su servicio es mejor que el mío, pero él nunca ha salido de su morada para liberarlos a ustedes de mí. En cambio, todo el mundo sabe muy bien que yo libero a mis fieles seguidores de él y los suyos, ya sea por poder o por fraude. Y ten por seguro que te libraré a ti.

CRISTIANO. Si ahora él no libera a sus siervos es para probar su amor, para que demuestren su sinceridad. Y en

cuanto a la muerte de la que hablas, eso es lo más notorio: sus siervos no esperan la liberación presente porque esperan su gloria, y tendrán su recompensa cuando su Príncipe venga con toda su gloria y la de los ángeles.

APOLIÓN. Ya le has sido infiel en tu servicio, ¿cómo piensas cobrar de él?

CRISTIANO. ¿En qué, Apolión, le he sido infiel?

APOLIÓN. Desmayaste al partir, cuando casi te ahogaste en el pantano. Intentaste tomar caminos erróneos para librarte de tu carga, cuando debías haber esperado que tu príncipe te la quitara. Te dormiste en la mitad del día y perdiste tu rollo, y casi decidiste regresar cuando viste a los leones. Y cuando hablas de tu viaje, y de lo que oíste y viste, en tu interior estás deseoso de vana gloria.

CRISTIANO. Todo esto es verdad, y mucho más que no has mencionado. Pero el Príncipe a quien sirvo y honro es misericordioso y está dispuesto a perdonar. Además, me contagié de estas enfermedades en tu país, sufrí por ellas, me arrepentí de ellas y obtuve el perdón de mi Príncipe.

Entonces Apolión estalló en cólera, diciendo: "¡Soy enemigo de ese príncipe; odio a su persona, a sus leyes y a su pueblo!".

CRISTIANO. Apolión, cuidado con lo que haces. Estoy en el camino del Rey, el camino de la santidad. Por lo tanto, ten cuidado.

Entonces Apolión se puso a horcajadas sobre toda la anchura del camino, y dijo: "Yo no le temo. Tú prepárate para morir, porque juro por mi guarida infernal, que no avanzarás más: aquí derramaré tu alma".

Y con esto le lanzó un dardo de fuego al pecho, pero Cristiano tenía un escudo en la mano, con el que lo atrapó y así evitó el peligro.

Cristiano desenvainó su espada y se preparó para la batalla. Apolión se abalanzó sobre él con furia, lanzando dardos tan gruesos como el granizo. Algunos impactaron por encima y otros por debajo del escudo de Cristiano, hiriéndolo a pesar de todo lo que pudo hacer para defenderse. Cristiano retrocedió un poco. Al ver esto, Apolión lo atacó con todas sus fuerzas, y Cristiano se armó de valor para resistir tanto como pudo. Este combate duró más de medio día, y las fuerzas de Cristiano estaban casi agotadas a causa de todas sus heridas.

Apolión se dio cuenta de que Cristiano se debilitaba más y más. Aprovechándose de ello, lo agarró y lo tiró al suelo y la espada de Cristiano voló de su mano. "Ahora", dijo Apolión, "estoy seguro de que te tengo". Comenzó a golpearlo, y Cristiano temió que realmente moriría. Pero Dios quiso que, al levantar Apolión su mano para dar el golpe final, Cristiano lograra alcanzar su espada y dijera: "Enemigo mío, no te alegres contra mí, pues aunque caí, me levantaré" [Miq 7:8].

LA VICTORIA DE CRISTIANO SOBRE APOLIÓN

Entonces Cristiano le propinó un golpe a Apolión que lo hizo retroceder como herido de muerte. Al darse cuenta de esto, lo golpeó de nuevo, diciendo: "En todas estas cosas somos más que vencedores por medio de aquel que nos amó" [Rom 8:37]. Apolión desplegó sus alas y echó a volar. Por mucho tiempo, Cristiano no volvió a verlo [Sant 4:7].

Nadie puede imaginarse este combate a menos que haya visto y oído, como yo, los gritos y espantosos rugidos de Apolión y los suspiros y gemidos que brotaban del corazón de Cristiano. La expresión de terror de este no cambió hasta haber herido a Apolión con su espada de doble filo; entonces, sonrió y miró hacia arriba. Sin embargo, es la escena más espantosa que he visto jamás.

Difícilmente puede haber un combate más desigual: Cristiano debe luchar contra un ángel.

Pero, ya ven: El hombre valiente, manejando la espada y el escudo, obliga al Dragón a retirarse.

Cuando terminó la batalla, Cristiano dijo: "Daré gracias a quien me condujo fuera de la boca del león; a quien me ayudó a derrotar a Apolión". Y así lo hizo, diciendo:

"Gran Belcebú, el Rey de este demonio,
quiso arruinarme, y para ello
lo envió armado. Y él, con furia infernal,
me atacó ferozmente.
Pero el bendito Arcángel Miguel me ayudó, y yo,
a fuerza de espada, le hice huir rápidamente.
Permítanme, entonces, alabarlo por siempre,
y agradecer y bendecir su santo nombre eternamente".

En ese momento llegó a él una mano con algunas de las hojas del Árbol de la Vida. Cristiano las tomó y las aplicó sobre sus heridas, que se curaron de inmediato. Luego se sentó a comer pan y beber de la botella que le habían dado, y ya refrescado, siguió su viaje con la espada en mano, pues se dijo:

"No sé si algún otro enemigo estará cerca". Sin embargo, no volvió a cruzarse con Apolión en todo el valle.

Ahora bien, al final de este valle había otro, llamado el Valle de la Sombra de la Muerte, y Cristiano debía atravesarlo para llegar a la Ciudad Celestial. Se trata de un lugar muy solitario. El profeta Jeremías lo describe así: "Una tierra árida y de hoyos, una tierra reseca y de densa oscuridad, una tierra por la cual ningún hombre ha pasado ni habitó allí hombre alguno" [Jer 2:6].

Allí Cristiano enfrentó peores obstáculos que su lucha contra Apolión, como se verá más adelante.

Vi en mi sueño que cuando Cristiano llegó a las fronteras del Valle, le salieron al encuentro dos hombres, hijos de los que traían malas noticias de la tierra buena [Nm 13]. Los hombres se apresuraban a regresar, y Cristiano los interrogó así:

CRISTIANO. ¿A dónde se dirigen?

HOMBRES. ¡Atrás! ¡Atrás! Y tú también deberías, si quieres conservar tu paz o tu vida.

CRISTIANO. ¿Qué pasa?

HOMBRES. Andábamos por el camino como tú y fuimos tan lejos como nos atrevimos. Si hubiéramos ido un poco más lejos, no estaríamos aquí para traer la noticia.

CRISTIANO. Pero ¿qué encontraron?

HOMBRES. Estábamos casi en el Valle de la Sombra de la Muerte; pero, por buena suerte, miramos delante de nosotros, y vimos el peligro antes de llegar a él [Salm 44:19; 107:10].

CRISTIANO. Pero ¿qué vieron?

HOMBRES. ¡Qué vimos! Pues el Valle mismo, que es tan oscuro como la brea. También vimos a los duendes, los sátiros y los dragones de la fosa; oímos también aullidos y gritos

sin parar, como de gente bajo dolores indecibles; y sobre el Valle se ciernen las nubes tristes de la confusión. Las alas de la muerte están siempre desplegadas sobre él. En una palabra, es espantoso en todos los sentidos, no tiene orden alguno [Job 3:5; 10:22].

CRISTIANO. Por lo que dicen, solo puedo concluir que este es mi camino hacia el puerto deseado [Jer 2:6].

HOMBRES. Haz lo que quieras, pero nosotros no avanzaríamos más.

Entonces se separaron y Cristiano siguió su camino, pero todavía con su espada desenvainada en la mano, por miedo a ser sorprendido.

Ahora vi en mi sueño que en el Valle había una zanja muy profunda —donde los ciegos durante siglos han guiado a otros ciegos— de la que nadie ha salido jamás [Salm 69:14-15]. Al otro lado, había un lodazal inmundo donde los lujuriosos de todas las épocas han caído y no han encontrado fondo. El rey David cayó una vez allí y se habría ahogado si el misericordioso Señor no lo hubiera sacado.

El camino aquí era excesivamente estrecho y, por lo tanto, el buen Cristiano se vio en mayores aprietos: cuando intentaba evitar la zanja por un lado, estaba a punto de caer en el lodo por el otro; cuando buscaba escapar del lodo, por poco caía en la zanja. Así siguió, suspirando amargamente, porque el camino era tan oscuro que muchas veces no sabía dónde o sobre qué poner sus pies.

Pobre hombre, ¿dónde estás ahora? Tu día es noche.
Buen hombre, no te desanimes, aún estás haciendo lo
correcto.

Tu camino al cielo está a las puertas del infierno.
Anímate, resiste, todo irá bien.

Casi a la mitad de este valle observé la boca del infierno, que también estaba junto al camino. De vez en cuando el fuego y el humo salían en abundancia, con chispas y horribles ruidos. Como estas eran cosas que no podía dañar con su fuerza, Cristiano se vio obligado a guardar su espada y a dedicarse a otra arma llamada Toda Oración [Ef 6:18]. Así que clamó: "¡Libra, oh Señor, mi vida!" [Salm 116:4]. Continuó así durante mucho tiempo, pero las llamas seguían alcanzándolo. También oía voces lúgubres y sonidos de pasos de un lado a otro, de acá para allá, de modo que a veces creía que iba a ser pisoteado como lodo en las calles. Cuando llegó a un lugar donde creyó oír a un grupo de demonios que venían por él, se detuvo a pensar sobre lo que más le convenía hacer. A veces pensaba en volver atrás; luego pensaba que quizá ya estaba a medio camino; recordaba también que había vencido muchos peligros ya y que retroceder podía ser peor que avanzar, así que decidió seguir. Los demonios se aproximaron más y más, pero cuando llegaron a él, les gritó con la voz más vehemente: "¡Caminaré con la fuerza de Dios, el Señor!". Con eso retrocedieron y no avanzaron más.

Una cosa noté: el pobre Cristiano estaba tan confundido que no reconocía su propia voz; y justo cuando se acercaba a la boca del infierno, uno de los villanos se puso detrás de él y comenzó a susurrarle blasfemias que él pensó que venían de su propia mente. Esto espantó a Cristiano más que cualquier otra cosa: pensar que podía blasfemar de aquel que tanto amaba. Si hubiera podido evitarlo, lo hubiera hecho, pero no era capaz

de taparse los oídos y mucho menos de saber de dónde venían las blasfemias.

Cuando Cristiano hubo andado por un tiempo considerable, le pareció oír la voz de un hombre que iba delante de él, diciendo: "Aunque ande por el valle de la sombra de la muerte, no temeré mal alguno, porque tú estás conmigo" [Salm 23:4]. Entonces se alegró por estas razones:

Primero, porque dedujo de esto que algunos otros temerosos de Dios estaban en el valle, igual que él.

Segundo, porque se dio cuenta de que Dios estaba con ellos, incluso en ese lugar oscuro y lúgubre. Las condiciones del lugar simplemente le impedían percibirlo [Job 9:11].

Tercero, porque esperaba, si alcanzaba a los demás, tener compañía pronto. Así que llamó al que iba delante; pero este no sabía qué responder, pues también creía estar solo.

Al rayar el alba, Cristiano dijo: "Ha convertido las tinieblas en mañana" [Amós 5:8]. En ese momento miró hacia atrás, no por deseo de volver, sino para ver, a la luz del día, los peligros que había sorteado en la oscuridad. Así vio claramente la zanja a un lado y el lodazal del otro, y lo angosto que era el camino entre ambos. También vio a los duendes, sátiros y dragones de la zanja, pero todos lejos, porque no se acercaban después del amanecer. Sin embargo, pudo verlos según lo que está escrito: "[Él] descubre las profundidades de las tinieblas y saca a la luz la densa oscuridad" [Job 12:22].

La visión de los peligros que había evitado conmovió mucho a Cristiano. La luz del sol era una gran bendición, porque la peor parte del camino estaba por delante: hasta el final del valle había redes, trampas, escollos, cepos, grandes agujeros y pozos profundos. Nadie podría haberlos evitado

todos en la oscuridad. Entonces dijo: "Hace resplandecer su lámpara sobre mi cabeza, y a su luz camino en la oscuridad" [Job 29:3].

Con esa luz, pues, llegó al final del valle. Vi en mi sueño que en el límite de este había sangre, huesos, cenizas y cadáveres destrozados, incluso de peregrinos que habían pasado antes por allí. Mientras me preguntaba cuál sería la razón de esto, vi frente a mí una cueva donde dos gigantes poderosos y tiránicos, Papa y Pagano, moraban desde tiempos inmemoriales. Eran ellos quienes habían ejecutado a esos hombres. Sin embargo, Cristiano pasó por el lugar tranquilamente. Esto me asombró, pero luego supe que Pagano lleva muerto mucho tiempo y que el otro, Papa, está tieso y loco debido a su avanzada edad y a los golpes que recibió en su juventud; solo puede sonreírles a los peregrinos cuando pasan por la boca de su cueva, mordiéndose las uñas porque no puede tocarlos.

Vi, pues, que Cristiano seguía su camino; pero, al ver al anciano Papa en la boca de la cueva, no supo qué pensar. El gigante le decía, aunque no podía ir tras él: "Nunca enmendarán sus vidas hasta que más de ustedes ardan". Cristiano calló y puso buena cara, y así pasó sin daños. Entonces cantó:

"¡Oh, mundo maravilloso! (no puedo decir menos),
¡Que haya llegado hasta aquí!
¡Que haya sobrevivido a esa angustia!
Bendita sea la mano que me libró.
Peligros en tinieblas, demonios, infierno y pecado
me rodearon mientras estuve en este valle.
Sí, trampas, pozos, trampas y redes me cercaban,

y yo, inútil y tonto, podría haber caído.
Pero, ya que estoy vivo, que sea Jesús quien se lleve la gloria".

Llegó a una pequeña colina que había sido levantada a propósito para que los peregrinos pudieran ver el horizonte. Cristiano comenzó a subir y, al mirar hacia adelante, vio a Fiel. Entonces dijo: "¡Ho! ¡Ho! Espérame, y yo seré tu compañero". Fiel miró hacia atrás y Cristiano gritó de nuevo: "¡Espera, espera, hasta que suba contigo". Pero Fiel respondió: "No, me persigue un enemigo y no puedo perder tiempo".

Ante esta respuesta, Cristiano juntó toda su energía para alcanzar a Fiel y, exultante, lo pasó corriendo. Entonces se volvió y sonrió con un poco de vanidad porque lo había adelantado. Pero, al distraerse, tropezó y cayó y, como estaba un poco cansado, no pudo levantarse inmediatamente. Entonces llegó Fiel y lo ayudó a ponerse en pie.

LA CAÍDA DE CRISTIANO HACE QUE FIEL Y ÉL VAYAN JUNTOS

Entonces vi en mi sueño que iban juntos y conversaban dulcemente de todas las cosas que les habían sucedido en su peregrinación. Así comenzó Cristiano:

CRISTIANO. Mi honrado y bien amado hermano, Fiel, me alegro de haberte alcanzado y de que Dios haya templado nuestros espíritus para que podamos caminar juntos en esta senda tan agradable.

FIEL. Querido amigo, deseaba tener tu compañía desde que partí de la ciudad, pero te habías adelantado demasiado.

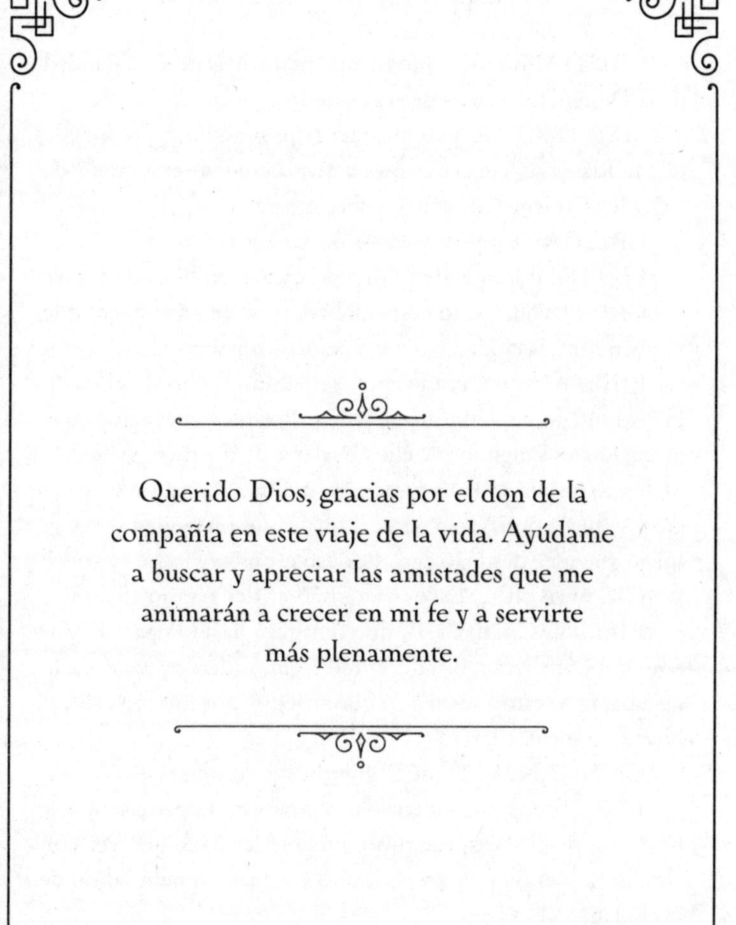

Querido Dios, gracias por el don de la compañía en este viaje de la vida. Ayúdame a buscar y apreciar las amistades que me animarán a crecer en mi fe y a servirte más plenamente.

CRISTIANO. ¿Cuánto tiempo permaneciste en la Ciudad de la Destrucción antes de seguirme?

FIEL. Hasta que no pude quedarme más. Poco después de que te fueras se habló mucho de que la ciudad sería quemada hasta los cimientos por fuego del cielo.

CRISTIANO. ¿Tus vecinos decían eso?

FIEL. Sí, durante algún tiempo estuvo en boca de todos.

CRISTIANO. Si lo comentaban, ¿por qué nadie más que tú abandonó la ciudad para escapar de los peligros?

FIEL. Aunque, como dije, se habló mucho de ello, no pienso que lo creyeran firmemente. Porque, en el calor de la discusión, oí a algunos de ellos burlarse de ti y de tu viaje desesperado (así llamaban a tu peregrinación). Pero yo sí creí —y creo— que la noticia es cierta: el fin de nuestra ciudad será con fuego y azufre desde lo alto. Por eso escapé.

CRISTIANO. ¿Escuchaste hablar del vecino Flexible?

FIEL. Sí, Cristiano, oí que te siguió hasta llegar al Pantano del Desaliento, donde, como algunos decían, cayó. Él lo negaba, pero estoy seguro de que sucedió, porque regresó cubierto de suciedad.

CRISTIANO. ¿Y qué le dijeron sus vecinos?

FIEL. Todos lo condenaron; algunos lo despreciaron y se burlaron de él y casi ninguno quiso tener nada que ver con él. Ahora está siete veces peor que si nunca hubiera salido de la ciudad.

CRISTIANO. Pero ¿por qué son tan duros con él, si ellos mismos desprecian el camino que abandonó?

FIEL. Oh, dicen: ¡cuélguenlo, es un traidor, no fue fiel a su profesión! Creo que el mismo Dios ha incitado a sus enemigos a abuchearlo por haber dejado el camino [Jer 29:18-19].

CRISTIANO. ¿No hablaste con él antes de salir?

FIEL. Una vez me encontré con él en la calle, pero me miró de reojo, como avergonzado de lo que había hecho; por eso no le hablé.

CRISTIANO. Bueno, al principio tenía esperanzas en ese hombre; pero ahora temo que perezca con la ciudad. Le ha sucedido lo que dice el proverbio verdadero: "El perro se volvió a su propio vómito, y 'la puerca lavada, a revolcarse en el cieno'" [2 Pedro 2:22].

FIEL. Yo también temía eso, pero ¿quién puede impedir lo que será?

CRISTIANO. Bien, vecino Fiel, pasemos a hablar de cosas más inmediatas. Cuéntame lo que has visto en tu camino, porque sé que te has topado con mucho y que podrías contar maravillas.

FIEL. Escapé del pantano en que oí que caíste y llegué hasta la puerta. Solo me topé con la señora Licenciosa, que hubiera querido distraerme.

CRISTIANO. Hiciste bien en escapar de su red. Recuerda que José cayó en compañía de una mujer así, y aunque pudo escapar, casi le costó la vida [Gn 39:11-13]. ¿Qué te hizo?

FIEL. No te imaginas qué lisonjera lengua tenía. Me insistió mucho que me desviara, prometiéndome toda clase de deleites.

CRISTIANO. Estoy seguro de que no eran los deleites de una buena conciencia.

FIEL. No, ya sabes lo que quiero decir: toda clase de satisfacción carnal.

CRISTIANO. ¡Gracias a Dios que escapaste de ella! "La boca de la adúltera es una fosa profunda; en ella caerá quien esté bajo la ira del Señor" [Pro 22:14].

FIEL. No, no sé si me libré de ella del todo.

CRISTIANO. ¿Por qué? Supongo que no accediste a sus deseos.

FIEL. No, no llegué al punto de mancillar mi cuerpo. Recordé una sagrada advertencia que dice: "Sus pies descienden hasta la muerte; sus pasos van derecho al sepulcro" [Pro 5:5]. Así que cerré mi mente a sus sugerencias seductoras, mis ojos a su torneada figura, y rechacé sus brazos [Job 31:1]. Entonces me maldijo y siguió su camino. Sin embargo, no puedo decir que mi mente siga siendo totalmente pura desde entonces; Dios sabe que desearía nunca haberla visto.

CRISTIANO. ¿No te encontraste con ningún otro enemigo?

FIEL. Cuando llegué al pie de la colina llamada Dificultad, me encontré con un hombre muy anciano que me preguntó quién era y a dónde iba. Le dije que era un peregrino que iba a la Ciudad Celestial. Entonces me dijo: "Pareces un hombre honrado; ¿te apetecería vivir conmigo y trabajar para mí por un salario?". Entonces le pregunté su nombre y dónde vivía. Respondió que se llamaba Adán el Primero y que vivía en la ciudad del Engaño [Ef 4:22]. Le pregunté por el trabajo y la paga. Me dijo que su trabajo era acumular y disfrutar de las delicias del mundo y que me pagaría haciéndome su heredero. Le pregunté cómo era su casa y cuántos otros sirvientes había. Dijo que su casa contaba con todos los manjares del mundo y que sus sirvientes eran sus tres hijas: Deseos de la Carne, Codicia de los Ojos y Arrogancia de la Vida [1 Jn 2:16]. "Puedes casarte con todas, si quieres", dijo. Finalmente, le pregunté cuánto tiempo quería que viviera con él. Y replicó: "Mientras yo viva".

CRISTIANO. Bueno, ¿y a qué conclusión llegaron?

FIEL. Pues, al principio, me sentí inclinado a aceptar, porque sonaba muy bien. Pero mientras hablaba con él, noté una inscripción en su frente: "Despójense del hombre viejo con sus obras".

CRISTIANO. ¿Y qué hiciste?

FIEL. Entonces me di cuenta de que, por mucho que me halagara, cuando llegara a su casa me vendería como esclavo. Así que le pedí que callara, pues no me acercaría a su puerta. Luego me maldijo y prometió que enviaría tras de mí a alguien para amargar mi camino. Justo cuando me alejaba de él, me echó los brazos alrededor del cuerpo, diciendo que yo era su hijo en primer lugar, y me dio tal tirón hacia atrás que pensé que me partiría en dos. Entonces grité: "¡Miserable de mí!" [Rom 7:24], y traté de seguir colina arriba.

Cuando ya estaba a medio camino a la cima, me volví y vi a uno que venía detrás de mí, veloz como el viento; me alcanzó justo por donde está el cenador.

CRISTIANO. Allí mismo me senté yo a descansar; pero vencido por el sueño, extravié el rollo de papel que llevo en mi pecho.

FIEL. Buen hermano, escúchame. Tan pronto como el hombre me alcanzó, no fue más que una palabra y un golpe: me derribó y me dio por muerto. Cuando volví en mí, le pregunté por qué me atacaba. Me dijo que por mi inclinación secreta a Adán el Primero. Con eso me golpeó de nuevo en el pecho y me derribó de espaldas. Cuando recobré el sentido, le pedí clemencia. "No sé mostrar clemencia", respondió, y me derribó de nuevo. Sin duda habría acabado conmigo si alguien no le hubiera ordenado detenerse.

CRISTIANO. ¿Quién fue el que le dio la orden?

FIEL. Al principio no lo reconocí, pero cuando pasó, observé los agujeros en sus manos y en su costado; entonces concluí que era nuestro Señor. Así que subí a la colina.

CRISTIANO. Aquel hombre que te alcanzó era Moisés. Él no perdona a nadie, ni sabe cómo mostrar misericordia a los que transgreden su ley.

FIEL. Lo sé muy bien; no era la primera vez que venía por mí. Fue él quien apareció cuando yo vivía tranquilo en la ciudad y me dijo que quemaría mi casa si me quedaba.

CRISTIANO. Pero ¿no viste la casa que estaba allí en lo alto de la colina? ¿Al lado del lugar donde te golpeó Moisés?

FIEL. Sí, y también a los leones antes de llegar a ella. Pero al ser cerca del mediodía, los leones parecían estar dormidos, y como tenía todo el día por delante, pasé junto al portero y bajé la colina.

CRISTIANO. Me dijo, en efecto, que te vio pasar, pero ojalá te hubieras detenido en la casa. Te habrían enseñado maravillas inolvidables. Por favor, dime, ¿no te encontraste con nadie en el Valle de la Humildad?

FIEL. Sí, me encontré con Descontento, quien intentó convencerme de regresar con él. Dijo que el valle era deshonroso, que allí se perdía toda la confianza en uno mismo y todo respeto hacia parientes y amistades. Dijo que mis amigos el señor Orgullo, el señor Arrogancia, el señor Egoísmo, el señor Gloria del Mundo… ninguno querría tener que ver nada conmigo si me adentraba en el valle.

CRISTIANO. ¿Y cómo le respondiste?

LA RESPUESTA DE FIEL A DESCONTENTO

FIEL. Le respondí que todos los que había nombrado podían alegar parentesco conmigo, y con razón, pues en verdad eran mis parientes de sangre. Sin embargo, me han repudiado desde que me hice peregrino, como yo también los he repudiado a ellos, y ya no los considero mis familiares.

Además, le dije que había tergiversado bastante la naturaleza del valle, pues la humildad precede al honor, y un espíritu arrogante solo lleva a la perdición. "Por lo tanto", dije, prefiero atravesar este valle hacia el verdadero honor —el honor que reconocen los hombres sabios— que elegir el camino que tú y quienes son afines a ti consideran mejor".

CRISTIANO. ¿Conociste a alguien más en el valle?

FIEL. Sí, conocí a Vergüenza. De todos los hombres que me crucé en mi peregrinación, él es el único, creo, que lleva el nombre equivocado. Vergüenza no tenía ningún tipo de vergüenza.

CRISTIANO. Pero ¿qué te ha dicho?

FIEL. Cuestionó mi religión. Dijo que era lamentable, bajo y vergonzoso que una persona entregara su voluntad y su vida para convertirse en siervo de la religión; que una conciencia sensible revelaba una debilidad poco viril; y que una persona que cuida sus palabras y conducta, ateniéndose a reglas que destruyen su libertad —a la que se han acostumbrado todos los valientes de estos tiempos— no es más que ridículo y un hazmerreír en la sociedad actual. También argumentó que muy pocos de los poderosos, ricos o sabios de nuestros tiempos eran peregrinos [1 Cor 1:26; 3:18; Fil 3:7-8]: ninguno se atrevió nunca a perderlo todo por una causa incierta [Jn 7:48]. Además,

afirmó que los peregrinos eran principalmente pobres y menesterosos, ignorantes en general de las ciencias naturales. Declaró que era una vergüenza que un hombre se lamentara por un sermón y luego volviera a casa suspirando y lloriqueando; que era vergonzoso pedir perdón al prójimo por faltas insignificantes o restituir los agravios hechos a otros. Dijo que, por culpa de la religión, los hombres se perdían de grandes cosas solo porque implicaban unos pocos vicios (que llamó de manera más refinada); en cambio, la religión los obligaba a vivir de manera tosca y burda. "¿Y no es eso", dijo, "una vergüenza?".

CRISTIANO. ¿Y qué le respondiste?

FIEL. ¿Qué le dije? Al principio no me salían las palabras. Me puso en tales aprietos que se me subió la sangre a la cara; me avergoncé de mí mismo por eso, así que Vergüenza casi me doblega. Pero finalmente recordé que "lo que entre los hombres es sublime, delante de Dios es abominación" [Lc 16:15]. Pensé: "Este hombre me ha hablado de cómo son los hombres, pero no me ha dicho nada sobre Dios o la palabra de Dios". Pensé, además, que, en el día de la perdición, no seremos condenados a la muerte o a la vida según los criterios del mundo, sino según la ley del Altísimo. Por lo tanto —pensé—, lo que Dios dice es lo mejor, sin duda alguna, aunque todos los hombres del mundo estén en contra. Le dije a Vergüenza: "Dado que Dios prefiere su religión y desea que tengamos una conciencia sensible, y viendo que son más sabios los que están dispuestos a hacerse los tontos ante el mundo por amor de Él, y que es más rico el pobre que ama a Cristo que el más poderoso que lo rechaza, puedes irte y dejarme tranquilo. Eres un enemigo de mi salvación. Si te hago caso a ti contra la soberana voluntad de mi Señor, entonces ¿cómo lo miraré a la cara cuando venga?

Si me avergüenzo de sus caminos y siervos, ¿cómo podré esperar sus bendiciones?" [Mc 8:38]. Pero, en verdad, Vergüenza es un villano audaz. Apenas podía alejarme de él; me rondaba continuamente y me susurraba al oído alguna que otra de las imperfecciones de la religión. Finalmente le dije que sus intentos eran en vano; que para mí eran gloriosas las cosas que él desdeñaba. Así logré dejarlo atrás, y comencé a cantar:

"Las pruebas que enfrentan los hombres
que obedecen a la llamada celestial
son carnales y son muchas;
vienen y vienen, y vienen de nuevo,
para destrozarnos ahora o luego.
Peregrinos, protéjanse del mal,
sean fuertes y no bajen la guardia".

CRISTIANO. Me alegro, hermano, de que hayas resistido con tanta valentía. De todos, como dijiste, Vergüenza tiene el nombre equivocado. Es tan osado que nos sigue por las calles y trata de humillarnos ante todos los hombres: es decir, de que nos avergoncemos de lo que es bueno. Si no fuera audaz, no haría lo que hace. Pero sigamos resistiendo su influencia, porque a pesar de todas sus fanfarronadas, es el rey de los necios: "Los sabios son dignos de honra", dijo Salomón, "pero los necios solo merecen deshonra" [Pro 3:35].

FIEL. Creo que debemos pedirle a Dios que nos ayude contra Vergüenza, para que seamos valientes respecto a la verdad en la tierra.

CRISTIANO. Es verdad. Pero ¿no encontraste a nadie más en aquel valle?

FIEL. No, yo no; porque tuve luz del sol todo el resto del camino, y también a través del Valle de la Sombra de la Muerte.

CRISTIANO. Te fue bien. Mi experiencia fue muy diferente. En cuanto entré en el valle, tuve un largo y espantoso combate con el demonio Apolión. Pensé que me mataría, sobre todo cuando me derribó y me aplastó debajo de sí. Cuando me tumbó, mi espada voló de mi mano, y me dijo: "Ahora te tengo". Pero yo clamé a Dios y él me oyó, y me liberó de todas mis angustias. Luego entré en el Valle de la Sombra de la Muerte y no tuve luz por casi la mitad del camino. Pensé que allí me matarían una y otra vez, pero al fin amaneció y atravesé lo que quedaba con mucha más facilidad.

Vi en mi sueño que a medida que avanzaban, Fiel avistó a un hombre llamado Hablador que caminaba a cierta distancia junto a ellos, porque en este punto el sendero era suficientemente ancho para varias personas. Era un hombre alto, algo más apuesto de lejos que de cerca. Fiel le dijo:

FIEL. Amigo, ¿a dónde vas? ¿Vas a la Ciudad Celestial?

HABLADOR. Allí mismo voy.

FIEL. Muy bien; entonces espero que podamos tener tu buena compañía.

HABLADOR. Me alegrará mucho acompañarlos.

FIEL. Vayamos juntos, entonces, y pasemos el tiempo hablando de cosas útiles.

AVERSIÓN DE HABLADOR A LAS MALAS CONVERSACIONES

HABLADOR. Me parece muy bien. Me gusta mucho hablar de cosas útiles y buenas, así que me alegra haberme encontrado

con ustedes. A decir verdad, muy pocos quieren hablar de cosas de valor hoy en día. La mayor parte de los hombres solo se interesa por cosas triviales y sin provecho; eso me ha dolido mucho.

FIEL. En verdad es lamentable, porque ¿qué cosas son más dignas de la lengua y la boca de los hombres que las cosas del Dios del cielo?

HABLADOR. Me caes maravillosamente bien porque hablas con convicción. Además, ¿qué es más agradable y provechoso que hablar de las cosas de Dios? Por ejemplo, si a un hombre le gusta hablar de la historia o el misterio de las cosas, o hablar de milagros, maravillas o señales, ¿dónde podrá encontrar esas cosas mejor descritas que en las Sagradas Escrituras?

FIEL. Eso es cierto. Pero no debemos solo deleitarnos en esas cosas sino, también, buscar beneficiarnos de ellas.

LA BUENA CHARLA DE HABLADOR

HABLADOR. Eso es lo que dije: hablar de tales cosas es muy útil, porque así podemos conocer muchas cosas. Por ejemplo, la vanidad de las cosas terrenales y la bondad de las cosas de arriba. Eso en general, pero más específicamente, un hombre puede aprender así la necesidad del nuevo nacimiento; la insuficiencia de sus obras; la necesidad de la justicia de Cristo, etc. Además, puede aprender, hablando, lo que es arrepentirse, creer, orar, sufrir o cosas semejantes. También, para su propio consuelo, puede aprender cuáles son las grandes promesas del Evangelio. Encima, puede aprender a refutar opiniones falsas, a reivindicar la verdad y a educar a los ignorantes.

FIEL. Todo esto es verdad, y me alegra oírlo de ti.

HABLADOR. ¡Ay! La falta de conversaciones como estas es la causa de que tan pocos comprendan que se necesita tener fe y una obra de gracia en el corazón para vivir abundantemente, y de que tantos vivan en la ignorancia, guiados solo por las obras de la ley, por las cuales nadie puede ganar el Reino de los Cielos.

FIEL. Pero, si me permites, el conocimiento de estas cosas es un don de Dios. Ningún hombre llega a él solo con esfuerzo humano o con conversación.

HABLADOR. Todo esto lo sé muy bien; un hombre no puede recibir nada a menos que le sea dado del Cielo. Todo es por gracia, no por obras. Podría señalarte cien escrituras que lo confirman.

FIEL. Bien, entonces, ¿sobre qué hablaremos en nuestro camino?

HABLADOR. Sobre lo que quieras. Puedo hablar de cosas celestiales o terrenales; cosas morales o evangélicas; cosas sagradas o profanas; cosas pasadas o por venir; cosas foráneas o asuntos de casa; cosas esenciales o circunstanciales; siempre que conversemos provechosamente.

Fiel comenzó a asombrarse; y dirigiéndose a Cristiano (quien había estado caminando solo todo este tiempo), le dijo en voz baja: "¡Qué admirable y conocedor compañero tenemos! Seguramente será un excelente peregrino".

Al oír esto, Cristiano sonrió modestamente y dijo: "Este hombre, de quien tanto te has prendado, engaña con la lengua a quienes no lo conocen".

FIEL. ¿Lo conoces, entonces?

CRISTIANO. ¿Si lo conozco? Sí, mejor de lo que se conoce a sí mismo.

FIEL. Por favor, dime qué clase de persona es.

CRISTIANO. Se llama Hablador y es de nuestra ciudad. Me sorprende que no lo conozcas, aunque nuestra ciudad es bastante grande.

FIEL. ¿De quién es hijo y dónde vive?

CRISTIANO. Es el hijo de un tal Bienhablado. Vive en la Calle de la Cháchara, y todos los que lo conocen lo llaman Hablador de la Calle de la Cháchara. A pesar de su amplio vocabulario y de su lengua suelta y suave, es un tipo lamentable.

FIEL: Bueno, pero parece ser sincero, además de agradable.

CRISTIANO. Sí, fuera de casa, para aquellos que no lo conocen bien. Cerca de casa se hace evidente su verdadera fealdad. Como algunos cuadros de artistas que he visto, luce mejor a distancia.

FIEL. Pero sonreíste hace unos momentos, así que sospecho que estás bromeando.

CRISTIANO. ¡Dios me libre de bromear o mentir sobre este hombre o sobre cualquier otro! Te diré el tipo de hombre que es. Le gusta cualquier tipo de compañía y cualquier tipo de conversación. Con la misma destreza con la que habló contigo, habla también en la taberna; y mientras más bebe, más cosas dice. La religión no tiene lugar en su corazón, en su casa, ni en su conducta. Lo único que tiene es su lengua, y su religión es hacer ruido con ella.

FIEL. ¡Si tú lo dices! No hay duda de que me engañó totalmente.

CRISTIANO. ¡Puedes estar seguro de eso! Recuerda el proverbio, "Ellos dicen y no hacen" [Mt 23:3]. El reino de

Dios no está en palabra, sino en poder [1 Cor 4:20]. Habla de oración, de arrepentimiento, de fe y del nuevo nacimiento, pero solo sabe hablar de ellos. He estado con su familia y lo he visto tanto en casa como fuera, y sé que lo que digo de él es verdad. Su casa está tan vacía de la religión de Cristo como la clara de un huevo lo está de sabor. En su vida no hay señales de oración o arrepentimiento. Es el reproche del cristianismo para todos los que lo conocen, y todos desprecian el nombre de Cristo en la ciudad por su culpa [Rom 2:24-25]. Muchos de sus vecinos dicen de él: "Es un santo afuera y un demonio en casa". Su familia lo sufre; es tan canalla con sus sirvientes que estos ya no saben cómo hablarle. Los hombres que tienen algún negocio con él dicen que reciben mejor trato de un usurero cualquiera: Hablador los defrauda, engaña y abusa de su confianza. Además, ha criado a sus hijos para que sigan sus pasos: si nota en alguno de ellos una "timidez insensata" (pues así llama a las primeras señales de una conciencia sensible), los tilda de tontos e imbéciles, no les da trabajo ni los recomienda ante los demás. Yo opino que, con su vida perversa, ha hecho tropezar a muchos y, a menos que Dios lo impida, será la ruina de muchos más.

FIEL. Bueno, Cristiano, estoy obligado a creerte, no solo porque dices que lo conoces, sino porque sé que eres un hombre confiable. No creo que digas estas cosas de mala voluntad, sino que piensas que los otros peregrinos debemos estar al tanto de ellas.

CRISTIANO. Si no lo hubiera conocido desde antes, podría haber pensado lo mismo que tú al principio. Y si mis referencias hubieran venido de personas no cristianas, habría pensado que los relatos sobre él eran calumnias contra un

hombre bueno. Sin embargo, tengo pruebas de que todo lo que te conté es cierto. Además, los hombres de bien se avergüenzan de él: no pueden llamarlo hermano ni amigo y se sonrojan al hablar de él.

FIEL. Bien, veo que decir y hacer son dos cosas diferentes, y en adelante observaré mejor esa distinción.

CRISTIANO. Son dos cosas, en efecto, y son tan diferentes como lo son el alma y el cuerpo; pues, así como el cuerpo sin el alma no es más que un cadáver, la palabra sola no es más que una carcasa. El alma de la religión es la práctica: "La religión pura e incontaminada delante de Dios y Padre es esta: cuidar a los huérfanos y a las viudas en su aflicción, y guardarse sin mancha del mundo" [Sant 1:27; véanse los vv. 22-26]. Hablador no es consciente de eso; piensa que oír y decir lo hacen un buen cristiano, y así engaña a su propia alma. Oír es recibir la semilla en la mente, y hablar no es suficiente para probar que esa semilla dio fruto en el corazón y en la vida. Recordemos que el día del juicio los hombres serán juzgados según sus frutos [Mt 13, 25]. No nos preguntarán "¿Creíste?", sino "¿Fuiste hacedor o solo hablador?". El fin del mundo es como la cosecha, y sabes que en la cosecha los hombres no miran más que al fruto. No quiero decir que sea aceptable otra cosa que la fe; hablo de esto para demostrarte lo insignificantes que serán las obras de Hablador ese día.

FIEL. Esto me trae a la mente la descripción que hizo Moisés del animal puro: es aquel "que tiene pezuñas partidas, hendidas en mitades, y que rumia. El conejo, porque rumia, pero no tiene pezuñas partidas, será para ustedes inmundo" [Lv 11:3-7; Dt 14:6-8]. Se me parece mucho a Hablador: él rumia —mastica la palabra— pero no divide la pezuña, pues

no se aparta del camino de los pecadores, sino que, como el conejo, retiene la pata de perro o de oso, y por eso es impuro.

CRISTIANO. Por lo que sé, has dado con el verdadero sentido evangélico de esos textos. Y añadiré otra cosa: Pablo llama "bronces que resuenan y címbalos que repiquetean" a los grandes habladores; es decir, los presenta como objetos que solo producen sonido [1 Cor 13:1-3; 14:7]. Cosas inertes, sin vida: sin la verdadera fe y gracia del evangelio y, por consiguiente, cosas que nunca estarán junto a los hijos de la vida en el Reino de los Cielos, aunque puedan sonar como voces de ángeles.

FIEL. Pues bien, al principio no me agradaba tanto su compañía, pero ahora la detesto. ¿Qué haremos para librarnos de él?

CRISTIANO. Haz lo que te digo y verás que pronto detestará también tu compañía, a menos que Dios toque su corazón y lo convierta.

FIEL. ¿Qué quieres que haga?

CRISTIANO. Ve a verlo y proponle entablar una conversación seria sobre el poder de la religión. Cuando acceda, pregúntale claramente si ese poder se halla en su corazón, en su casa o en sus relaciones cotidianas.

Entonces Fiel se adelantó de nuevo y le dijo a Hablador: "Acércate, ¿cómo te encuentras ahora?".

HABLADOR. Gracias, bien. Pensé que para este momento ya habríamos charlado muchas horas.

FIEL. Bien, si quieres, pongámonos a ello ahora. Y ya que me pediste a mí elegir el tema, que sea este: ¿cómo se muestra la gracia salvadora de Dios cuando está en el corazón de una persona?

HABLADOR HACE UNA FALSA DESCRIPCIÓN DE UNA OBRA DE GRACIA

HABLADOR. Percibo, pues, que nuestra conversación debe versar sobre el poder de las cosas. Bueno, es una muy buena pregunta, y estaré dispuesto a responderte. Y toma mi respuesta, en breve, así: Primero, si la gracia de Dios está en el corazón, produce allí un gran clamor contra el pecado. Segundo…

FIEL. No, espera, reparemos en uno a la vez. Creo que deberías decir, más bien, que se muestra haciendo que el alma odie el pecado.

HABLADOR. ¿Por qué? ¿Qué diferencia hay entre clamar contra el pecado y odiarlo?

FIEL. Oh, mucha. Un hombre puede clamar contra el pecado, pero no puede realmente odiarlo sino por una antipatía infundida por Dios. He oído a muchos clamar contra el pecado desde el púlpito, pero abrigarlo muy bien en su corazón, en su hogar y en sus relaciones. La amante de José clamaba a gran voz, como si hubiera sido muy santa, mientras que bien habría cometido actos impuros con él. Algunos claman contra el pecado como la madre que le grita a la hija en su regazo, llamándola sucia y traviesa, para luego llenarla de abrazos y besos.

HABLADOR. Veo que me has tendido una trampa.

FIEL. No, yo no; yo solo busco decir las cosas como son. Pero, dime, ¿cuál es la segunda señal con la que se mostraría la gracia de Dios en el corazón?

HABLADOR. Gran conocimiento de los misterios evangélicos.

FIEL. Esa debió ser la primera, aunque, primera o última, igual es falsa. Se puede obtener gran conocimiento de

los misterios del Evangelio sin una obra de gracia en el alma [1Cor 13]. Un hombre puede tener todo el conocimiento del mundo, pero no ser nada, y por consiguiente no ser hijo de Dios. Cuando Cristo dijo: "¿Entienden las cosas que he hecho?", y los discípulos respondieron: "Sí", él añadió: "Serán benditos si las hacen". No los bendice por saber las cosas, sino por hacerlas. Porque existe un conocimiento que no va acompañado de la práctica: el de quien conoce la voluntad de su Señor y no la cumple. Un hombre puede saber lo que sabe un ángel y, sin embargo, no ser cristiano, de modo que tu señal es falsa. En efecto, saber es algo que agrada a los habladores y fanfarrones, pero hacer es lo que agrada a Dios. No es que el corazón pueda ser bueno sin conocimiento; sin eso, el corazón no es nada. Hay, por tanto, dos tipos de conocimiento: el conocimiento que yace en el mero estudio de las cosas y el que va acompañado de la gracia de la fe y del amor, que pone al hombre a hacer la voluntad de Dios desde el corazón. El primero de estos le sirve al hablador; pero sin el otro, el verdadero cristiano no puede estar satisfecho. "Hazme entender tu ley, para cumplirla; la obedeceré de todo corazón." [Salm 119:34].

HABLADOR. Me has vuelto a tender una trampa. Eso no es para edificarme.

FIEL. Bien, si quieres, describe otra señal de la gracia de Dios en el corazón.

HABLADOR. No, porque veo que no nos pondremos de acuerdo.

FIEL. Pues si tú no quieres, ¿me das permiso para hacerlo yo?

HABLADOR. Eres libre de hacer lo que quieras.

FIEL. Una obra de gracia en el alma se le muestra al que la tiene o a los que están a su lado.

Al que la tiene, se le devela así: le hace ver claramente el pecado, especialmente el de los actos impuros y el de la incredulidad (por la cual seguramente será condenado si no encuentra misericordia de mano de Dios, por la fe en Jesucristo) [Jn 16:8, Rom 7:24, Jn 16:9, Mc 16:16]. Esta visión y convicción despiertan en él dolor y vergüenza por el pecado. Además, se revela en él el Salvador del mundo, y siente la absoluta necesidad de unirse a él de por vida; siente hambre y sed de él [Salm 38:18, Jer 31:19, Gal 2:16, Hch 4:12, Mt 5:6, Ap 21:6]. Ahora bien, la fuerza o la debilidad de su fe en el Salvador son la medida de su gozo y su paz, igual que su amor a la santidad, sus deseos de conocerlo más y de servirlo en este mundo. Sin embargo, aunque digo que la gracia se muestra así, rara vez la persona es capaz de concluir que se trata de una obra de gracia, pues sus corrupciones actuales y su razón exacerbada la llevan a juzgar mal el asunto. Por lo tanto, debe tener un juicio muy sano para poder concluir con firmeza que se trata de una obra de gracia.

A los que están junto a quien tiene la gracia en su alma, la gracia se muestra así:

Primero, por medio de una confesión abierta de su fe en Cristo [Rom 10:10, Fil 1:27, Mt 5:19].

Segundo, por medio de una vida acorde con esa confesión; es decir, una vida de santidad: santidad de corazón, santidad de familia (si tiene familia), y una santidad en sus relaciones con los demás. En general, su confesión le enseña a aborrecer interiormente su pecado, y a sí mismo en tanto pecador; a suprimir el pecado en su familia y a promover la santidad

en el mundo, no solo con palabras, como puede hacer un hipócrita o un hablador, sino por una sujeción práctica, en fe y amor, al poder de la Palabra [Jn 14:15, Salm 50:23, Job 42:5-6, Ez 20:43]. Y ahora, en cuanto a esta breve descripción de las obras de la gracia y cómo se muestran, si tienes algo que objetar, objeta; si no, entonces permíteme proponerte una segunda pregunta.

HABLADOR. No, mi papel ahora no es objetar, sino escuchar. Concédeme, entonces, tu segunda pregunta.

FIEL. Es esta: ¿has experimentado la primera parte de mi descripción? ¿Acaso tu estilo de vida testifica lo mismo? ¿O yace tu religión en tu palabra o tu lengua y no en tus actos y tu verdad? Si accedes a responderme, solo di lo que sepas que Dios aprobaría y que tu conciencia justificaría. No se aprueba a quien se favorece a sí mismo, sino a quien el Señor favorece. Además, decir "yo soy así y asá", cuando mis relaciones y todos mis vecinos dicen lo contrario, es de gran maldad.

Entonces Hablador comenzó a ruborizarse, pero pronto se recuperó y respondió así: "Vienes ahora a hablar de la experiencia, de la conciencia y de Dios, y apelas a él para justificar lo que dices. No me esperaba esta clase de conversación, ni estoy dispuesto a responder tales preguntas, pues no me considero obligado a hacerlo. A no ser que tú seas catequista, y aunque así fuera, no te permitiría juzgarme. Te ruego, sin embargo: dime por qué me haces estas preguntas".

FIEL. Porque te noté muy inclinado a hablar, y porque no sabía que no tenías más que opiniones. Además, a decir verdad, he oído decir de ti que eres un hombre cuya religión se basa en la charla, y que con tu boca-profesión mientes.

FIEL HABLA CLARAMENTE CON EL HABLADOR

Dicen que eres una mancha entre los cristianos; y que dañas a la religión con tu comportamiento impío; que algunos ya se han tropezado con tus malas mañas, y que muchos más corren el riesgo de caer por ellas. Tu religión permanecerá junto a los vicios, la codicia, la inmundicia, los falsos testimonios, la mentira y la vana compañía. Te describe el proverbio que se dice de las prostitutas: que son una vergüenza para todas las mujeres. Tú eres una vergüenza para todos los profesores.

HABLADOR. Ya que te dispones a juzgarme tan precipitadamente como lo has hecho, solo puedo concluir que eres un hombre melancólico o malhumorado, no apto para conversar con él. Y así, adiós.

Entonces se acercó Cristiano y le dijo a su hermano:

CRISTIANO. Yo te dije lo que sucedería: tus palabras y sus concupiscencias no concordaron; prefirió alejarse de ti antes que reformar su vida. Pero se ha ido, y como dije, déjalo ir: la pérdida no es sino suya. Nos ha ahorrado la molestia de tener que librarnos de él, pues si continuara (como supongo que lo hará) haciendo lo que hace, no sería más que un estorbo para nosotros. Además, el apóstol Pablo dice: "Apártate de los tales".

FIEL. Pero me alegro de que hayamos tenido esta pequeña conversación. Puede que vuelva a pensar en ello. Sin embargo, le he hablado sin rodeos; si perece, yo estoy limpio de su sangre.

CRISTIANO. Hiciste bien en hablarle tan claro como lo hiciste; hay muy poco de ese trato llano con los hombres hoy en día, y eso hace que la religión apeste tanto en las narices de muchos. Porque son esos locos charlatanes, cuya religión es

solo de palabra y su conducta libertina y vana, quienes (habiendo sido admitidos en la comunión de los piadosos) desconciertan al mundo, manchan el cristianismo y afligen a los sinceros. Desearía que todos tratasen a estos hombres como tú lo has hecho; o se adecuarían mejor a la religión, o no soportarían la compañía de los santos.

Entonces dijo Fiel:

"¡Cómo bate sus plumas al principio el Hablador!
¡Con cuánta valentía habla! ¡Cómo presume
de su poder sobre todos! Pero tan pronto
Fiel menciona el trabajo del corazón,
comienza a menguar como la luna que ha pasado el
plenilunio.
Y así lo harán todos, excepto aquel que conozca el
TRABAJO DEL CORAZÓN".

Entonces continuaron hablando de lo que habían visto por el camino, y así hicieron más grato el camino que, de otro modo, sin duda, habría sido tedioso para ellos, pues ahora atravesaban un desierto.

Ahora, cuando estaban casi fuera del desierto, Fiel echó la vista atrás y divisó a uno que venía tras ellos, y lo reconoció. "¡Oh!", dijo Fiel a su hermano, "¿quién viene?". Entonces Cristiano miró y dijo: "Es mi buen amigo Evangelista". "Sí, y mi buen amigo también", dijo Fiel, "porque fue él quien me puso en el camino de la puerta". Evangelista se acercó a ellos y así los saludó:

EVANGELISTA. La paz sea con ustedes, amados; y la paz sea con sus ayudantes.

CRISTIANO. Bienvenido, bienvenido, mi buen Evangelista. Tu rostro me trae recuerdos de tu antigua generosidad y tu ardua labor en servicio de mi bien eterno.

FIEL. Y mil veces bienvenido, dulce Evangelista, ¡cuánto bien nos hace tu compañía a estos pobres peregrinos!

EVANGELISTA. ¿Cómo les ha ido, mis amigos, desde la última vez que nos separamos? ¿Qué cosas han encontrado y cómo se han comportado?

Entonces Cristiano y Fiel le contaron todas las cosas que les habían sucedido en el camino, y cómo y con cuánta dificultad habían llegado a ese lugar.

EVANGELISTA. Me contenta no que se toparan con obstáculos, sino que hayan sido victoriosos, y que, sin importar los impedimentos, continuaran su camino hasta hoy. Digo que me contenta esto tanto por su bien como por el mío propio. Yo sembré y ustedes han segado, y viene el día en que tanto el que sembró como el que segó se alegrarán juntos. Es decir, si perseveran: "No nos cansemos, pues, de hacer bien; porque a su tiempo segaremos, si no desmayamos" [Jn 4:36, Gal 6:9]. Tienen ante ustedes una corona incorruptible; corran, pues, a tomarla [1 Cor 9:24-27]. Algunos hay que se ponen en camino hacia esta corona, y tras recorrer grandes distancias viene otro y se la quita: aférrense pues, a la que tienen; que nadie les arrebate la corona [Ap 3:11]. Aún no se han librado del alcance del diablo; no han resistido hasta sangrar, luchando contra el pecado. Que el reino esté siempre ante ustedes y crean firmemente en las cosas invisibles; que nada de lo que está en el otro mundo se introduzca en ustedes. Y, sobre todo, miren bien sus corazones y sus deseos, porque "engañoso es el corazón más que todas las cosas, y perverso". Pongan sus rostros

como pedernales; tienen todo el poder del cielo y de la tierra de su lado.

Entonces Cristiano le agradeció su exhortación, pero le pidió, además, que les hablase más para ayudarlos en el camino, e incluso que, dado que bien sabían que era profeta, podría hablarles sobre las cosas que podrían sucederles y aconsejarles sobre cómo resistir y vencerlas. Fiel consintió también a esta petición. Entonces Evangelista comenzó así:

EVANGELISTA. Hijos míos, ya han oído en las palabras del Evangelio que deberán atravesar muchas tribulaciones para entrar en el Reino de los Cielos. Y, además, que en cada ciudad encontrarán ataduras y aflicciones; por lo tanto, no pueden esperar no encontrarse con alguna de estas cosas en su peregrinaje. Ya han comprobado la veracidad de esas palabras, y más tribulaciones vendrán pronto. Como ven, ya casi han salido de este desierto. Por lo tanto, pronto llegarán a un pueblo que verán frente a ustedes. Allí serán asediados duramente, y sus enemigos intentarán matarlos. Tengan la seguridad de que uno de ustedes, o los dos, tendrá que sellar con sangre su testimonio. Pero sean fieles hasta la muerte, y el rey les dará una corona de vida.

Aquel que muera allí, aunque su muerte no sea natural y su dolor tal vez sea grande, tendrá mejor suerte que su compañero; no solo porque llegará más pronto a la Ciudad Celestial, sino porque escapará a las muchas miserias que el otro encontrará en el resto de su viaje. Pero cuando lleguen al pueblo y vean cumplido lo que aquí relato, acuérdense de su amigo, compórtense como hombres y encomienden sus almas a su Dios en el bien.

Luego vi en sueños que, cuando salieron del desierto, vieron enseguida un pueblo frente a ellos, llamado Vanidad. Y en

ese pueblo se lleva a cabo una feria llamada Feria de las Vanidades, que se celebra todo el año. Lleva el nombre de Feria de las Vanidades porque el pueblo donde se celebra es más superficial que la vanidad; y, también porque todo lo que allí se vende, o llega, es vano. Como dice el refrán de los sabios, "todo es vanidad" [Ecl 1; 2:11-17; 11:8; Is 11:17].

Esta feria no es un asunto reciente, sino una cosa antigua. Les mostraré su origen:

Hace casi cinco mil años, había peregrinos que caminaban hacia la Ciudad Celestial, igual que estas dos honestas personas. Y Belcebú, Apolión y Legión, junto a sus secuaces, al ver que el camino de los peregrinos atravesaba el pueblo de Vanidad, se las ingeniaron para montar allí una feria. En esta feria se venderían toda clase de vanidades, y duraría todo el año. Por eso en esta feria se venden todo tipo de mercancías, como casas, tierras, oficios, honores, privilegios, títulos, países, reinos, deseos, placeres y deleites de todo tipo, como prostitutas, esposas, maridos, hijos, amos, sirvientes, vidas, sangre, cuerpos, almas, plata, oro, perlas, piedras preciosas y muchas cosas más.

Además, en esta feria se ven en todo momento trampas, juergas, jugarretas; tontos, monos, bribones y pícaros, y gente de todo tipo. También se ven, y por nada, robos, asesinatos, adulterios, falsos juramentos y demás perversidades.

Como en otras ferias de menor importancia, hay las varias calles, con sus nombres propios, donde se venden tales o cuales mercancías. También aquí existen los lugares propios, avenidas, calles (es decir, países y reinos), donde los productos de la feria se encuentran con facilidad. Aquí está la Calle Británica, la Calle Francesa, la Italiana, la Española, la Alemana, donde se venden toda clase de vanidades. Pero, como en otras ferias,

hay un tipo de mercancía que es la principal, y así la mercancía de Roma es grandemente promovida. Solo a nuestra nación inglesa, con algunas otras, le disgusta.

Ahora, como he dicho, el camino a la Ciudad Celestial atraviesa justamente el pueblo donde se celebra esta lujuriosa feria; y el que quiera llegar a la ciudad sin pasar por el pueblo deberá necesariamente salir del mundo [1 Cor 5:10]. El mismo príncipe de los príncipes pasó por este pueblo para llegar a su propio país, incluso en un día de feria. Según creo, fue el señor principal de esta feria, Belcebú, quien lo invitó a comprar sus vanidades. Sí, lo habría nombrado señor de la feria; le hubiera hecho reverencia al pasar por el pueblo [Mt 4:8, Lc 4:5-7]. Dado que era tan honorable personaje, Belcebú lo llevó de calle en calle y le mostró todos los reinos del mundo; pensó que podía convencer al Bendito de que se rebajara y comprara alguna vanidad. Pero él no prestó atención a las mercancías, y por lo tanto dejó la ciudad sin gastar siquiera un céntimo. Esta feria, pues, es una cosa antigua, de larga data y muy grande.

Los peregrinos debían pasar necesariamente por esta feria. Bien, así lo hicieron. Apenas entraron, todos los asistentes se inquietaron, y en la ciudad se desató un alboroto en torno a ellos. Eso por varias razones:

Primero, porque los peregrinos llevaban un tipo de vestimenta diferente a la de cualquiera en esa feria. La gente, por lo tanto, se volcó a mirarlos: algunos decían que eran tontos, otros que eran locos, y otros que eran extranjeros [1 Cor 2:7-8].

Segundo, porque, así como se asombraban de su ropa, lo mismo hacían de sus palabras, pues pocos entendían lo que decían; naturalmente hablaban la lengua de Canaán, pero los

de la feria eran hombres de este mundo, de modo que, de un extremo a otro del lugar, parecían bárbaros unos y otros.

Tercero, porque lo que más divertía a los mercaderes era que los peregrinos eran indiferentes a la mercancía: no se molestaban en siquiera mirarla, y si los llamaban para que comprasen, se ponían los dedos en los oídos y gritaban: "¡Aparta mis ojos, que no vean la vanidad!" y miraban hacia arriba, dando a entender que su interés estaba en el cielo [Salm 119:37, Fil 3:19-20].

Al ver la actitud de los hombres, uno se burló y les dijo: "¿Qué quieren comprar?". Pero ellos lo miraron seriamente y respondieron: "Compramos la verdad" [Pro 23:23]. Esto dio pie a todavía más desprecio; unos se burlaban de ellos, otros los provocaban, otros los increpaban, y otros exhortaban a otros a golpearlos. Finalmente se armó gran griterío y algarabía en la feria, hasta el punto de que se perdió todo orden. Entonces se le informó de esto al señor de la feria, quien descendió presto y mandó a sus más fieles socios a interrogar a los hombres. Así, Cristiano y Fiel fueron llevados a interrogatorio. Les preguntaron de dónde venían, a dónde iban y qué hacían allí con tan inusual atuendo. Los hombres dijeron que eran peregrinos y que iban a su patria, Jerusalén Celestial [Heb 11:13-16]. Dijeron que no había razón para que los hombres de la ciudad y los mercaderes abusaran de ellos, más allá de que, al preguntárseles qué querían comprar, hubieran respondido que querían comprar la verdad. Sin embargo, los interrogadores no creyeron que fueran más que locos, o bien gente que había venido a causar caos. Por ende, los tomaron y los golpearon, los embadurnaron de tierra y los metieron en una jaula, convirtiéndolos en un espectáculo público.

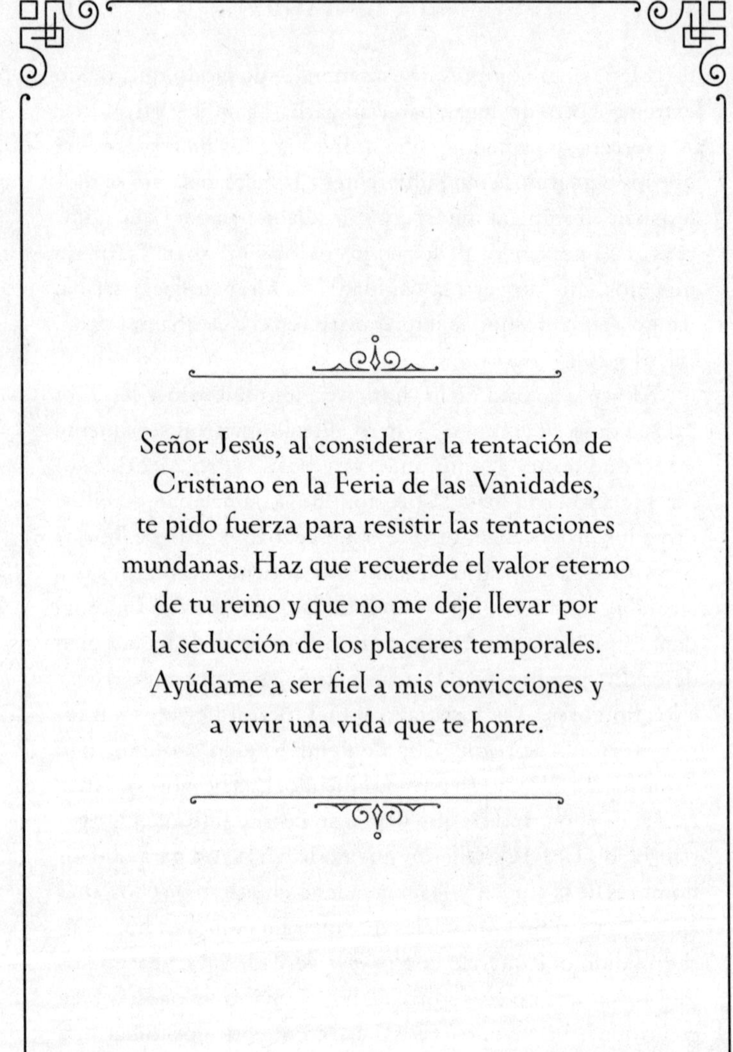

Señor Jesús, al considerar la tentación de Cristiano en la Feria de las Vanidades, te pido fuerza para resistir las tentaciones mundanas. Haz que recuerde el valor eterno de tu reino y que no me deje llevar por la seducción de los placeres temporales. Ayúdame a ser fiel a mis convicciones y a vivir una vida que te honre.

Feria de las Vanidades, ¡mira!
Los peregrinos están encadenados.
Así fue que el Señor pasó por aquí
y murió en el Calvario.

Allí permanecieron durante algún tiempo y se volvieron objetos de diversión, malicia o venganza para cualquiera. El señor de la feria se reía de todo lo que les ocurría. Pero los hombres eran pacientes, y no daban mal por mal sino, al contrario, bendiciones y buenas palabras por las malas, y bondad por las injurias hechas. Así, algunos hombres de la feria que eran más observadores y menos prejuiciosos que los demás, comenzaron a reprender a algunos por sus abusos contra los peregrinos. Aquellos respondían con ira, diciéndole a quienes les reclamaban que eran iguales a los hombres de la jaula, que eran sus cómplices y debían sufrir también su castigo. Los otros replicaban que, por lo que veían, los hombres eran tranquilos y sobrios y no pretendían dañar a nadie, y que muchos comerciantes eran más dignos de ser metidos en la jaula, y hasta en la picota, que los prisioneros. Así, después de palabras de una y otra parte, mientras los peregrinos se comportaban sabia y sobriamente frente a ellos, comenzaron a volar algunos golpes y se hirieron unos a otros. Entonces los dos pobres hombres fueron llevados de nuevo a interrogatorio, y allí los acusaron de causar este último alboroto. Entonces los golpearon deplorablemente, les colgaron hierros y los llevaron encadenados por toda la feria, como ejemplo y advertencia a los demás, por si alguno hablaba en su favor o se les unía.

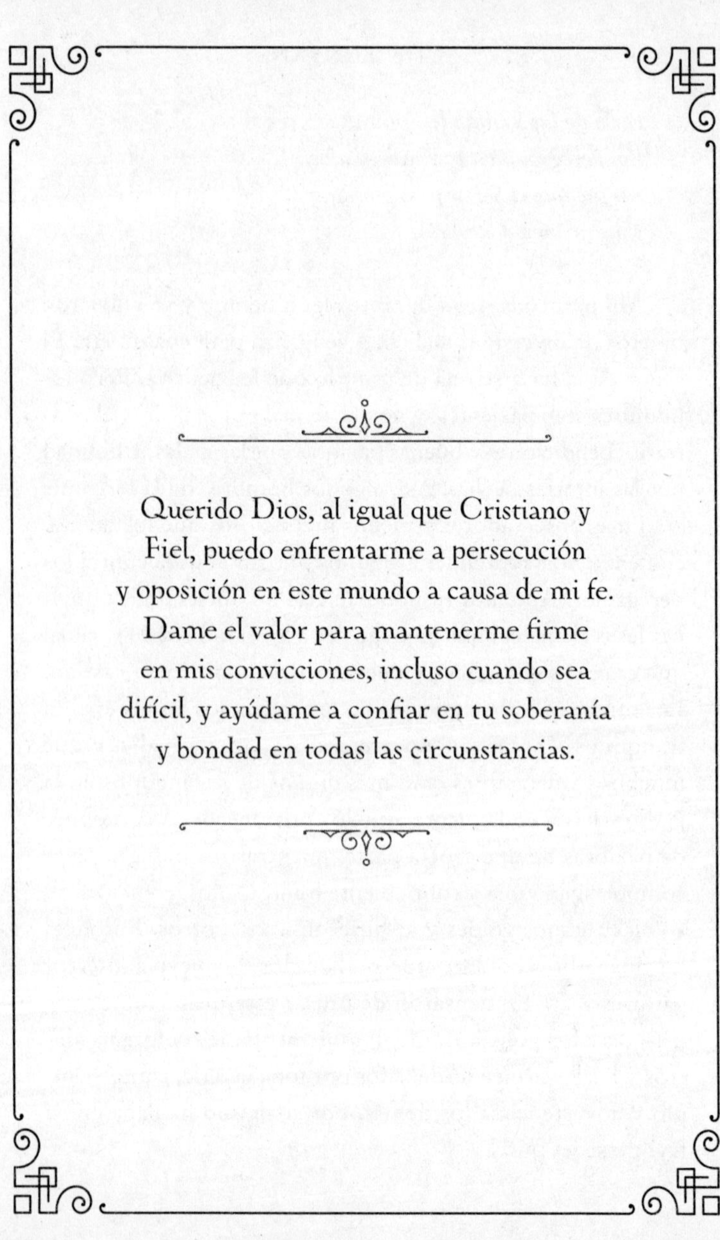

Querido Dios, al igual que Cristiano y
Fiel, puedo enfrentarme a persecución
y oposición en este mundo a causa de mi fe.
Dame el valor para mantenerme firme
en mis convicciones, incluso cuando sea
difícil, y ayúdame a confiar en tu soberanía
y bondad en todas las circunstancias.

Pero Cristiano y Fiel se comportaron todavía más sabiamente, recibiendo la ignominia con tanta mansedumbre y paciencia que ganaron a su lado, aunque pocos en comparación con los demás, a varios de los feriantes. Esto produjo todavía más rabia en los del otro bando, hasta el punto de que decidieron la muerte de los dos hombres.

Afirmaron que ni la jaula ni los hierros servirían, sino que debían morir por el mal que habían cometido y por engañar a los feriantes. Entonces fueron devueltos a la jaula hasta nuevo aviso y les pusieron los pies en el cepo.

Aquí volvieron a recordar lo que habían oído de su amigo Evangelista; su camino y sufrimientos fueron confirmados por lo que dijo que sucedería. También ahora se consolaban mutuamente, diciendo que a quien le tocara sufrir obtendría la mejor parte, por lo que cada uno secretamente lo deseaba. Sin embargo, encomendándose a la sabia disposición de aquel que gobierna todas las cosas, con mucha abnegación permanecieron quietos hasta que se dispusiera de ellos.

Entonces, señalada la hora conveniente, las autoridades los llevaron a juicio y, por orden, a su condena. Llegado el momento, fueron llevados ante sus enemigos y procesados. El nombre del juez era Juez Odio El Bien. Su acusación era una y la misma en sustancia, aunque variaba algo en la forma, y su contenido era el siguiente:

"Son enemigos y perturbadores del comercio de la ciudad; han provocado disturbios y causado divisiones en la ciudad, y, despreciando la ley del gobernante, habían convencido a varios individuos de sus opiniones más peligrosas".

Ahora, FIEL, sé un hombre, habla por tu Dios.
No temas la malicia de los impíos, ni su vara.
Habla con valentía, hombre, la verdad está de tu parte,
muere por ella y vuelve triunfante a la vida.

LA RESPUESTA DE FIEL

Entonces Fiel comenzó a responder que solo se había opuesto a aquello que se había opuesto a Aquel Que es Más Alto Que el Más Alto. "Y en cuanto a los disturbios", dijo, "yo no causé ninguno, siendo yo mismo un hombre de paz. Aquellos que ganamos reconocieron nuestra verdad e inocencia, y solo se han convertido de lo peor a lo mejor. Y en cuanto al gobernante del que hablas, puesto que es Belcebú, el enemigo de nuestro Señor, lo desafío a él y a todos sus ángeles".

Entonces se proclamó que quien tuviera algo que decir en favor de su señor, el gobernante, y en contra del prisionero acusado, compareciera ahora y prestara su declaración. Así que se presentaron tres testigos, llamados Envidia, Superstición y Sicofante. Se les preguntó si conocían al prisionero y se les ordenó que dijeran lo que quisieran en nombre de su señor contra él.

Envidia entonces dio un paso al frente y dijo: "Señoría, conozco a este hombre desde hace mucho tiempo y atestiguaré bajo juramento ante este honorable tribunal que él es…".

JUEZ. ¡Alto! Tómenle juramento al testigo.

Así que lo hicieron prestar juramento.

ENVIDIA. Señoría, a pesar de su creíble nombre, este hombre es uno de los más viles de nuestro país. No tiene en cuenta ni al gobernante ni al pueblo, ni la ley ni las costumbres, sino que hace todo lo posible por inculcar a todos los

hombres algunas de sus desleales nociones, que generalmente llama Principios de Fe y Santidad. En particular, yo mismo le oí una vez declarar que el Cristianismo y las costumbres de nuestro Pueblo de Vanidad eran diametralmente opuestos y no podían reconciliarse. Al decir esto, Su Señoría, no solo condena inmediatamente todos nuestros nobles actos, sino también a nosotros por hacerlos.

JUEZ. ¿Tiene algo más que decir?

ENVIDIA. Señoría, podría decir mucho más, solo que no quiero cansar al tribunal. Sin embargo, si es necesario, después de que los otros caballeros hayan presentado sus pruebas, si se necesita algo más para deshacerse de él, ampliaré mi testimonio.

Así que le pidieron que se mantuviera a la espera. Llamaron a Superstición y le preguntaron qué podía decir contra él y en favor de su señor el rey. Entonces le tomaron juramento y comenzó su testimonio.

SUPERSTICIÓN. Señoría, no conozco de cerca a este hombre, ni deseo tener más conocimiento de él. Sin embargo, esto sí sé, que es un tipo muy odioso, a juzgar por una discusión que tuve con él el otro día en esta ciudad. Hablando con él entonces, le oí decir que nuestra religión no era nada y que era tal que ningún hombre sería capaz de agradar a Dios con ella. Y usted sabe muy bien, Su Señoría, lo que debe seguir a su razonamiento. Es decir, que todavía adoramos en vano, todavía estamos en pecado y, finalmente, que seremos condenados. Y eso es lo que tengo que decir.

Entonces Sicofante prestó juramento y recibió instrucciones de decir lo que sabía en nombre de su señor contra el prisionero en el estrado.

TESTIMONIO DE SICOFANTE

SICOFANTE. Señoría, y todos ustedes, caballeros, conozco a este hombre desde hace mucho tiempo y le he oído decir cosas que no deberían decirse. Se ha burlado de nuestro noble gobernante Belcebú y ha hablado con desprecio de sus honorables amigos, cuyos nombres son el honorable señor Viejo, el honorable señor Deleite Carnal, el honorable señor Lujurioso, el honorable señor Ambicioso, mi viejo amo el señor Lascivo y el señor Codicioso, junto con el resto de nuestros nobles.

Además, ha dicho que, si todos los hombres fueran como él, si fuera posible, ninguno de esos nobles tendría un puesto en esta ciudad. Además de eso, no ha tenido miedo de hablar críticamente de usted, señoría, que ahora ha sido nombrado para ser su juez, llamándole villano impío y muchos otros términos degradantes con los que ha calumniado a la mayoría de los líderes de nuestra ciudad.

Cuando Sicofante hubo contado su historia, el Juez Odio El Bien dirigió su discurso al prisionero en el estrado, diciendo: "Tú, renegado, hereje y traidor, ¿has oído lo que estos honestos caballeros han testificado contra ti?".

FIEL. ¿Puedo decir unas palabras en mi defensa?

JUEZ. ¡Vergüenza! ¡Vergüenza! No mereces vivir más, sino ser ejecutado inmediatamente aquí mismo. Sin embargo, para que todos puedan ver nuestra gentileza hacia ti, déjanos oír lo que tienes que decir.

LA DEFENSA DE FIEL

FIEL. Primero, en respuesta a lo que ha dicho el señor Envidia, no dije otra cosa que esto: Cualquier regla, o ley, o costumbre, o pueblo que esté rotundamente en contra de la Palabra de Dios, es también diametralmente opuesto al cristianismo. Si me he equivocado en esto, convénzame de mi error y retractaré mis palabras.

Segundo, respecto a lo que ha dicho el señor Superstición, y sus acusaciones en mi contra, yo no dije nada más que: para adorar a Dios se requiere una fe divina; pero no puede haber fe divina sin una revelación divina de la voluntad de Dios. Cualquier cosa, por tanto, que se introduzca en el culto a Dios que no esté de acuerdo con la revelación divina, no puede hacerse sino por fe humana, y esa es una fe que no ganará a nadie la vida eterna.

Tercero, en cuanto a lo que ha dicho el señor Sicofante (evitando los argumentos de que me burlo y cosas por el estilo), digo que el gobernante de esta ciudad, con toda su chusma —los ayudantes que fueron nombrados por este señor—, son más aptos para estar en el infierno que en esta ciudad y país. Y así, que el Señor se apiade de mí.

Entonces el juez se dirigió al jurado (que durante todo este tiempo había permanecido de pie para escuchar y observar):

JUEZ. Señores del jurado, han visto al hombre sobre el que se hizo tanto alboroto en esta ciudad. También han oído lo que estos dignos caballeros han testificado contra él. Han oído su respuesta y confesión. Ahora es su responsabilidad ahorcarlo o salvarle la vida, pero creo necesario instruirlos en nuestra ley.

Hubo una orden hecha en los días de Faraón el Grande, siervo de nuestro príncipe, que para evitar que los de religión contraria se multiplicaran y se hicieran demasiado fuertes para él, sus hijos varones debían ser arrojados al río [Ex 1:22]. Hubo también una proclama hecha en los días de Nabucodonosor el Grande, otro de sus siervos, que cualquiera que no se postrara y adorara su imagen de oro debía ser arrojado a un horno de fuego [Dn 3:6]. También hubo un decreto hecho en los días de Darío, que cualquiera que por un tiempo invocara a otro dios que no fuera él, debería ser arrojado al foso de los leones [Dn 6]. Ahora bien, la sustancia de estas leyes ha sido quebrantada por este rebelde, no solo en pensamiento —lo cual es inaceptable— sino también en palabra y obra, lo cual debe por lo tanto ser considerado intolerable.

En cuanto a la del Faraón, su ley se hizo sobre una suposición, para prevenir el mal, sin que el crimen fuera aún aparente; pero aquí hay un crimen evidente. En cuanto al segundo y al tercero, pueden ver que impugna nuestra religión; y por la traición que ha confesado, merece la muerte.

El jurado deliberó entonces. Sus nombres eran: señor Ciego, señor Malhechor, señor Malicioso, señor Lujuriante, señor Vividor, señor Embriagado, señor Pretencioso, señor Enemistad, señor Farsante, señor Crueldad, señor Odio Fácil y señor Implacable. Cada uno presentó su veredicto privado y luego concluyeron, por unanimidad, declararlo culpable.

Primero, el presidente del tribunal, señor Ciego, dijo: "Veo claramente que este hombre es un hereje". Entonces el señor Malhechor dijo: "¡Fuera de la tierra semejante sujeto!". "Sí", dijo el señor Malicia, "porque detesto verlo". Luego dijo el señor Lujuriante: "Nunca podría tolerarlo". "Ni yo", dijo

el señor Vividor, "pues siempre estaría condenando mi camino". "Cuélguenlo, cuélguenlo", dijo el señor Embriagado. "Es un pobrecillo", dijo el señor Pretencioso. "Mi corazón se alza contra él", dijo el señor Enemistad. "Es un bribón", dijo el señor Farsante. "La horca es demasiado buena para él", dijo el señor Crueldad. "Quitémonoslo de en medio", dijo el señor Odio Fácil. Entonces dijo el señor Implacable: "Aunque me dieran todo el mundo, no podría reconciliarme con él; por tanto, declarémoslo inmediatamente merecedor de la muerte".

Sacaron a Fiel para hacer con él lo que establecían sus leyes. Primero lo azotaron, luego lo apalearon, después lo atravesaron con cuchillos. Después lo apedrearon, luego lo aguijonearon con espadas y, por último, lo quemaron en la hoguera hasta reducirlo a cenizas. Así llegó Fiel a su fin.

Vi que detrás de la multitud había un carro y una yunta de caballos que esperaban a Fiel. Este, en cuanto sus adversarios le hubieron quitado la vida, subió al carro y fue ascendido entre las nubes con el sonido de una trompeta. Lo condujeron por el camino más cercano a la Puerta Celestial.

Valiente FIEL, valientemente hecho de palabra y obra;
el juez, los testigos y el jurado, en lugar
de vencerte, han mostrado su rabia.
Cuando ellos mueran, tú vivirás en el Nuevo Cielo y en la
Nueva Tierra.

En cuanto a Cristiano, descansó un poco y fue devuelto a la cárcel, donde permaneció un tiempo. Pero aquel que gobierna sobre todas las cosas, teniendo el poder de su ira en su propia mano, dio la vuelta a las cosas de modo que Cristiano

escapó por el momento y siguió su camino. Mientras se marchaba, cantaba:

"Bien, Fiel, has profesado fielmente
a tu Señor, con Él serás bendecido;
cuando los infieles, con todos sus vanos deleites,
gritan bajo sus penurias infernales:
Canta, Fiel, canta, y deja que tu nombre sobreviva,
¡porque, aunque te hayan matado, aún estás vivo!".

Ahora vi en mi sueño que Cristiano no viajaba solo, porque había uno cuyo nombre era Esperanzado (convertido así por contemplar las palabras y el comportamiento de Cristiano y Fiel durante su sufrimiento en la feria) que se unió a él. Y entablando un pacto fraternal, Esperanzado le dijo que deseaba ser su compañero. Así que un individuo murió para dar testimonio de la verdad, y otro resurgió de sus cenizas para ser compañero de Cristiano en su peregrinación. Este individuo llamado Esperanzado también le dijo a Cristiano que había muchas más personas en la feria que con el tiempo seguirían su ejemplo.

Vi, pues, que poco después de haber salido de la feria, alcanzaron a un hombre llamado Fin Ulterior que iba caminando delante de ellos. Le dijeron: "¿De qué país eres y hacia dónde vas por este camino?". Él les dijo que venía de la ciudad de Habla Cortés y que se dirigía a la Ciudad Celestial, pero no les dijo su nombre. "¡De Habla-Cortés!", dijo Cristiano. "¿Y hay algo bueno que viva allí?" [Pro 26:25].

FIN ULTERIOR. Sí, eso espero.

CRISTIANO. Dígame, señor, ¿cómo puedo llamarle?

FIN ULTERIOR. Soy un extraño para ti y tú para mí. Si vienen por este camino, me alegrará tener su compañía. Si no, deberé conformarme.

CRISTIANO. Ese pueblo de Habla Cortés, he oído hablar de él. Según recuerdo, dicen que es un lugar rico.

FIN ULTERIOR. Sí, lo es, y tengo muchos parientes ricos allí.

CRISTIANO. ¿Quiénes son sus parientes allí? Si puedo preguntar.

FIN ULTERIOR. Casi toda la ciudad y, en particular, mi señor Inconsistente, mi señor Oportunista, mi señor Habla Cortés (de cuyos antepasados la ciudad tomó su nombre), también el señor Suave, el señor Doble Cara, el señor Cualquier Cosa y el párroco, el señor Dos Lenguas, que era hermano de mi madre por parte de padre. A decir verdad, yo mismo me he convertido en un caballero de bien, pero mi bisabuelo no era más que un aguador, que miraba para un lado y remaba hacia el otro, y yo obtuve la mayor parte de mis propiedades con el mismo oficio.

CRISTIANO. ¿Es usted un hombre casado?

FIN ULTERIOR. Sí, y mi esposa es una mujer muy virtuosa, hija de una mujer virtuosa. Era hija de la señora Falsa. Procede, por tanto, de una familia muy honorable. Ha llegado a tal estado de buena crianza que sabe presentarse socialmente ante todos, desde el príncipe hasta el campesino. Es cierto que diferimos un poco en religión de los más estrictos, pero solo en dos puntos menores. Primero: nunca luchamos contra viento y marea. Segundo: siempre somos más celosos cuando la religión usa sus zapatillas de plata. Nos encanta pasear con ella por la calle si brilla el sol y la gente le aplaude.

Entonces Cristiano se hizo un poco a un lado y se acercó a su compañero Esperanzado y le dijo: "Se me ocurre que este es un tal señor Fin Ulterior de Habla Cortés. Si es él, tenemos en nuestra compañía a uno de los bribones más grandes que viven en estas partes". Entonces Esperanzado dijo: "Pregúntale. No creo que se avergüence de su nombre". Y Cristiano se acercó de nuevo a Fin Ulterior y le dijo: "Señor, habla usted como si supiera algo más de lo que todo el mundo sabe. Si no me equivoco, creo adivinar quién es usted. ¿No se llama usted el señor Fin Ulterior de Habla Cortés?".

FIN ULTERIOR. Ese no es mi nombre, pero sí es un apodo que me han puesto algunos de los que no me soportan. Debo contentarme con aguantarlo como un reproche, como otros hombres buenos han soportado los suyos antes que yo.

CRISTIANO. ¿Pero nunca dio motivo a los hombres para llamarle por ese apodo?

FIN ULTERIOR. ¡Nunca! Jamás. Lo peor que hice nunca para darles una razón para llamarme así fue siempre poder mirar hacia adelante al hacer juicios sobre el estado de los tiempos —fueran cuales fueran las decisiones— y mi destino fue conseguir riqueza a través de ellos. Si se me conceden cosas, me permito considerarlas una bendición, y no dejo que la gente maliciosa me cargue de reproches por ello.

CRISTIANO. Pensé que seguramente era usted el hombre del que había oído hablar. Para decirle lo que pienso, me temo que ese nombre le pertenece más propiamente de lo que le gustaría hacernos creer.

FIN ULTERIOR. Bueno, si se lo imaginan, no puedo evitarlo. Encontrarán que soy buena compañía, si aun así me permiten andar con ustedes.

CRISTIANO. Si pretende venir con nosotros, debe ir contra viento y marea, lo cual es, creo, contrario a su opinión. También debe aceptar a la religión tanto en sus harapos como cuando lleva zapatillas de plata, y estar a su lado también cuando esté atada con grilletes o cuando camine por las calles con aplausos.

Entonces dijo Fin Ulterior: "No debe imponerse ni pretender regir sobre mi fe. Permítame conservar mi libertad y déjeme ir con ustedes".

CRISTIANO. Ni un paso más, a menos que tenga intención de hacer lo que le proponemos.

Fin Ulterior respondió: "Nunca abandonaré mis viejos principios, ya que son inofensivos y provechosos. Si no puedo ir con ustedes, debo hacer lo que hacía antes de que me alcanzaran: ir solo hasta que me alcance alguien que se alegre de tener mi compañía".

Vi en mi sueño que Cristiano y Esperanzado lo dejaban atrás y se mantenían a distancia frente a él. Uno de ellos miró hacia atrás y vio a tres hombres que seguían al señor Fin Ulterior; y al acercarse este los saludó muy cortésmente, devolviéndole también ellos el cumplido. Se llamaban Lleva El Mundo, Ama El Dinero y Ahorrador. Eran hombres con los que el señor Fin Ulterior se había relacionado anteriormente, ya que en su juventud fueron compañeros de escuela y recibieron clases de un tal señor Quejumbroso, maestro de escuela en Ama-Ganancia, que es una ciudad comercial en el condado de Codicia, al norte. Este maestro de escuela les enseñó el arte de conseguir cosas mediante la violencia, el engaño, la adulación, la mentira, o poniéndose un disfraz de religión; y estos cuatro caballeros habían logrado dominar

mucho del arte de su maestro, tanto que podrían haber impartido ellos mismos tales clases.

Pues bien, cuando, como he dicho, se hubieron saludado así, el señor Ama El Dinero dijo al señor Fin Ulterior: "¿Quiénes son los que están en el camino delante de nosotros?" (Cristiano y Esperanzado estaban todavía a la vista).

FIN ULTERIOR HACE UNA CARACTERIZACIÓN DE LOS PEREGRINOS

FIN ULTERIOR. Son un par de hombres de un país lejano, que a su manera van en peregrinación.

AMA EL DINERO. ¡Ay! ¿Por qué no se quedaron para que pudiéramos tener su buena compañía? Porque ellos y nosotros, y usted, señor, espero, vamos todos de peregrinaje.

FIN ULTERIOR. Así es, sin duda. Pero los hombres que van delante de nosotros son tan rígidos y aman tanto sus propias nociones, y estiman tan poco las opiniones de los demás que, aunque un hombre sea extremadamente piadoso, si no está de acuerdo con ellos en todas las cosas, lo expulsan completamente de su compañía.

AHORRADOR. Eso es malo. Leemos de algunos que son demasiado justos, y la rigidez de tales hombres les hace juzgar y condenar a todos menos a sí mismos. ¿Pero, dígame, en qué y cuántas cosas diferían?

FIN ULTERIOR. Pues bien, en su beligerante manera de ser concluyen que es su deber apresurarse en su viaje con todo tipo de clima, y yo soy partidario de esperar al viento y la marea adecuados. Ellos están a favor de arriesgarlo todo por Dios en cualquier momento, y yo estoy a favor de aprovechar

todas las ventajas para asegurar mi vida y mis bienes. Ellos están a favor de mantener sus creencias, aunque todos los demás hombres estén en su contra. Yo estoy a favor de la religión en lo que sea, y hasta donde mis tiempos y mi seguridad lo permitan. Ellos están a favor de la religión cuando está en harapos, pero yo estoy a favor de ella cuando camina en sus zapatillas doradas bajo el sol y con aplausos.

LLEVA EL MUNDO: Sí, y manténgase firme en sus creencias, buen señor Fin Ulterior. En cuanto a mí, solo puedo considerar tonto a un individuo que ha tenido la libertad de conservar lo que tiene, pero ha sido tan imprudente como para perderlo. Seamos astutos como serpientes: es mejor hacer heno mientras brilla el sol. Ya ven cómo la abeja permanece quieta todo el invierno y solo se despierta cuando puede tener ganancias con placer. Dios a veces envía lluvia y a veces sol. Si esos dos se contentan con lo primero, contentémonos con el buen tiempo. En cuanto a mí, me gusta más la clase de religión que cree en la seguridad de las buenas bendiciones de Dios para con nosotros. Pues, ¿quién que se rija por su propia razón podría imaginar que Dios no quiera que conservemos por amor a Él los bienes de esta vida que nos ha dado? Abraham y Salomón se enriquecieron gracias a la religión, y Job dice que un hombre bueno acumulará oro como polvo. Pero un hombre así no debe ser como los hombres que tenemos delante, si son como usted los ha descrito.

AHORRADOR. Creo que todos estamos de acuerdo en este asunto, así que no necesitamos discutirlo más.

AMA EL DINERO. No, de hecho, no es necesario discutir más, pues quien no cree ni en las Escrituras ni en la razón (y ya ven que tenemos a ambas de nuestro lado) no comprende su propia libertad ni busca su propia seguridad.

FIN ULTERIOR. Hermanos míos, como ven, todos somos peregrinos, y para proporcionarnos una mejor diversión que pensar en las cosas malas, permítanme hacerles esta pregunta:

Supongan que un hombre, un ministro, un comerciante, o tal, tiene la posibilidad favorable de obtener cosas buenas de esta vida. Y supongamos que no hay manera de que pueda obtenerlas sin, al menos en apariencia, volverse extraordinariamente celoso en algunos puntos de la religión en los que no tiene experiencia. ¿No puede utilizar este medio para alcanzar su fin y, sin embargo, seguir siendo un hombre perfectamente honesto?

AMA EL DINERO. Veo el fondo de su pregunta, y con el permiso de estos caballeros me esforzaré por darle una respuesta. Para hablar de su pregunta en lo que concierne a un ministro: supongamos que un ministro —un hombre digno, pero con un salario muy pequeño— tiene en el ojo un salario mucho más gordo. También ha tenido la oportunidad de conseguirlo siendo más estudioso y predicando con más frecuencia y celo, y alterando algunos de sus principios porque el temperamento de la gente así lo requiere. En cuanto a mí, no veo ninguna razón por la que un hombre no pueda hacer esto —e incluso mucho más— y seguir siendo un hombre honrado, siempre que tenga vocación. ¿Y por qué?

En primer lugar, su deseo de un salario más alto es legítimo (esto no se puede contradecir), ya que está puesto ante él por la Providencia. Entonces, de alcanzarlo, si puede, no tendría que hacerse preguntas por el bien de la conciencia.

Segundo, su deseo de ese salario lo hace más estudioso, un predicador más celoso, etc.; y así, lo hace un hombre mejor.

Sí, lo hace mejorarse a sí mismo, lo cual está de acuerdo con la mente de Dios.

Tercero, en cuanto a comprometer algunos de sus principios para adecuarse a los deseos de su pueblo, con el fin de servirles, esto demuestra que es apto para practicar la abnegación, que tiene un comportamiento dulce e influyente, y que, por lo tanto, es aún más apto para el ministerio.

Cuarto, concluyo, entonces, que un ministro que cambia algo pequeño por algo grande no debe ser juzgado como codicioso por hacerlo, sino más bien —ya que su desempeño en su trabajo mejora por ello— debe ser considerado como alguien que persigue su vocación y la oportunidad de hacer el bien.

Y ahora la segunda parte de la pregunta, que se refiere al comerciante que usted mencionó. Supongamos que tal persona solo tiene un pobre negocio en el mundo, pero que al hacerse religioso puede ampliar su mercado, tal vez conseguir una esposa rica o más y mejores clientes en su tienda. En cuanto a mí, no veo ninguna razón por la que esto no pueda hacerse legalmente. ¿Por qué?

Primero, hacerse religioso es una virtud, independientemente de los medios que el hombre emplee para ello.

Segundo, no es ilegítimo conseguir una esposa rica o atraer más negocios a su tienda.

Tercero, el hombre que obtiene estas cosas, al volverse religioso obtiene cosas que son buenas de quienes son buenos al volverse bueno él mismo. Entonces, tenemos una buena esposa, buenos clientes y buenas ganancias, y él ha obtenido todas estas cosas volviéndose religioso, lo cual es bueno. Volverse religioso para obtener todas estas cosas, por lo tanto, responde a una intención buena y provechosa.

Todos aplaudieron mucho la respuesta del señor Ama El Dinero a la pregunta del señor Fin Ulterior. Todos concluyeron, por tanto, que era de lo más robusta y ventajosa. Como pensaban que nadie era capaz de contradecirla, y como Cristiano y Esperanzado, que antes se habían opuesto al señor Fin Ulterior, estaban todavía a poca distancia, acordaron conjuntamente asaltarlos con la pregunta en cuanto los alcanzaran. Así que los llamaron, quienes entonces se detuvieron y se quedaron quietos hasta ser alcanzados. Acordaron que, en lugar del señor Fin Ulterior, debía ser el señor Lleva El Mundo quien les planteara la pregunta, ya que, como suponían, su respuesta para él no tendría el acaloramiento que se había desatado entre el señor Fin Ulterior y ellos al separarse poco antes.

Así que se acercaron a Cristiano y Esperanzado, y tras un breve saludo, el señor Lleva El Mundo presentó la pregunta a Cristiano y a su compañero y les pidió que la contestaran si podían.

CRISTIANO. Hasta un niño podría responder a diez mil preguntas como esta. Si es ilícito seguir a Cristo para obtener pan, como se muestra en Juan 6, ¿cuánto más abominable es hacer de Él y de la religión un pretexto para ganar y disfrutar del mundo? Solo paganos, hipócritas, diablos y brujos sostienen esta opinión.

Primero, en cuanto a los paganos, cuando Jamor y Siquem querían las hijas y el ganado de Jacob y vieron que no había manera de conseguirlos salvo circuncidándose, dijeron a sus compañeros: "Los hombres aceptan quedarse entre nosotros y formar un solo pueblo, con una sola condición: que nuestros varones se circunciden, como ellos lo están. Aceptemos su condición, de esta manera, ¿no será también nuestro su ganado,

sus propiedades y todos sus animales?". Trataban de obtener las hijas y el ganado, y la religión era el pretexto que utilizaban para conseguirlos. Lean toda la historia [Gn 34:20-23].

Segundo, los hipócritas fariseos eran también de esta religión. Largas oraciones eran su pretensión, pero obtener las casas de las viudas era su intención, y su mayor condenación de Dios era su juicio [Lc 20:47-47].

Tercero, el diablo Judas era también de esta religión. Era religioso por la bolsa del dinero, para poseer lo que había en ella. Pero estaba perdido, exiliado, condenado a la destrucción.

Cuarto, Simón el hechicero también era de esta religión, pues quería tener el Espíritu Santo y usarlo para conseguir dinero. Su sentencia de boca de Pedro fue conforme a su pecado [Hch 8:19-22].

Quinto, no piensen que esto es simplemente una invención de mi propia mente. Un hombre que se vuelve religioso con el propósito de ganar el mundo estará igualmente dispuesto a desechar la religión para obtenerlo. Tan cierto como que Judas quería el mundo al hacerse religioso, tan cierto como que vendió la religión y a su Maestro por lo mismo. Por lo tanto, responder afirmativamente a la pregunta, como percibo que han hecho, y aceptar tal respuesta como correcta, es irreligioso, hipócrita y diabólico. Su recompensa será según sus obras.

Se quedaron mirándose el uno al otro, pero no tenían nada con qué responderle a Cristiano. Esperanzado también aprobó la solidez de la respuesta de Cristiano, por lo que se hizo un gran silencio entre ellos. El señor Fin Ulterior y su grupo también se tambalearon y se mantuvieron detrás para que Cristiano y Esperanzado pudieran adelantarlos. Entonces Cristiano preguntó a su amigo: "Si estos hombres no pueden

hacer frente a la sentencia de los hombres, ¿qué harán con la sentencia de Dios? Y si se quedan mudos cuando se les trata con vasijas de barro, ¿qué harán cuando se les reprenda con las llamas de un fuego devorador?".

Entonces Cristiano y Esperanzado los adelantaron de nuevo y siguieron adelante hasta que llegaron a una llanura hermosa llamada Comodidad. La atravesaron con mucho contento, pero como era estrecha, la cruzaron rápidamente. Ahora bien, al otro lado de esa llanura había una pequeña colina llamada Lucro, y en esa colina una mina de plata. A causa de su rareza, algunos de los que habían ido por allí se habían desviado para verla; sin embargo, cuando se acercaron demasiado al borde de la fosa, el suelo (inestable bajo sus pies) cedió y murieron. Algunos también habían salido heridos de allí y no pudieron volver a ser ellos mismos hasta el día de su muerte.

Entonces vi en mi sueño que, a poca distancia del camino, en dirección a la mina de plata, estaba Demas (en actitud caballerosa) llamando a los viajeros para que vinieran a ver. Dijo a Cristiano y a su amigo: "¡Eh! Vengan aquí, y les enseñaré algo".

CRISTIANO. ¿Qué cosa merece tanto nuestra atención como para apartarnos del camino?

DEMAS. Aquí hay una mina de plata y algunas personas cavando en ella en busca de un tesoro. Si vienen, con un poco de esfuerzo podrán obtener riquezas.

ESPERANZADO. Vamos a ver.

CRISTIANO. Yo no. Ya he oído hablar de este lugar y de cuántos han sido asesinados aquí. Además, ese tesoro es una trampa para quienes lo buscan, pues los distrae de su peregrinación.

Entonces Cristiano dijo a Demas: "¿No es peligroso ese lugar? ¿No ha desviado a muchos de su Peregrinación?" [Os 14:8].

DEMAS. No es muy peligroso, excepto para aquellos que son descuidados. (Sin embargo, se sonrojó al hablar).

CRISTIANO. No nos saltemos ni un paso y sigamos nuestro camino.

ESPERANZADO. Te aseguro que cuando suba Fin Ulterior, si recibe la misma invitación que nosotros, pasará por allí a ver.

CRISTIANO. No lo dudes, pues sus principios lo llevan por allí, y cien contra uno dicen que morirá allí.

Entonces Demas volvió a llamar, diciendo: "¿Pero no vendrán a ver?".

CRISTIANO. Demas, eres enemigo de los rectos caminos del Señor de este Camino. Ya has sido condenado por uno de los jueces de Su Majestad por desviarte tú mismo [2 Ti 4:10]. ¿Por qué pretendes llevarnos a nosotros a la misma condena? Además, si nos desviamos en algo, nuestro Señor y Rey ciertamente se enterará de ello. Nos avergonzaremos cuando, de otro modo, nos mostraríamos con valentía ante Él.

Demas volvió a gritar y dijo que él también era uno de sus compañeros y que, si se demoraban un poco, él también caminaría con ellos.

CRISTIANO. ¿Cuál es tu nombre? ¿No es el mismo por el que te he llamado?

DEMAS. Sí, me llamo Demas. Soy hijo de Abraham.

CRISTIANO. Te conozco. Giezi era tu bisabuelo y Judas tu padre, y tú has seguido sus pasos [2 Re 5:20, Mt 26:14-15, 27:1-5]. No es más que una broma diabólica la que estás

usando. Tu padre fue ahorcado por traidor, y tú no mereces mejor recompensa. Asegúrate de que cuando lleguemos ante el rey, le traeremos noticias de tu comportamiento.

Y con eso, siguieron su camino.

Para entonces, Fin Ulterior y sus compañeros habían vuelto a estar a la vista, y a la primera llamada se acercaron a Demas. Ahora bien, no estoy seguro de si cayeron en la fosa por asomarse al borde de ella, o si bajaron a cavar, o si fueron asfixiados en el fondo por la humedad que comúnmente surge. Pero observé que nunca más se les volvió a ver por el camino. Entonces Cristiano cantó:

"Fin Ulterior y Demas el plateado están de acuerdo;
Uno llama, el otro corre, para poder ser
partícipe de su lucro, por lo que estos dos
toman en este mundo, y no van más allá".

Ahora vi que, justo al otro lado de esta llanura, los peregrinos llegaron a un lugar donde se erguía un viejo monumento junto al arcén de la carretera. Al verlo, ambos se inquietaron por lo extraño de su forma, pues les pareció como si hubiera sido una mujer transformada en forma de columna. Se quedaron, pues, mirándola, pero durante un rato no supieron qué pensar de ella. Por fin, Esperanzado levantó la vista y vio escrito en la cabeza de la columna algo en una caligrafía inusual. Él, que no era un erudito, llamó a Cristiano (pues era educado) para ver si podía descifrar el significado. Así que vino, y después de examinar un poco las letras, encontró que el mensaje era este: "Acuérdate de la mujer de Lot". Así que se lo leyó a su amigo, después de lo cual ambos concluyeron que era la

Columna de Sal en la que se convirtiera la mujer de Lot por mirar hacia atrás con un corazón codicioso, mientras huía para ponerse a salvo de Sodoma [Gn 19:26]. Esta repentina y asombrosa visión les dio pie para la siguiente conversación:

CRISTIANO. ¡Ah, hermano mío! Este es un espectáculo adecuado. Nos llegó oportunamente después de que Demas nos invitara a ir a ver la colina de Lucro. Si hubiéramos ido como él deseaba, y como tú, hermano mío, estabas inclinado a hacer, podríamos habernos convertido, como esta mujer, en un espectáculo digno de contemplar para los que vinieran después.

ESPERANZADO. Siento haber sido tan insensato. Me pregunto si no soy ahora como la mujer de Lot, pues ¿qué diferencia había entre su pecado y el mío? Ella solo miraba hacia atrás, y yo tenía deseos de ir a ver. Que la gracia sea adorada, y que yo me avergüence de que tal cosa haya estado en mi corazón.

CRISTIANO. Tomemos nota de lo que vemos aquí para ayudarnos en los tiempos venideros. Esta mujer escapó a un juicio, pues no cayó por la destrucción de Sodoma; sin embargo, fue destruida por otro. Como vemos, ha sido convertida en estatua de sal.

ESPERANZADO. Cierto. Y ella puede servirnos tanto de precaución como de ejemplo: precaución, en el sentido de que debemos evitar su pecado, o como ejemplo del juicio que alcanzará a aquellos que no se dejen detener por esta precaución. Coré, Datán y Abiram, con los doscientos cincuenta hombres que perecieron en su pecado, también se convirtieron en señal o ejemplo para tener cuidado [Nm 26:9-10]. Pero, sobre todo, reflexiono sobre cómo Demas y sus amigos pueden caminar

tan confiados hacia allá para buscar el tesoro cuando esta mujer fue convertida en estatua de sal por solo mirar hacia atrás, pues no leemos que pusiera un pie fuera del Camino. Esto es especialmente interesante, ya que el juicio que la alcanzó la puso como ejemplo a la vista de donde ellos están. Podrían haber elegido verla si tan solo hubieran levantado los ojos.

CRISTIANO. Es algo de lo que maravillarse, y revela que sus corazones se han desesperado. No puedo decidir con quién pueden compararse exactamente: con los que roban bolsillos en presencia del juez o con los que robarán carteras bajo la horca. Se dice de los hombres de Sodoma que eran pecadores en extremo porque eran pecadores ante el Señor, es decir, a su vista, a pesar de las bondades que Él les había mostrado [Gn 13:13], porque la tierra de Sodoma era como el jardín del Señor antes de su destrucción [Gn 13:10]. Esto, por lo tanto, provocó aún más sus celos e hizo su plaga tan ardiente como el Señor del Cielo podría hacerla. Es de lo más racional concluir que aquellos —incluso aquellos como estos que pecan a su vista, sí, e incluso a pesar de los ejemplos que se ponen ante ellos para advertirles de lo contrario— deben recibir los juicios más severos.

ESPERANZADO. Sin duda has dicho la verdad, pero qué misericordia es que ni tú, ni especialmente yo mismo, nos hayamos convertido en un ejemplo. Esto nos da ocasión de dar gracias a Dios, de temer ante Él y de acordarnos siempre de la mujer de Lot.

Vi entonces que seguían su camino hacia un agradable río que el rey David llamaba "el río de Dios", pero que Juan llamaba "el río del agua de la vida" [Salm 65:9, Ap 22, Ez 47]. Su camino estaba justo en la orilla del río; por lo tanto, Cristiano

y su compañero caminaron por él con gran placer. También bebieron del agua del río, agradable y rejuvenecedora para sus cansados espíritus. Además, en ambas orillas había árboles verdes que daban todo tipo de frutos, y las hojas de los árboles eran curativas. Estaban muy encantados con el fruto de estos árboles y con las hojas que los peregrinos comen para prevenir las enfermedades de exceso de indulgencia y otras enfermedades que pueden afligir a quienes calientan su sangre viajando. A ambos lados del río había también un prado, curiosamente embellecido con lirios, que estaba verde todo el año. Se acostaron y durmieron en este prado, pues era allí donde podían descansar con seguridad. Cuando despertaron, volvieron a recoger de la fruta de los árboles y bebieron de nuevo del agua del río y se acostaron de nuevo a dormir [Salm 23:2, Is 14:30]. Hicieron esto varios días y varias noches. Luego cantaron:

"Miren cómo se deslizan estos arroyos de cristal
para consolar a los peregrinos junto al camino.
Los verdes prados, además de su fragante olor,
les dan delicias. Y el que sepa
qué frutos y hojas dan estos árboles,
pronto lo venderá todo para comprar este campo".

Así que cuando estuvieron dispuestos a seguir (pues aún no habían llegado al final de su viaje), comieron, bebieron y partieron.

Ahora vi en mi sueño que no habían viajado mucho hasta que el río y el camino se separaron por un tiempo, ante lo cual se sintieron muy decepcionados, pero no se atrevían a desviarse. El camino que se alejaba del río era áspero, y sus

pies estaban sensibles, por lo que se impacientaban [Nm 21:4]. Por eso, mientras continuaban, deseaban un camino mejor. A poca distancia delante de ellos había un prado a la izquierda del camino, y un paso para entrar en él; se llamaba el Prado del Desvío. Entonces Cristiano dijo a su amigo: "Si este prado está junto a nuestro camino, pasemos a él". Entonces se acercó a la entrada para mirar. Efectivamente, al otro lado de la valla había un sendero que bordeaba el camino por el que iban. "Es tal como esperaba", dijo Cristiano, "por aquí es más fácil ir. Ven, Esperanzado, y entremos".

ESPERANZADO. Pero ¿y si este sendero nos lleva fuera del camino?

CRISTIANO. Eso no es probable. Mira, ¿no va por el borde del camino?

Así que, persuadido por su amigo, Esperanzado lo siguió. Después que habían pasado y entrado en el camino paralelo, encontraron que andaban muy cómodamente; y con eso, mirando delante de ellos, vieron a un hombre que iba por la misma ruta (y su nombre era Vana Confianza). Lo llamaron y le preguntaron a dónde llevaba aquel camino. "A la Puerta Celestial", respondió. "¿Ves?", dijo Cristiano. "¿No te lo dije? Ya ves que estamos bien". Entonces lo siguieron, y él iba delante. Pero llegó la noche y se hizo muy oscuro, de modo que los que iban atrás lo perdieron de vista.

El que iba delante (de nombre Vana Confianza), al no ver el camino que tenía ante sí, cayó en un profundo pozo [Is 9:16] que había puesto allí el dueño de la propiedad para atrapar a los necios engreídos. Se hizo pedazos por la caída.

Cristiano y su amigo lo oyeron caer y gritaron para saber qué había pasado, pero no hubo respuesta; solo oyeron

gemidos. Entonces Esperanzado preguntó: "¿Dónde estamos ahora?". Su amigo guardó silencio, considerando si los había sacado del camino. Y empezó a llover y a tronar de un modo espantoso. Hubo relámpagos terribles, y el agua cayó con fuerza y brusquedad.

Entonces Esperanzado gimió en su interior, diciendo: "¡Oh, si hubiera seguido mi camino!".

CRISTIANO. ¿Quién iba a pensar que esta senda nos sacaría del camino?

ESPERANZADO. Me lo temía desde el principio, y por eso te hice esa amable advertencia. Habría hablado más claro, pero tú eres mayor que yo.

EL ARREPENTIMIENTO DE CRISTIANO POR APARTAR A SU HERMANO DEL CAMINO

CRISTIANO. Querido hermano, no te enfades. Siento haberte sacado del camino y haberte puesto en un peligro tan inminente. Por favor, hermano mío, perdóname. No lo hice con mala intención.

ESPERANZADO. Consuélate, hermano mío. Te perdono y también creo que esto resultará para nuestro bien.

CRISTIANO. Me alegro de tener conmigo a un hermano misericordioso. Pero será mejor que no nos quedemos aquí. Intentemos volver otra vez.

ESPERANZADO. Pero, buen hermano, déjame ir delante.

CRISTIANO. No, por favor, déjame ir primero. Así, si hay algún peligro, puedo ser el primero en encontrarlo. Es culpa mía que los dos nos hayamos salido del camino.

ESPERANZADO. No. No irás primero. Puesto que tu mente está turbada, puede que vuelvas a salirte del camino.

Entonces, para animarlos, oyeron la voz de uno que decía: "Pónganse señales en el camino, coloquen marcas por donde pasaron, ¡vuelvan!" [Jer 31:21]. Pero para entonces el agua había subido más, y por eso el camino de vuelta era muy peligroso. (Entonces se me ocurrió que es más fácil salir del Camino cuando estamos en él que entrar cuando estamos fuera de él). Aun así, intentaron volver, pero estaba tan oscuro y la crecida era tan grande que estuvieron a punto de ahogarse nueve o diez veces.

Tampoco pudieron, con toda la habilidad de que disponían, llegar de nuevo al paso del prado aquella noche. Por eso, al fin se detuvieron bajo un pequeño refugio y se sentaron allí hasta el amanecer. Pero, cansados, se durmieron. No lejos del lugar donde yacían había un castillo llamado Castillo Dudoso. El dueño del castillo era el Gigante Desesperación, y era en su propiedad donde ahora dormían. Cuando el Gigante se levantó por la mañana y caminó por sus campos, sorprendió a Cristiano y a Esperanzado dormidos en sus tierras. Entonces, con voz áspera y brusca, les ordenó que se despertaran y les preguntó de dónde venían y qué hacían allí. Le dijeron que eran peregrinos que se habían perdido. Entonces el Gigante dijo: "Anoche me invadieron, pisoteando y yaciendo en mis tierras. Por lo tanto, deben venir conmigo". Se vieron obligados a ir porque él era más fuerte que ellos. Tampoco tenían mucho que decir, pues sabían que eran culpables. El Gigante, por lo tanto, los condujo ante él y los metió en su castillo, en un calabozo muy oscuro, que era desagradable y hediondo para el espíritu de estos hombres [Salm 88:18].

Estuvieron allí dentro desde el miércoles por la mañana hasta el sábado por la noche, sin un trozo de pan ni una gota para beber, sin luz y sin nadie que les preguntara cómo estaban. Estaban, por lo tanto, en una situación lamentable y lejos de amigos y conocidos. En este lugar, Cristiano sentía una doble tristeza, porque fue por su mal juicio que habían terminado en esta angustiosa situación.

Los peregrinos, para aliviar la carne,
buscaron descanso; pero, ¡oh! Cómo se hunden
en nuevas penas.
Quienes buscan aliviar a la carne, ellos mismos se
deshacen.

El Gigante Desesperación tenía una esposa que se llamaba Timidez. Cuando el Gigante se fue a la cama, le contó a su mujer lo que había hecho: que había cogido a un par de prisioneros y los había metido en su calabozo por invadir sus tierras. Entonces le preguntó qué sería lo mejor que podría hacer con ellos, y ella le preguntó quiénes eran, de dónde venían y a dónde iban. Cuando se lo dijo, ella le aconsejó que cuando se levantara por la mañana los golpeara sin piedad. Así que cuando se levantó, se hizo con un garrote de cangrejo y bajó al calabozo a por ellos. Allí, primero empezó a regañarles como si fueran perros, a pesar de que nunca le habían dicho una palabra desagradable. Luego los atacó y los golpeó pavorosamente, de tal manera que no pudieron resguardarse ni darse la vuelta en el suelo. Hecho esto, se retiró y los dejó allí para que sollozaran angustiados. Durante todo ese día no hicieron nada más que suspirar y lamentarse amargamente.

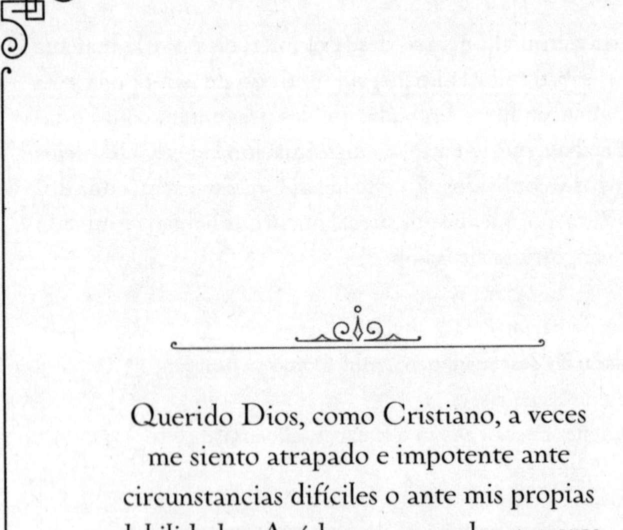

Querido Dios, como Cristiano, a veces
me siento atrapado e impotente ante
circunstancias difíciles o ante mis propias
debilidades. Ayúdame a recordar que eres
tú quien puede romper las cadenas de la
esclavitud y liberarme. Dame la esperanza
y la fuerza para perseverar en mi fe,
incluso en tiempos de prueba.

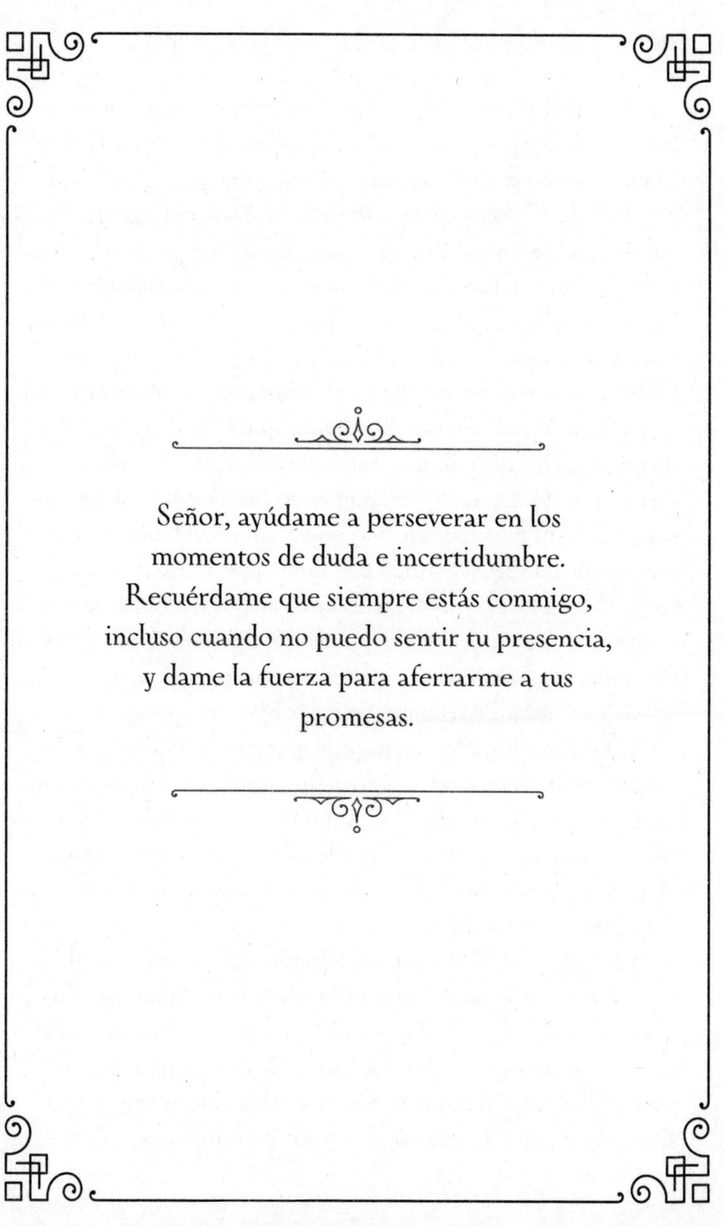

Señor, ayúdame a perseverar en los momentos de duda e incertidumbre. Recuérdame que siempre estás conmigo, incluso cuando no puedo sentir tu presencia, y dame la fuerza para aferrarme a tus promesas.

A la noche siguiente, mientras hablaba más con su marido sobre los prisioneros, y al darse cuenta de que aún vivían, Timidez le aconsejó al Gigante que les ordenara acabar consigo mismos. Así que, cuando llegó la mañana, el Gigante Desesperación se dirigió a ellos de un modo hosco, como antes, y viendo que estaban muy doloridos por los azotes que les había dado el día anterior, les dijo que, puesto que era probable que nunca salieran de aquel lugar, su única salida sería acabar inmediatamente con sus vidas, ya fuera con un cuchillo, con una cuerda o con veneno. "Pues ¿por qué", les dijo, "habrían de elegir la vida, viendo que trae tanta amargura?". Ellos le pidieron que les dejara ir y él, poniendo mala cara, se abalanzó sobre ellos. Él mismo los habría matado si no hubiera caído en uno de sus ataques y perdido por un tiempo el uso de la mano (pues a veces, en días de sol, tenía estos ataques). Por esa razón, se retiró como antes y los dejó para que pensaran qué hacer. Entonces los prisioneros consultaron entre sí si sería mejor seguir su consejo. Así empezaron a hablar:

CRISTIANO. Hermano, ¿qué haremos? ¡La vida que llevamos ahora es miserable! En cuanto a mí, no sé si es mejor vivir así o morir pronto. "Y así mi alma prefiere la asfixia y la muerte, antes que estos mis huesos", y la muerte sería más fácil para mí que este calabozo [Job 7:15]. ¿Aceptaremos que el Gigante nos domine?

ESPERANZADO. Nuestra condición actual es terrible, y la muerte sería mucho más bienvenida para mí que vivir así para siempre. Pero consideremos aún que el Señor del país al que vamos ha dicho: "No asesinarás'". No asesinarás a otra persona; mucho más, pues, nos está prohibido seguir el consejo del Gigante de asesinarnos a nosotros mismos. Además,

quien mata a otra persona solo puede asesinar su cuerpo, pero matarse a sí mismo es matar el cuerpo y el alma al mismo tiempo. Más allá de eso, Hermano mío, hablas de tranquilidad en la tumba, pero ¿has olvidado el Infierno, adonde van con toda seguridad los asesinos? Porque "ningún asesino tiene vida eterna en él". Y consideremos de nuevo que no toda la ley está en manos del Gigante Desesperación; según tengo entendido, otros han sido capturados por él, al igual que nosotros, y han logrado escapar. ¿Quién sabe, sino Dios, que hizo el mundo, lo que pueda acabar con la vida del Gigante Desesperación? ¿O que en un momento u otro se olvide de encerrarnos, o que tenga otro de sus ataques frente a nosotros y pierda el uso de sus miembros? Y si alguna vez eso volviera a suceder, por mi parte, estoy resuelto a reunir un corazón varonil y hacer todo lo posible por escapar de su mano. Fui un tonto por no haberlo intentado antes. Pero seamos pacientes, Hermano, y aguantemos un poco más. Puede llegar el momento que nos traiga una feliz liberación, pero no seamos nuestros propios asesinos.

Con estas palabras, Esperanzado calmó la mente de su hermano, así que siguieron juntos en la oscuridad en su triste y lúgubre condición.

Al anochecer, el Gigante bajó de nuevo al calabozo para ver si sus prisioneros habían seguido su consejo; pero cuando llegó allí, los encontró vivos. Y vivos estaban apenas, pues por falta de pan y agua y a causa de las heridas de su golpiza, podían hacer poco más que respirar. Pero, digo, los encontró vivos, y ante esto, montó en cólera terrible y les dijo que, viendo que habían desobedecido, sería mejor para ellos nunca haber nacido.

Ante esto, los peregrinos temblaron mucho, y creo que Cristiano cayó desmayado. Pero, reanimándose un poco,

volvieron a discutir sobre el consejo del Gigante y sobre si debían seguirlo. De nuevo Cristiano pareció inclinarse a hacerlo, pero Esperanzado expuso su segundo argumento, como sigue:

ESPERANZADO. Hermano mío, ¿no recuerdas lo valiente que has sido hasta ahora? Apolión no pudo aplastarte, ni todo lo que oíste, ni viste, ni sentiste en el Valle de la Sombra de la Muerte. ¡Cuántas penurias, terror y asombro has pasado ya! ¿Y ahora no tienes más que miedo? Ya ves que yo estoy en el calabozo contigo y soy una persona mucho más débil por naturaleza que tú. Además, este Gigante me ha herido tanto como a ti y me ha quitado el pan y el agua de la boca, y sufro contigo aquí en la oscuridad. Pero tengamos un poco más de paciencia. ¿Recuerdas cómo hiciste gala de hombría en la Feria de las Vanidades? Y no tuviste miedo de la cadena, ni de la jaula, ni siquiera de una muerte sangrienta. Así que aguantemos con paciencia lo mejor que podamos, al menos para evitar la vergüenza que no conviene a un cristiano.

Habiendo llegado de nuevo la noche, y estando el Gigante y su mujer en la cama, Timidez le preguntó por los prisioneros y si habían seguido su consejo. El Gigante Desesperación contestó: "Son bribones robustos. Prefieren soportar todas las penurias antes que acabar con ellos mismos". Entonces Timidez dijo: "Llévalos mañana al patio del castillo y muéstrales los huesos y cráneos de los que ya has destruido. Y hazles creer que dentro de una semana también los harás pedazos como has hecho con sus amigos antes que ellos".

Así que, cuando llegó la mañana, el Gigante se dirigió de nuevo a ellos, los llevó al patio del castillo y les mostró lo que su mujer le había sugerido. "Estos", dijo el Gigante, "fueron una vez peregrinos como ustedes, y entraron en mi propiedad

como ustedes. Cuando lo consideré oportuno, los despedacé, y dentro de diez días haré lo mismo con ustedes dos. ¡Váyanse! Vuelvan a su celda". Y los golpeó durante todo el camino. Estuvieron, pues, todo el sábado en condiciones tan lamentables como antes.

Al llegar la noche, y cuando Timidez y su marido, el Gigante, se habían acostado, reanudaron la conversación sobre sus prisioneros. Y entonces el viejo Gigante se preguntó por qué no podía acabar con ellos ni con sus palizas ni con sus consejos. Entonces su esposa replicó: "Temo que estén esperando un rescate o que tengan algún medio para forzar las cerraduras y escapar". "¿Eso crees, querida?", dijo el Gigante. "Entonces los registraré por la mañana".

Pues bien, el sábado hacia medianoche los prisioneros se pusieron a rezar, y continuaron en oración hasta casi el amanecer.

Un poco antes del amanecer, el buen Cristiano, como alguien medio asombrado, exclamó esta apasionada declaración: "¡Qué tonto soy por estar aquí en una mazmorra apestosa, cuando podría fácilmente andar en libertad! En mi abrigo, junto a mi corazón, tengo una llave llamada Promesa. Estoy convencido de que puede abrir cualquier cerradura del Castillo Dudoso". "Esas son buenas noticias, Hermano", dijo Esperanzado. "Sácala y prueba".

UNA LLAVE EN EL PECHO DE CRISTIANO, LLAMADA PROMESA, ABRE CUALQUIER CERRADURA DEL CASTILLO DUDOSO

Entonces Cristiano la sacó de su pecho y empezó a probarla en la puerta del calabozo. Al girar la llave, el cerrojo cedió y

la puerta se abrió fácilmente. Cristiano y Esperanzado salieron. Luego Cristiano fue a la puerta que daba al exterior y la llave la abrió también. Después se dirigió a la puerta de hierro, pues también había que abrirla. La cerradura giró con mucha fuerza, pero la llave la abrió. Entonces abrieron de par en par el portón para escapar rápidamente. Sin embargo, aquella puerta crujió tanto al abrirse que despertó al Gigante Desesperación, quien se levantó de súbito para perseguir a sus prisioneros, pero sintió que le fallaban los miembros; empezó a tener de nuevo uno de sus ataques, por lo que no pudo ir tras ellos. Los peregrinos siguieron adelante y regresaron al camino del rey, donde estaban a salvo y fuera de su jurisdicción.

Después de cruzar la valla, empezaron a discutir lo que debían hacer para evitar que otros cayeran también en manos del Gigante Desesperación en el futuro. Así que decidieron erigir allí un pilar y grabar a su lado esta frase: "Al otro lado de esta valla está el camino al Castillo Dudoso, que es guardado por el Gigante Desesperación, quien desprecia al Rey del País Celestial y busca destruir a Sus santos peregrinos". Muchos que pasaron por ese lugar después escaparon del peligro gracias a ese mensaje. Una vez hecho esto, cantaron:

"Nos salimos del camino
y descubrimos lo que era pisar terreno prohibido.
Y que los que vengan después tengan cuidado,
no sea que por imprudencia les pase como a nosotros,
no sea que, por traspasar, sean sus prisioneros,
cuyo castillo es dudoso, y cuyo nombre es
    Desesperación".

Cristiano y Esperanzado siguieron andando hasta llegar a las Montañas Deliciosas, que pertenecen al Señor de la Colina, de quien hemos hablado antes. Subieron a las montañas para ver los jardines, los viñedos y las fuentes de agua. Allí bebieron y se lavaron y comieron libremente de las viñas. Ahora bien, en la cima de esas montañas había pastores apacentando sus rebaños, y estaban a la vera del camino. Los peregrinos, por lo tanto, se acercaron a ellos y, apoyándose en sus bastones (como es común en los peregrinos cansados cuando se paran a hablar con alguien junto al camino), preguntaron: "¿De quién son estas plácidas montañas? ¿Y de quién son las ovejas que se alimentan en ellas?".

PASTORES. Estas montañas son la Tierra de Emanuel, y están a la vista de Su ciudad. Las ovejas también son Suyas, y Él dio Su vida por ellas [Jn 10:11].

CRISTIANO. ¿Es éste el camino a la Ciudad Celestial?

PASTORES. Es este el camino.

CRISTIANO. ¿Qué distancia hay hasta allí?

PASTORES. Demasiado lejos para cualquiera, excepto para aquellos que realmente llegan.

CRISTIANO. ¿Es seguro o peligroso el camino?

PASTORES. Es seguro para quienes debe ser seguro, pero los rebeldes tropiezan en él [Os 14:9].

CRISTIANO. ¿Hay aquí un lugar de alivio para los Peregrinos que se fatigan y desfallecen en el Camino?

PASTORES. El Señor de estas montañas nos ha ordenado que no nos olvidemos de hospedar a los forasteros. Por tanto, la bondad del lugar está ante ti [Heb 13:1-2].

También vi en mi sueño que, cuando los Pastores se dieron cuenta de que eran hombres de camino, les hicieron preguntas

que ya habían respondido en otros lugares: "¿De dónde vienen?", "¿Y cómo encontraron el camino? ¿Qué han hecho para perseverar en él? Porque solo unos pocos de los que empiezan a venir asoman la cara por estos montes". Pero cuando los pastores escucharon sus respuestas, y estando complacidos con ellas, los miraron con mucho cariño y les dijeron: "Bienvenidos a las Montañas Deliciosas".

Los pastores, cuyos nombres eran Conocimiento, Experiencia, Vigilancia y Sinceridad, los llevaron de la mano, los condujeron a sus tiendas y les dieron de comer de lo que ya estaba preparado. Entonces les dijeron: "Queremos que se queden aquí un tiempo para que nos conozcan y, más aún, para que se consuelen con las bondades de estas montañas". Los peregrinos les dijeron que estaban dispuestos a quedarse, así que se fueron y descansaron esa noche, porque ya era muy tarde.

Entonces vi en mi sueño que los pastores llamaron a Cristiano y a Esperanzado por la mañana para que caminaran con ellos por las montañas. Así que fueron con ellos y caminaron un rato, teniendo por todos lados una agradable vista del país. Los pastores se dijeron: "¿Mostramos a estos peregrinos algunas de las maravillas?". Y decidieron hacerlo. Primero los llevaron a la cima de una colina llamada Error (que era muy empinada en el lado más lejano) y les pidieron que miraran hacia abajo. Entonces Cristiano y Esperanzado se asomaron y vieron en el fondo a varios hombres destrozados. Cristiano preguntó: "¿Qué significa esto?". Los pastores respondieron: "¿No han oído hablar de los que cayeron en el error por escuchar lo que decían Himeneo y Fileto sobre la fe en la resurrección de la carne?" [2 Tim 2:17, 18]. "Sí", respondieron. Los pastores dijeron: "Los que ven despedazados al pie de

este monte son esos hombres. Permanecen insepultos como ejemplo para que otros se cuiden de trepar demasiado alto o de acercarse demasiado al borde de esta montaña".

Luego vi que los llevaron a la cima de otra montaña llamada Precaución y les pidieron que miraran a lo lejos. Cuando lo hicieron, les pareció ver a varios hombres que caminaban arriba y abajo entre las tumbas que allí había, y percibieron que eran ciegos, porque a veces tropezaban con las tumbas y no podían salir de entre ellas. Cristiano preguntó: "¿Qué significa esto?".

Los pastores respondieron: "¿No han visto a poca distancia por debajo de estas montañas una valla que conducía a un prado a la izquierda de este camino?". "Sí", respondieron. Entonces los pastores dijeron: "De allí se desprende un camino que conduce directamente al Castillo Dudoso, que resguarda el Gigante Desesperación; y estos hombres" —señalaron a los que estaban entre las tumbas— "venían en peregrinación, como ustedes ahora, hasta que llegaron a ese mismo punto. Como el camino directo es áspero en ese tramo, optaron por abandonarlo para adentrarse en el prado y allí fueron apresados por el Gigante Desesperación y arrojados al Castillo Dudoso. Después de retenerlos un tiempo en su calabozo, les sacó finalmente los ojos y los condujo entre esas tumbas. Allí los dejó vagando hasta el día de hoy, para que se cumpliera el dicho sabio: "El hombre que se desvía del camino del entendimiento irá a parar en la compañía de los muertos" [Pro 21:16]. Cristiano y Esperanzado se miraron con lágrimas brotando de sus ojos, pero no dijeron nada a los pastores.

Entonces vi en mi sueño que los pastores los llevaban a otro lugar, en un valle, donde había una puerta en la ladera de una

colina. Los pastores abrieron la puerta y les pidieron que miraran dentro. Los peregrinos se asomaron y vieron que estaba muy oscuro y lleno de humo. También les pareció oír allí un ruido sordo, como de fuego, y un grito de gente atormentada, y percibieron el olor de azufre quemado. Entonces Cristiano dijo: "¿Qué significa esto?". Los pastores respondieron: "Esta es una entrada al infierno, por donde van los hipócritas, como los que venden su primogenitura, como Esaú, y los que venden a su Maestro, como Judas. También los que blasfeman del Evangelio, como Alejandro, y los que mienten y fingen, como Ananías y su mujer, Safira". Entonces Esperanzado dijo a los pastores: "Supongo que todos y cada uno de ellos hicieron una peregrinación, tal como nosotros ahora, ¿no es así?".

PASTORES. Sí, y permanecieron en peregrinación mucho tiempo, además.

ESPERANZADO. ¿Hasta dónde llegaron en su época? Ya que los desecharon miserablemente de todas maneras.

PASTORES. Algunos más lejos y otros no tan lejos como estas montañas.

Entonces los peregrinos se dijeron unos a otros: "¡Necesitamos pedirle fortaleza al fuerte!".

PASTORES. Sí, y cuando la tengan, tendrán que usarla.

Para este momento, los peregrinos deseaban continuar su viaje, y los pastores estuvieron de acuerdo en que lo hicieran, así que caminaron juntos hacia el final de las montañas. Entonces los pastores se dijeron unos a otros: "Si pueden ver a través de nuestro telescopio, mostrémosles ahora a los peregrinos las puertas de la Ciudad Celestial". Los peregrinos aceptaron afectuosamente la idea. Entonces los pastores los condujeron a la cima de una alta colina llamada Claridad,

y les dieron el telescopio para que miraran. Los peregrinos lo intentaron, pero el recuerdo de lo último que los pastores les habían mostrado les hizo temblar, y debido a ello no pudieron fijar la mirada a través de la lente. Sin embargo, les pareció ver algo parecido a una puerta y también algo de la gloria del lugar. Luego se marcharon y cantaron esta canción:

"Así, los pastores revelan secretos
que para todos los demás hombres permanecen ocultos:
Vengan, pues, a los pastores, si quieren ver
cosas profundas, cosas ocultas y cosas misteriosas".

Cuando estaban a punto de partir, uno de los pastores les dio un mapa del camino. Otro de ellos les advirtió que tuvieran cuidado con el Adulador. El tercero les dijo que tuvieran cuidado de no dormir en la Tierra Encantada, y el cuarto les deseó buena suerte. Y así, desperté de mi sueño.

Dormí y soñé de nuevo, y vi a los mismos dos peregrinos bajando por las montañas a lo largo de la carretera hacia la Ciudad. Ahora, a una distancia corta al pie de estas montañas y al lado izquierdo, está el País del Engaño. Un pequeño sendero torcido viene de ese país en el camino sobre el que iban los peregrinos. Allí, entonces, se encontraron con un muchacho muy animado que salía de ese país. Su nombre era Ignorancia. Cristiano le preguntó de qué parte venía y adónde iba.

IGNORANCIA. Señor, yo nací en el país que está allá un poco a la izquierda, y voy a la Ciudad Celestial.

CRISTIANO. Pero ¿cómo piensas que podrás entrar? Puede que encuentres dificultad allí.

IGNORANCIA. Como lo han hecho otras personas.

CRISTIANO. Pero ¿qué piensas mostrar para que la puerta se abra para ti?

IGNORANCIA. Conozco la voluntad de mi Señor, y he sido bueno en vida. Le doy a cada hombre lo que le corresponde, rezo, ayuno, pago diezmos y limosnas, y dejé mi país para ir a donde voy.

CRISTIANO. Pero no entraste por la puerta que está al inicio de este camino; llegaste a través de ese sendero torcido. Por lo tanto, me temo que, aunque pienses bien de ti mismo, cuando llegue el día del juicio final, se te imputará que eres un ladrón y un asaltante, y no serás admitido en la Ciudad.

IGNORANCIA. Señores, ustedes son extraños para mí. No los conozco. Conténtense y sigan la religión de su país, y yo seguiré la religión del mío. Espero que todo vaya bien. Y en cuanto a la puerta de la que hablas, todo el mundo sabe que queda muy lejos de nuestro país. No creo que ningún hombre de nuestras partes conozca el camino hacia ella. Tampoco importa si lo conocen o no, ya que tenemos, como ven, un bonito y agradable sendero verde que desciende de nuestro país al camino.

Cuando Cristiano vio que el hombre era "sabio en su propia opinión", le dijo a Esperanzado, susurrando: "¡Más esperanza hay del necio que de él!" [Pro 26:12]. Y dijo, además: "Aun cuando el insensato ande en el camino, le falta entendimiento y a todos hace saber que es insensato" [Ec 10:3]. "¿Vamos a hablar más con él, o lo dejamos de momento para que piense en lo que dije y volvemos a detenernos por él después, y ver si poco a poco podemos hacerle algún bien?".

Entonces dijo Esperanzado:

"Que Ignorancia reflexione un poco
Sobre lo que se dice, y que no rechace
el buen consejo, para que no siga
todavía ignorante de la mayor ganancia.
Dios dice que a aquellos que no tienen entendimiento,
aunque Él los hiciera, no los salvará".

ESPERANZADO. No es bueno, creo, decirle todo de una vez; pasemos de largo, si quieres, y hablemos con él más tarde, a medida que pueda tolerarlo.

Así que ambos siguieron adelante, e Ignorancia vino detrás. Un poco más allá entraron en una senda muy oscura, donde hallaron a un hombre a quien siete demonios habían atado con siete cuerdas fuertes y llevaban de vuelta a la puerta que ellos habían visto en la ladera de la colina [Mt 12:45, Pro 5:22]. Entonces el buen Cristiano comenzó a temblar, y lo mismo hizo Esperanzado. Aunque los demonios se estaban llevando al hombre, Cristiano miró a ver si lo conocía y pensó que podría ser un tal Vuelve La Mirada, que vivía en la ciudad de la Apostasía. Pero no le vio perfectamente la cara, porque el hombre agachó la cabeza como un ladrón atrapado. Pero una vez pasado, Esperanzado lo miró y vio en su espalda un papel con esta inscripción: "Profesor sin escrúpulos y maldito apóstata".

Entonces dijo Cristiano a su compañero:

CRISTIANO. Ahora recuerdo que me contaron lo que le sucedió a un buen hombre de por aquí. Su nombre era Poca Fe, quien vivía en la ciudad Sincera. La cosa fue esta: al entrar en este pasaje, baja de la Puerta del Camino Ancho un sendero llamado Callejón del Muerto, llamado así por los asesinatos que allí suelen suceder. Poca Fe, que iba en peregrinación

como nosotros, se sentó allí y se quedó dormido. En ese momento, tres fornidos rufianes llamados Corazón Débil, Desconfianza y Culpa —tres hermanos— bajaron a caballo por aquel sendero desde la Puerta del Camino Ancho. Vieron a Poca Fe tendido allí y rápidamente se acercaron a él al galope. El buen hombre acababa de despertarse y estaba por volver emprender su viaje, pero se le acercaron y, con palabras amenazantes, le ordenaron que se levantara. Al oír esto, Poca Fe se puso blanco como la leche y no tuvo fuerzas ni para luchar ni para huir. Entonces Corazón Débil dijo: 'Dame tu dinero'. Pero él no se apresuró a hacerlo, pues no quería perderlo todo, así que Desconfianza metió la mano en su bolsillo y sacó de él una bolsa llena de plata. Entonces Poca Fe gritó: "¡Ladrones! ¡Ladrones!". Con eso Culpa, con un gran garrote que tenía en la mano, golpeó a Poca Fe en la cabeza, y con ese golpe lo derribó al suelo. Quedó tirado en el suelo sangrando y los ladrones esperaron a que se desangrara hasta morir. Pero, al fin, oyendo que algunos venían por el camino, y temiendo que se tratase de Gran Gracia, habitante de la ciudad de la Buena Confianza, se marcharon y dejaron al buen hombre a su suerte. Al cabo de un rato, Poca Fe volvió en sí, se levantó y se dispuso a seguir su camino. Esa fue la historia.

ESPERANZADO. ¿Le quitaron todo lo que tenía?

CRISTIANO. No; no tocaron el lugar donde estaban sus joyas, así que las conservó. Pero, según me contaron, el buen hombre estaba muy afligido por su pérdida, pues los ladrones se llevaron la mayor parte de su dinero. Lo que no se llevaron, como dije, fueron joyas. El poco dinero que le quedaba apenas le alcanzaba para el fin de su viaje [1 Pedro 4:18]; es más, si no me informaron mal, se vio forzado a mendigar a su paso para

subsistir, pues no podía vender sus joyas. Pero mendigando y haciendo lo que podía, iba (como decimos) con la barriga hambrienta la mayor parte del resto del camino.

ESPERANZADO. ¿No es una maravilla que no le robaran el documento con el que sería admitido en la Puerta Celestial?

CRISTIANO. Es una maravilla. Pero no fue por astucia de Poca Fe que no lo vieran, porque él, estando tan angustiado, no podía ocultar nada. Fue más por la buena providencia que por su esfuerzo que los ladrones no se lo llevaron.

ESPERANZADO. Debió ser un consuelo también que no se llevaran sus joyas.

CRISTIANO. Hubiera sido un gran consuelo para él, si las hubiera usado como debía, pero los que me contaron la historia dijeron que no hizo más que poco uso de ellas en todo el resto del camino. Además, a causa de la consternación que le causó el robo del dinero, olvidó las joyas durante casi todo el resto del viaje. Cuando, por alguna razón, las recordaba y empezaba a consolarse, volvían a asaltarle nuevos pensamientos de su pérdida y esos pensamientos se lo tragaban todo [1 Pedro 1:9].

ESPERANZADO. ¡Pobre hombre! Eso no pudo ser sino un gran dolor para él.

CRISTIANO. ¡Dolor! Sí, dolor, realmente. ¿No habría sido así para cualquiera de nosotros si nos hubieran robado y herido en un lugar extraño, como lo fue él? Es un milagro que no muriera de dolor, ¡pobre corazón! Me dijeron que se dispersó casi todo el resto del camino con quejas tristes y amargas, contándole a todos los que le alcanzaban, o que él alcanzaba en el camino, dónde y cómo le habían robado, quiénes lo habían hecho, lo que había perdido, y que a duras penas había escapado con vida.

ESPERANZADO. Pero es una maravilla que sus necesidades no le hicieran empezar a vender o empeñar algunas de sus joyas para poder aliviarse en su viaje.

CRISTIANO. Hablas como quien aún tiene la concha en la cabeza hoy en día. ¿Por qué las empeñaría? ¿A quién se las vendería? En todo aquel país donde le robaron, sus joyas no tenían ninguna importancia, ni él quería el tipo de socorro que le podían dar allí. Además, si sus joyas hubieran desaparecido en la puerta de la Ciudad Celestial, habría sido excluido de una herencia allí, y eso él lo sabía muy bien. Eso habría sido peor para él que la aparición y las malas acciones de diez mil ladrones.

ESPERANZADO. ¿Por qué eres tan cortante, hermano mío? Esaú vendió su primogenitura, y eso por un tazón de estofado, y esa primogenitura era su mayor joya. Si él lo hizo, ¿por qué no podría hacerlo también Poca Fe? [Heb 12:16].

CRISTIANO. Ciertamente, Esaú vendió su primogenitura, y lo mismo hacen muchos otros. Al hacerlo, se excluyen a sí mismos de la principal bendición, como también lo hizo ese cobarde. Pero debes establecer una diferencia entre Esaú y Poca Fe, y también entre sus condiciones. La primogenitura de Esaú era típica, pero las joyas de Poca Fe no lo eran. El deseo de Esaú residía en su estómago; el de Poca Fe no. Además, Esaú no podía ver más allá de la satisfacción carnal: "¿Y para qué me sirve la primogenitura, si estoy a punto de morir?" [Gn 25:32]. Pero en el caso de Poca Fe fue precisamente la poca fe que por suerte le tocó lo que impidió tales extravagancias, y le hizo ver y apreciar sus joyas antes que venderlas, como Esaú hizo con su primogenitura. No has leído en ninguna parte que Esaú tuviera fe, ni siquiera un poco. Por lo tanto, donde solo

la carne ejerce influencia —como lo hace en cualquier hombre que no tenga fe para resistir— no es de extrañar que venda su primogenitura y su alma y todo, incluso al Diablo del Infierno. Sucede con tal persona lo mismo que con la asna salvaje; estando en su celo, ¿quién puede detenerla? [Jer 2:24]. Cuando sus mentes se fijan en sus antojos, los tendrán, cueste lo que cueste. Pero Poca Fe era de otra naturaleza; su mente estaba en las cosas divinas. Su sustento dependía de cosas espirituales y de lo alto. Por lo tanto, ¿por qué aquel que es de tal temperamento vendería sus joyas (si es que alguien las hubiera comprado) para llenar su mente de cosas vanas? ¿Daría un hombre un penique para llenar su vientre de heno; o es posible persuadir a la tórtola para que viva de carroña como el cuervo? Aunque los infieles puedan, por lujuria, empeñar, hipotecar, o vender lo que tienen y a sí mismos, aquellos que tienen la fe salvadora —aunque sea un poco— no pueden hacerlo. He aquí, pues, hermano mío, tu error.

ESPERANZADO. Lo reconozco. Pero aun así tu severa reflexión casi me hizo enojar.

CRISTIANO. ¿Por qué? Pues no he hecho más que compararte con algunos de los pájaros más briosos, que corren de un lado a otro por senderos bien trillados con la cáscara todavía en la cabeza. Pero olvídate de eso y considera el asunto debatido, y todo estará bien entre nosotros.

ESPERANZADO. Pero, Cristiano, estoy persuadido en mi corazón de que estos tres tipos no son más que una compañía de cobardes. De lo contrario, ¿crees que habrían huido al oír el ruido de otros caminantes? ¿Por qué Poca Fe no se armó de más valor? Podría, me parece, haber soportado un roce con ellos, y haberse rendido cuando ya no había remedio.

CRISTIANO. Cobardes, muchos lo han dicho, pero pocos lo han comprobado. En cuanto a más valor, Poca Fe no lo poseía. Y percibo de ti, hermano mío, que si tú hubieras sido el hombre en cuestión, hubieras estado para una batalla y luego para rendirte. En verdad, este es el alcance de tu coraje porque ellos están lejos de nosotros; si se te aparecieran como a él, podrían hacerte recapacitar.

Considera de nuevo que no son más que ladrones contratados. Sirven al Rey del Abismo, quien vendría a ayudarlos personalmente si es necesario, y su voz es como el rugido de un león [1 Pedro 5:8]. Yo mismo me he visto en apuros como Poca Fe, y me parece algo terrible. Estos tres villanos me atacaron y yo, como cristiano, comencé a resistirme. Ellos simplemente llamaron y apareció su amo. Yo, como dice el refrán, habría dado mi vida por un penique, pero Dios quiso que estuviera vestido con armadura. Ay, sin embargo, aunque estaba tan guarnecido, me costaba trabajo portarme como un hombre. Nadie puede comprender cómo es el combate hasta que ha estado en la batalla.

ESPERANZADO. Bueno, pero corrieron, ya ves, cuando supusieron que Gran Gracia venía en camino.

CRISTIANO. Cierto, muchas veces han huido, tanto ellos como su amo, cuando ha aparecido Gran Gracia; y eso no es de extrañarse, pues es el campeón del rey. Pero creo que diferenciarías entre Poca Fe y el campeón del rey. No todos los súbditos del rey son sus campeones, ni pueden, cuando se les pone a prueba, realizar hazañas como él. ¿Es razonable pensar que un niño pequeño pueda vencer a Goliat como lo hizo David? ¿O que un ave pueda tener la fuerza de un buey? Unos son fuertes, otros débiles; unos tienen mucha fe,

otros tienen poca. Este hombre era de los débiles, y por eso se acercó al muro.

ESPERANZADO. Ojalá hubiera sido Gran Gracia, por el bien de ellos.

CRISTIANO. Si lo hubiera sido, habría tenido las manos ocupadas. Debo decirte que Gran Gracia es muy bueno con sus armas, y puede lidiar bien con sus contendientes siempre que los mantenga a punta de espada. Pero, si se le meten dentro Corazón Débil, Desconfianza o la otra, será difícil, pero lo harán caer. Y cuando un hombre está abatido, ¿qué puede hacer?

Quien mire bien el rostro de Gran Gracia, verá esas cicatrices y cortes, que fácilmente demostrarán lo que digo. Sí, una vez oí que decía (y eso cuando estaba en el combate): "Nos desesperamos incluso de la vida". ¿Cómo pudieron estos robustos bribones y sus compañeros hacer gemir, llorar y rugir a David? Sí, Hemán y Ezequías también, aunque campeones en su día, se vieron obligados a levantarse cuando estos los asaltaron y tuvieron roces con ellos.

Una vez, Pedro se empeñó en hacer lo que creía que podía hacer; aunque algunos dicen de él que es el príncipe de los apóstoles, lo barajaron tanto que al final le hicieron temer a una débil muchacha.

LA CORPULENCIA DEL LEVIATÁN

Además, su rey está a la escucha de sus silbidos. Nunca está fuera del alcance de sus oídos y acude, si es posible, a ayudarles en cualquier momento en que estén siendo golpeados. De él se dice: "La espada que lo alcanza no lo afecta; tampoco la lanza ni el dardo ni la jabalina. Al hierro estima como paja,

y a la madera como a la corrosión del cobre. Las flechas no le hacen huir; las piedras de la honda le son como rastrojo. Al garrote considera hojarasca; se ríe del blandir de la jabalina" [Job 41:26-29]. ¿Qué puede hacer un hombre en este caso? Es verdad; si un hombre pudiera tener en todo momento el caballo de Job, y la habilidad y el valor para montarlo, podría hacer cosas notables. Porque su cuello está engalanado de crines, no tiene miedo de la langosta y el resoplido de su nariz es temible [Job 39:19-20]. "Escarba en el valle y se regocija con fuerza; sale al encuentro de las armas. Se ríe del miedo y no se espanta; no vuelve atrás ante la espada. Sobre él resuenan la aljaba, la hoja de la lanza y la jabalina. Con estrépito y furor devora la distancia y no se detiene, aunque suene la corneta. Relincha cada vez que suena la corneta y desde lejos olfatea la batalla, la voz tronadora de los oficiales y el grito de guerra" [Job 39:21-25].

Pero en cuanto a los soldados rasos como tú y como yo, nunca deseemos encontrarnos con un enemigo ni alardeemos como si pudiéramos hacerlo mejor cuando oigamos de otros que han sido vencidos, ni nos divirtamos pensando en nuestra propia hombría. Tales individuos sufren las peores cosas cuando son puestos a prueba. Por ejemplo, Pedro, de quien he hablado antes, se pavoneaba arrogantemente. Sí, lo hacía. Su mente vanidosa le incitaba a decir que él defendería a su Maestro más que todos los hombres. ¿Quién fue más veces vencido y atropellado por los villanos que él?

Por lo tanto, cuando oímos que tales robos se hacen en la carretera del rey, debemos hacer dos cosas:

Primero, salir preparados y estar seguros de llevar un escudo con nosotros; porque fue por falta de eso que el que

golpeó tan fuertemente a Leviatán no pudo hacerlo ceder; porque, en efecto, si eso falta, no nos teme en absoluto. Por lo tanto, el Habilidoso ha dicho: "Y sobre todo, ármense con el escudo de la fe con que podrán apagar todos los dardos de fuego del maligno" [Ef 6:16R].

Segundo, sería bueno también que pidamos al rey un convoy; sí, que él mismo vaya con nosotros. Esto alegró a David cuando estaba en el Valle de la Sombra de la Muerte; y Moisés prefería no dar ni un paso sin su Dios [Ex 33:15]. Oh, hermano mío, si nos acompaña, ¿qué tenemos que temer de diez mil que se nos opongan? [Salm 3:5-8, 27:1-3]. Pero, sin él, los orgullosos "entre los muertos caerán" [Is 10:4].

Yo, por mi parte, he estado en la refriega antes de ahora; y aunque, por la bondad del Más Grande, estoy, como ves, vivo, no puedo presumir de mi virilidad. Me alegraré si no me encuentro con tales golpes, aunque temo que no estemos fuera de todo peligro. Sin embargo, ya que el león y el oso aún no me han devorado, espero que Dios nos libre del próximo filisteo incircunciso.

Entonces cantó Cristiano:

"¡Pobre Poca Fe! ¿Te atacaron los ladrones?
¿Te robaron? Recuerda esto: quien crea
y obtenga más fe, será vencedor
sobre diez mil, o apenas sobre tres".

Entonces siguieron adelante e Ignorancia les siguió. Llegaron a un punto donde otro camino se atravesaba y lucía tan recto como el que debían seguir. No sabían cuál de los dos tomar, porque ambos se parecían; por lo tanto, se detuvieron

para reflexionar. Mientras pensaban, un hombre de tez oscura y cubierto con una túnica blanca y ligera se acercó a ellos y les preguntó por qué estaban allí. Ellos respondieron que iban a la Ciudad Celestial, pero no sabían cuál de estos caminos tomar. "Síganme", dijo el hombre, "es allí a donde voy". Y ellos lo siguieron por el camino que ahora desembocaba en la calzada, tan desviado que se alejaba de la ciudad a la que deseaban ir hasta perderla de vista. Sin embargo, lo siguieron; pero poco a poco, sin que lo notaran, el hombre los condujo hacia dentro del cerco de una red, donde se enredaron sin remedio. La impoluta túnica blanca cayó de la espalda del hombre y entonces vieron dónde estaban. Y allí se quedaron llorando algún tiempo, pues no podían salir.

CRISTIANO. Ahora veo mi error. ¿No nos dijeron los pastores que tuviéramos cuidado con los aduladores? Como dice el sabio, lo hemos encontrado hoy. El hombre que adula a su prójimo le tiende una red [Pro 29:5].

ESPERANZADO. También nos dieron una nota con instrucciones sobre el camino, para que lo encontráramos con más seguridad; pero del mismo modo hemos olvidado leerla y no nos cuidamos de los caminos del destructor. En esto David fue más sabio que nosotros, porque, dice él, "En cuanto a las obras humanas, por la palabra de tus labios yo me he guardado de las sendas de los violentos" [Salm 17:4].

Así se lamentaban dentro de la red. Finalmente, divisaron a un Luminoso que se acercaba a ellos con un látigo de cuerda pequeña en la mano. Cuando llegó al lugar donde estaban, les preguntó de dónde venían y qué hacían allí. Ellos le dijeron que eran pobres peregrinos que iban a Sion, pero que fueron desviados de su camino por un hombre vestido de blanco que les

dijo que lo siguieran porque él también iba allá. Entonces dijo el del látigo: "Es el Adulador, un falso apóstol, disfrazado de ángel de luz" [Pro 29:5, Dn 11:32, 2 Cor 11:13-14]. Entonces rompió la red y dejó salir a los hombres. Luego les dijo: "Síganme, para llevarlos de nuevo a su camino". Y los condujo de nuevo a la vía que habían dejado para seguir al Adulador. Entonces les preguntó: "¿Dónde durmieron la noche pasada?". Ellos respondieron: "Con los pastores en las Montañas Deliciosas". Les preguntó entonces si esos pastores no les habían dejado una nota con las direcciones correctas. Respondieron que sí. "Y cuando se encontraron en apuros, ¿sacaron y leyeron esa nota?", preguntó él. Respondieron que no, porque la habían olvidado. Les preguntó también si los pastores no les habían advertido sobre el Adulador. Respondieron: "Sí, pero no nos imaginábamos que pudiera ser ese hombre de buen hablar" [Rom 16:18].

Entonces vi en mi sueño que les ordenó que se acostaran; que, cuando lo hicieron, los castigó duramente para enseñarles el buen camino por donde debían andar [Dt 25:2]; y mientras los reprendía, les dijo: "Yo reprendo y castigo a todos los que amo; sé, pues, celoso, y arrepiéntete" [2 Cr 6:26-27, Ap 3:19]. Hecho esto, les ordenó que siguieran su camino y que prestaran atención a las instrucciones de los pastores. Le dieron las gracias por su amabilidad, y siguieron suavemente por el buen camino, cantando:

"Vengan aquí los que andan por el camino;
miren cómo les va a los peregrinos que se extravían.
Atrapados están en una red enmarañada,
porque olvidaron a la ligera el buen consejo.

Es cierto que fueron rescatados pero, ya ves,
incluso así fueron azotados. Que esta sea su precaución".

Después de un rato, percibieron a lo lejos a uno viniendo solo y lentamente hacia ellos. Entonces dijo Cristiano a su compañero: "Allí viene un hombre de espaldas a Sion, y se dirige a nuestro encuentro".

ESPERANZADO. Ya lo veo. Cuidémonos, no sea que también resulte ser un adulador.

Así que el hombre se acercó cada vez más y por fin llegó hasta ellos. Se llamaba Ateo, y les preguntó hacia dónde iban.

CRISTIANO. Vamos al Monte Sion.

Entonces el Ateo se echó a reír a carcajadas.

CRISTIANO. ¿Qué significa tu risa?

ATEO. Me río al ver lo ignorantes que son al emprender un viaje tan agotador, pues es probable que al final el viaje sea lo único que obtengan.

CRISTIANO. ¿Por qué, hombre, crees que no seremos recibidos?

ATEO. ¡Recibidos! No existe en el mundo ese lugar con el que sueñan.

CRISTIANO. Pero lo hay en el mundo venidero.

ATEO. Cuando estaba en casa, en mi país, escuché lo que dices. Y de ese oír salí a ver, y he estado veinte años buscando esa ciudad, pero no he encontrado más de ella que el primer día que salí [Jer 22:12, Ecl 10:15].

CRISTIANO. Nosotros hemos oído y creemos que existe ese lugar.

ATEO. Si no hubiera creído no habría llegado hasta aquí buscándolo. Pero al no encontrarlo —y debería haberlo encon-

trado ya si existiera, pues he ido más lejos que ustedes— vuelvo de nuevo a casa y procuraré disfrutar de las cosas que deseché en aras de lo que ahora veo que no existe.

Entonces Cristiano dijo a su amigo Esperanzado: "¿Es verdad lo que dice este hombre?".

LA RESPUESTA DE ESPERANZADO

ESPERANZADO. Ten cuidado: es uno de los aduladores. Acuérdate de lo que ya nos costó una vez hacer caso a tipos como él. ¿Qué? ¿No hay Monte Sion? ¿No vimos la puerta de la Ciudad desde las Montañas Deliciosas? Además, ¿no hemos de caminar ahora por la fe? Sigamos adelante, no sea que el hombre del látigo nos alcance de nuevo [2 Cor 5:7]. Deberías haberme enseñado la lección que ahora traigo a tus oídos: "Cesa, hijo mío, de oír las enseñanzas que te hacen divagar de las razones de sabiduría" [Pro 19:27]. Yo digo, hermano mío, deja de escucharle, y "tengamos fe para preservación del alma" [Heb 10:39].

CRISTIANO. Hermano mío, no te hice la pregunta porque yo mismo dudara de la verdad de nuestra creencia, sino para probarte y obtener pruebas de la nobleza de tu corazón. En cuanto a este hombre, sé que está cegado por el dios de este mundo. Sigamos adelante sabiendo que creemos la verdad, "porque ninguna mentira procede de la verdad" [1 Jn 2:21]".

ESPERANZADO. Ahora me regocijo en la esperanza de la gloria de Dios.

Entonces se apartaron. El hombre se rio de ellos y siguió su camino.

Vi entonces en mi sueño que caminaron hasta que entraron en cierto país cuyo aire tendía naturalmente a adormecer

a cualquier extranjero. Esperanzado comenzó a sentirse muy apático y somnoliento, y le dijo a Cristiano: "Tengo tanto sueño que apenas puedo mantener los ojos abiertos. Tumbémonos aquí y echemos una siesta".

CRISTIANO. De ninguna manera, no sea que si dormimos no volvamos a despertar.

ESPERANZADO. ¿Por qué, hermano mío? El sueño es dulce para el hombre que trabaja. Podemos refrescarnos si echamos una siesta.

CRISTIANO. ¿No recuerdas que uno de los pastores nos dijo que tuviéramos cuidado con la Tierra Encantada? Quería decir que tuviéramos cuidado con el sueño: "Por tanto, no durmamos como los demás, sino velemos y seamos sobrios" [1 Tes 5:6].

ESPERANZADO. Reconozco mi error, y si hubiera estado aquí solo, habría corrido peligro de muerte por dormir. Veo que es verdad lo que dijo el Sabio: dos son mejor que uno. Hasta ahora, tu compañía me ha sido de gran provecho, y recibirás una buena recompensa por tu labor [Ec 9:9].

CRISTIANO. Ahora bien, para evitar la somnolencia en este lugar, tengamos una buena conversación.

ESPERANZADO. Con mucho gusto.

CRISTIANO. ¿Por dónde empezamos?

ESPERANZADO. Por donde Dios empezó con nosotros. Pero empieza tú si quieres.

CRISTIANO. Primero te cantaré esta canción:

"Cuando los santos se adormezcan, que vengan aquí,
y oigan hablar a estos dos peregrinos;
sí, que aprendan algo de ellos

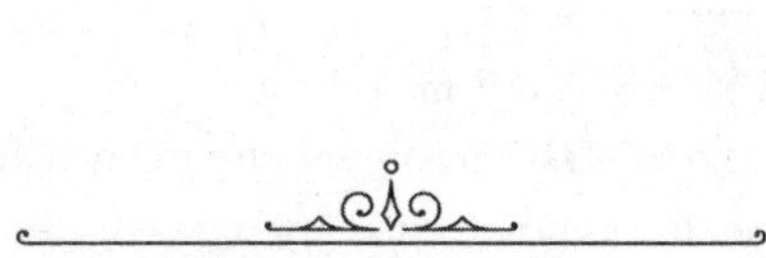

Padre, protégeme de las seducciones
y distracciones de este mundo que me
apartan del camino de la justicia. Ayúdame
a mantener mis ojos fijos en Jesús, el autor
y perfeccionador de mi fe.

para mantener abiertos sus ojos adormecidos.
La hermandad de los santos, si se maneja bien,
los mantiene despiertos a pesar del infierno".

CRISTIANO. Te haré una pregunta. ¿Cómo se te ocurrió al principio hacer lo que haces ahora?

ESPERANZADO. ¿Quieres decir cómo llegué a cuidar el bien de mi alma?

CRISTIANO. Sí, a eso me refiero.

ESPERANZADO. Durante mucho tiempo disfruté de las cosas que se veían y vendían en la Feria de las Vanidades; cosas que ahora creo que me habrían sumido en la ruina y la destrucción si hubiera continuado.

CRISTIANO. ¿Qué cosas eran esas?

LA VIDA DE ESPERANZADO ANTES DE LA CONVERSIÓN

ESPERANZADO. Todos los tesoros y riquezas del mundo. También disfrutaba de las orgías, las juergas, la bebida, los insultos, las mentiras, la impureza, la transgresión del sábado, etcétera..., esas cosas que tienden a destruir el alma. Pero finalmente descubrí, al considerar las cosas divinas —que oí de ti y del querido Fiel, que fue condenado a muerte por su fe y su buena vida en la Feria de las Vanidades— que "el fin de estas cosas es la muerte" [Rom 6:21-23], y que, "a causa de estas cosas viene la ira de Dios sobre los hijos de desobediencia" [Ef 5:6].

CRISTIANO. ¿Y caíste inmediatamente bajo el poder de esta convicción?

ESPERANZADO. No. No estaba dispuesto a reconocer de inmediato la maldad del pecado ni la condenación que sigue a quien lo comete. Cuando al principio mi mente comenzó a ser sacudida por la Palabra, traté de cerrar los ojos contra su luz.

CRISTIANO. Pero, ¿por qué reaccionaste así hasta que el bendito Espíritu de Dios comenzó a moverte?

ESPERANZADO. Primero: ignoraba que esta era la obra de Dios sobre mí. Nunca pensé que Dios comenzara la conversión de los pecadores despertándolos al pecado. Segundo: el pecado era todavía muy dulce para mi naturaleza pecaminosa y odiaba dejarlo. Tercero: no sabía cómo separarme de mis antiguos compañeros, pues me atraían su presencia y sus acciones. Cuarto: los momentos en que sentía las convicciones eran horas tan molestas y espantosas para mi corazón que no podía soportarlas, ni siquiera su recuerdo, en mi corazón.

CRISTIANO. Entonces, según parece, a veces te librabas del problema.

ESPERANZADO. Sí, pero volvía a mi mente, y entonces me sentía tan mal, mejor dicho, peor que antes.

CRISTIANO. ¿Qué te hacía recordar de nuevo tus pecados?

ESPERANZADO. Muchas cosas, por ejemplo:

1) si me encontraba con un hombre bueno en las calles;
2) si escuchaba a alguien leer la Biblia;
3) si me empezaba a doler la cabeza;
4) si me decían que alguno de mis vecinos estaba enfermo;
5) si oía doblar la campana por los muertos;
6) si yo mismo pensaba en morir;
7) si oía que otros habían muerto repentinamente;

8) pero, sobre todo, cuando pensaba en mí mismo, que más temprano que tarde tendría que enfrentarme al juicio.

CRISTIANO. ¿Y lograbas librarte de la culpa del pecado cuando te sobrecogía en alguno de esos casos?

ESPERANZADO. No; más bien se apoderaron más rápidamente de mi conciencia; entonces, si pensaba en volver al pecado (aunque mi mente estaba en contra), sabía que me traería un doble tormento.

CRISTIANO. ¿Y qué hiciste entonces?

ESPERANZADO. Pensé que debía esforzarme en enmendar mi vida; porque si no, pensé, estoy seguro de que seré condenado.

CRISTIANO. ¿Y te esforzaste por mejorar?

ESPERANZADO. Sí; y hui no solo de mis pecados, sino también de las malas compañías. Me entregué a los deberes religiosos, como la oración, la lectura, el llanto por el pecado, decir la verdad a mis vecinos, etc. Hice estas cosas y muchas otras que serían muy largas para relatar aquí.

CRISTIANO. ¿Y pensabas bien de ti mismo entonces?

ESPERANZADO. Sí, por algún tiempo; pero al final mis problemas volvieron a caer sobre mí, a pesar de todas mis reformas.

CRISTIANO. ¿Cómo sucedió eso, puesto que ya estabas reformado?

ESPERANZADO. Varias cosas lo causaron, especialmente dichos como estos: "Todas nuestras obras justas son como trapo de inmundicia" [Isaías 64:6]; "Por las obras de la ley nadie será justificado" [Gal 2:16]; "Cuando hayan hecho todo lo que se les ha mandado, digan: 'Siervos inútiles somos'" [Lc 17:10]. Y muchas otras semejantes. De modo que comencé

a razonar conmigo mismo así: si TODAS mis obras justas son trapos de inmundicia; si por las obras de la ley NINGÚN hombre puede ser justificado; y si, cuando lo hemos hecho TODO, somos todavía inútiles, entonces es una locura pensar en el Cielo a través de la ley. Además, pensé así: piensa que un hombre se endeuda con el tendero por cien libras, pero después de eso paga por todas sus siguientes compras. Sin embargo, si la vieja deuda de cien libras permanece, el tendero puede demandarlo y encarcelarlo hasta que pague.

CRISTIANO. Bueno, ¿y cómo aplicaste esto a tu caso?

ESPERANZADO. Pues así pensé sobre mí mismo. Yo, por mis pecados, he acumulado una gran deuda en el libro de Dios, y mi reforma de ahora no pagará esa cuenta. ¿Cómo me libraré de la condenación que he causado con mis anteriores transgresiones?

CRISTIANO. Muy buena aplicación; pero, por favor, continúa.

ESPERANZADO. Otra cosa que me ha turbado, aún desde mis últimas enmiendas, es que, si miro de cerca lo mejor que hago ahora, todavía veo pecado, nuevo pecado, mezclándose con mis obras más justas. De modo que ahora me veo forzado a concluir que, a pesar de mis cambios, he cometido suficientes pecados en un deber como para enviarme al infierno, incluso si en mi vida anterior hubiera sido intachable.

CRISTIANO. ¿Y qué hiciste entonces?

ESPERANZADO. ¡Hacer! No supe qué hacer, hasta que le compartí mis pensamientos a Fiel, pues él y yo nos conocíamos bien. Y él me dijo que, a menos que pudiera obtener la rectitud de un hombre que nunca había pecado, ni mi rectitud ni la del mundo entero podrían salvarme.

CRISTIANO. ¿Y creíste que decía verdad?

ESPERANZADO. Si me lo hubiera dicho cuando estaba contento y satisfecho de mi propia transformación, le hubiera llamado necio. Pero ahora, desde que veo mi propia flaqueza y el pecado que se adhiere a mi mejor obra, me veo forzado a abrazar esa opinión.

CRISTIANO. Pero ¿pensaste, cuando Fiel lo sugirió al principio, que se podía encontrar un hombre así, del que se pudiera decir que nunca cometió pecado?

ESPERANZADO. Debo confesar que al principio sus palabras me sonaron extrañas, pero después de un poco más de charla con él, tuve plena convicción de ello.

CRISTIANO. ¿Y le preguntaste qué hombre era este y cómo debía absolverte?

ESPERANZADO. Sí, y me dijo que era el Señor Jesús, que mora a la diestra del Altísimo. Y así, dijo, debes ser absuelto por él, confiando en lo que ha hecho por sí mismo, en los días de su encarnación, y en que sufrió cuando fue colgado en el árbol. Le pregunté, además, ¿cómo la rectitud de ese hombre podría ser tal para absolver a otro ante Dios? Y me dijo que él era el Dios poderoso, e hizo lo que hizo, y también murió no por sí mismo, sino por mí, a quien sus obras —y el valor de ellas— serían dadas si creía en él [Heb 10, Rom 6, Col. 1; 1 Pedro 1].

CRISTIANO. ¿Y qué hiciste entonces?

ESPERANZADO. Discutí contra mi creencia, pues pensaba que Él no estaba dispuesto a salvarme.

CRISTIANO. ¿Y qué te dijo Fiel?

ESPERANZADO. Me mandó que fuese a verle. Entonces le dije que sería pretencioso de mi parte, pero él dijo que

no, pues yo había sido invitado a venir [Mt 11:28]. Luego me dio un libro de la palabra de Jesús para animarme más. Y dijo, acerca de ese libro, que cada jota y cada tilde en él era más firme que el cielo y la tierra [Mt 24:35]. Entonces le pregunté qué debía hacer cuando llegara, y me dijo que debía arrodillarme y pedirle al Padre, con todo mi corazón y mi alma, que me lo revelara [Salm 95:6, Dn 6:10, Jer 29:12-13]. Le pregunté además cómo debía ser mi súplica, y me dijo: "Ve, y lo encontrarás sobre el propiciatorio, donde se sienta todo el año para perdonar a los que acuden". Le dije que no sabía qué decir cuando llegara, y me instruyó que dijera lo siguiente: "Dios, sé misericordioso conmigo, que soy pecador, y hazme conocer y creer en Jesucristo, porque veo que, si su justicia no existiera, o si yo no tuviera fe en esa justicia, sería totalmente descartado. Señor, he oído que eres un Dios misericordioso, y has ordenado que tu Hijo Jesucristo sea el Salvador del mundo; y, además, que estás dispuesto a apiadarte de un pobre pecador como yo (que lo soy). Señor, aprovecha esta oportunidad y magnifica tu gracia en la salvación de mi alma, por tu Hijo Jesucristo. Amén" [Ex 25:22, Lv 16:2, Nm 7:89, Heb 4:16].

CRISTIANO. ¿Hiciste lo que te indicó?

ESPERANZADO. Sí, una y otra vez.

CRISTIANO. ¿Y el Padre te reveló a Su Hijo?

ESPERANZADO. No la primera vez, ni la segunda, ni la tercera, ni la cuarta, ni la quinta. No, tampoco la sexta.

CRISTIANO. ¿Entonces qué hiciste?

ESPERANZADO. ¿Qué? Pues no sabía qué hacer.

CRISTIANO. ¿No pensaste en parar de orar?

ESPERANZADO. Sí, cientos de veces.

CRISTIANO. ¿Y por qué no paraste?

ESPERANZADO. Porque creía que era cierto lo que me habían dicho: que, sin la rectitud de Cristo, nada en el mundo podría salvarme. Por lo tanto, me dije: "Si renuncio, moriré, y no puedo morir sino a los pies del Trono de Gracia". Con eso, pensé: "Aunque tarde, espéralo; pues sin duda vendrá y no tardará" [Heb 2:3]. Así que seguí orando hasta que el Padre me mostró a su Hijo.

CRISTIANO. ¿Y cómo te lo reveló?

ESPERANZADO. No lo vi con los ojos de mi mente, sino con los de mi entendimiento [Ef 1:18,19]. Y fue así: un día estaba muy triste, creo que más triste que en cualquier otro momento de mi vida, por haber visto la magnitud y la vileza de mis pecados. Y como entonces no esperaba otra cosa que el infierno y la condena eterna de mi alma, de repente, mientras pensaba, vi al Señor Jesucristo mirándome desde el cielo, y diciendo: "Cree en el Señor Jesucristo, y serás salvo" [Hch 16:30, 31].

Pero yo respondí: "Señor, soy un gran, un grandísimo pecador". Y me respondió: "Te basta mi gracia" [2 Co 12:9]. Le dije: "Pero, Señor, ¿qué es creer?". Entonces recordé ese dicho: "El que a mí viene nunca tendrá hambre, y el que en mí cree no tendrá sed jamás", que creer y acudir a él es una misma cosa, y que el que acudía a él —esto es, corría en su corazón y sus afectos en pos de la salvación por Cristo— creía verdaderamente en Cristo. Entonces se me llenaron los ojos de lágrimas, y pregunté más: "Pero, Señor, ¿puede un pecador tan grande como yo ser aceptado por ti y salvado por ti?". Y le oí decir: "Al que a mí viene jamás lo echaré fuera" [Jn 6:37]. Entonces dije: "Pero, Señor, ¿cómo debo pensar en ti y en mi camino hacia ti, para dirigir mi fe correctamente?". Él respondió: "Cristo Jesús

vino al mundo para salvar a los pecadores" [1 Tim 1:15]; "El fin de la ley es Cristo, para justicia a todo aquel que cree" [Rom 10:4]. "Él fue entregado por causa de nuestras transgresiones y resucitado para nuestra justificación" [Rom 4:25]. "Nos ama y nos libró de nuestros pecados con su sangre" [Ap 1:5]. "Él es mediador entre Dios y los hombres" [1 Tim 2:5]. "Vive para siempre para interceder por nosotros" [Heb 7:24-25]. De todo esto deduje que debo buscar la justicia en su persona y la expiación de mis pecados por su sangre; que lo que hizo en obediencia a la ley de su Padre, y la pena a la que se sometió, no fue para sí mismo sino para el que lo acepte como salvador y le esté agradecido. Y ahora estaba mi corazón lleno de alegría, mis ojos llenos de lágrimas, y mis afectos desbordados de amor al nombre, al pueblo y a los caminos de Jesucristo.

CRISTIANO. Esta fue una revelación de Cristo a tu alma. Pero dime qué efecto específico tuvo en tu espíritu.

ESPERANZADO. Me hizo ver que el mundo, a pesar de la justicia que existe en él, está en estado de condena. Me hizo ver que Dios Padre, aunque es justo, puede legítimamente juzgar al pecador que viene. Me hizo avergonzarme grandemente de la bajeza de mi vida anterior, y me hizo sentir turbado respecto a mi propia ignorancia, pues nunca antes había llegado a mi corazón un pensamiento que me mostrara la belleza de Jesucristo. Me hizo amar una vida santa y anhelar hacer algo por el honor y la gloria del nombre del Señor Jesús. Sí, pensé que, si tuviera mil galones de sangre en mi cuerpo, podría derramarla toda por amor del Señor Jesús.

Vi entonces en mi sueño que Esperanzado miraba hacia atrás y veía a Ignorancia, a quien habían dejado atrás. "Mira", dijo a Cristiano, "a qué distancia se ha quedado ese joven".

CRISTIANO. Sí, sí, ya lo veo; no quiere nuestra compañía.

ESPERANZADO. Pero creo que no le habría perjudicado seguirnos el paso hasta ahora.

CRISTIANO. Es verdad; pero te aseguro que él piensa de otro modo.

ESPERANZADO. Creo que sí, pero esperémosle.

Así lo hicieron. Entonces Cristiano le dijo: "Vamos, hombre, ¿por qué te quedas tan atrás?".

IGNORANCIA. Me gusta andar solo, mucho más que acompañado, a no ser que me guste más.

Entonces dijo Cristiano a Esperanzado, (pero en voz baja): "¿No te dije que no le interesaba nuestra compañía?". "Sin embargo", agregó, "ven y charlemos en este lugar solitario". Y dirigiéndose a Ignorancia, dijo: "Ven, ¿cómo estás? ¿Cómo está todo entre Dios y tu alma?".

LA ESPERANZA DE IGNORANCIA Y SU FUNDAMENTO

IGNORANCIA. Espero que bien, porque siempre estoy lleno de buenos pensamientos que vienen a mi mente para consolarme mientras camino.

CRISTIANO. ¿Qué pensamientos? Por favor, cuéntanos.

IGNORANCIA. Pues pienso en Dios y en el Cielo.

CRISTIANO. Lo mismo hacen los demonios y las almas condenadas.

IGNORANCIA. Pero yo pienso en ellos y los deseo.

CRISTIANO. Lo mismo hacen muchos que nunca llegarán allí. "El alma del perezoso desea y nada alcanza" [Pro 13:4].

IGNORANCIA. Pero yo pienso en ellos, y he dejado todo por ellos.

CRISTIANO. Eso lo dudo. Dejarlo todo es cosa difícil; sí, más difícil de lo que muchos piensan. Pero ¿por qué estás convencido de que lo has dejado todo por Dios y el Cielo?

IGNORANCIA. Mi corazón me lo dice.

CRISTIANO. Dice el sabio: "El que confía en su propio corazón es un necio" [Pro 28:26].

IGNORANCIA. Eso se dice de un corazón malo, pero el mío es bueno.

CRISTIANO. ¿Cómo puedes probarlo?

IGNORANCIA. Me reconforta en la esperanza del Cielo.

CRISTIANO. Puede que te esté engañando. Un corazón puede consolar a un hombre con la esperanza de algo que, sin embargo, no tiene realmente motivos para esperar.

IGNORANCIA. Pero mi corazón y mi vida concuerdan, y por eso mi esperanza está bien fundada.

CRISTIANO. ¿Quién te ha dicho que tu corazón y tu vida concuerdan?

IGNORANCIA. Mi corazón me lo dice.

CRISTIANO. Eso es como preguntarle a tu mejor amigo si eres buena persona. ¡Tu corazón te lo dice! Excepto que la Palabra de Dios sea testigo de ello, ningún otro testimonio tiene valor.

IGNORANCIA. Pero ¿no es un buen corazón el que tiene buenos pensamientos? ¿Y no es una vida buena la que es conforme a los mandamientos de Dios?

CRISTIANO. Sí, es un buen corazón el que tiene buenos pensamientos, y una buena vida es la que sigue los

mandamientos de Dios. Pero una cosa es hacer estas cosas y otra es creer que las haces.

IGNORANCIA. Dime, ¿para ti qué son los buenos pensamientos y la vida conforme a los mandamientos de Dios?

CRISTIANO. Hay buenos pensamientos de diversas clases; unos sobre nosotros mismos, unos sobre Dios, otros sobre Cristo, y otros sobre otras cosas.

IGNORANCIA. ¿Cuáles son los buenos pensamientos sobre nosotros mismos?

CRISTIANO. Tales que concuerden con la Palabra de Dios.

IGNORANCIA. ¿Cuándo concuerdan los pensamientos que tenemos de nosotros mismos con la Palabra de Dios?

CRISTIANO. Cuando nos juzgamos bajo los mismos términos que la Palabra. Para explicarme: la Palabra de Dios dice sobre las personas en su condición natural: "No hay justo ni aun uno; no hay quien haga lo bueno" [Rom 3:10]. También dice que "toda tendencia de los pensamientos de su corazón era de continuo solo al mal " [Gn 6:5]. Y otra vez: "La imaginación del corazón del hombre es mala desde su juventud" [Rom 8:21]. Ahora bien, cuando pensamos así de nosotros mismos, entonces nuestros pensamientos son buenos, porque se adecúan a la Palabra de Dios.

IGNORANCIA. Nunca creeré que mi corazón sea así de malo.

CRISTIANO. Entonces nunca has tenido un solo pensamiento bueno respecto a ti mismo en tu vida. Pero déjame continuar. Así como la Palabra juzga a nuestro corazón, así juzga nuestros caminos; y cuando nuestros pensamientos y caminos concuerdan con el juicio que la Palabra hace de ambos, entonces ambos son buenos, porque concuerdan con ella.

IGNORANCIA. Explícame mejor lo que quieres decir.

CRISTIANO. La Palabra de Dios dice que los caminos del hombre son torcidos y perversos [Salm 125:5, Pro 2:15]. Dice que los hombres están naturalmente fuera del buen camino [Rom 3]. Ahora bien, cuando un hombre se da cuenta de esto y piensa en la maldad de sus caminos con humillación de corazón, entonces piensa bien de sus caminos, porque sus pensamientos ahora concuerdan con la Palabra de Dios.

IGNORANCIA. ¿Qué son los buenos pensamientos acerca de Dios?

CRISTIANO. Lo mismo que he dicho acerca de aquellos sobre nosotros mismos: pensamientos sobre Dios que concuerden con lo que la Palabra dice de él; esto es, cuando pensamos en su ser y sus atributos como la Palabra ha enseñado, de lo cual no puedo hablar extensamente ahora. Pero para hablar sobre él con referencia a nosotros: tenemos buenos pensamientos sobre Dios cuando pensamos que Él nos conoce mejor que nosotros mismos, y que puede ver nuestro pecado cuando y donde nosotros no; cuando pensamos que conoce nuestros pensamientos más íntimos, y que nuestro corazón, en toda su profundidad, está siempre abierto a sus ojos. Además, tenemos pensamientos buenos cuando pensamos que nuestra rectitud es débil ante Él, y que, por lo tanto, no soporta vernos con actitud confiada, incluso en nuestras mejores obras.

IGNORANCIA. ¿Crees que soy tan tonto como para pensar que Dios no puede ver más allá de mí? ¿O que me presentaría ante Dios presumiendo de mis obras?

CRISTIANO. ¿Qué piensas al respecto?

IGNORANCIA. Pues, para ser breve, pienso que debo creer en Cristo para mi justificación.

CRISTIANO. ¡Cómo! Debes creer en Cristo incluso cuando no piensas que lo necesitas. No ves tus debilidades, sino que tienes tal opinión de ti mismo y de lo que haces, que pareces una persona que nunca vio la necesidad de la rectitud personal de Cristo para justificarse ante Dios. ¿Cómo, pues, dices: "Creo en Cristo"?

IGNORANCIA. Creo bastante bien por todo eso.

CRISTIANO. ¿Qué crees?

IGNORANCIA. Creo que Cristo murió por los pecadores, y que seré justificado ante Dios y salvado de la condena mediante su graciosa aceptación de mi obediencia a su ley. O así: Cristo hace que mis deberes religiosos sean aceptables a su Padre en virtud de sus méritos; y así seré justificado.

CRISTIANO. Permíteme dar una respuesta a esta confesión de tu fe:

Primero, crees con una fe fantástica, pues este tipo de fe no se describe en ninguna parte de la Palabra.

Segundo, crees con una fe falsa, porque toma la justificación de la rectitud personal de Cristo y la aplica a la suya propia.

Tercero, esta fe no hace a Cristo justificador de tu persona, sino de tus acciones; y de tu persona por causa de tus acciones, lo cual es falso.

Cuarto, y por lo tanto, tu fe es engañosa, incluso tanto que suscitará ira en el día del Todopoderoso, porque la verdadera fe justificadora pone al alma —consciente de su perdición por ley— a refugiarse en la rectitud de Cristo. Esa rectitud no es un acto de gracia por el cual te justifica haciendo que Dios acepte tu obediencia; más bien es su obediencia personal a la ley, al hacer y sufrir por nosotros lo que esta nos exigía. Digo, entonces, que la verdadera fe acepta esta rectitud, halla refugio

en ella, envuelve en ella el alma y así se presenta inmaculada a Dios. Entonces es aceptada y absuelta de condena.

IGNORANCIA. ¿Qué quieres, que nos fiemos de lo que Cristo, en su persona, ha hecho sin nosotros? Esta presunción soltaría las riendas de nuestra concupiscencia y nos permitiría vivir como quisiéramos. Si creemos eso, ¿qué importa cómo vivamos, si seremos justificados por la rectitud personal de Cristo?

CRISTIANO. Ignorancia es tu nombre, y como es tu nombre, así eres tú; incluso esta tu respuesta demuestra lo que digo. Ignorante eres de qué es la rectitud justificante, y tan ignorante de cómo resguardar tu alma de la pesada ira de Dios a través de la fe de ella. Sí, también ignoras los verdaderos efectos de la fe salvadora en esta rectitud de Cristo, que consiste en inclinarse y ganar el corazón para Dios en Cristo: amar su nombre, su palabra, sus caminos y su pueblo, y no como tú ignorantemente imaginas.

ESPERANZADO. Pregúntale si alguna vez se le reveló Cristo en el cielo.

IGNORANCIA. ¡Cómo! ¿Eres de los que creen en revelaciones? Creo que lo que ustedes, y todos sus compañeros, dicen sobre ese asunto, no es sino el fruto de cerebros desordenados.

ESPERANZADO. Pero ¡hombre! Cristo está tan oculto en Dios de la comprensión natural de los hombres, que no puede ser conocido salvíficamente a menos que Dios Padre se lo revele.

IGNORANCIA. Esa es tu creencia, pero no la mía. No dudo que la mía sea tan buena como la suya, aunque no tengo en la cabeza tantas fantasías como ustedes.

CRISTIANO. No deberías hablar con tanta ligereza de un asunto tan serio. Yo también afirmaré enfáticamente que ningún hombre puede conocer a Jesucristo excepto por la revelación del Padre [Mt 11:27]. Y soy igual de enfático acerca de la fe por la cual el alma se aferra a Cristo: si esta es correcta, debe ser concedida por la eminente grandeza de Dios. Me doy cuenta, querido Ignorancia, que tú no posees esa fe. Despierta a tu propia miseria y corre hacia el Señor Jesucristo, por cuya sola justicia serás librado de la ira venidera.

IGNORANCIA. Ustedes hablan tan rápido que no puedo seguirles el hilo. Sigan adelante, yo debo quedarme un poco más atrás.

Entonces Cristiano y Esperanzado cantaron:

"*Bien, Ignorancia, ¿serás tan necio como para despreciar*
el buen consejo que te dimos diez veces?
Y si aún lo rechazas, verás,
en poco tiempo, las malas consecuencias.
Recuerda, hombre, no temas.
El buen consejo bien tomado, salva. Entonces, escucha;
pero si incluso así lo desprecias, serás
perdedor, Ignorancia; te lo aseguramos".

Entonces Cristiano se dirigió así a su compañero:

CRISTIANO. Bien, vamos, mi buen Esperanzado, creo que tú y yo debemos caminar solos de nuevo.

Vi en mi sueño que iban a paso ligero, como antes, e Ignorancia venía cojeando detrás. Entonces Cristiano le dijo a Esperanzado: "Siento mucha lástima por este pobre hombre; le irá mal al final".

ESPERANZADO. Desgraciadamente, en mi ciudad hay muchos en su situación; familias enteras, calles enteras y peregrinos también. Y si hay tantos en nuestras partes, ¿cuántos habrá en el lugar donde él nació?

CRISTIANO. En efecto, la Palabra dice: "Cegó sus ojos para que no vieran", y así. Pero ahora que estamos solos, ¿qué piensas de tales hombres? ¿No crees que en algún momento se den cuenta de su pecado y teman correr peligro?

ESPERANZADO. No, contesta tú mismo a esa pregunta, pues eres el mayor y más experimentado.

CRISTIANO. Digo, pues, que a veces (creo) puede ser; pero al ser naturalmente ignorantes, no comprenden que tales pensamientos tienden a su bien y por eso buscan desesperadamente sofocarlos. Prefieren, presuntuosamente, continuar halagándose a sí mismos en el camino de su propio corazón.

ESPERANZADO. Creo, como dices, que el temor tiende mucho al bien de los hombres y a prepararlos para peregrinar.

CRISTIANO. Sin duda que sí, si es un temor correcto; porque así dice la Palabra: "El temor del Señor es el principio de la sabiduría" [Pro 1:7, 9:10, Job 28:28, Salm 111:10].

ESPERANZADO. ¿Cómo describirías el temor correcto?

CRISTIANO. El temor verdadero o correcto se descubre por tres cosas:

Primero, por su origen: es causado por la convicción de que se está pecando.

Segundo, porque impulsa al alma a asirse firmemente de Cristo para su salvación.

Y tercero, porque engendra y mantiene en el alma una gran reverencia hacia Dios, su Palabra y sus caminos, manteniéndola

tierna y haciéndola temerosa de desviarse de ellos, temerosa de hacer cualquier cosa que deshonre a Dios, rompa su paz, lastime al Espíritu, o ser causa de que el enemigo haga algún reproche.

ESPERANZADO. Creo que has dicho la verdad. ¿Ya estamos casi fuera de la Tierra Encantada?

CRISTIANO. ¿Por qué? ¿Estás cansado del tema?

ESPERANZADO. No, realmente no, pero quisiera saber dónde estamos.

CRISTIANO. No nos quedan más de dos millas de camino. Pero volvamos a nuestro asunto. Ahora bien, los ignorantes no saben que las convicciones que tienden a infundirles temor son para su bien, y por eso tratan de sofocarlas.

ESPERANZADO. ¿Cómo tratan de sofocarlas?

CRISTIANO. Primero, piensan que esos temores son obra del diablo (aunque en verdad son obra de Dios), y, pensando así, los resisten como cosas dañinas. Segundo, piensan también que esos temores arruinan su fe —cuando, por desgracia, pobres hombres que son, no tienen ninguna— y por eso endurecen su corazón contra ellos. Tercero, presumen que no deberían temer; y, por lo tanto, a pesar de los temores, se confían presuntuosamente. Y cuarto, ven que esos temores tienden a arrebatarles su antigua y lastimosa santidad auto declarada, y por eso se resisten a ellos con todas sus fuerzas.

ESPERANZADO. Yo sé algo de esto, porque, antes de conocerme a mí mismo, yo era así también.

CRISTIANO. Bien, dejaremos solo por ahora a nuestro vecino Ignorancia, y caeremos sobre otra cuestión provechosa.

ESPERANZADO. Muy bien, pero debes comenzar tú.

CRISTIANO. Pues bien, ¿no conociste en tus partes, hace unos diez años, a un tal Temporal, que era un hombre adelantado en religión?

ESPERANZADO. ¡Sí! Vivía en Sin Gracia, un pueblo a unas dos millas de Honestidad, y vivía al lado de un tal Vuelta La Espalda.

CRISTIANO. Cierto, vivía bajo el mismo techo que él. Pues bien, ese hombre tuvo un gran despertar una vez; creo que obtuvo una imagen clara de sus pecados y de lo que tendría que pagar por ellos.

ESPERANZADO. Comparto tu opinión, porque, estando mi casa a menos de tres millas de él, a veces venía a verme con muchas lágrimas. Verdaderamente me compadecí de él, y no tenía algo de esperanza en él. Pero ya vemos que no todos claman, "Señor, Señor".

CRISTIANO. Me dijo una vez que estaba resuelto a ir en peregrinación, como nosotros ahora, pero de repente conoció a un tal señor Sálvese Quien Pueda, y dejó de hablarme.

ESPERANZADO. Ahora, ya que estamos hablando de él, investiguemos un poco la razón de su repentina recaída y la de otros como él.

CRISTIANO. Puede ser muy interesante, pero empieza tú.

ESPERANZADO. Pues bien, a mi juicio hay cuatro razones para ello:

Primero, aunque las conciencias de tales hombres se despiertan, sus mentes no han cambiado; por lo tanto, cuando el poder de la culpa se desvanece, desaparece también lo que les motivaba a ser religiosos. Entonces, naturalmente, vuelven a su propio curso de nuevo, como el perro enfermo: mientras duran sus síntomas, vomita todo lo que ha comido; no es que lo

haga intencionalmente (si podemos decir que un perro puede tener intención), sino porque le molesta su estómago. Pero luego, cuando su estómago ya no duele, su deseo no es ajeno a su vómito: se da la vuelta y lo engulle todo. Y así es verdad lo que está escrito: "El perro se volvió a su propio vómito" [2 Pedro 2:22]. Me refiero a anhelar el cielo solo por temor a los tormentos del infierno: a medida que los temores sobre su condenación se enfrían y enfrían, así sus deseos de Cielo y salvación se enfrían también. Así, pues, sucede que, cuando la culpa y el miedo se van, se acaban sus deseos del Cielo y de felicidad, y regresan a su curso.

Segundo, otra razón es que los temores que los dominan son serviles. Hablo de sus temores hacia los hombres, pues "El temor al hombre pone trampas" [Pro 29:25]. Así, aunque parecen muy ávidos del cielo mientras sienten las llamas del infierno alrededor, cuando ese terror ha pasado ya les vienen otros pensamientos: que es bueno ser prudente y no arriesgarlo todo por lo que no saben, o a lo menos, que no es bueno meterse en inevitables e innecesarias aflicciones, y así vuelven a caer al mundo.

Tercero, también suelen tropezar en su camino con la vergüenza que a menudo acompaña a la religión; son orgullosos y altivos, y la religión, a sus ojos, es baja y despreciable. Por esto, una vez perdido su sentido del infierno y de la ira venidera, vuelven a su antiguo modo de vivir.

Cuarto, les parece que la culpa y el pensar en el terror son cosas muy incómodas; no les gusta contemplar sus miserias antes de tiempo. Aunque tal vez verlas podría hacer que corrieran donde los justos vuelan y están a salvo. Pero dado que, como dije antes, incluso rehúyen los pensamientos de culpa y

terror, una vez que se libran de ellos endurecen sus corazones con gusto y eligen caminos que los endurecen más y más.

CRISTIANO. Creo que has acertado, porque el fundamento de todo es la falta de un cambio en su corazón y voluntad. Por eso son semejantes al reo cuando está delante del juez: se estremece y tiembla, y parece arrepentirse de todo corazón, pero la causa de todo eso es el temor que tiene a la horca y no el odio al delito. Esto es evidente, pues si dejan a tal hombre en libertad seguirá siendo un ladrón y un malvado como antes, mientras que, si hubiera cambiado su corazón, hubiera cambiado también su conducta.

ESPERANZADO. Ya que yo te he descrito las razones de la recaída de estos hombres, muéstrame tú ahora cómo se desarrolla.

CRISTIANO. Lo haré de buena voluntad:

Primero, apartan sus pensamientos todo lo posible de la meditación y el recuerdo de Dios, de la muerte y del juicio venidero.

Segundo, abandonan poco a poco sus deberes privados, como la oración secreta, la contención de sus apetitos, la vigilancia sobre sí mismos, el dolor de sus pecados y otros semejantes.

Tercero, huyen luego de la compañía de los cristianos fervorosos y entusiastas.

Cuarto, se van enfriando en cuanto a los deberes públicos, como la lectura y predicación de la palabra, el trato bondadoso con otros, etc.

Quinto, de forma diabólica comienzan a hacer agujeros, como se dice, en los abrigos de los más piadosos, criticando cualquier debilidad que hayan visto en ellos. Esto les da un pretexto aparente para desechar la religión.

Sexto, se adhieren y asocian con personas mundanas, despreocupadas y descarriadas.

Séptimo, comienzan a hacer cosas mundanas e inmorales en secreto, y se alegran de ver cosas similares en otros que son tenidos por honrados, para disimularse con ellos y poder hacerlo más atrevidamente.

Octavo, después de todo esto, comienzan a jugar con pequeños pecados abiertamente.

Por último, ya endurecidos, se muestran tal como son. Así, lanzados de nuevo al abismo de la miseria, perecen eternamente en sus propios engaños, a menos que un milagro de la gracia lo impida.

Ahora, vi en mi sueño que los peregrinos habían pasado ya la Tierra Encantada y estaban entrando al país de Beulah, cuyo aire era dulce y agradable. Ya que el camino pasaba a través de él, se recrearon allí durante una temporada. Sí, aquí oían continuamente el canto de los pájaros, veían brotar las flores en la tierra y escuchaban el sonido de las tórtolas [Is 62:4, Cant 2:10-12]. En este país el sol brilla de noche y de día; por lo tanto, está muy afuera del Valle de la Sombra de la Muerte y también del alcance del Gigante Desesperación, y no se puede siquiera ver el Castillo de la Duda. Aquí estaban a la vista de la Ciudad a la que se dirigían y se encontraron también con algunos de sus habitantes, pues los Luminosos caminaban frecuentemente por allí, ya que estaba en las fronteras del cielo. En este país se renovó también el pacto entre el novio y la novia: "Pues como el novio se regocija por su novia, así se regocijará tu Dios por ti" [Is 62:5]. Aquí no tuvieron escasez de trigo ni de vino, porque hallaron abundancia de lo que habían buscado en su peregrinación [Is 62:8]. Aquí oyeron voces de fuera de la

ciudad, voces fuertes, que decían: "Decid a la hija de Sion: ¡He aquí tu salvación! ¡He aquí su recompensa con Él!". Todos los habitantes los llamaban: "Pueblo santo, redimidos de Jehová, Buscados…" [Is 62:11-12].

Andando por ese país, tenían más regocijo que en las partes más remotas del reino al que se dirigían; y acercándose a la ciudad, tuvieron una visión aún más perfecta de ella. Estaba construida de perlas y piedras preciosas, y sus calles embaldosadas de oro; así que, por la gloria natural de la ciudad y el reflejo de los rayos del sol, Cristiano se puso enfermo de deseo. Esperanzado tuvo también un ataque o dos de la misma enfermedad. Tuvieron, entonces, que descansar allí por un tiempo, gritando en medio de su ansiedad: "Si encuentran a mi amado, díganle que estoy enfermo de amor".

Ya más fortalecidos y capaces de sobrellevar su enfermedad, prosiguieron su camino, acercándose cada vez más y más hacia donde había huertos, viñedos y jardines, cuyas puertas daban al camino. Cuando llegaron a estos lugares, he aquí que el jardinero estaba en el camino. Los peregrinos preguntaron: "¿De quién son estos hermosos viñedos y jardines?". Él respondió: "Son del rey. Están plantados aquí para su propio deleite y para solaz de los peregrinos". Así que el jardinero los llevó a los viñedos y les dijo que se refrescaran con los manjares [Dt 23:24]. También les mostró los paseos del rey y los pabellones donde le gustaba estar, y allí se quedaron y durmieron.

En mi sueño vi que, mientras dormían, hablaban más que en todo su viaje. Reflexionando yo sobre ello, me dijo el jardinero: "¿Por qué reflexionas tanto sobre esto? Es el efecto natural del fruto de estas viñas bajar suavemente y hacer hablar los labios de los que duermen".

Así que vi que, cuando despertaron, se prepararon para subir a la Ciudad. Pero, como he dicho, el reflejo del sol sobre ella (pues era de oro puro) era tan intensamente glorioso que no podían, todavía, contemplarla a cara descubierta, sino a través de un instrumento especial para ese propósito. Vi, pues, que se encontraron con dos hombres que vestían ropas que brillaban como el oro, y cuyos rostros resplandecían como la luz [Ap 21:18, 2 Cor 3:18].

Estos hombres les preguntaron a los peregrinos de dónde venían; y ellos les dijeron. También les preguntaron dónde se habían alojado, qué dificultades y peligros, qué comodidades y placeres habían encontrado en el camino, y se lo contaron. Entonces estos hombres resplandecientes les dijeron: "Solo tendrán que enfrentar dos dificultades más, y entonces entrarán en la ciudad".

Cristiano y su compañero pidieron a los hombres que los acompañasen. Estos contestaron que lo harían con gusto, pero que tendrían que obtenerlo por su propia fe. Entonces vi en mi sueño que se marcharon todos juntos, hasta llegar a la vista de la puerta.

Allí vi, además, que entre ellos y la puerta había un río, pero no había ningún puente para poder pasarlo, y el río era muy profundo. Al ver esto, los peregrinos se asustaron mucho, pero los hombres que los acompañaban les dijeron: "Deben cruzarlo o no podrán llegar a la puerta".

Los peregrinos preguntaron si no había otro camino hacia la puerta, a lo que respondieron: "Sí; pero a nadie, excepto a Enoc y a Elías, se le ha permitido pisar ese camino desde la fundación del mundo, ni se le permitirá hasta que suene la trompeta final" [1 Cor 15:51-52]. Los peregrinos entonces,

especialmente Cristiano, comenzaron a desanimarse, y miraron a un lado y a otro sin hallar un modo de evitar el río. Entonces preguntaron a los hombres si las aguas eran profundas. Ellos respondieron que el encontrarlas más o menos profundas dependía de su fe en el rey del país, de modo que, esta vez, ellos no podrían ayudarlos.

EN LA RESURRECCIÓN DE LOS JUSTOS [AP 20:4-6]

Se dirigieron entonces al agua y, entrando, Cristiano comenzó a hundirse y gritando a su buen amigo Esperanzado, dijo: "¡Me hundo en aguas profundas; las olas pasan sobre mi cabeza, todas sus olas pasan sobre mí!".

EL CONFLICTO DE CRISTIANO EN LA HORA DE LA MUERTE

Entonces dijo el otro: "Ten ánimo, hermano mío, siento el fondo y es bueno". Entonces dijo Cristiano: "¡Ah, amigo mío! Los dolores de la muerte me han rodeado; no veré la tierra que mana leche y miel". Y con esto cayeron sobre Cristiano horror y grandes tinieblas, de modo que no podía ver delante de él. También aquí perdió en gran medida sus sentidos, de modo que no podía ni recordar ni hablar ordenadamente de ninguno de aquellos dulces descansos que había disfrutado en el camino de su peregrinación. Pero todas las palabras que pronunciaba revelaban el horror en su mente, y el temor de su corazón de morir en aquel río y nunca llegar a la puerta. Los testigos observaban también que tenía pensamientos muy molestos sobre los pecados que había cometido, tanto antes como

después de volverse peregrino. También lo notaron atormentado por apariciones de fantasmas y espíritus malignos, pues de vez en cuando lo insinuaba con sus palabras. Esperanzado, por lo tanto, tuvo que hacer mucho esfuerzo para mantener la cabeza de su hermano por encima del agua; algunas veces se hundía completamente y al poco rato emergía de nuevo, medio muerto. Esperanzado también intentaba consolarlo, diciendo: "Hermano, veo la puerta y hombres que nos reciben". Pero Cristiano le respondía: "Eres tú, eres tú a quien esperan. Has sido Esperanzado desde que te conozco". "Y tú también", le dijo a Cristiano. "Ah, hermano, si así fuera, Él me ayudaría; pero por mis pecados me ha hecho caer en la trampa y me ha abandonado". Entonces dijo Esperanzado: "Hermano mío, has olvidado por completo el texto, donde se dice de los malvados: 'No sufren las congojas humanas ni son afligidos como otros hombres, pues no hay para ellos dolores de muerte; más bien, es robusto su cuerpo' [Salm 73:4-5]. Estos sufrimientos y angustias que estás pasando en estas aguas no son señal de que Dios te haya abandonado, sino que son enviadas para probarte, para que recuerdes lo que hasta ahora has recibido de su bondad, y para que vivas de él en tu desasosiego".

Luego vi en mi sueño que Cristiano quedó meditabundo por un tiempo. Esperanzado añadió: "Confía, hermano mío; Jesucristo te sana". Al oír esto, Cristiano prorrumpió en voz alta: "¡Sí, lo veo otra vez!, y me dice: 'Cuando pases por las aguas, yo estaré contigo; y cuando pases por los ríos, no te inundarán'" [Is 43:2]. Entonces ambos se armaron de valor, y el río quedó tan quieto como una piedra hasta que hubieron pasado. Cristiano, entonces, encontró terreno donde hacer pie, y sucedió que la profundidad del río disminuyó. Así

lograron cruzar. En la orilla vieron de nuevo a los dos hombres Luminosos, quienes los saludaron y dijeron: "Somos espíritus administradores, enviados para servir a los que serán herederos de la salvación". Y así se dirigieron hacia la puerta.

Es notable que la Ciudad quedaba sobre una colina imponente, pero los peregrinos la subieron con facilidad, porque tenían a estos dos hombres para conducirlos por los brazos. También habían dejado sus vestidos mortales en el río —aunque entraron con ellos, salieron sin ellos—, por lo tanto, subieron con mucha agilidad y rapidez, a pesar de que los cimientos de la Ciudad eran más altos que las nubes. Por eso subieron por las regiones del aire, hablando dulcemente mientras avanzaban, sintiéndose reconfortados porque habían cruzado el río a salvo y tenían tan gloriosos acompañantes.

Mira cómo cabalgan los santos peregrinos,
los ángeles son sus guías. ¿Quién no correría por él todos los peligros?
Él, quien dará resguardo cuando este mundo acabe.

La conversación que tuvieron con los Luminosos versó sobre la gloria del lugar. Les dijeron que su belleza y gloria eran inexpresables. Allí, señalaron, está el monte de Sion, la Jerusalén celestial, la reunión de miríadas de ángeles y los espíritus de los justos ya hechos perfectos [Heb 12:22-24]. "Van ahora", dijeron, "al Paraíso de Dios, donde verán el árbol de la vida y comerán de sus frutos perennes. Cuando lleguen allí, les darán vestiduras blancas, y su trato y conversación será siempre con el rey, todos los días de la eternidad [Ap 2:7, 3:4, 21:4-5]. Allí no volverán a ver las cosas que vieron en la región

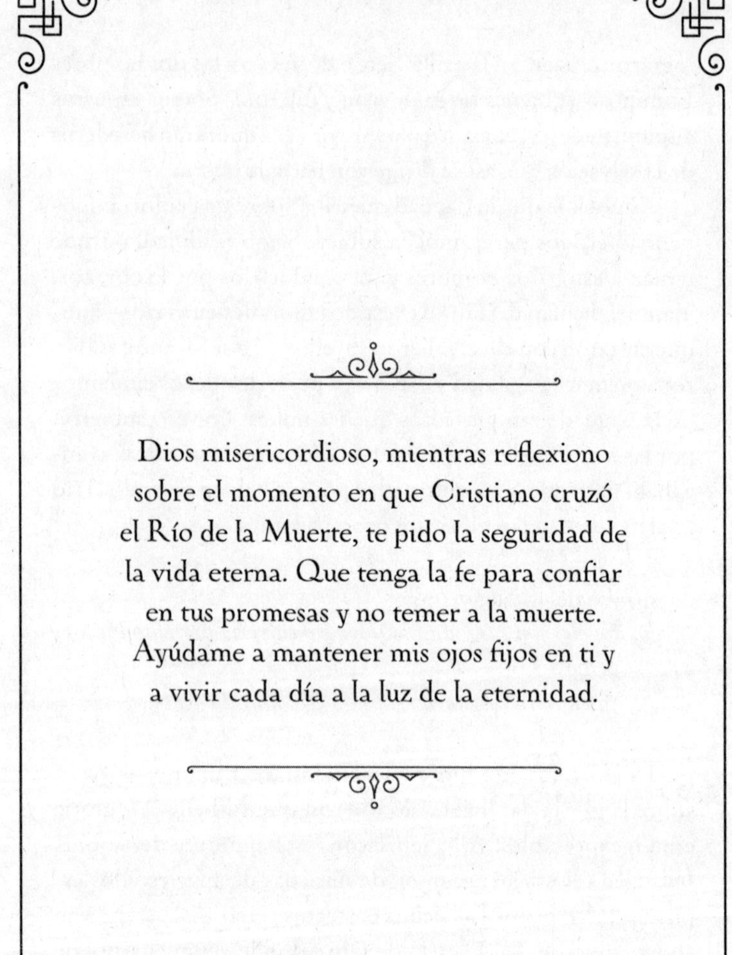

Dios misericordioso, mientras reflexiono sobre el momento en que Cristiano cruzó el Río de la Muerte, te pido la seguridad de la vida eterna. Que tenga la fe para confiar en tus promesas y no temer a la muerte. Ayúdame a mantener mis ojos fijos en ti y a vivir cada día a la luz de la eternidad.

inferior, sobre la tierra: enfermedad, aflicción y muerte, porque las primeras cosas ya pasaron. Ahora van a ver a Abraham, a Isaac y a Jacob y a los profetas... hombres que Dios ha apartado del mal por venir, y que ahora descansan en sus lechos por haber caminado en justicia" [Is 57:1-2; 65:17]. Los peregrinos preguntaron entonces: "¿Qué debemos hacer en el lugar santo?". A lo cual se les respondió: "Allí recibirán consuelo por todas sus fatigas y alegría de todas sus penas. Recogerán lo que sembraron, el fruto de todas sus oraciones, lágrimas y sufrimientos por el rey en el camino [Gal 6:7]. En ese lugar deberán llevar coronas de oro y gozarán de la vista perpetua del Santísimo, pues lo verán tal como es [1 Jn 3:2]. Allí también servirán continuamente con alabanza, con gritos de júbilo y acción de gracias a aquel que deseaban servir en el mundo, aunque limitados por la debilidad de su carne. Allí sus ojos se deleitarán viendo y sus oídos oyendo la agradable voz del Altísimo. Allí volverán a disfrutar de los amigos que llegaron allá antes que ustedes y recibirán con alegría a todos los que lleguen después. También serán revestidos de gloria y majestad, y cuando el Rey de la Gloria venga en las nubes al son de trompeta, sobre las alas del viento, ustedes cabalgarán con él. Cuando él se siente en el trono del juicio, ustedes se sentarán junto a él; sí, y cuando pronuncie sentencia sobre los obradores de maldad, sean ángeles u hombres, ustedes también tendrán voz en ese juicio, porque fueron sus enemigos y los suyos también [1 Tes 4:13-16, Judas 1:14, Dn 7:9-10, 1 Cor 6:2-3]. Y cuando regrese a la ciudad a son de trompeta, volverán con él y estarán con él para siempre".

Mientras se acercaban a la puerta, salió a su encuentro una compañía de la tropa celestial. Los otros dos Luminosos les

dijeron: "Estos son los hombres que amaron a nuestro Señor cuando estaban en el mundo y que lo han dejado todo por su santo nombre. Él nos envió a buscarlos, y los trajimos hasta aquí en su deseado viaje para que puedan ir y mirar el rostro de su Redentor con alegría. Entonces la tropa dio un gran grito, diciendo: "Bienaventurados los que han sido llamados a la cena de las bodas del Cordero" [Ap 19:9]. En ese momento, también salieron a su encuentro varios de los trompeteros del rey, vestidos con ropas blancas y radiantes, haciendo resonar los mismos cielos con sus sonidos melodiosos y fuertes. Estos músicos saludaron a Cristiano y a su compañero una y mil veces, con gritos y trompetas.

Hecho esto, los rodearon por todas partes; unos se pusieron a la derecha, otros a la izquierda, delante y detrás (como para escoltarlos a través de las regiones superiores), acompañando con sonidos melodiosos en tonos altos. Quien viera el espectáculo, podría pensar que el mismo Cielo había bajado para recibirlos. Así, pues, caminaban juntos y, mientras caminaban, una y otra vez estos trompetistas, incluso con su sonido alegre, mezclando música con miradas y gestos, daban a entender a Cristiano y a su hermano lo bienvenidos que eran y la alegría con la que salían a su encuentro. Y estos dos hombres se sentían como en el Cielo antes de siquiera llegar a Él, sobrecogidos por la visión de los ángeles y el sonido de sus melodiosas notas. Aquí tenían la ciudad a la vista, y les pareció oír todas sus campanas sonar para darles la bienvenida. Pero, sobre todo, estaban llenos de cálidos y alegres pensamientos acerca de su propia morada allí, con tal compañía, para siempre jamás. Oh, ¿con qué lengua o pluma podrían expresar su glorioso júbilo? Y así llegaron hasta la puerta.

Cuando llegaron a la puerta, estaba escrito sobre ella en letras doradas: "Bienaventurados los que guardan sus mandamientos, para que tengan derecho al árbol de la vida y para que entren en la ciudad por las puertas" [Ap 22:14].

Entonces vi en mi sueño que los hombres Luminosos les ordenaron llamar a la puerta. Cuando lo hicieron, algunos miraron desde arriba de ella: Enoc, Moisés y Elías, entre otros, a quienes se dijo: "Estos peregrinos han venido de la Ciudad de la Destrucción por el amor que profesan al Rey de este lugar". Entonces los peregrinos le entregaron a cada uno el certificado que habían recibido al principio; estos les fueron llevados al rey, quien, cuando los hubo leído, preguntó: "¿Dónde están los hombres?". A lo que se le respondió: "Están afuera de la puerta". El rey entonces ordenó abrir la puerta: "Abran las puertas, y entrará la nación justa que guarda la fidelidad" [Is 26:2].

Vi en mi sueño que los dos hombres entraron por la puerta, y he aquí que, al cruzar el umbral, se transfiguraron y recibieron vestiduras que brillaban como el oro. También les entregaron arpas y coronas: las arpas para que alabasen y las coronas en señal de honor. Entonces oí que todas las campanas de la ciudad volvieron a sonar de alegría y que se les decía: "ENTREN EN EL GOZO DE SU SEÑOR". También oí a los propios hombres que cantaban a gran voz, diciendo: "AL QUE ESTÁ SENTADO EN EL TRONO Y AL CORDERO SEAN LA BENDICIÓN Y LA HONRA, Y LA GLORIA Y EL PODER, POR LOS SIGLOS DE LOS SIGLOS" [Ap 5:13].

Cuando se abrieron las puertas para dejar entrar a los hombres, miré detrás de ellos. La ciudad brillaba como el sol y

sobre las calles empedradas con oro caminaban muchos hombres con coronas en la cabeza, palmas en las manos y arpas de oro con las que cantaban alabanzas.

Había también algunos que tenían alas y cantaban sin cesar: "Santo, santo, santo es el Señor". Después de esto se cerraron las puertas y quedé fuera. Tras haberlo visto, deseaba estar entre ellos.

Y mientras contemplaba todas estas cosas, volví la cabeza para mirar atrás y vi a Ignorancia llegar a la orilla del río. No tardó en pasar, y eso sin la mitad de la dificultad que tuvieron los otros dos hombres, pues sucedió que estaba ahí un tal Vana Esperanza, barquero, que con su bote le ayudó a pasar. Así que Ignorancia, como los otros que vi, subió la colina para llegar hasta la puerta, pero venía solo; nadie le salió al encuentro con el menor ánimo. Cuando llegó a la puerta miró a la inscripción que estaba arriba y comenzó a llamar, suponiendo que la entrada le habría sido concedida rápidamente. Pero los hombres que miraban por encima de la puerta le preguntaron: "¿De dónde vienes y qué quieres?". Él respondió: "He comido y bebido en presencia del rey, y él ha enseñado en nuestras calles". Entonces le pidieron su certificado para mostrárselo al rey, pero él buscó uno en su pecho y no lo encontró. Entonces le preguntaron: "¿No tienes ninguno?". Pero Ignorancia no pronunció ni una palabra. Le informaron de esto al Rey, pero él no quiso bajar a verle, sino que ordenó a los dos Luminosos que habían conducido a Cristiano y a Esperanzado que salieran y cogieran a Ignorancia, lo ataran de pies y manos y se lo llevaran. Entonces lo levantaron y lo llevaron por los aires a la puerta que había visto en la ladera de la colina y lo metieron allí. Entonces vi que existía un camino al infierno incluso

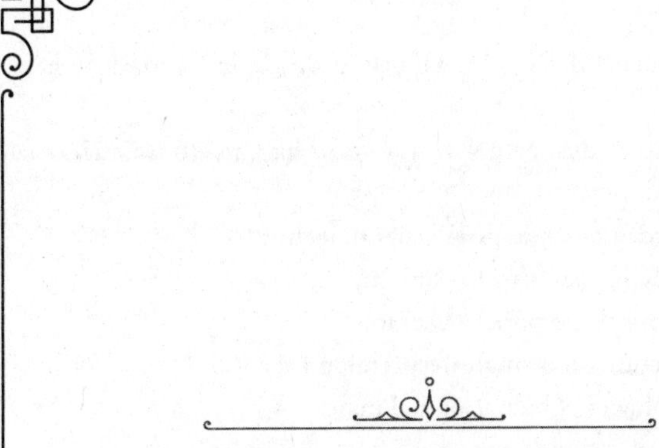

Querido Dios, gracias por la esperanza de la vida eterna en tu presencia, que es la meta final de mi camino. Ayúdame a mantener mis ojos fijos en ti y a vivir cada día a la luz de la esperanza que está puesta ante mí. Que mi vida sea un testimonio de tu gracia y de tu amor, y que glorifique tu nombre en todo lo que haga.

desde las puertas del Cielo, así como desde la Ciudad de la Destrucción.

Entonces me desperté y vi que todo había sido un sueño.

Ahora que te he contado mi sueño, lector,
mira si puedes descifrarlo para mí,
o para ti mismo, o para tu vecino.
Pero ten cuidado de malinterpretar, pues eso,
en vez de hacer el bien, causa el mal.

Cuídate también de no entretenerte demasiado
con la apariencia de mi sueño,
ni permitas que su forma o su estilo
te hagan reír o reñir.
Deja eso para niños y tontos;
tú enfócate en la sustancia.

Descorre las cortinas, mira bajo mi velo,
y busca mis metáforas.
No puedes fallar: si las buscas, las hallarás,
y verás que son útiles para una mente honesta.

Lo que encuentres aquí que sea basura,
deséchalo, pero conserva el oro, pues,
¿qué tal si mi oro está envuelto en una roca común?
Nadie tira una manzana solo por el corazón.
Sin embargo, si lo encuentras todo vano y lo descartas,
no sé si podré soñar de nuevo.

Querido Dios,

Al llegar al final de mi viaje a través de El progreso del peregrino, *estoy lleno de gratitud por las ideas y la sabiduría que este libro me ha impartido. He aprendido mucho sobre las luchas y las pruebas a las que nos enfrentamos en nuestro camino de fe, y de la importancia de perseverar a través de estos desafíos con un compromiso firme e inquebrantable contigo.*

El personaje de Cristiano me ha recordado los peligros de la tentación y la necesidad de resistir el pecado. También me ha animado su ejemplo de perseverancia y su triunfo final sobre los obstáculos que se interponían en su camino.

Señor, te ruego que me ayudes a aplicar estas lecciones a mi propia vida, y a mantener siempre mis ojos fijos en Ti mientras atravieso los desafíos y obstáculos que encuentro en mi propio camino de fe. Que tenga la fuerza y la perseverancia para seguir adelante, incluso cuando el camino por delante parezca largo y difícil.

Gracias por el regalo de este libro y por las muchas maneras en que nos hablas a través de la literatura y el arte. Que Tu luz continúe brillando en mi corazón mientras busco seguirte y vivir Tu voluntad en mi vida.

Te lo ruego en el nombre de Jesús,

Amén.

John Bunyan

John Bunyan (30 de noviembre de 1628 – 31 de agosto de 1688) fue un escritor inglés y predicador puritano más conocido por ser el autor de la alegoría cristiana *El progreso del peregrino*, obra que se convirtió en un influyente modelo literario. Además de *El progreso del peregrino*, Bunyan escribió alrededor de sesenta títulos, sermones en su mayoría.

Bunyan provenía de Elstow. Recibió muy poca educación y con 16 años se unió a las filas del ejército republicano del Parlamento durante la primera etapa de la Guerra Civil. Después de tres años en el ejército, regresó a Elstow y comenzó a trabajar como hojalatero, oficio que había aprendido de su padre. Después de su matrimonio, empezó a interesarse por la religión, primero asistiendo a la iglesia local y luego participando en un grupo de no conformistas de Bedford que lo llevaría a convertirse en predicador. Tras la Restauración, cuando la libertad de los no conformistas se vio comprometida, Bunyan fue arrestado y enviado a prisión, donde cumplió 12 años, pero se negó a abandonar la prédica. Durante ese tiempo escribió una autobiografía espiritual, *Gracia abundante para el mayor de los pecadores*, y comenzó a trabajar en su obra maestra,

El progreso del peregrino, que no sería publicada hasta algunos años después de su liberación.

Sus últimos años —a pesar de otro corto período de encarcelamiento— fueron relativamente cómodos pues se convirtió en un popular escritor y predicador, además de pastor del grupo Bedford Meeting. Murió a la edad de 59 años y fue enterrado en Bunhill Fields. *El progreso del peregrino* se convirtió en uno de los libros más publicados en inglés: hasta 1938, 250 años después de la muerte del autor, se habían impreso 1,300 ediciones.

JOHN BUNYAN

El progreso del peregrino

Con oraciones para guiarnos en el camino

Introducción de José Luis Navajo

Título original: *The Pilgrim's Progress*

Primera edición: agosto de 2026

Traducción: Daniel Esparza

Impreso en Colombia / *Printed in Colombia*

ISBN: 979-8-89098-643-6

Introducción

Alguna vez me ha embargado la duda de si realmente seré escritor, pero jamás he dudado de que soy lector. Aprender a leer fue de las mejores cosas que han ocurrido en mi vida. Leo todo y leo siempre… Y creo que leo desde siempre. Cuando vuelvo la vista atrás, a mi infancia, veo a un niño sentado, a veces en la calle, con la espalda apoyada en la pared y un libro entre sus manos. De tanto en tanto levantaba la mirada para descansar la vista y suspiraba: "Algún día yo también escribiré".

Hoy, transcurridos muchos años y con la inmensa gracia de haber publicado treinta libros, puedo localizar un momento que fue decisivo en mi carrera literaria: el instante en que sostuve en mis manos el libro titulado *El progreso del peregrino*.

Conocer a John Bunyan a través de sus letras marcó un antes y un después en mi vida. Las páginas de ese libro obraron en mí una curiosa paradoja: la de sentir que ya quería vivir para siempre pegado a Jesús, con Su corazón como almohada, y a la vez querer rehacer mil veces el viaje en el que me embarcó ese libro y en el que pude soñar, suspirar, reír y llorar.

Las letras de esta alegoría que sostienes en tus manos tienen aroma de cielo. He aprendido a juzgar un libro no por

cómo llena mi cabeza, sino por cómo acelera mi corazón. *El progreso del peregrino* pertenece a esta segunda categoría: letras que alcanzan la mente y con la suavidad de una pluma se posan en el corazón dejando allí huellas indelebles.

Hoy me siento honrado por el privilegio de escribir esta breve introducción a la nueva edición de un clásico que lleva varias generaciones afectando vidas y eternidades. Este libro narra la historia de un hombre que busca la vida eterna y en el camino se encuentra con diversos personajes con quienes interactúa, creando escenarios con los que todo lector se sentirá identificado. Lo más hermoso es que el relato termina convirtiéndose en la hoja de ruta que nos conduce al corazón del Padre.

Siempre he creído que la misión de la Iglesia de Cristo es doble: mostrar a las personas cómo ir al cielo y ayudarles a vivir en la tierra. Ambos objetivos se alcanzan en *El progreso del peregrino*. Cada línea de esta narración es un dedo índice que apunta a la Ciudad Celestial, pero a la vez es bálsamo para el herido, fortaleza para el débil y esperanza para el desesperado.

Quiera Dios que esta lectura surta en tu vida el efecto que surtió en la mía, ser hilo de oro con el que el Padre sutura el corazón quebrantado.

Sin más, damas y caballeros, busquen un lugar tranquilo y serenen su alma para participar de estas líneas.

¡Dios les bendiga!

José Luis Navajo

El progreso del peregrino

Apología del autor

Cuando tomé la pluma para empezar esta obra, no pensé en hacer un pequeño libro como este. No; me había propuesto escribir algo distinto. Estando casi concluida esa otra obra, comencé esta sin darme cuenta.

Sucedió así: al escribir sobre el camino por el que van los santos de este tiempo, de repente comencé a usar alegorías sobre su viaje y su camino a la gloria. Escribí más de veinte. Al terminarlas, se me ocurrieron veinte más, y una y otra vez se multiplicaban, como chispas saltando del fuego.

Pensé entonces: si aparecen tan rápidamente, les pondré orden; no vaya a ser que continúen hasta el infinito y consuman el libro que ya tengo.

Lo hice así, pero no me proponía mostrarle al mundo mis escritos. No sé cuál era mi objetivo, solo sé que no buscaba complacer a nadie más. Lo hice para mi propia gratificación.

No empleé sino mi tiempo libre para escribir, y lo hice para distraer mi mente de pensamientos inoportunos. Seguí mi método con atención y puse en papel lo que venía a mí, hasta que finalmente obtuve esta obra, del largo y ancho y del tamaño que pueden ver.

Cuando estuvo terminado, le mostré mi libro a otros para conocer su opinión: si lo condenarían o lo salvarían. Algunos dijeron: "¡Déjalo vivir!", y otros dijeron: "¡Que muera!". Algunos dijeron: "JOHN, imprímelo"; otros dijeron que no lo hiciera. Unos dijeron que podía hacer bien, otros dijeron que no.

Entonces me encontré en apuros; no podía ver cuál era la mejor decisión. Al final pensé: Si las opiniones son tan distintas, lo publicaré, y así se decidirá el asunto.

Porque —pensé— algunos querían que se hiciera y otros no, la mejor manera de demostrar quién tenía la razón era poniéndolo a prueba.

Además, pensé: Si me niego a complacer a quienes quieren mi libro, no hago más que privarlos de su disfrute. A quienes no lo aprobaban les dije que no buscaba ofenderlos al publicarlo, sino que algunos hermanos lo querían. Les pedí que dejaran sus juicios para luego: si no deseaban leerlo, podrían dejarlo. A algunos les gusta la carne, a otros les gusta roer el hueso. Pero para poder agradar a todos, les hablé de esta forma:

"¿No se me permite escribir en este estilo? ¿Acaso me aleja de mi objetivo, que es hacer el bien? ¿Por qué no se podría hacer? Las nubes negras traen lluvia, mientras que las blancas no. Negras o blancas, si ambas llueven a la vez, la tierra las bendice con sus cosechas; no rechaza a ninguna de las dos, sino que atesora el fruto de ambas sin distinción. Cuando la tierra está hambrienta, ambas nubes son buenas. Pero si está bien alimentada, las rechaza a las dos y desecha sus bondades.

"Miren todas las técnicas que emplea el pescador para atrapar peces: ¿qué aparatos usa? Usa con astucia sus redes, cuerdas y anzuelos, pero hay algunos peces que no se pueden

pescar ni con redes, ni con cuerdas ni con anzuelos: debes meter el brazo en el agua para poder atraparlos.

"Ni hablar de las artimañas que debe aplicar el pajarero, que son incontables. Necesita redes, escopeta, luces, trampas, campanas y mucho más. Pero ninguna de estas cosas le asegura éxito sobre todas las aves. Debe silbar para atraer a algunas, pero con la misma técnica ahuyenta a otras.

"Se pueden hallar perlas en ostras o quizá en las cabezas de los sapos. Si se sabe que las cosas que no prometen nada resultan contener algo mejor que el oro, ¿quién no sentiría la curiosidad de mirar en su interior? Mi pequeño libro es así: aunque no tiene ilustraciones atractivas, posee cosas excelentes que no se encuentran en ideas audaces pero vacías".

Puede que me respondan: "Bueno, pero aún no estoy completamente convencido de que tu libro se sostenga ante el escrutinio". ¿Por qué no? "Es oscuro". ¿Y qué? "Su premisa es ficticia". ¿Y qué pasa con eso? Algunos hombres, con palabras fingidas y tan oscuras como las mías, hacen brillar la verdad.

"Pero le falta realismo". Adelante, di lo que piensas. "Los débiles de mente no pueden ver más allá de las metáforas".

El realismo, en efecto, es esencial para quien escribe de cosas divinas. Pero ¿es cierto que me falta realismo solo porque escribo en metáforas? ¿Acaso las leyes de Dios, recogidas en el Evangelio, no sobrevivieron al paso del tiempo en forma de ejemplos y metáforas? Ningún hombre racional las critica, porque estaría atacando la más alta sabiduría; no, más bien se rebaja y trata de averiguar lo que Dios le dice a través de alfileres e hilos, terneros y ovejas, vaquillas y carneros, aves y hierbas, y la sangre de los corderos. Y feliz es aquel que halla la luz y la gracia que hay en ellas.

No te precipites, por tanto, a concluir que me falta solidez. Las cosas sólidas no necesariamente lucen sólidas, y no despreciamos todas las parábolas. Si fuera así, correríamos el riesgo de privarnos de muchas cosas buenas.

Mis palabras oscuras y turbias contienen la verdad como un cofre contiene oro.

Los profetas usaban mucho las metáforas para exponer la verdad. Quien mire a Cristo y sus apóstoles, verá claramente que expresaban sus verdades de ese modo.

Me atrevo a decir que la sagrada escritura, que por su estilo y naturaleza es insuperable, está llena de todas estas cosas: ¿Mensajes velados, alegorías? Sin embargo, de ese mismo libro emerge la luz que convierte nuestras noches más oscuras en días.

Vamos, que mi crítico vuelva sus ojos a su propia vida: encontrará allí cosas más oscuras que en mi libro. Y que sepa que también entre sus mejores cosas hay líneas peores.

Si pudiera ser juzgado por hombres imparciales, les ofrecería probabilidades de diez a uno de que hallarían más sentido en mis escritos que en todas las mentiras que se dicen en la iglesia. La verdad, aunque esté en pañales, informa el juicio, mejora la mente, complace al entendimiento, somete la voluntad, llena la memoria de cosas que deleitan nuestra imaginación y, asimismo, tiende a apaciguar nuestros problemas.

Sé que a Timoteo se le ordenó usar palabras sensatas y refutar los cuentos de las ancianas, pero el severo Pablo no le prohibió en ninguna parte usar parábolas. En ellas se escondían el oro, las perlas y las piedras preciosas por las que vale la pena cavar con cuidado.

Permíteme añadir una palabra más. Oh, hombre de Dios, ¿estás ofendido? ¿Desearías que hubiera expuesto mi asunto

de otro modo? ¿O que hubiera sido más conciso? Déjame decir tres cosas más antes de someterme a mis superiores, como debe ser:

1. No veo razón para que se me niegue el uso de este método de escritura. No hago mal a las palabras, a los temas, ni a los lectores; ni soy basto en mi manejo de personajes o descripciones. Busco el mayor avance posible de la verdad utilizando diferentes medios. Me parece que tengo permiso para expresarme así y mostrar cosas excelentes, además de que cuento con el ejemplo de quienes sirvieron a Dios con sus palabras y obras mejor que cualquiera de nuestra época.
2. Encuentro que los hombres más elevados escriben diálogos y nadie los critica por escribir así. En efecto, si mienten, malditos sean y maldita sea su técnica. Pero dejemos que la verdad sea libre de llegar hacia ti y hacia mí de la manera que a Dios le plazca. ¿Quién sabe usar nuestras plumas y nuestras mentes mejor que quien nos enseñó a arar? Él puede hacer que aparezcan cosas divinas entre las peores bajezas.
3. Me parece que en las Sagradas Escrituras frecuentemente se emplea este método, donde una cosa se describe como otra. Por lo tanto, puedo usarlo sin sofocar la luz de la verdad; de hecho, esta técnica puede hacerla brillar incluso más.

Y ahora, antes de dejar mi pluma, explicaré el propósito de mi libro. Luego te encomendaré a ti, lector, y a él, mi libro, a la mano que derriba a los poderosos y eleva a los débiles.

Este libro dibuja la figura de un hombre que busca la vida eterna. Te muestra de dónde viene y hacia dónde va, lo que hace y lo que deja de hacer, y te hará ver cómo corre y corre hasta llegar a la Puerta Celestial.

También te muestra a quienes pensaron que podían ganar el mismo premio con su estilo de vida, y verás que su trabajo no cuenta para nada al final, y mueren como tontos.

Este libro te convertirá en un viajero si sigues su consejo; te dirigirá a la Tierra Santa si entiendes sus instrucciones; les dará brío a los perezosos y permitirá a los ciegos ver cosas maravillosas.

¿Te apetece algo raro y valioso? ¿Podrías identificar la verdad en una historia? ¿Eres olvidadizo? ¿Recordarías todo lo que pasó el año pasado? Entonces lee mis fantasías: se quedarán contigo y traerán consuelo a los afligidos.

Este libro ha sido escrito de forma tal que pueda penetrar los corazones de los desalentados. Puede lucir como una novedad, pero se basa en la rotunda honestidad de los Evangelios. ¿Quieres escapar de la depresión? ¿Quieres entretenerte, pero no con tonterías? ¿Te gustan las adivinanzas y sus soluciones? ¿Quieres sumergirte en reflexiones? ¿Disfrutas comer? ¿Te gustaría ver a un hombre que te habla desde las nubes? ¿Te gustaría tener un sueño lúcido? ¿Quisieras llorar y reír a la vez? ¿Te gustaría perderte sin sufrir ningún daño y volver a casa sin necesidad de magia? ¿Quisieras leerte a ti mismo y de cosas que no conoces, para así saber si eres bendecido o no?

Si es así, entonces ven aquí y junta mi libro con tu cabeza y tu corazón.

John Bunyan

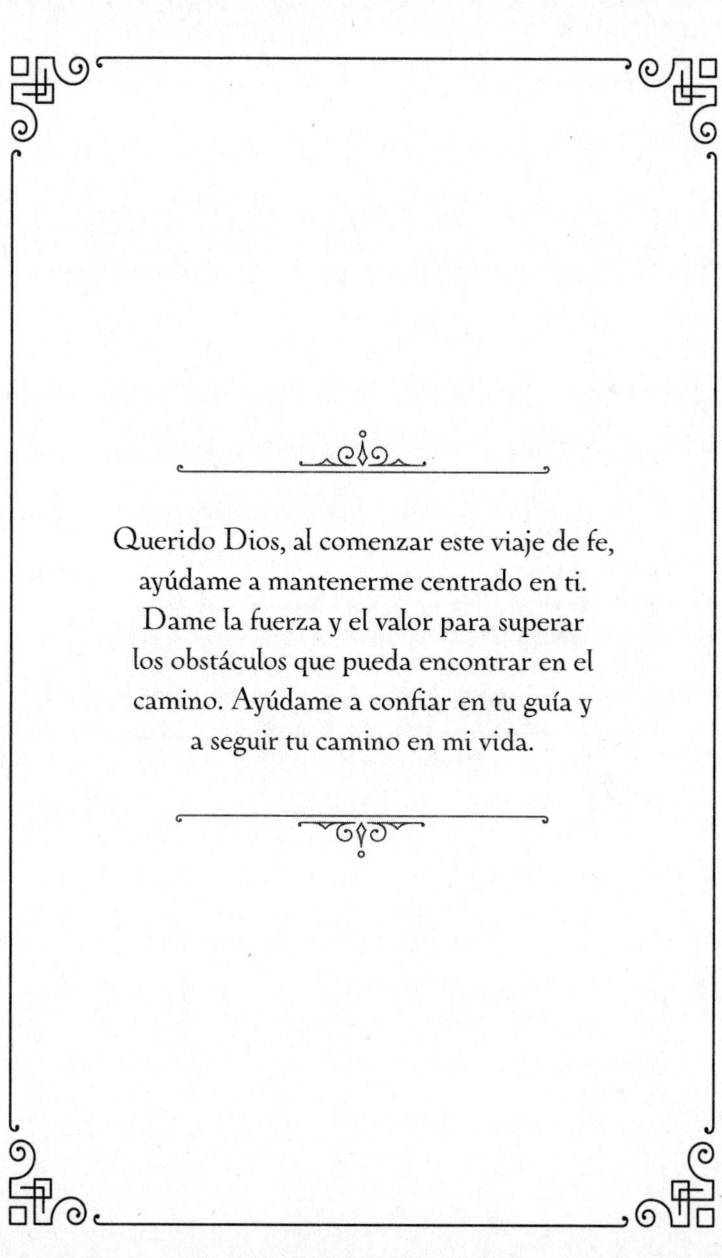

Querido Dios, al comenzar este viaje de fe,
ayúdame a mantenerme centrado en ti.
Dame la fuerza y el valor para superar
los obstáculos que pueda encontrar en el
camino. Ayúdame a confiar en tu guía y
a seguir tu camino en mi vida.

El progreso del peregrino

BAJO LA SEMBLANZA DE UN SUEÑO

Mientras caminaba por el desierto de este mundo, me encontré en un lugar donde había una cueva. Me refugié allí para dormir, y mientras dormía, tuve un sueño. Soñé y vi a un hombre de pie, cubierto de harapos, de espaldas hacia su propia casa, con un libro en manos y una pesada carga sobre sus hombros [Is 64:6; Lc 14:33; Salm 38:4; Hab 2:2; Hch 16:30-31]. Vi que según iba leyendo lloraba y se estremecía, hasta que, no pudiendo contenerse más, lanzó un doloroso quejido y dijo: "¿Qué haré?" [Hch 2:37].

En este estado, entonces, regresó a su casa e intentó reprimirse tanto como pudo para que su mujer y sus hijos no notaran su angustia. Pero no pudo callar mucho tiempo más, porque su mal empeoraba. Por eso, al fin, se puso a hablar con su esposa e hijos, y así comenzó: "Oh, mi querida esposa", dijo, "y ustedes los hijos de mis entrañas, yo, su querido amigo, estoy deshecho en mí mismo a causa de una carga que yace dura sobre mí. Además, me han informado con certeza que nuestra ciudad será quemada con fuego del cielo; en ese

temible evento, tanto yo, como tú, mi esposa, y ustedes, mis dulces niños, pereceremos miserablemente, a no ser que encontremos otra manera de escapar (que yo todavía no veo)".

Ante esto, sus familiares se asombraron mucho, no porque creyesen en lo que les había dicho, sino porque pensaban que algún frenesí se le había metido en la cabeza. Por eso, dado que se acercaba la noche, esperaban que el sueño le calmara el cerebro y con toda prisa lo llevaron a la cama. Pero la noche le era tan molesta como el día, por lo que, en vez de dormir, la pasó entre suspiros y lágrimas. Al llegar la mañana, le preguntaron cómo le había ido. Él les dijo: "Cada vez peor". Y comenzó nuevamente a contarles sus angustias, pero ellos empezaron a endurecerse. Asimismo, los familiares pensaron que podían ahuyentar su perturbación con tratos ásperos y hoscos: a veces se burlaban, a veces le reñían y a veces lo ignoraban. Debido a esto, el hombre comenzó a retirarse a su habitación, a rezar por ellos y a compadecerlos, y también a compadecerse de su propia miseria. También se paseaba a solas por los campos, unas veces leyendo y otras rezando, y así pasó algunos días.

Lo vi en cierta ocasión paseando por el campo, leyendo su libro —como acostumbraba— y en estado de gran desasosiego. A medida que leía, en un momento estalló, como otras veces, sollozando: "¿Qué haré para salvarme?".

Vi también que miraba a un lado y a otro, como si quisiera correr, pero se quedaba quieto, porque, me di cuenta, no sabía qué camino tomar. Entonces vi a un hombre llamado Evangelista que se acercó a él y le preguntó: "¿Por qué lloras?" [Job 33:23].

El hombre respondió: "Señor, por el libro que tengo en la mano veo que estoy condenado a morir, y después de eso

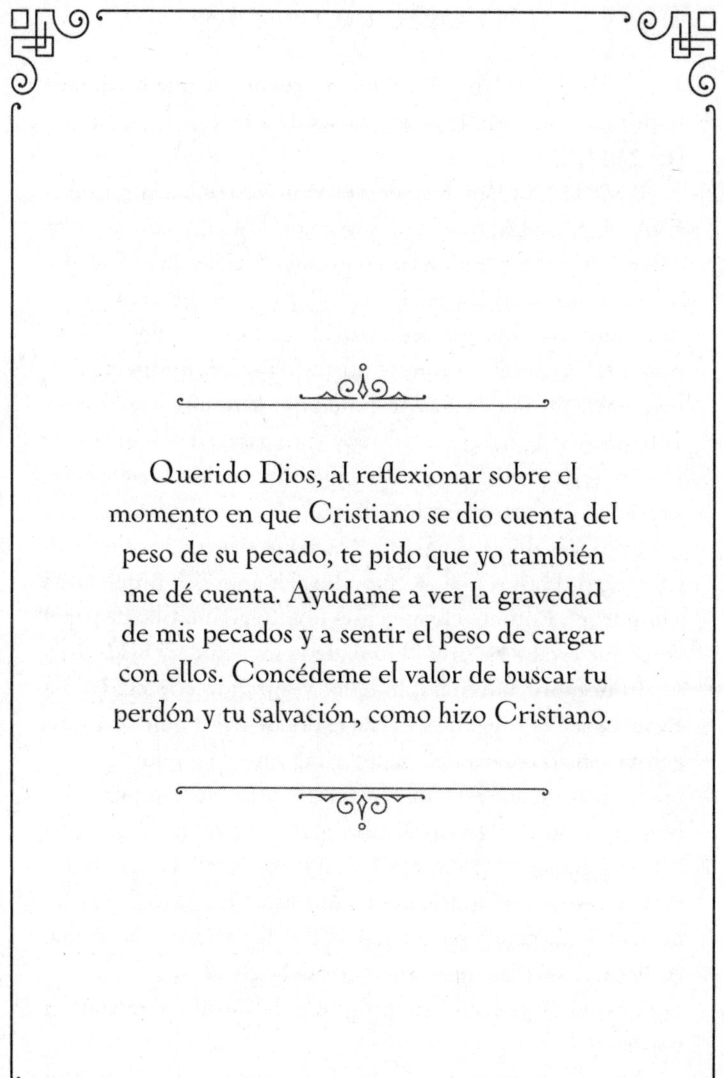

Querido Dios, al reflexionar sobre el momento en que Cristiano se dio cuenta del peso de su pecado, te pido que yo también me dé cuenta. Ayúdame a ver la gravedad de mis pecados y a sentir el peso de cargar con ellos. Concédeme el valor de buscar tu perdón y tu salvación, como hizo Cristiano.

a ser juzgado" [Heb 9:27]. Me doy cuenta de que no quiero lo primero [Job 16:21] ni soy capaz de atravesar lo segundo" [Ez 22:14].

CRISTIANO, no bien deja el Mundo, se encuentra con el EVANGELISTA, que le saluda amorosamente con noticias del otro Mundo y le muestra cómo subir a él desde aquí abajo.

Entonces dijo Evangelista: "¿Por qué no quieres morir, dado que esta vida está acompañada de tantos males?". Respondió el hombre: "Porque temo que esta carga que pesa sobre mi espalda me hunda más profundo que la tumba y caiga en el Tofet [Is 30:33]. Y, señor, si no soy apto para ir a prisión, estoy seguro de que no lo soy para ir a juicio, y de allí a la ejecución. Pensar en estas cosas me hace llorar".

Entonces dijo Evangelista: "Si así te sientes, ¿por qué no haces algo al respecto?". Respondió el hombre: "Porque no sé a dónde ir". Entonces Evangelista le entregó un rollo de papel en el que estaba escrito: "Huye de la ira venidera" [Mt 3:7].

El hombre, entonces, lo leyó, y mirando con cuidado a Evangelista, le preguntó: "¿Hacia dónde debo huir?". Evangelista señaló con su dedo a un campo muy amplio: "¿Ves la puerta angosta que está allá?" [Mt 7:13-14]. "No", respondió el hombre. Entonces Evangelista preguntó: "¿Ves la luz que brilla a la distancia?" [Salm 119:105; 2 Pedro 1:19]. Dijo el hombre: "Creo que sí". Entonces Evangelista dijo: "No la pierdas de vista y dirígete directamente hacia ella; así verás la puerta. Al llegar, llama: allí te dirán lo que debes hacer".

Entonces vi en mi sueño que el hombre comenzaba a correr.

No se había alejado mucho de su propia puerta, pero su mujer y sus hijos, al darse cuenta, empezaron a gritar para que

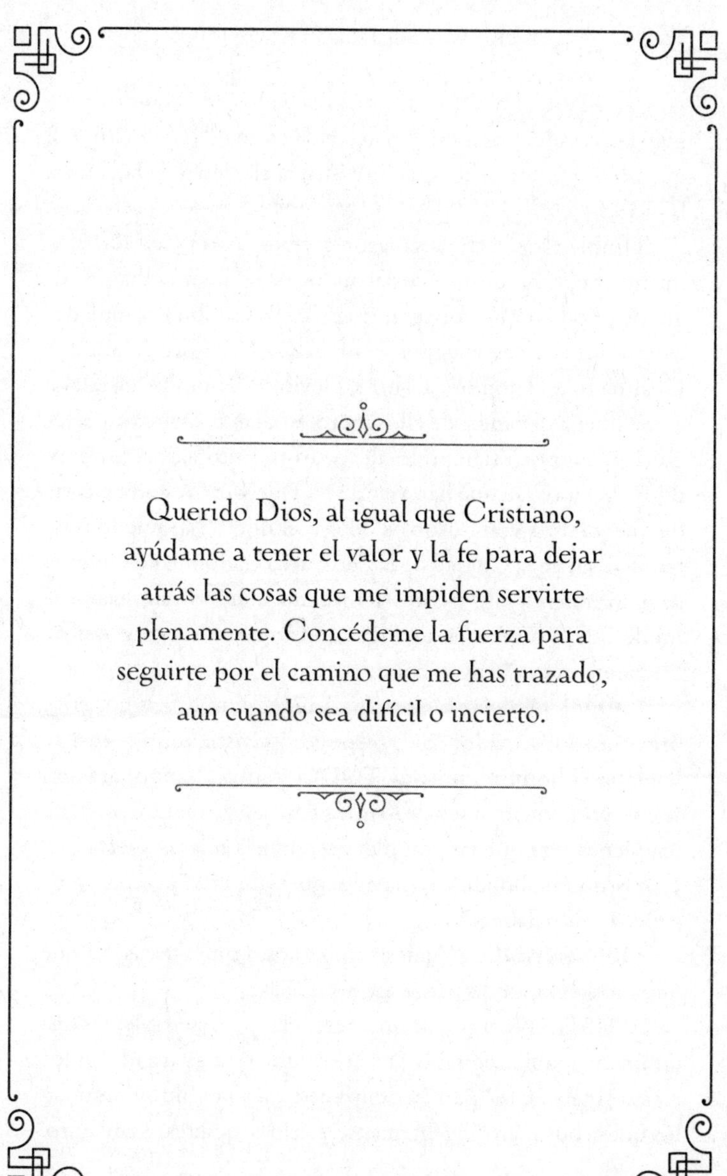

Querido Dios, al igual que Cristiano, ayúdame a tener el valor y la fe para dejar atrás las cosas que me impiden servirte plenamente. Concédeme la fuerza para seguirte por el camino que me has trazado, aun cuando sea difícil o incierto.

volviera. Pero el hombre se puso los dedos en los oídos y siguió corriendo, gritando: "¡Vida, vida eterna!" [Lc 14:26]. Así que no miró atrás, sino que huyó hacia el centro de la llanura [Gn 19:17].

También los vecinos salieron a verlo correr [Jer 20:10] y, mientras corría, unos se burlaban, otros lo amenazaban, y algunos gritaban que volviera; y, entre ellos, hubo dos que decidieron traerlo de vuelta por la fuerza: el nombre de uno era Obstinado, y el nombre del otro, Flexible. El hombre ya estaba a una buena distancia de ellos, pero estaban resueltos a perseguirlo y en poco tiempo lo alcanzaron. Entonces el hombre dijo: "Vecinos, ¿a qué han venido?". Dijeron: "A convencerte de que vuelvas con nosotros". Pero él dijo: "No puedo. Ustedes viven en la Ciudad de la Destrucción, donde yo también nací. Si mueren allí, tarde o temprano se hundirán más profundo que la tumba, en un lugar que arde con fuego y azufre. Buenos vecinos, vengan conmigo".

"¿Qué? ¿Y dejar a nuestros amigos y nuestras cosas?", preguntó Obstinado. "Sí", respondió Cristiano, pues así se llamaba el hombre, porque TODO lo que abandonarás no se compara con un poco de lo que yo busco gozar [2 Cor 4:18]. "Si vienes y te quedas conmigo, tendrás la misma suerte que yo, porque allí donde voy, hay de sobra [Lc 15:17]. Ven y comprueba mis palabras".

OBSTINADO. ¿Cuáles son las cosas que buscas, ya que dejas todo el mundo para encontrarlas?

CRISTIANO. Busco una herencia incorruptible, incontaminada e inmarchitable [1 P 1-4], que está guardada en los cielos [Heb 11:16] para ser entregada, a su debido tiempo, a los que la busquen diligentemente. Léelo, si quieres, en mi libro.

OBSTINADO. Calla y llévate tu libro. ¿Volverás con nosotros o no?

CRISTIANO. No, yo no, porque he puesto mi mano en el arado [Lc 9:62].

OBSTINADO. Vamos, pues, vecino Flexible, volvamos a casa sin él. A los locos como él, cuando se les mete una cosa en la cabeza, se creen más sabios que siete hombres razonables [Pro 26:16].

FLEXIBLE. Nada de insultos. Si lo que dice el buen Cristiano es verdad, las cosas que él busca son mejores que las nuestras; mi corazón se inclina a ir con él.

OBSTINADO. ¿Qué? ¡Otro necio! Hazme caso y devuélvete, ¿quién sabe a dónde te llevará este tonto? Vuelvan, vuelvan, sean sabios.

CRISTIANO. No, ven con Flexible, tu vecino. Acompáñame y tendrás las cosas de las que hablé, y muchas más. Si no me crees, lee aquí en este libro; la sangre de quien lo hizo ha sellado la verdad de lo que contiene [Heb 9:17-22; 13:20].

FLEXIBLE. Bien, vecino Obstinado, tengo la intención de marcharme con este buen hombre y echar mi suerte con él. Pero, buen compañero, ¿conoces el camino al lugar deseado?

CRISTIANO. Un hombre llamado Evangelista me dio indicaciones. Dijo que buscáramos una puerta angosta más adelante; ahí recibiremos instrucciones.

FLEXIBLE. Venga, pues, vecino, vámonos.

Entonces se fueron los dos juntos.

OBSTINADO. Y yo volveré a mi casa. No seré compañero de estos fantasiosos.

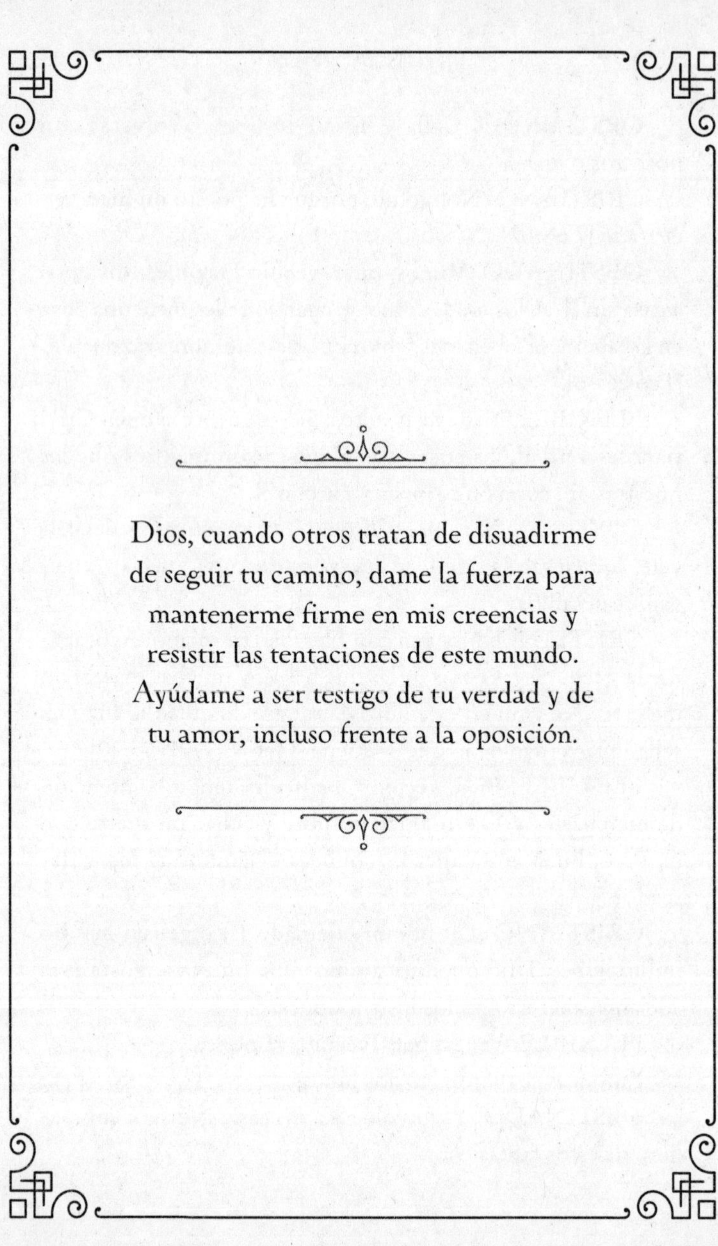

Dios, cuando otros tratan de disuadirme de seguir tu camino, dame la fuerza para mantenerme firme en mis creencias y resistir las tentaciones de este mundo. Ayúdame a ser testigo de tu verdad y de tu amor, incluso frente a la oposición.

Ahora vi en mi sueño que, para cuando Obstinado estaba de vuelta, Cristiano y Flexible andaban por la llanura. Así comenzaron su conversación:

CRISTIANO. Vamos, vecino Flexible, ¿cómo estás? Me alegra que me acompañes. Si Obstinado conociera mis sentimientos sobre los poderes y terrores venideros, no nos habría dado la espalda tan a la ligera.

FLEXIBLE. Vamos, vecino Cristiano, ya que estamos solo los dos aquí, dime ahora cuáles son las cosas del lugar al que vamos y cómo disfrutarlas.

CRISTIANO. Las concibo mejor con mi mente de lo que puedo describirlas con la lengua. Las cosas de Dios son indecibles; pero, ya que quieres saberlas, las leeré de mi libro.

FLEXIBLE. ¿Y crees que las palabras de tu libro son ciertamente verdaderas?

CRISTIANO. Sí, ciertamente; porque fue hecho por Aquel que no miente [Tit 1:2].

FLEXIBLE. Muy bien, ¿qué cosas son?

CRISTIANO. Se nos entregará un reino sin fin para habitar y vida eterna para que podamos vivir allí para siempre [Is 45:17; Jn 10:28-29].

FLEXIBLE. Muy bien, ¿y qué más?

CRISTIANO. Habrá coronas y gloria para nosotros, y vestiduras que nos harán brillar como el sol en el firmamento [2 Tim 4:8; Ap 3:4; Mt 13:43].

FLEXIBLE. Eso suena muy bien; ¿y qué más?

CRISTIANO. No habrá llanto ni dolor, porque el Señor del Reino enjugará todas nuestras lágrimas [Is 25:6-8; Ap 7:17, 21:4].

FLEXIBLE. ¿Y qué compañía tendremos allí?

CRISTIANO. Estaremos con serafines y querubines que nos deslumbrarán [Is 6:2]. También nos encontraremos con los millares y decenas de millares que llegaron antes que nosotros, inocentes, amables y santos, caminando ante la mirada de Dios [1 Tes 4:16-17; Ap 5:11]. Veremos a los ancianos con sus coronas de oro [Ap 4:4] y a las santas vírgenes con sus arpas doradas [Ap 14:1-5]. Veremos, además, a los hombres que fueron descuartizados, quemados en hogueras, devorados por fieras y arrojados al mar por su amor al Señor, todos alegres y revestidos de inmortalidad [Jn 12:25; 2 Cor 5:4].

FLEXIBLE. Oír esto basta para extasiar mi corazón. ¿Pero de verdad podremos disfrutar nosotros de estas cosas? ¿Cómo las conseguiremos?

CRISTIANO. El Señor, regente de ese país, lo ha consignado en este libro. Dicho en pocas palabras: si estamos verdaderamente dispuestos a obtener estas cosas, él nos las concederá gratuitamente.

FLEXIBLE. Bien, mi buen compañero, me alegra oír estas cosas. ¡Vamos!, aligeremos nuestro paso.

CRISTIANO. No puedo ir tan aprisa como quisiera debido a esta carga sobre mi espalda.

Vi en mi sueño que, justo cuando terminaban esta charla, se estaban acercando a una ciénaga muy lodosa que estaba en medio de la llanura. Como iban descuidados, cayeron repentinamente en el pantano, de nombre Desaliento. Se revolcaron en el fango, quedando cubiertos de suciedad; y Cristiano, a causa de la carga sobre sus hombros, comenzó a hundirse.

FLEXIBLE. ¡Ah! Vecino Cristiano, ¿dónde estás?

CRISTIANO. En verdad no lo sé.

Entonces Flexible comenzó a ofenderse, y enojado reclamó: "¿Esta es la felicidad de la que me hablaste? Si tuvimos tan mal comienzo, ¿qué podemos esperar antes de terminar el viaje? Si salgo con vida de esto, podrás disfrutar tú solo de tu majestuoso país". Y, con esto, hizo un fuerte forcejeo o dos, salió del pantano por el lado de la ciénaga que estaba junto a su casa, y Cristiano no volvió a verlo.

De este modo, Cristiano quedó abandonado a su suerte, pero aun así se esforzó por llegar a la parte del pantano que estaba más próxima a la puerta angosta. Lo logró, pero no alcanzaba a salir a causa de la carga sobre su espalda. Entonces vi en mi sueño que un hombre llamado Ayuda apareció y le preguntó: "¿Qué haces aquí?".

CRISTIANO. Señor, un hombre llamado Evangelista me señaló este camino y me indicó que podría escapar de la ira venidera si alcanzaba aquella puerta. Cuando iba hacia ella, caí aquí.

AYUDA. ¿Por qué no buscaste el sendero de piedras?

CRISTIANO. El miedo se apoderó tanto de mí que tomé el siguiente camino y caí dentro.

AYUDA. Dame tu mano.

Cristiano le extendió su mano y Ayuda lo levantó, lo puso en tierra firme y lo mandó a que siguiera su camino [Salm 40:2].

Entonces yo me acerqué a Ayuda y le dije: "Señor, ya que el camino que va desde la Ciudad de la Destrucción hasta la puerta angosta pasa justo por aquí, ¿por qué no acondiciona para que los pobres viajeros puedan caminar con más seguridad?". Y él me respondió: "Esta ciénaga no tiene arreglo posible. Es el lugar al que desciende toda la escoria y la suciedad que acompaña a la condena por el pecado, y por eso se le llama

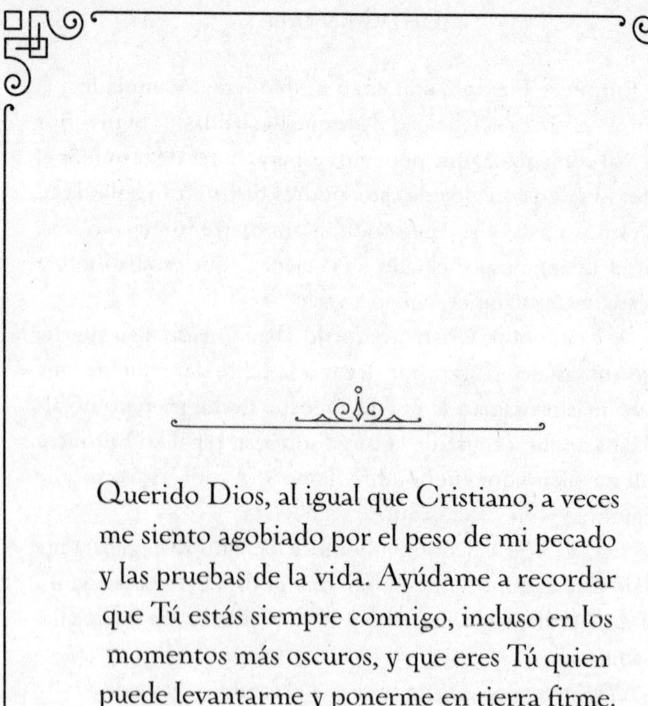

Querido Dios, al igual que Cristiano, a veces me siento agobiado por el peso de mi pecado y las pruebas de la vida. Ayúdame a recordar que Tú estás siempre conmigo, incluso en los momentos más oscuros, y que eres Tú quien puede levantarme y ponerme en tierra firme.

el Pantano del Desaliento. Cuando el pecador se despierta al conocimiento de su perdición, emergen en su alma dudas, temores, aprensiones desconsoladoras, que se juntan y se asientan aquí. Por eso es tan ingrato este terreno".

"Al rey no le gusta que este lugar siga siendo tan pernicioso [Is 35:3-4]. Sus obreros, bajo la dirección de los ingenieros de Su Majestad, han trabajado por más de mil seiscientos años intentando componer este pedazo de tierra", agregó Ayuda. "La ciénaga se ha tragado, al menos, veinte mil cargas y millones de sanas enseñanzas que han llegado aquí desde todos los rincones de los dominios del rey. A pesar de que dicen que traen los mejores materiales para arreglar el lugar, si pudiera hacerse, ya estaría hecho. Es el Pantano del Desaliento y así seguirá siendo".

Ayuda continúo: "Es cierto que se han puesto, por órdenes del Legislador, piedras buenas y sólidas para pasar por el medio de la ciénaga. Pero cuando el lodazal se agita y vomita su inmundicia, como lo hace cuando cambia el clima, las piedras quedan medio ocultas; a veces los gases que emanan de la ciénaga marean a los viajeros y estos caen en el lodo a pesar del sendero. Pero cuando logran llegar a la puerta, la tierra se vuelve buena" [1 Sam 12:23].

En mi sueño vi que en ese momento Flexible había regresado a su casa, de modo que sus vecinos vinieron a visitarlo. Algunos lo llamaron sabio por haber vuelto, otros lo llamaron un tonto por haberse marchado con Cristiano, y otros se burlaron de su cobardía, diciendo: "Yo no hubiera sido tan débil como para desistir al comienzo por unos pocos obstáculos". Así que Flexible se sentó cabizbajo y avergonzado entre ellos, pero pronto recuperó su confianza y todos volvieron a sus

cuentos, burlándose del pobre Cristiano a sus espaldas. Desde ahora no dedicaré más atención a Flexible.

Mientras Cristiano caminaba solo, vio a lo lejos a uno que cruzaba el campo a su encuentro. Se llamaba el señor Sabio Mundano, residente en la Ciudad de Política Carnal, una ciudad muy grande y muy cercana de la casa de Cristiano. Este hombre sabía algo de Cristiano, porque la partida de este de la Ciudad de la Destrucción había hecho mucho ruido, incluso en otras partes.

El señor Sabio Mundano, al ver su laborioso caminar, sus suspiros y gemidos, comenzó entonces a conversar con él.

MUNDANO. ¿Cómo estás, buen amigo? ¿A dónde vas tan cargado?

CRISTIANO. Cargado, en efecto, tanto como puede estarlo una pobre criatura. Y ya que lo preguntas, me dirijo a esa puerta angosta que se ve allá delante, pues allí se me indicará el camino para librarme de mi carga.

MUNDANO. ¿Tienes mujer e hijos?

CRISTIANO. Sí, pero últimamente tengo tantos problemas que no puedo disfrutar de ellos como antes, y me siento como si no los tuviera [1 Cor 7:29].

MUNDANO. ¿Me escucharás si te ofrezco mi consejo?

CRISTIANO. Si es bueno, lo haré, porque necesito un buen consejo.

MUNDANO. Te aconsejaría que te libres de tu carga cuanto antes. De lo contrario, jamás estarás tranquilo ni podrás disfrutar de las bendiciones que Dios te ha concedido.

CRISTIANO. Eso es lo que busco, pero no puedo quitármela yo mismo, ni existe hombre en nuestro país que pueda hacerlo. Por eso voy por este camino, como te dije.

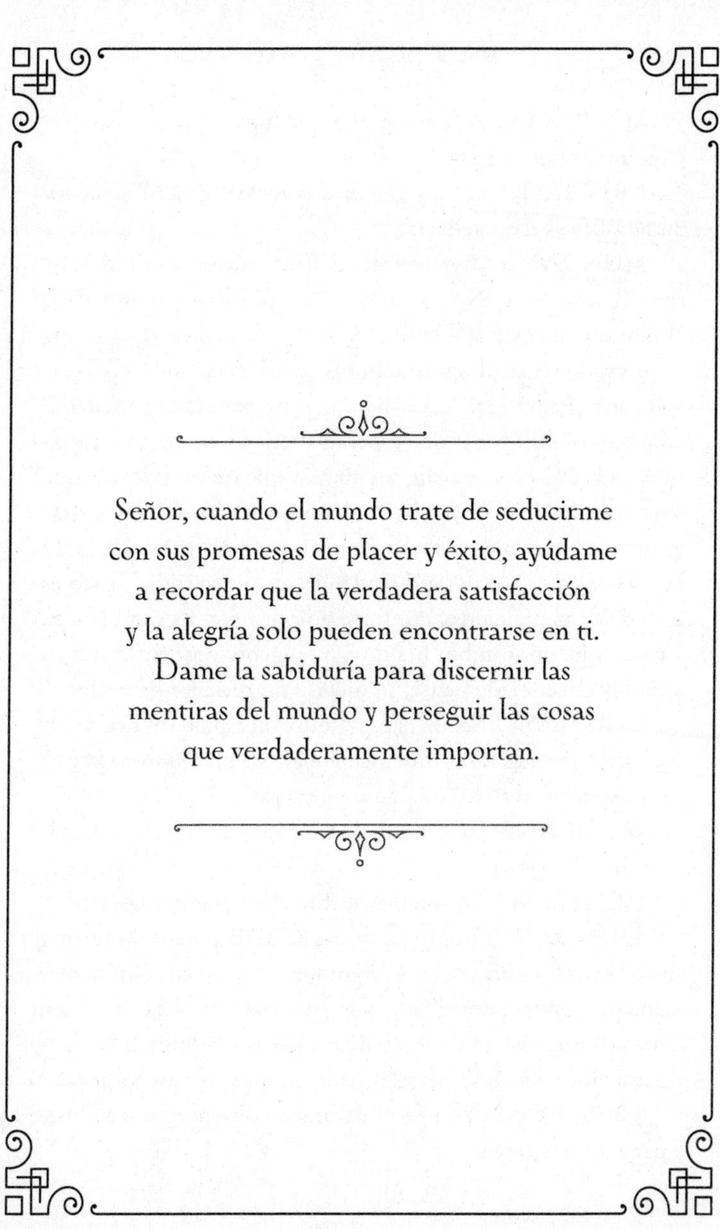

Señor, cuando el mundo trate de seducirme con sus promesas de placer y éxito, ayúdame a recordar que la verdadera satisfacción y la alegría solo pueden encontrarse en ti. Dame la sabiduría para discernir las mentiras del mundo y perseguir las cosas que verdaderamente importan.

MUNDANO. ¿Quién te dijo que fueras por este camino para librarte de tu carga?

CRISTIANO. Un hombre que parecía ser sabio y bueno. Su nombre es Evangelista.

MUNDANO. ¡Evangelista! ¡Espero que sea castigado por semejante consejo! No hay camino más peligroso y confuso en el mundo que este al que te dirigió. Evidentemente, ya te has encontrado con la desgracia. Por tu apariencia, noto que estuviste en el Pantano del Desaliento. Y ese pantano es apenas el comienzo de las penas que esperan a quienes recorren este camino. Hazme caso, ya que soy mayor que tú: es probable que te enfrentes con dolor, pobreza, hambre, peligros, leones, dragones e incluso la muerte. Seguramente estarás cansado y solo la mayor parte del tiempo, andando en la oscuridad. Esto es indudablemente cierto, confirmado por muchos caminantes. ¿Y por qué un hombre bueno e inteligente desperdiciaría su vida tan descuidadamente, siguiendo las órdenes de un loco?

CRISTIANO. Señor, el peso sobre mi espalda es más terrible que todas las cosas que menciona. No me importa lo que me pase si tan solo logro aliviar mi carga.

MUNDANO. ¿Cómo te diste cuenta de tu carga en primer lugar?

CRISTIANO. Leyendo este libro que tengo en mis manos.

MUNDANO. Me lo imaginaba. Te ha pasado lo mismo que a otros hombres débiles. Algunos se meten en cosas demasiado profundas para ellos y de repente se ven en tu situación. Quedan no solo desconcertados, sino que terminan lanzándose a empresas desesperadas para obtener no saben qué.

CRISTIANO. Yo sé lo que quiero obtener: quiero liberarme de esta carga.

MUNDANO. ¿Pero por qué buscas el alivio de esta manera, viendo que está llena de problemas y riesgos? Ahora, si tienes paciencia para escucharme, te puedo mostrar otro camino para obtener lo que deseas sin exponerte a los peligros que encontrarás en este. Sí, el alivio está al alcance de la mano. Además, en lugar de desgracias y dolor, en este otro hallarás seguridad, amistad y satisfacción.

CRISTIANO. Señor, por favor, comparta conmigo ese secreto.

MUNDANO. En aquel pueblo —llamado Moralidad— vive un señor llamado Legalidad, un hombre muy juicioso y de buena reputación, que tiene la habilidad de aliviarle a uno de cargas como las tuyas. Sí, y que yo sepa, ha hecho mucho bien con eso. Además, puede curar a quienes se hayan desequilibrado un poco llevando sus cargas. Acude a él y te auxiliará de inmediato. Su casa queda a menos de una milla de aquí, y si él mismo no está, tiene un hijo joven y apuesto, llamado Civilidad, que sabe hacerlo tan bien como el padre. Allí podrás aliviarte de tu carga. Si luego no quieres volver a tu antigua casa —cosa que no te aconsejo—, puedes mandar a buscar a tu mujer e hijos y vivir en Moralidad. Ahora hay algunas casas desocupadas, y podrías comprar una a un precio razonable; las provisiones son abundantes, poco costosas, pero buenas, y sin duda tendrás vecinos honestos. Tendrás todo para hacer tu vida agradable.

Por un momento Cristiano se sintió indeciso, pero pronto concluyó: "Si lo que ha dicho este caballero es cierto, lo más prudente es seguir su consejo". Habiendo llegado a esta conclusión, le dijo al señor Sabio Mundano:

CRISTIANO. Señor, ¿dónde vive ese hombre honesto y cómo puedo llegar a su casa?

MUNDANO. ¿Ves esa alta colina de allá?

CRISTIANO. Sí, la veo.

MUNDANO. Acércate a esa colina, y la primera casa que encontrarás es la suya.

Así que Cristiano se desvió del camino para seguir la carretera hasta la casa del señor Legalidad. Pero cuando se acercó a la colina, esta lucía muy alta, y el acantilado junto a él parecía extenderse por encima del sendero. Cristiano sintió temor de acercarse más, no fuera a ser que el precipicio le cayera encima. Se quedó allí sin saber qué hacer y sintiendo su carga más pesada que antes. De la colina salían destellos de fuego, por lo que temía quemarse [Ex 19:16-18], y estuvo temblando y sudando de miedo [Heb 12:21].

Cuando los cristianos escuchan a los hombres mundanos, se apartan de su camino y lo pagan caro, pues el Sabio Mundano no puede mostrarle a un santo otro camino que el de la esclavitud y el infortunio.

Cristiano se arrepintió de haber tomado el consejo del Sabio Mundano. Entonces vio a Evangelista avanzando hacia él y se sintió avergonzado. Evangelista se acercó más y más; lo miró con semblante severo y pavoroso, y así comenzó a reprocharlo:

EVANGELISTA. ¿Qué haces aquí, Cristiano?

Cristiano no sabía qué decir. Se quedó mudo. Entonces dijo Evangelista: "¿No eres tú el hombre que encontré llorando ante el muro de la Ciudad de la Destrucción?".

CRISTIANO. Sí, señor, debo confesar que lo soy.

EVANGELISTA. ¿No te indiqué que fueras a la puerta angosta?

CRISTIANO. Sí, señor, lo hice.

EVANGELISTA. ¿Cómo es que te has desviado tan pronto? Pues ya estás lejos del camino indicado.

CRISTIANO. Pues bien, tan pronto como salí del Pantano del Desaliento, conocí a alguien que me hizo creer que, en el pueblo, al otro lado de la colina, encontraría a un caballero que podría aliviar mi carga.

EVANGELISTA. ¿A quién conociste y qué clase de persona era?

CRISTIANO. Parecía un hombre honesto y me explicó todas sus razones. Al final me persuadió, así que vine. Pero cuando vi esta colina amenazadora sobresaliendo encima del camino y expulsando fuego y humo, me detuve, por miedo a morir.

EVANGELISTA. ¿Qué te dijo el hombre?

CRISTIANO. Me preguntó a dónde iba y se lo dije.

EVANGELISTA. ¿Y qué dijo entonces?

CRISTIANO. Me preguntó si tenía familia y le dije que sí. Pero le dije que estoy tan apesadumbrado por mi carga que no puedo disfrutarlos como lo hacía antes.

EVANGELISTA. ¿Y qué dijo después?

CRISTIANO. Me dijo que debía deshacerme de mi carga de una vez. Le dije que lo que yo quería era alivio y por eso me dirigía a cierta puertecita, para recibir instrucciones sobre cómo llegar al lugar de la liberación. Entonces me dijo que me mostraría un camino mejor, no tan lleno de dificultades como el que usted me había indicado. Me dijo: "Este otro camino te llevará a casa de un caballero que puede aliviar a la gente de sus cargas". Así que le creí y me desvié, esperando pronto liberarme del peso. Pero cuando llegué a esta colina y vi cómo eran las cosas aquí, me detuve por miedo a perder la vida. Ahora no sé qué hacer.

EVANGELISTA. Entonces quédate quieto un momento, para poder enseñarte las palabras de Dios.

Cristiano se quedó de pie, temblando. Entonces Evangelista le dijo: "Miren que no rechacen al que habla. Porque si no escaparon aquellos que rechazaron al que advertía en la tierra, mucho menos escaparemos nosotros si nos apartamos del que advierte desde los cielos" [Heb 12:25]. También dijo: "Pero mi justo vivirá por fe; y si se vuelve atrás, no agradará a mi alma" [Heb 10:38]. Evangelista aplicó estas palabras diciendo: "Eres un hombre que corre hacia su miseria. Has comenzado a rechazar el consejo del Altísimo y a apartar tus pies del camino de la paz, casi poniendo en peligro tu alma".

Entonces Cristiano cayó a sus pies, gritando: "¡Ay de mí, que estoy deshecho!". Evangelista lo tomó de la mano derecha, diciendo: "A los hombres les serán perdonados todos los pecados y blasfemias, cualesquiera que sean [Mt 12:31, Mc 3:28]; no seas incrédulo, sino creyente" [Jn 20:27]. Entonces Cristiano revivió un poco y se puso de nuevo de pie ante Evangelista.

Entonces Evangelista procedió, diciendo: "Ahora presta más atención a las cosas que te digo. Te mostraré quién fue el que te engañó, y también a casa de quién te envió. El hombre que salió a tu encuentro en la llanura es un tal señor Sabio Mundano. Se llama así con razón; en parte, porque es sabio en la sabiduría de este mundo [1 Jn 4:5] (y por eso va siempre a la iglesia en el pueblo de Moralidad), y en parte porque ama más la doctrina de este mundo, pues le protege de la cruz [Gal 6:12]. Dado que es de mente carnal, busca pervertir la verdad de tu libro. Ahora, hay tres cosas en el consejo de este hombre que debes aborrecer completamente: que te desviara de la

senda correcta, su empeño en hacerte rechazar la cruz y que te pusiera en un camino que conduce a la muerte".

Evangelista continuó: "Primero, debes aborrecer que te desviara del camino de la verdad; sí, y aborrecer que tú mismo estuvieras de acuerdo, pues al hacerlo, rechazaste el consejo de Dios por el consejo de un hombre mundano. El Señor dice: 'Esfuércense a entrar por la puerta angosta' —la puerta a la que te dirigí— 'porque les digo que muchos procurarán entrar y no podrán' [Lc 13:24]. Este hombre te desvió de esa pequeña puerta, y desde el camino que conduce a la vida, hacia el camino que casi te lleva a tu destrucción. Por tanto, odia que te desviara y desprecia que fueras tan fácil de convencer".

"Segundo, debes detestar su empeño en hacer que detestes la cruz, pues debes preferir la cruz 'a los tesoros egipcios' [Heb 11:25-26]. Además, el Rey de la Gloria nos ha dicho que 'quien busque salvar su vida, la perderá' [Mc 8:35; Jn 12:25; Mt 10:39]. Y que 'si alguno viene a [él] y no aborrece a su padre, madre, mujer, hijos, hermanos, hermanas y aun su propia vida, no puede ser su discípulo' [Lc 14:26]. Por lo tanto, la idea del Sabio Mundano de que el camino correcto —sin el cual no puedes tener vida eterna— es el de la muerte, es aborrecible".

"Tercero, también debes odiar que guiara tus pasos hacia la muerte. Y para ello debes considerar a aquel a quien te envió, y cuán incapaz es esa persona de librarte de tu carga. Ese hombre, Legalidad, es hijo de la mujer esclavizada, cuyos hijos también son esclavos [Gal 4:21-27] y que, por un misterio, es ella misma esta colina —el Monte Sinaí— que temías que cayera sobre ti. Ahora bien, si ella y todos sus hijos son esclavos, ¿cómo puedes esperar que alguno de ellos te libere a ti? Legalidad, nacido en el Monte Sinaí, es incapaz de liberarte de

tu carga. Nunca ha liberado a nadie de su carga, ni podrá hacerlo jamás. No puedes ser justificado por las obras de la ley, porque la ley no puede limpiar los pecados o aliviar las cargas de nadie. Por lo tanto, el señor Sabio Mundano no sabe cómo funcionan las cosas y el señor Legalidad es un tramposo. Y en cuanto a su hijo, Civilidad, a pesar de su apariencia agradable, es un farsante que no puede ayudar a nadie. Créeme, todo lo que has oído sobre estos estúpidos hombres no es sino un intento de engañar a las almas y alejarlas de la salvación. Esto es lo que trataron de hacer contigo al apartarte del camino que te señalé".

Después de esto, Evangelista clamó en voz alta a los cielos pidiendo confirmación de lo que había dicho. Y con eso salieron de la montaña fuego y palabras que hicieron erizar la piel de Cristiano. Las palabras fueron fuertes y claras: "Todos los que viven por las obras que demanda la ley están bajo maldición, porque está escrito: *Maldito sea quien no practique fielmente todo lo que está escrito en el libro de la ley*" [Gal 3:10].

Ahora Cristiano no esperaba más que la muerte, y comenzó a sollozar con voz lastimera, maldiciendo haber conocido al señor Sabio Mundano y llamándose a sí mismo estúpido por haber seguido sus consejos. También dijo que estaba profundamente avergonzado por dejarse influir tanto por los argumentos de ese hombre —aunque solo eran productos de una mente carnal— como para hacerle abandonar el camino recto y seguir el camino del mundo. Luego se concentró en las sabias palabras de Evangelista así:

CRISTIANO. Señor, ¿qué piensa usted? ¿Hay esperanza para mí? ¿Puedo ahora volver atrás y seguir hasta la puerta angosta? ¿O seré rechazado por esta infidelidad y expulsado de

la puerta? Lamento sinceramente haber seguido el consejo de ese hombre, pero ¿puede ser perdonado mi pecado?

EVANGELISTA. Tu pecado es muy grande. Implica dos males: abandonaste el camino recto y anduviste por un sendero prohibido. Sin embargo, el Hombre de la Puerta te recibirá, pues tiene buena voluntad para con toda la humanidad. Solo ten cuidado de no desviarte de nuevo, para que no seas "destruido en el camino, pues su ira se inflama de repente" [Salm 2:12].

Entonces Cristiano decidió volver y Evangelista, sonriendo, le dio la mano y le dijo: "Que Dios te bendiga". Así que regresó a toda prisa, negándose a hablar con nadie ni responder preguntas. Caminaba como quien pisa terreno prohibido, pues no se sentiría seguro hasta que se hallara de nuevo en el camino que Evangelista le había indicado.

Un tiempo después, llegó por fin a la puerta angosta. Sobre la puerta estaba escrito, en letras gruesas: "LLAMA Y SE TE ABRIRÁ" [Mt 7:8].

El que quiera entrar, debe primero
llamar a la puerta y saber que
para entrar, solo hace falta llamar;
puesto que Dios puede amarle y perdonar su pecado.

Llamó, pues, más de una o dos veces, diciendo: "¿Puedo entrar aquí? ¿Me abren la puerta, aunque haya sido un rebelde ingrato? Si me permiten entrar, nunca dejaré de cantar las alabanzas de Dios".

Por fin llegó a la puerta uno que se llamaba Buena Voluntad. Preguntó: "¿Quién eres, de dónde vienes y qué quieres?".

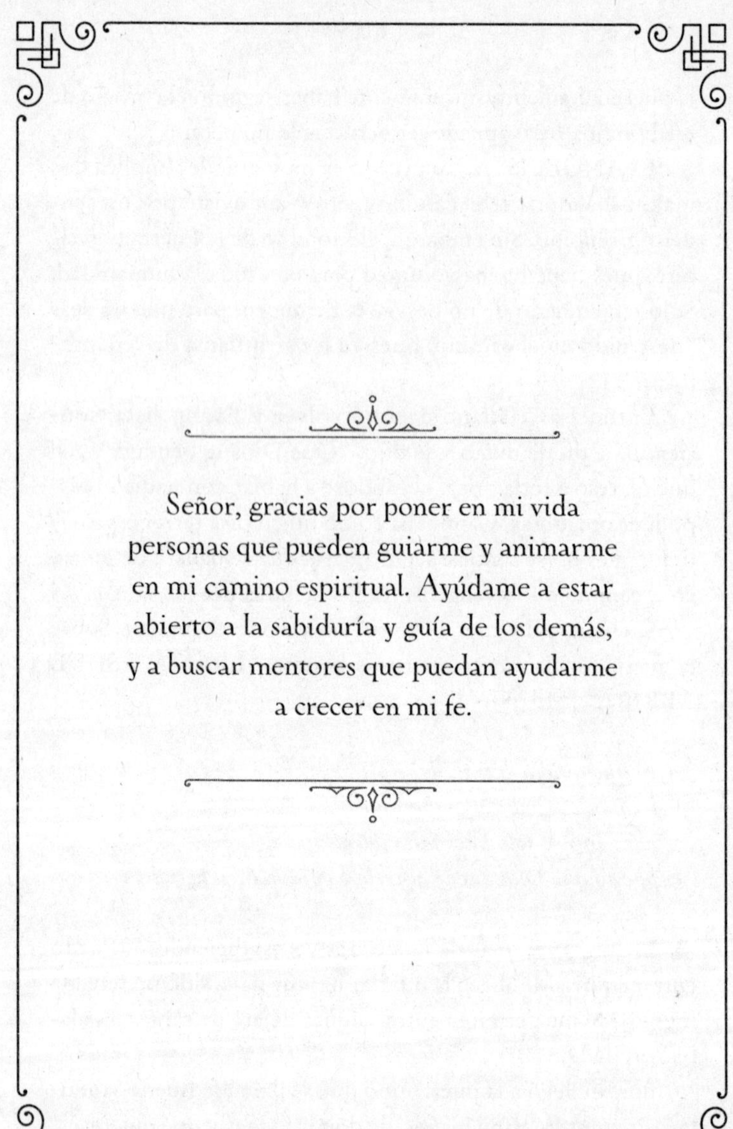

Señor, gracias por poner en mi vida personas que pueden guiarme y animarme en mi camino espiritual. Ayúdame a estar abierto a la sabiduría y guía de los demás, y a buscar mentores que puedan ayudarme a crecer en mi fe.

CRISTIANO. Soy un pobre y agobiado pecador. Vengo de la Ciudad de la Destrucción, y quiero ir al Monte de Sion para estar a salvo de la ira venidera de Dios. Me informan que el camino a Sion pasa por esta puerta. Me gustaría saber, entonces, si puedo entrar.

BUENA VOLUNTAD. Sí, con todo gusto te dejaré entrar.

Inmediatamente, Buena Voluntad abrió la verja y, justo cuando Cristiano entraba, le cogió del brazo y le dio un tirón. "¿Qué significa esto?", preguntó Cristiano. Buena Voluntad explicó: "Allá afuera, no lejos de esta puerta, hay un fuerte castillo, custodiado por Belcebú y sus hombres; desde allí disparan flechas a los que llegan a esta puerta para intentar matarlos antes de que entren".

"Me alegro y tiemblo", dijo Cristiano. Cuando estuvo a salvo en el interior, Buena Voluntad le preguntó quién le había dirigido hasta allí.

CRISTIANO. Evangelista me dijo que viniera hasta aquí y llamara a la puerta, y me dijo que usted, señor, me diría lo que debía hacer.

BUENA VOLUNTAD. Tienes la puerta abierta, y nadie puede cerrarla.

CRISTIANO. Ahora empiezo a cosechar los beneficios de mis peligros.

BUENA VOLUNTAD. ¿Pero cómo es que has venido solo?

CRISTIANO. Ninguno de mis vecinos vio su peligro como yo vi el mío.

BUENA VOLUNTAD. ¿Sabía alguno de ellos que venías?

CRISTIANO. Sí, primero mi mujer y mis hijos me vieron salir y me llamaron para que volviera. También algunos

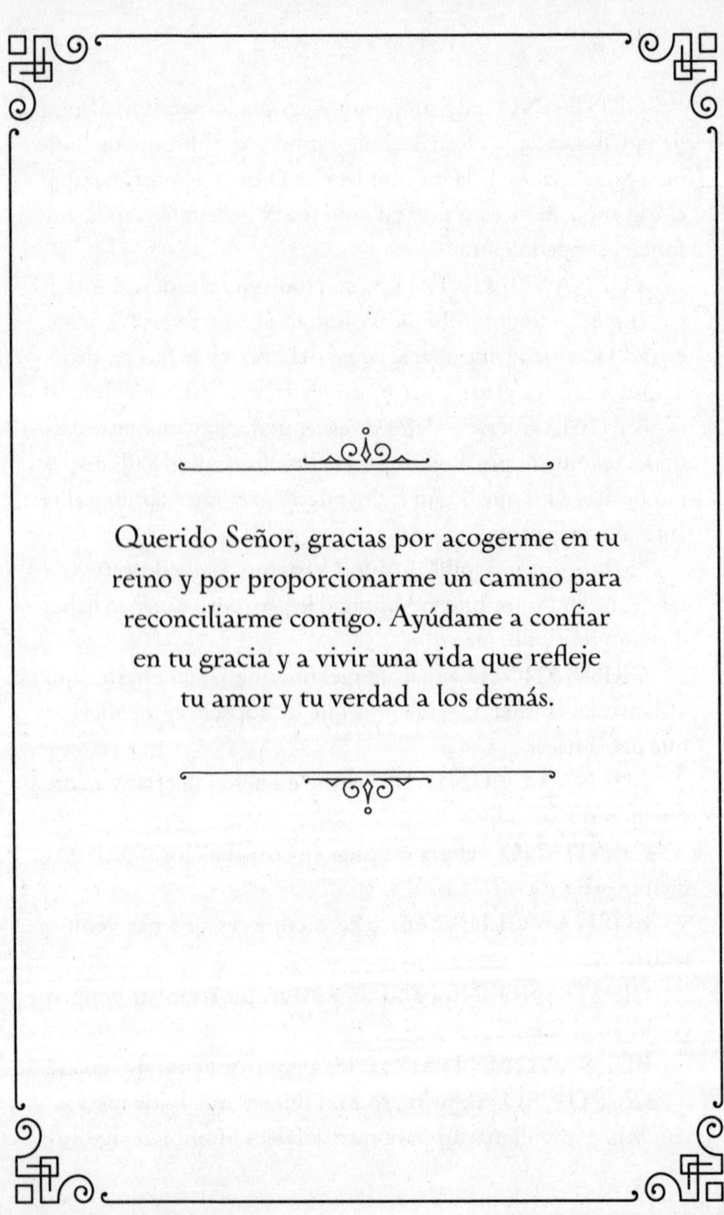

Querido Señor, gracias por acogerme en tu reino y por proporcionarme un camino para reconciliarme contigo. Ayúdame a confiar en tu gracia y a vivir una vida que refleje tu amor y tu verdad a los demás.

vecinos me gritaron para que regresara, pero yo me tapé los oídos y seguí caminando.

BUENA VOLUNTAD. ¿Pero ninguno te siguió para convencerte de volver?

CRISTIANO. Sí, dos de mis vecinos, Obstinado y Flexible. Pero cuando vieron que no podían persuadirme, Obstinado se volvió a su propia casa, enfadado, y Flexible vino conmigo un poco más lejos.

BUENA VOLUNTAD. ¿Por qué no siguió él?

CRISTIANO. En efecto, ambos llegamos juntos al Pantano del Desaliento, en el que caímos. Entonces Flexible se desanimó y no quiso ir más lejos. Mientras se dirigía de nuevo hacia su casa, me dijo: "Puedes disfrutar tú solo de tu majestuoso país", y se marchó tras Obstinado. Yo seguí adelante sin él.

BUENA VOLUNTAD. ¡Ay, pobre hombre! ¿Valoraba tan poco la Ciudad Celestial que no pensaba que valieran la pena unas cuantas dificultades para alcanzarla?

CRISTIANO. Así es. Le he contado sobre Flexible, pero cuando le cuente mi historia, parecerá que no hay mucha diferencia entre él y yo. Es cierto que él volvió a su casa, pero yo también me desvié para seguir el camino de la muerte, persuadido por los falsos argumentos de un tal señor Sabio Mundano.

BUENA VOLUNTAD. Oh, ¿salió a tu encuentro? Quería que buscaras alivio carnal en manos del señor Legalidad. Ambos no son más que tramposos. ¿Aceptaste su consejo?

CRISTIANO. Sí, tanto como me atreví. Siguiendo sus instrucciones, fui a buscar al señor Legalidad y llegué a la alta montaña junto a su casa, pero temí que me cayera encima, así que tuve que detenerme.

BUENA VOLUNTAD. Esa montaña ha sido la muerte de muchos peregrinos, y será la de muchos más. Menos mal que te salvaste de ser despedazado.

CRISTIANO. Realmente no sé qué me habría pasado si Evangelista no me hubiera encontrado allí, en mi desconcierto. Fue por misericordia de Dios que viniera; de otro modo, nunca habría podido llegar aquí. Pero ahora, tal como soy, estoy aquí; más digno de la muerte que de estar hablando con usted. ¡Oh, qué favor es para mí que me haya dejado entrar!

BUENA VOLUNTAD. No rechazamos a nadie, no importa lo que hayan hecho antes de venir. Jamás serán echados fuera [Jn 6:37]. Entonces, buen Cristiano, ven conmigo y te mostraré la ruta a seguir. Mira allá. ¿Ves ese camino estrecho? ESE es el camino que debes tomar. Fue recorrido por los patriarcas en tiempos antiguos, y por los profetas, y por Cristo y sus apóstoles, y es tan recto como una línea puede ser.

CRISTIANO. ¿No hay serpenteos o encrucijadas que puedan confundir a un forastero?

BUENA VOLUNTAD. Sí, hay muchos caminos que se bifurcan de este, y son sinuosos y amplios, pero puedes distinguir el bueno del malo porque el buen camino es el único recto y angosto [Mt 7:14].

Entonces vi en mi sueño que Cristiano le preguntó al señor Buena Voluntad si podía remover la carga de su espalda, pues aún la llevaba y no podía quitársela sin ayuda. Buena Voluntad le aconsejó: "Conténtate con llevar tu carga hasta que llegues al lugar de la liberación. Entonces se caerá de tus hombros por sí sola".

Ahora Cristiano comenzó a prepararse para su viaje. Entonces Buena Voluntad le explicó: "Cuando te hayas alejado

un poco de esta puerta, llegarás a la casa del Intérprete y deberás llamar a su puerta. Él te dará la bienvenida y te mostrará cosas excelentes". Cristiano se despidió de su amigo, quien también le dijo: "Que Dios te bendiga".

Entonces siguió caminando hasta llegar a la casa del Intérprete. Llamó una y otra vez hasta que finalmente vino un hombre a la puerta y preguntó quién era.

CRISTIANO. Soy un peregrino. Un amigo del buen hombre de esta casa me indicó que viniera para recibir instrucciones. Quisiera hablar con el dueño de la casa.

En poco tiempo llegó el Intérprete y le preguntó a Cristiano qué deseaba.

CRISTIANO. Señor, mi nombre es Cristiano. Vengo de la Ciudad de la Destrucción y estoy de camino al Monte Sion. El buen hombre de la puerta angosta me dijo que, si pasaba por aquí, usted me mostraría cosas excelentes, necesarias para mi viaje.

INTÉRPRETE: Sí, en efecto, entra. Te mostraré algo que será muy provechoso para ti.

El Intérprete le pidió a su ayudante que encendiera su vela y condujera a Cristiano al interior de la casa. El ayudante le dijo: "Sígueme", y lo llevó a una habitación privada, donde le dijo a otro sirviente que abriera una puerta. Cuando se abrió la puerta, Cristiano vio el retrato de una persona de rostro circunspecto que colgaba de la pared. La imagen era así: los ojos de la persona miraban al cielo, tenía en la mano el mejor de los libros, la ley de la verdad estaba en sus labios y el mundo estaba a sus espaldas. Estaba de pie como suplicando a los hombres, y una corona de oro colgaba sobre su cabeza.

CRISTIANO. ¿Qué significa esto?

INTÉRPRETE. Este hombre es uno entre mil. Puede engendrar hijos [1 Cor 4:15], dar a luz con dolores de parto [Gal 4:19] y amamantarlos él mismo cuando nacen. Y lo ves con los ojos hacia al cielo, el mejor de los libros en la mano y la ley de la verdad en los labios, para mostrar que su obra es conocer y revelar las cosas oscuras a los pecadores; por eso está de pie, suplicando a los hombres. Y si ves el mundo a sus espaldas y una corona que pende sobre su cabeza, es para revelarnos que, menospreciando las cosas del presente por el amor que tiene a servir a su Maestro, está seguro de que tendrá la gloria como recompensa en el mundo venidero. Ahora bien —agregó el Intérprete—, te mostré primero este cuadro, porque es el retrato del único hombre que el Señor del lugar al que vas ha autorizado para guiarte a través de las dificultades del camino. Por lo tanto, presta mucha atención y recuerda lo que has visto, no sea que en tu viaje te encuentres con otros que pretenden guiarte, pero cuyo rumbo lleva a la muerte.

Luego tomó la mano de Cristiano y lo condujo a un gran salón lleno de polvo. Cuando lo hubieron observado un momento, el Intérprete llamó a un hombre para que barriera. Cuando empezó a barrer, el polvo se levantó y llenó toda la habitación de tal manera que Cristiano casi se asfixió. Entonces el Intérprete le dijo a una sirvienta que estaba allí: "Trae agua y rocía la habitación". Al hacer esto, pudo barrer y limpiar el salón sin problema.

CRISTIANO. ¿Qué significa esto?

INTÉRPRETE. Este salón es el corazón de un hombre que nunca ha sido santificado por la dulce gracia del Evangelio. El polvo es su pecado original y las corrupciones internas que

lo han contaminado. El hombre que comenzó a barrer primero es la Ley; la mujer que trajo agua y la roció es el Evangelio. Observaste que tan pronto como el primero comenzó a barrer, el polvo voló de tal manera que era imposible limpiarlo y casi te ahogaste con él. Esto demuestra que, en lugar de limpiar el corazón del pecado, la Ley reaviva, fortalece y aumenta el pecado en el alma; incluso a pesar de que lo identifica y lo prohíbe, no tiene el poder para someter al pecado [Rom 7:6; 1 Cor 15:56; Rom 5:20].

"Por otro lado", siguió el Intérprete, "viste que la mujer roció la habitación con agua y pudo limpiarla plácidamente. Esto te muestra que, cuando el Evangelio lleva sus dulces influencias al corazón, así como la mujer limpió el polvo rociando el suelo con agua, así el pecado es vencido y subyugado. El alma queda limpia a través de la fe, y, por ende, apta para que la habite el Rey de la Gloria" [Jn 15:3; Ef 5:26; Hch 15:9; Rom 16:25-26; Jn 15:13].

Vi, además, en mi sueño, que el Intérprete lo tomó de la mano y lo llevó a una pequeña habitación donde había dos niños pequeños, cada uno sentado en una silla. El nombre del mayor era Pasión y el del otro era Paciencia. Pasión lucía fastidiado, mientras que Paciencia estaba muy quieto. Entonces Cristiano preguntó: "¿Por qué está tan disgustado Pasión?". El Intérprete respondió: "Su institutriz quiere que esperen por sus mejores cosas hasta el año que viene, pero Pasión las quiere todas ahora, mientras que Paciencia está dispuesto a esperar".

Luego observé que un sirviente se acercó a Pasión y derramó a sus pies una bolsa de tesoros que el niño rápidamente recogió en sus brazos con gran alegría. Se reía a carcajadas, burlándose de Paciencia. Pero lo miré por un tiempo, y vi que

pronto malgastó todo lo que había recibido, y no le quedó más que la bolsa vacía.

"Explícame mejor este asunto", dijo Cristiano.

INTÉRPRETE. Estos dos chicos son figuras: Pasión representa a los hombres de este mundo, y Paciencia representa a los hombres del mundo por venir. Como ves, Pasión quiere tenerlo todo este año; es decir, en este mundo. Así son los hombres de este mundo, necesitan todo lo bueno ahora mismo y no pueden esperar al año próximo; es decir, a obtenerlo en el mundo por venir. El proverbio "Más vale pájaro en mano que ciento volando" tiene más autoridad para ellos que todos los testimonios divinos del bien del mundo venidero. Pero, como viste, Pasión derrochó todo rápidamente y no le quedaron más que harapos; así será con todos esos hombres al final de este mundo.

CRISTIANO. Ahora veo que Paciencia es más sabio, por muchas razones. Primero, espera las mejores cosas. Segundo, disfrutará de la gloria de sus recompensas cuando el otro no tenga más que harapos.

INTÉRPRETE. Sí, y también puedes añadir esto: La gloria del otro mundo nunca se acabará ni se desgastará, pero las glorias de esta vida se desvanecen pronto. Por ende, Pasión no tenía muchas razones para reírse de Paciencia por obtener sus cosas antes, porque Paciencia se reirá de Pasión cuando obtenga sus mejores cosas al final. Lo primero debe dar lugar a lo último, porque lo último debe tener su tiempo adecuado para llegar. Pero el último no da lugar a nada, porque nada viene después. Quien obtenga su parte primero la gastará en un tiempo, pero quien la obtenga de último la tendrá para siempre. Por eso se dice de cierto hombre rico: "Durante tu

vida recibiste tus bienes y, de igual manera Lázaro, males. Pero ahora él es consolado aquí, y tú eres atormentado" [Lc 16:25].

CRISTIANO. Entonces me parece que es mejor no codiciar las cosas de este mundo, sino esperar los bienes venideros.

INTÉRPRETE. Dices la verdad. "Las cosas que se ven son temporales, mientras que las que no se ven son eternas" [2 Cor 4:18]. Ya que las cosas presentes son tan cercanas y las cosas venideras son tan lejanas a nuestro apetito carnal; somos propensos a ceder a nuestros deseos carnales en lugar de esperar la satisfacción de lo eterno. Así nos unimos a las cosas de este mundo y perdemos nuestra recompensa futura".

Luego vi en mi sueño que el Intérprete tomaba a Cristiano de la mano y lo conducía hacia otro lugar de la casa donde había un fuego ardiendo contra una pared. Un hombre le echaba agua sin parar, pero el fuego seguía ardiendo más y más.

"¿Qué significa esto?", preguntó Cristiano.

El Intérprete respondió: "Ese fuego es la obra de la gracia de Dios en el corazón. La persona que le echa agua es el diablo. Pero, como ves, el fuego sigue ardiendo con fuerza. Ven alrededor del muro y verás por qué". Entonces lo condujo al otro lado del muro, donde había un hombre secretamente echando aceite al fuego en secreto.

"¿Qué significa esto?", preguntó Cristiano de nuevo.

El Intérprete respondió: "Este es Cristo, que con el aceite de su gracia mantiene la obra ya comenzada en el corazón. Así, a pesar de lo que el diablo pueda hacer, las almas de su pueblo continúan llenas de gracia [2 Cor 12:9]. Y tuviste que darle la vuelta al muro para ver al hombre que mantiene vivo el fuego; esto es para enseñarte lo difícil que es para el tentado ver cómo se mantiene en la gracia en el alma".

Entonces el Intérprete le tomó la mano de nuevo y lo llevó a un lugar agradable donde había un elegante palacio. Cristiano se maravilló al verlo. También vio personas radiantes, vestidas de oro, caminando por la parte superior.

CRISTIANO. ¿Podemos ir hasta allá?

Entonces el Intérprete lo condujo hacia la puerta del palacio, donde encontraron una gran multitud. Todos deseaban entrar, pero ninguno se atrevía a hacerlo. También había un hombre sentado a poca distancia de la puerta, junto a una mesa, con un libro y su tintero, tomando los nombres de quienes entrasen. Vieron también que la puerta estaba custodiada por hombres fuertemente armados, resueltos a lastimar a quien osara pasar. Cristiano estaba asombrado. Finalmente, cuando todos retrocedieron por miedo a los hombres armados, Cristiano vio a un hombre de robusto semblante acercarse al hombre del libro y el tintero, y le dijo: "Anote mi nombre, señor". Hecho esto, el hombre desenvainó su espada, se puso su yelmo en la cabeza y se lanzó hacia los guardianes de la puerta, quienes respondieron con fuerza mortal. Pero el hombre no se desalentó y se defendió con la mayor fiereza. Después de causar y recibir muchas heridas de los que intentaban detenerlo, se abrió paso entre ellos [Hch 14:22] y entró en el palacio. Entonces se oyeron las hermosas voces de los que estaban dentro, en lo alto del palacio, diciendo:

"Entra, entra; ganarás la gloria eterna".

El hombre entró y recibió las mismas ropas de oro que los demás. Entonces Cristiano sonrió y dijo: "Creo que entiendo el significado de esto".

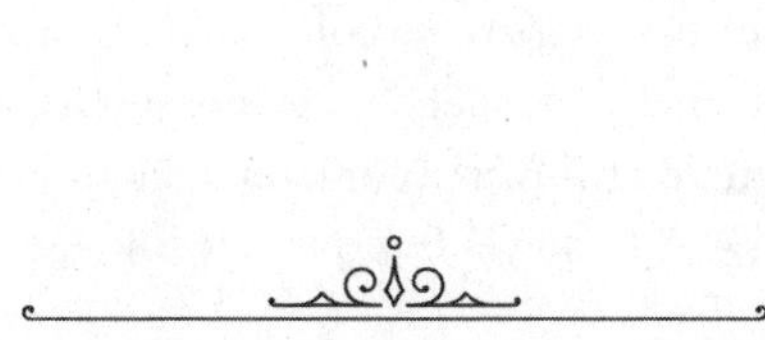

Querido Señor, abre mis ojos para que vea la verdad de tu palabra y la belleza de tus caminos. Dame entendimiento y sabiduría para discernir tu voz en medio del ruido del mundo. Ayúdame a ser transformado por tu verdad y a vivir una vida que refleje tu amor y tu gracia.

"Ahora", dijo Cristiano, "permíteme marcharme". "No, quédate", dijo el Intérprete, "te mostraré un poco más y luego podrás seguir tu camino". Así que lo tomó de la mano otra vez y lo condujo a una habitación muy oscura, donde había un hombre sentado dentro de una jaula de hierro.

El hombre miró a Cristiano con gran tristeza; estaba sentado con los ojos fijos en el suelo, las manos juntas, y suspirando como si se le fuera a romper el corazón. Dijo Cristiano: "¿Qué significa esto?". A lo que el Intérprete le dijo que hablara con el hombre.

Entonces dijo Cristiano al hombre: "¿Quién eres?". El hombre respondió: "Soy lo que una vez no fui".

CRISTIANO. ¿Qué eras antes?

HOMBRE. En otro tiempo fui un hermoso y floreciente profesor, tanto a mis ojos como a los de los demás. Una vez fui, según pensaba, merecedor de entrar en la Ciudad Celestial, y me alegraba incluso pensar que llegaría allí [Lc 8:13].

CRISTIANO. Bien, pero ¿qué eres ahora?

HOMBRE. Ahora soy un hombre desesperado, encerrado en mi desesperación como en esta jaula de hierro. No puedo salir. ¡Oh, no puedo!

CRISTIANO. ¿Cómo llegaste a esta situación?

HOMBRE. Bajé la guardia y dejé de ser sobrio. Pequé contra la luz de la Palabra y la bondad de Dios y cedí a mis pasiones. Afligí al Espíritu, y se ha ido; tenté al diablo y se apoderó de mí. Provoqué la ira de Dios y me abandonó. Endurecí tanto mi corazón que no puedo arrepentirme.

Entonces Cristiano preguntó al Intérprete: "¿No hay esperanza para un hombre como él?". "Pregúntaselo", dijo el Intérprete. "No", dijo Cristiano, "por favor, señor, pregúntele usted".

INTÉRPRETE. ¿No hay esperanza para ti? ¿Debes quedarte en la jaula de la desesperación?

HOMBRE. No, no hay ninguna esperanza en absoluto.

INTÉRPRETE. ¿Por qué no? El Hijo del Bendito es muy compasivo.

HOMBRE. Lo crucifiqué de nuevo para mí mismo [Heb 6:6]; lo aborrecí abiertamente [Lc 19:14]. Desprecié su justicia; consideré "de poca importancia la sangre del pacto por la cual fue santificado" y "ultrajé al Espíritu de gracia" [Heb 10:28-29]. Por eso me he excluido de todas sus promesas, y ahora solo me quedan terribles amenazas, amenazas temibles de juicio seguro y violenta indignación, que me devorarán como un enemigo.

INTÉRPRETE. ¿Por qué has llegado a esta situación?

HOMBRE. Por los apetitos, placeres y lucros de este mundo. Me deleité mucho disfrutándolos entonces, pero ahora cada una de esas cosas me muerde y me roe como un ardiente gusano.

INTÉRPRETE. Pero ¿no puedes ahora arrepentirte y convertirte?

HOMBRE. Dios me ha negado el arrepentimiento. Su Palabra no me alienta a creer; él mismo me encerró en esta jaula de hierro. Tampoco existe un hombre en el mundo que me pueda liberar. ¡Oh, eternidad, eternidad! ¿Cómo lidiaré con la miseria eterna?

INTÉRPRETE. Recuerda siempre la miseria de este hombre. Que te sirva de advertencia perpetua.

CRISTIANO. ¡Bueno, esto es horrible! Dios me ayude a ser vigilante y a rezar para evitar el mal y la miseria de los que van por ese camino. Señor, ¿no es hora de que siga el mío?

INTÉRPRETE. Espera a que te muestre una cosa más; entonces podrás irte.

Entonces tomó a Cristiano de la mano y lo llevó a una recámara donde un hombre se estaba levantando de la cama. Al vestirse, temblaba. "¿Por qué tiembla tanto este hombre?", preguntó Cristiano. El Intérprete se dirigió al hombre y dijo: "Dígale a este hombre por qué tiembla". "Tuve un sueño horrible", dijo el hombre, "los cielos se volvían extremadamente oscuros, los relámpagos brillaban y los truenos rugían. Angustiado, alcé los ojos y vi cómo se arremolinaban las nubes. Luego oí un fuerte sonido de trompeta. Vi a un hombre sentado sobre una nube, que avanzaba seguido de miles de personas celestiales. Todos llameaban como fuego, y los cielos mismos también estaban en llamas. Una voz poderosa dijo: 'Levántense, muertos, y vengan a juicio'. Entonces las rocas comenzaron a romperse y los sepulcros a abrirse, y salieron los muertos que estaban en ellos. Algunos de ellos se alegraron y miraron hacia arriba, y otros buscaron esconderse bajo las montañas [1 Cor 15:52; 1 Tes 4:16; Judas 14; Jn 5:28-29; 2 Tes 1:7-8; Ap 20:11-14; Is 26:21; Miqueas 7:16-17; Salm 95:1-3; Dn 7:10]. Entonces el hombre sobre la nube abrió el libro, y dijo al mundo que se acercara. Pero, a causa de una llama feroz que rugía delante de él, se hizo una distancia entre él y ellos, como entre el juez y los acusados en un tribunal [Mal 3:2-3; Dn 7:9-10]. Oí también que les decía a sus asistentes: 'Recojan la cizaña, la paja y el rastrojo, y échenlos en el lago ardiente' [Mt 3:12; 13:30; Mal 4:1]. Y con esto se abrió un pozo sin fondo justo donde yo me encontraba, de cuya boca salían humo y brasas de fuego con espantosos ruidos. También les dijo a sus asistentes: 'Junten mi trigo en el granero' [Lc 3:17].

Entonces vi que muchos eran llevados a las nubes, pero yo me quedé atrás [1 Tes 4:16-17]. Traté de esconderme, pero no pude, porque el hombre sentado en la nube no me quitaba los ojos de encima y mi conciencia me acusaba severamente [Rom 3:14-15]. En esto desperté de mi sueño".

CRISTIANO. Pero ¿por qué tuviste tanto miedo de esta visión?

HOMBRE. Pensé que había llegado el día del juicio y que yo no estaba preparado. Pero lo que más me asustó es que los ángeles reunieron a varias personas y me dejaron a mí atrás; también que la boca del infierno se abrió justo donde yo estaba. Además, mi conciencia me afligía, y el Juez tenía siempre su mirada indignada puesta en mí.

Entonces dijo el Intérprete a Cristiano: "¿Has pensado bien en todas estas cosas?".

CRISTIANO. Sí, y me infunden esperanza y temor.

INTÉRPRETE. Pues bien, tenlas siempre presentes para que te impulsen y aguijoneen hacia adelante en el camino que debes seguir.

Entonces Cristiano comenzó a prepararse para partir. El Intérprete dijo: "Que El Consolador esté siempre contigo, buen Cristiano, para guiarte por el camino que conduce a la Ciudad". Cristiano se marchó diciendo:

"Aquí vi cosas extrañas y útiles; cosas agradables y espantosas; cosas que me mantendrán firme en lo que me he propuesto. Entonces déjame pensar en ellas, y entender por qué me fueron mostradas. Y permíteme agradecerte de corazón, buen Intérprete".

Ahora vi en mi sueño a Cristiano caminando por una carretera cercada a ambos lados por un alto muro, y ese muro

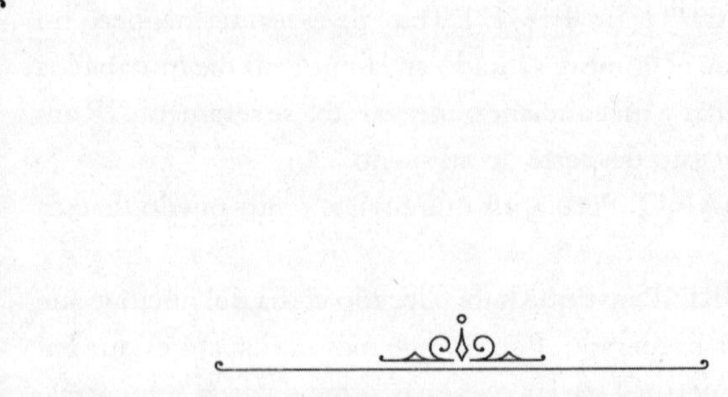

Padre celestial, mientras medito sobre el momento en que Cristiano vio la cruz, te pido una nueva revelación de tu poder en mi vida. Ayúdame a comprender el sacrificio de tu Hijo Jesucristo y la profundidad de tu amor por mí. Que la visión de la cruz renueve mi fe y me motive a servirte más fielmente.

se llamaba Salvación [Is 26:1]. Comenzó a correr, aunque con dificultad, debido a la carga que llevaba a la espalda.

Corrió entonces hasta un lugar algo elevado donde se erigía una cruz y, un poco más abajo, había un sepulcro. Entonces vi en mi sueño que justo al llegar a la cruz, la carga de Cristiano se soltó de sus hombros y rodó colina abajo hasta caer dentro del sepulcro, y ya no la vi más.

Ahora Cristiano se sentía contento y ligero, y con el corazón alegre, se dijo a sí mismo: "Me ha dado descanso con sus dolores, y vida con su muerte". Se quedó mirando la cruz durante un tiempo, preguntándose cómo la mera vista de la cruz podía aliviar tanto la culpa y la vergüenza. La contempló largamente, hasta que corrió el agua de los manantiales de sus ojos [Zac 12:10]. Mientras miraba y lloraba, tres Luminosos se le acercaron y le saludaron con un "La paz sea contigo". El primero le dijo: "Tus pecados te son perdonados" [Mc 2:5]; el segundo le despojó de sus harapos y le vistió con ropas nuevas [Zac 3:4]; el tercero le hizo una marca en la frente y le dio un rollo de papel sellado, el cual le ordenó que cuidara, pues tendría que presentarlo en la Puerta Celestial [Ef 1:13], y siguieron su camino.

"¿Quién es él? El Peregrino. ¿¡Cómo!? Es cierto: las cosas viejas han pasado y todo se ha vuelto nuevo. ¡Qué extraño! Parece otro hombre, lo juro. Un pájaro fino está hecho de plumas finas".

Entonces Cristiano dio tres saltos de alegría y siguió cantando:

"Hasta aquí llegué cargado con mi pecado;
nada podía aliviar mi pena

Dios mío, mi corazón está apesadumbrado por el peso de mis pecados. Soy indigno de tu amor y de tu misericordia, pero te doy gracias por haber enviado a tu Hijo a morir por mí en la cruz. Ayúdame a comprender la profundidad de tu amor por mí y a vivir una vida que honre tu sacrificio.

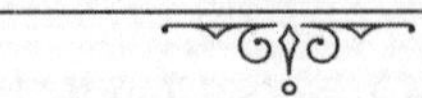

hasta que llegué aquí: ¡Qué gran lugar!
¿Comenzará aquí mi dicha?
¿Caerá aquí la carga de mi espalda?
¿Se romperán aquí las cuerdas que la ataban a mí?
¡Bendita cruz! ¡Bendito sepulcro! Bendito sea, más bien,
el Hombre que fue ultrajado por mi causa".

Vi en mi sueño que continuó hasta el pie de una colina, donde vio, un poco fuera del camino, a tres hombres profundamente dormidos, con grilletes en sus talones. Uno se llamaba Simpleza, otro Pereza, y el tercero Presunción.

Cristiano, al verlos en ese estado, fue hacia ellos para intentar despertarlos. Gritó: "Ustedes son como el que yace en medio del mar o como el que yace en la punta de un mástil, con el Mar Muerto debajo [Pro 23:34]. Despierten, pues, y vengan conmigo. Los ayudaré a quitarse los grilletes. Si viene el que anda como león rugiente, ciertamente los devorará" [1 Pedro 5:8]. Entonces los tres hombres lo miraron. Simpleza respondió: "Yo no veo ningún peligro". Pereza dijo: "Necesito todavía un poco más de sueño". Y Presunción dijo: "Cada quien se ocupa de sí mismo. ¿Qué otra respuesta puedo darte?". Y así volvieron a echarse a dormir, y Cristiano siguió su camino.

Sin embargo, se turbó al pensar en la facilidad con que estos hombres, a pesar del peligro que corrían, desecharon la bondad de quien venía a ayudarlos, aconsejarlos y remover sus grilletes. Mientras pensaba en esto, vio a dos hombres saltando el muro a la izquierda del camino angosto. El nombre de uno era Formalista y el nombre del otro Hipócrita. Se acercaron a Cristiano y empezaron a conversar.

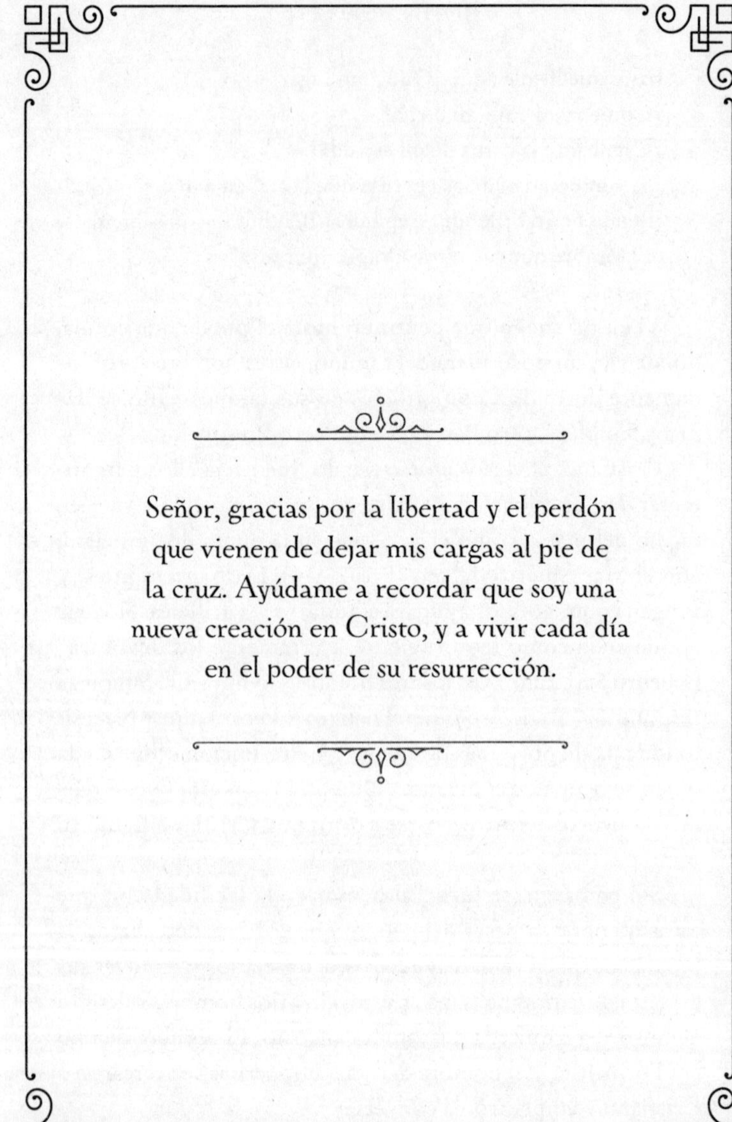

Señor, gracias por la libertad y el perdón que vienen de dejar mis cargas al pie de la cruz. Ayúdame a recordar que soy una nueva creación en Cristo, y a vivir cada día en el poder de su resurrección.

CRISTIANO. Caballeros, ¿de dónde vienen y a dónde van?

FORMALISTA e HIPÓCRITA. Nacimos en Vanagloria y vamos al Monte de Sion.

CRISTIANO. ¿Por qué no entraron por la puerta principal? ¿No saben que está escrito que "el que no entra por la puerta, sino que sube por otra parte, ese es ladrón y asaltante"? [Jn 10:1].

Formalista e Hipócrita respondieron que la puerta quedaba demasiado lejos para los habitantes de Vanagloria, así que tenían la costumbre de tomar un atajo y trepar la muralla, como ellos habían hecho.

CRISTIANO. Pero ¿no es esto violar la voluntad revelada del Señor de la ciudad a la que vamos? ¿No se consideraría una transgresión en su contra?

Formalista e Hipócrita le dijeron que no se preocupara, pues trepar el muro era habitual para sus paisanos. De ser necesario, podían presentar muchos testimonios de que esta práctica se había dado por más de mil años.

CRISTIANO. ¿Pero podría superar un juicio?

Formalista e Hipócrita respondieron que una costumbre tan antigua sería aceptada con toda seguridad y, sin duda, admitida por el Juez imparcial al final del camino. "Además", dijeron, "nosotros estamos en el mismo camino que tú. ¿Qué importa cómo hayamos entrado? Si estamos dentro, estamos dentro. Tú entraste por la puerta y nosotros por el muro. ¿En qué es mejor tu posición que la nuestra?".

CRISTIANO. Yo me guío por las reglas de mi Maestro; ustedes se guían por sus ocurrencias toscas. El Señor ya los considera ladrones; por tanto, dudo que al final del camino

sean juzgados como hombres de bien. Entraron por su propia cuenta, sin la dirección del Señor, y saldrán por su propia cuenta, sin su misericordia.

A esto le respondieron muy poco y le ordenaron que se ocupara de sus propios asuntos. Siguieron caminando sin hablar mucho entre sí, salvo que los hombres le dijeron a Cristiano que, en cuanto a leyes y ordenanzas, no dudaban de que las habían cumplido tan meticulosamente como él. Dijeron: "No vemos en qué te diferencias de nosotros más que por la túnica que llevas, que, según creemos, te dieron tus vecinos para ocultar la vergüenza de tu desnudez".

CRISTIANO. Por leyes y ordenanzas no se salvarán, puesto que no entraron por la puerta [Gal 2:16]. Y en cuanto a esta túnica, me la dio el Señor del lugar adonde voy, como dicen, para cubrir mi desnudez. Lo tomo como muestra de su bondad para conmigo, pues antes no tenía más que harapos. Además, me da aliento: pienso que cuando llegue a la puerta de la Ciudad, el Señor me reconocerá como bueno por mi túnica, la que me dio el día que me despojó de mis harapos. Tengo, además, una marca en mi frente, que tal vez no hayan notado. Uno de los más fieles asistentes de mi Señor me la hizo el día en que mi carga cayó de mis hombros. También me dio un documento sellado para que me consolase leyéndolo en el camino, y me mandó que lo entregara en la Puerta Celestial. Dudo que ustedes tengan estas cosas, pues no entraron por la puerta.

A estas cosas no respondieron nada; solo se miraron y se rieron. Entonces continuaron caminando. Cristiano iba más adelante y hablando consigo mismo, a veces con angustia y otras plácidamente; también leía a menudo el papel que el Luminoso le había dado.

Contemplé, entonces, que todos siguieron adelante hasta llegar al pie de la Colina Difícil; al fondo de la cual había un manantial. En el mismo lugar aparecían otros dos caminos además del que venía de la puerta; uno doblaba a mano izquierda, y el otro a la derecha, al pie de la colina. El camino angosto subía la colina por la ladera llamada Dificultad. Cristiano se dirigió al manantial y bebió de él para refrescarse [Is 49:10], y luego comenzó a subir la colina, diciendo:

"Anhelo ascender la colina, aunque sea alta.
La dificultad no me ofenderá;
porque percibo que el camino a la vida está aquí.
Vamos, ánimo, no desmayemos ni temamos;
aunque difícil, es mejor el camino correcto.
El equivocado, aunque fácil, termina en desdicha".

Los otros hombres llegaron también al pie de la colina, pero cuando vieron que era tan empinada y alta, y que había otros dos caminos que tomar, prefirieron andar por uno de estos; asumían que se juntarían de nuevo con Cristiano más adelante. Uno de los caminos se llamaba Peligro y, el otro, Destrucción. Uno de los hombres tomó el camino Peligro, que lo condujo a un gran bosque, y el otro tomó el camino Destrucción, que le condujo a un vasto campo lleno de oscuras montañas donde tropezó, cayó y no se levantó más.

"¿Terminarán bien los que mal empiezan?
¿Podrán contar con la certeza?
No, no. Con cabeza terca partieron
y de cabeza caerán, sin duda, al final".

Vi entonces a Cristiano subiendo la colina. A causa de lo empinado del lugar, pasó de correr a caminar y de caminar a trepar con sus manos y sus rodillas. A mitad de camino hacia la cima, había un agradable cenador hecho por el Señor de la colina para refrescar a los viajeros cansados; allí se sentó a descansar. Entonces sacó el rollo de papel de su pecho y lo leyó para animarse; también comenzó a detallar la túnica que le habían dado cuando estaba junto a la cruz. Así se distrajo plácidamente por un tiempo hasta quedarse dormido. Se hizo de noche y el rollo de papel se deslizó de sus manos. Entonces, alguien se le acercó para despertarlo, diciendo: "Ve a la hormiga, oh perezoso; observa sus caminos y sé sabio" [Pro 6:6]. Y con eso Cristiano se levantó y comenzó a andar aprisa, hasta que llegó a la cima de la colina.

Cuando llegó a la cima de la colina, dos hombres salieron a su encuentro: uno se llamaba Temeroso y el otro Desconfiado. Cristiano les dijo: "Señores, ¿qué les sucede? Están corriendo en dirección contraria". Temeroso respondió que iban a la Ciudad de Sion, pero que "cuanto más lejos vamos, más peligros encontramos, así que nos dimos la vuelta y nos regresamos".

"Sí", agregó Desconfiado, "porque justo por allá adelante hay un par de leones, no sabemos si dormidos o despiertos. Si nos acercamos, no tardarían en hacernos pedazos".

CRISTIANO. Eso me asusta, pero ¿a dónde iré para ponerme a salvo? Si vuelvo a mi propio país, que está marcado para el fuego y el azufre, moriré allí. Si puedo llegar a la Ciudad Celestial, sé que allí estaré seguro, así que debo atreverme. Retroceder no es más que muerte; avanzar es miedo a la muerte, pero la vida eterna está más allá de eso. Por lo tanto, seguiré adelante.

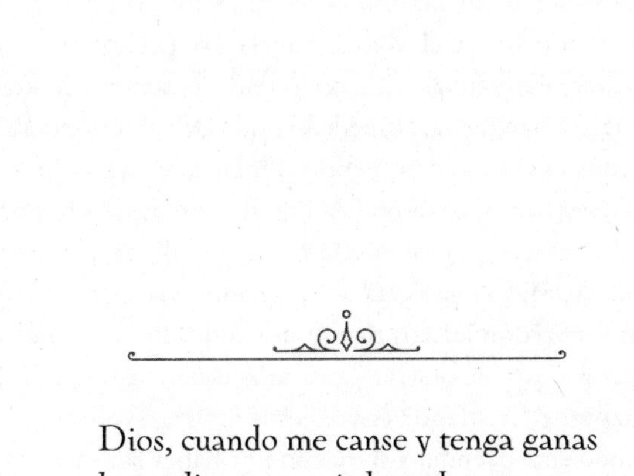

Dios, cuando me canse y tenga ganas de rendirme, recuérdame la esperanza y la alegría que me esperan en tu reino. Ayúdame a perseverar en mi fe y a confiar en tus promesas, incluso cuando el camino sea difícil.

Desconfiado y Temeroso siguieron corriendo colina abajo y Cristiano siguió su camino. Mientras pensaba en lo que le habían contado, buscó el rollo de papel en su pecho para leerlo y consolarse, y descubrió que no lo tenía; entonces Cristiano sintió una gran angustia. ¿Qué había sido de su imponderable regalo, consuelo y guía en tiempos difíciles, y su pase para la Puerta Celestial? ¿Cómo podría seguir sin él? En este punto se quedó perplejo: no sabía qué hacer. Finalmente, recordó que había dormido una siesta en el cenador, y, cayendo de rodillas, pidió perdón a Dios por su descuido. Pero en el camino de regreso, ¿quién podría expresar adecuadamente el dolor del corazón de Cristiano? A veces suspiraba, a veces lloraba, y a menudo se reprendía a sí mismo por haber sido tan tonto como para dormirse en aquel lugar, erigido solo para aminorar su agotamiento. Así, pues, volvió sobre el mismo camino, mirando cuidadosamente a un lado y a otro, por si de casualidad hallaba su rollo, que tantas veces le había consolado en su viaje.

Anduvo así hasta llegar nuevamente al cenador donde había dormido, pero aquella vista le entristeció de nuevo al recordar el mal de su sueño [Ap 2:5; 1 Tes 5:7-8]. Allí gritó: "¡Oh, miserable de mí, que duermo de día en medio de las dificultades, complaciendo a la carne, usando para mi egoísta comodidad lo que el Señor erigió solo para alivio de los espíritus de los peregrinos!

"¡Cuántos pasos de más he dado en vano! Esto es lo que le sucedió al pueblo de Israel: por sus pecados fueron devueltos por el camino del Mar Rojo para vagar cuarenta años por el desierto. Si no hubiera pecado, cuántos pasos felices podría haber dado ya. ¡Ahora debo dar los mismos pasos tres veces,

cuando no necesitaba dar más que uno! Además, ahora estoy como en tinieblas, porque pronto caerá la noche. ¡Oh, si no me hubiera dormido!".

Para entonces había llegado al cenador y, al no ver su documento, se sentó y lloró. Pero al fin, al mirar hacia abajo tristemente, avistó el rollo bajo el asiento. Entonces, su tristeza se convirtió en alegría, y temblando lo tomó y lo volvió a guardar en su pecho. ¡Quién puede describir la felicidad de este hombre cuando recuperó su rollo de papel, garantía de su vida y boleto de entrada en el destino deseado! Dio gracias a Dios por haber dirigido sus ojos hacia el lugar exacto y, con lágrimas de alegría, reemprendió su viaje. ¡Con cuánta agilidad subió el resto de la colina! Sin embargo, el sol se puso sobre Cristiano antes de que pudiera llegar a la cima, y eso le hizo recordar de nuevo la vanidad de su sueño. Comenzó de nuevo a compadecerse de sí mismo: "Oh, pecaminoso sueño; ¡por tu culpa me va mal en este viaje! Por haber dormido, ahora me veo obligado a caminar sin el sol, rodeado de tinieblas y sonidos de criaturas tristes" [1 Tes 5: 6-7]. También recordó la historia que Desconfiado y Temeroso le había contado sobre los leones; entonces se dijo: "Esas fieras buscan su presa por la noche, y si me encontraran en la oscuridad, ¿cómo las evadiría? ¿Cómo me libraré de que me despedacen?". Así siguió caminando. Pero mientras se lamentaba así de su desdichado error, levantó los ojos y vio un palacio majestuoso delante de él, cuyo nombre era Hermoso, y que se alzaba a un costado de la carretera.

Vi en mi sueño que se apresuró hacia el palacio, pensando que quizá podría alojarse allí esa noche. Pero sin haber avanzado mucho, se encontró en un pasadizo muy estrecho ubicado cerca de la portería; allí divisó a los dos leones en el camino.

"Ahora veo los peligros que hicieron retroceder a Desconfiado y a Temeroso (los leones estaban encadenados, pero él no vio las cadenas)". Tuvo miedo, y pensó también él en volver tras ellos, pues le parecía una muerte segura. Sin embargo, el portero del lugar, de nombre Vigilante, percibiendo que Cristiano parecía querer regresar, le gritó: "¿Tan poca es tu fuerza? [Mc 8:34-37]. No temas a los leones, porque están amarrados; están allí como prueba de fe, para dejar al descubierto a quienes no la tienen. Avanza por el centro del camino y no te harán daño".

"Dejó atrás la dificultad y ahora enfrenta el miedo;
aunque lograra subir la colina, ahora los leones le rugen.
Para un hombre cristiano siempre hay sobresaltos;
cuando un terror desaparece, otro toma su lugar".

Entonces vi que Cristiano siguió adelante aunque temblaba de miedo, haciendo caso de las indicaciones del portero. Oyó rugir a los leones, pero no le hicieron daño. Logró llegar a la puerta y dijo al portero: "Señor, ¿de quién es esta casa? ¿Puedo alojarme aquí esta noche?". El portero respondió: "Fue construida por el Señor de la colina para el alivio y seguridad de los peregrinos". También le preguntó de dónde venía y hacia dónde se dirigía.

CRISTIANO. Vengo de la Ciudad de la Destrucción y me dirijo al Monte Sion. Como ya se ha puesto el sol, deseo, si puedo, alojarme aquí esta noche.

VIGILANTE. ¿Cómo te llamas?

CRISTIANO. Ahora me llamo Cristiano, pero al principio me llamaba Sin Gracia. Soy de la raza de Jafet, a quien Dios permitirá habitar en las tiendas de Sem [Gn 9:27].

VIGILANTE. Pero ¿cómo es que vienes tan tarde? Ya es de noche.

CRISTIANO. Hubiera llegado antes si —¡hombre desgraciado que soy!— no me hubiera dormido en el cenador de la ladera. Es más, hubiera llegado mucho antes si durante mi sueño no hubiera perdido mi rollo sin darme cuenta. Tuve que volver al lugar donde dormí para buscarlo, de modo que apenas ahora es que llego aquí.

VIGILANTE. Muy bien, llamaré a una de las damas que viven aquí. Si le convence tu historia, te presentará al resto de la familia, de acuerdo con las reglas de la casa.

Entonces Vigilante, el portero, tocó una campana, a cuyo sonido salió a la puerta de la casa una digna y bella doncella llamada Discreción, quien preguntó por qué la llamaban.

"Este hombre viene de la Ciudad de la Destrucción y se dirige al Monte Sion. Le alcanzó la noche y le gustaría pasar la noche aquí. Le dije que usted hablaría con él y tomaría la decisión más acorde con las normas de la casa".

Discreción le preguntó cómo había encontrado el camino correcto y qué cosas había visto en el camino. Al final le preguntó su nombre, y él dijo: "Cristiano, y tengo un gran deseo de quedarme aquí, pues veo que este lugar fue construido por el Señor de la colina para alivio y seguridad de los peregrinos". Ella sonrió, pensó un momento, con lágrimas en los ojos, y luego dijo: "Llamaré a dos o tres más de mi familia". Entonces se dirigió a la puerta y llamó a Prudencia, Piedad y Caridad, quienes, tras una breve conversación con él, le invitaron a entrar para que conociera a las demás. Salieron a recibirlo en el umbral de la casa, diciendo: "Entre, bendito del Señor; esta casa fue construida por el Señor de la colina para el alivio de

peregrinos como usted". Él bajó la cabeza y las siguió hacia el interior. Una vez sentado, le trajeron algo para beber y acordaron que, mientras estaba lista la cena, debían abordar temas particulares con Cristiano. Eligieron a Piedad, Prudencia y Caridad para dirigir la conversación, y así comenzaron:

PIEDAD: Buen Cristiano, dado que te hemos recibido con tanto afecto y te recibimos en nuestra casa esta noche, permítenos preguntarte sobre tu experiencia en el camino.

CRISTIANO. Con gusto lo haré, y me alegra que sea de su interés.

PIEDAD. ¿Qué te impulsó al principio a venir en esta peregrinación?

CRISTIANO. Fui expulsado de mi país natal por un sonido espantoso que retumbaba en mis oídos: a saber que la destrucción inevitable me esperaba si me quedaba allí.

PIEDAD. Pero ¿cómo saliste de tu país de esa manera?

CRISTIANO. Fue como Dios quiso. Cuando estaba bajo los temores de la destrucción, no sabía a dónde ir; pero por casualidad vino a verme un hombre llamado Evangelista en mi peor momento. Él me señaló la puerta angosta, que de otro modo yo nunca hubiera encontrado, y así me puso en el camino que me ha conducido directamente a esta casa.

PIEDAD. ¿No viniste desde la casa del Intérprete?

CRISTIANO. Sí, y vi cosas allí que recordaré siempre mientras viva, especialmente tres cosas: que Cristo, a pesar de Satanás, mantiene su obra de gracia en el corazón; que el hombre ha pecado tanto como para exceder las esperanzas de la misericordia de Dios; y el sueño de un hombre que pensaba que había llegado el día del juicio.

PIEDAD. ¿Le oíste contar su sueño?

CRISTIANO. Sí, y era espantoso. Me dolía el corazón mientras lo contaba, pero me alegro de haberlo oído.

PIEDAD. ¿Fue eso todo lo que viste en casa del Intérprete?

CRISTIANO. No. Me mostró también un palacio señorial donde la gente estaba vestida de dorado. Allí llegó un aventurero y se abrió paso entre los hombres armados que custodiaban la puerta, y desde adentro le pidieron que entrara y ganara la gloria eterna. Esas cosas me llenaban el corazón. Me hubiera quedado en casa de aquel buen hombre un año completo, pero sabía que tenía que seguir.

PIEDAD. ¿Y qué más viste en el camino?

CRISTIANO. Un poco más adelante vi lo que pensaba que era un hombre colgado de un árbol. Nada más mirarlo, la pesada carga que llevaba en mi espalda se desplomó. Fue muy extraño para mí, pues nunca había visto algo así. Y mientras miraba hacia la cruz —no podía dejar de mirar—, llegaron tres Luminosos. Uno de ellos testificó que mis pecados me eran perdonados; otro me despojó de mis harapos y me dio esta túnica que ves; y el tercero puso la marca que ves en mi frente, y me dio este rollo de papel sellado.

PIEDAD. Pero viste más que esto, ¿no es así?

CRISTIANO. Las cosas que te he nombrado fueron las mejores; pero vi otras. Por ejemplo, vi a tres hombres, Simple, Pereza y Presunción, que yacían dormidos un poco fuera del camino con grilletes en los pies. Aunque intenté despertarlos y prevenirlos, no pude. También vi a Formalidad e Hipocresía saltar por encima del muro para ir, según pretendían, a Sion. Pero los dos se perdieron rápidamente de la forma que yo mismo les advertí y que no quisieron creer. Sobre todo, me

costó mucho trabajo subir esta colina y pasar frente a las bocas de los leones; si no hubiera sido por el buen portero, no sé qué habría podido hacer sino retornar. Pero ahora le doy gracias a Dios por estar aquí, y les doy las gracias por recibirme.

Entonces Prudencia creyó oportuno hacerle algunas preguntas más.

PRUDENCIA. ¿No piensas a veces en el país que dejaste?

PENSAMIENTOS DE CRISTIANO SOBRE SU PAÍS NATAL

CRISTIANO. Sí, pero con mucha vergüenza y reprobación: "Pues si de veras se acordaran de la tierra de donde salieron, tendrían oportunidad de regresar, pero ahora anhelan una patria superior; es decir, la celestial" [Heb 11:15-16].

PRUDENCIA. ¿No tienes todavía algunas de sus costumbres?

CRISTIANO. Sí, pero contra mi voluntad; especialmente mis pensamientos carnales, con los que todos mis compatriotas, así como yo mismo, estaban encantados. Ahora esas cosas me afligen, y quisiera escoger las mías propias.

LA ELECCIÓN DE CRISTIANO

Elegiría no pensar nunca más en esas cosas. Pero, aunque deseo hacer lo bueno, no soy capaz de hacerlo. De hecho, no hago el bien que quiero, sino el mal que no quiero [Rom 7:16-19].

PRUDENCIA. ¿No encuentras a veces que esas cosas carnales de las que hablas, que otrora te causarían perplejidad, fueron vencidas?

LAS HORAS DORADAS DE CRISTIANO

CRISTIANO. Sí, aunque pocas veces. Aun así, para mí son las horas doradas de mi vida cuando me suceden tales cosas.

PRUDENCIA. ¿Puedes recordar cuándo experimentas esos momentos de victoria sobre el pecado?

CRISTIANO. Sí, cuando pienso en lo que vi en la cruz, eso es suficiente. Cuando miro mi túnica bordada, también me basta. También cuando miro en el rollo de papel que llevo en mi pecho, eso me basta, y cuando pienso en el lugar al que voy, eso me basta.

PRUDENCIA. ¿Y qué es lo que te hace desear tanto ir al Monte Sion?

CRISTIANO. La esperanza de poder ver vivo a quien murió en la cruz, de estar con quienes son como él, y de deshacerme de todas las cosas que hasta hoy me disgustan [Is 25:8; Ap 21:4]. Porque, a decir verdad, lo amo, porque él alivió mi carga, y estoy cansado de mi enfermedad interior. Me gustaría estar donde no moriré más y en compañía de quienes siempre gritarán: "¡Santo, Santo, Santo!".

Entonces dijo Caridad a Cristiano: "¿Tienes familia? ¿Eres casado?".

CRISTIANO. Tengo mujer y cuatro hijos pequeños.

CARIDAD. ¿Y por qué no los trajiste contigo?

EL AMOR DE CRISTIANO A SU MUJER Y A SUS HIJOS

Entonces Cristiano echó a llorar, y respondió: "¡Oh, con qué gusto lo hubiera hecho! Pero todos ellos eran totalmente reacios a mi peregrinación".

CARIDAD. Pero deberías haber hablado con ellos y haberte esforzado por mostrarles el peligro de quedarse atrás.

CRISTIANO. Así lo hice, y les conté también lo que Dios me había mostrado de la destrucción de nuestra ciudad, pero "les pareció que bromeaba" y no me creyeron [Gn 19:14].

CARIDAD. ¿Y rogaste a Dios que bendijera tu consejo para ellos?

CRISTIANO. Sí, y muy encarecidamente, porque debes tener presente que mi esposa y mis pobres hijos fueron muy queridos para mí.

CARIDAD. Pero, ¿les hablaste de tu propio dolor y miedo a la destrucción? Porque supongo que la destrucción era bastante visible para ti.

EL MIEDO DE CRISTIANO A LA MUERTE PODÍA LEERSE EN SU SEMBLANTE

CRISTIANO. Sí, una y otra vez. También podían ver el terror en mi semblante, en mis lágrimas y en mis escalofríos cuando pensaba en el juicio que pendía sobre nuestras cabezas. Pero todo eso no bastó para convencerlos de que vinieran conmigo.

CARIDAD. ¿Qué razones te dieron para no acompañarte?

CRISTIANO. Mi mujer tenía miedo de perder este mundo y mis hijos estaban entregados a los insensatos deleites de la juventud: así, por una cosa o por otra, me dejaron vagar solo.

CARIDAD. ¿Acaso tu propia vida era tan vana que anuló tu ferviente convicción y destruyó tu testimonio?

LA RELACIÓN DE CRISTIANO CON SU MUJER Y SUS HIJOS

CRISTIANO. Es verdad que no puedo elogiar mi propia vida; soy consciente de muchos de sus defectos. Sé también que un hombre puede, con su comportamiento, fácilmente derribar lo que con argumentos o persuasión se esfuerza por inculcar en otros. Sin embargo, puedo decir que me cuidé mucho de cualquier acción indecorosa que les produjera aversión a peregrinar. Sí, por eso mismo ellos me decían que era demasiado estricto y que, por su bien, me negaba a mí mismo de cosas que ellos no veían mal. No, creo que les disgustaba de mí que fuera tan cuidadoso de pecar contra Dios o hacer mal a mi prójimo.

CARIDAD. En efecto, Caín odiaba a su hermano, "porque sus obras eran malas, y las de su hermano eran justas" [1 Jn 3:12]. Si tu mujer e hijos se ofendieron contigo por esto, demostraron su rechazo contra la verdadera rectitud. Tú, por otro lado, ya "has librado tu alma de su sangre" [Ez 3:19].

Vi en mi sueño que siguieron conversando hasta que la cena estuvo lista. Entonces se sentaron a una mesa provista de "manjares suculentos y refinados vinos añejos"; y toda su conversación en la mesa era sobre el Señor de la colina; a saber, sobre lo que había hecho, y por qué había hecho lo que había hecho, y por qué había edificado aquella casa. Comentaron que el Señor había sido un gran guerrero, que dio muerte "al que tenía el poder de la muerte", no sin gran peligro para sí mismo [Heb 2:14-15].

"Según entiendo, perdió mucha sangre en esa batalla", dijo Cristiano. Los demás dijeron que lo que agregaba la gloria de la gracia a todos sus actos es que los hacía por puro amor

a su país. Y, además, había algunos de la casa que habían hablado con él después de que murió en la cruz; y atestiguaron que lo supieron de sus propios labios: "que él ama más a los pobres peregrinos que cualquiera entre el este y oeste de este mundo".

Afirmaron que el Señor se había despojado de su gloria para hacer esto por los pobres, y que le oyeron decir y afirmar "que no quería morar solo en el monte de Sion". Dijeron, además, que había hecho príncipes a muchos peregrinos, aunque eran mendigos de nacimiento [1 Samuel 2, 8; Salm 113, 7].

LA ALCOBA DE CRISTIANO

Hablaron hasta bien entrada la noche, y después se encomendaron a la protección de su Señor y se retiraron a descansar. Al Peregrino le asignaron una gran alcoba, llamada Paz, cuya ventana se abría hacia el este. Allí durmió Cristiano hasta el amanecer, y entonces se despertó y cantó:

"¿Dónde estoy ahora? ¿Son estos el amor y el cuidado
de Jesús para los hombres peregrinos?
¡Tanto proveer! ¡Y perdonar mis pecados!
¡Y habitar ya la puerta próxima al cielo!".

Por la mañana conversó un rato más con los de la casa, quienes insistieron que no partiese hasta que le hubiesen mostrado las rarezas de aquel lugar. Primero lo llevaron al estudio, donde le mostraron registros de la mayor antigüedad. Según recuerdo de mi sueño, le mostraron primero el árbol genealógico del Señor de la colina, quien era hijo del Anciano de

los Días y procedía de la generación eterna. También tenían un historial detallado de todos sus actos, y una lista con los nombres de los cientos de hombres que le servían y a quienes él había concedido moradas eternas.

Luego le leyeron algunos de los actos estimables que algunos de sus siervos habían hecho: "conquistaron reinos, hicieron justicia, alcanzaron promesas, taparon bocas de leones, sofocaron la violencia del fuego, escaparon del filo de la espada, sacaron fuerzas de la debilidad, se hicieron poderosos en batalla y pusieron en fuga los ejércitos de los extranjeros" [Heb 11:33-34].

Después leyeron actas donde se mostraba la disposición de su Señor a recibir a cualquiera, incluso a quien le hubiera ofendido en el pasado. Cristiano vio todas estas cosas junto con profecías atestiguadas y predicciones que seguramente ocurrirían para confusión de los incrédulos y consuelo de los peregrinos, fieles en su camino hacia la tierra mejor.

Al día siguiente, le mostraron la armería, donde había todo tipo de mobiliario que su Señor había provisto a los peregrinos: espada, escudo, yelmo, coraza y zapatos que no se desgastaban. Había suficientes para armar a tantos hombres al servicio de su Señor como hay estrellas en el cielo.

También le mostraron algunos de los instrumentos con los que sus antiguos siervos habían realizado grandes hazañas: la vara de Moisés; el martillo y el clavo con que Jael mató a Sísara; los cántaros, las trompetas y las lámparas con que Gedeón hizo huir a los ejércitos de Madián; la aguijada de buey con que Samgar mató a seiscientos extranjeros; la quijada con la que Sansón destruyó a todo un ejército de filisteos; la honda y la piedra con las que el joven David derribó

al poderoso gigante Goliat; y la espada con la que su Señor matará al Hombre de Pecado. Le mostraron muchas, muchas otras cosas notables que encantaron a Cristiano, y luego volvieron a su descanso.

Vi en mi sueño que al día siguiente Cristiano se levantó para seguir su camino, pero los de la casa le persuadieron para que se quedara hasta el día siguiente. "Mañana, si el día está claro", prometieron, "te mostraremos las Montañas Deliciosas, que, por ser hermosas y estar mucho más cerca de tu deseado refugio, levantarán tu espíritu y te darán valor para tu viaje". Así que Cristiano consintió en quedarse. Cuando llegó la siguiente mañana, lo llevaron al techo de la casa y le dijeron que mirara hacia el sur. Así lo hizo, y a gran distancia divisó una hermosa región montañosa, adornada de bosques, viñas, frutas de todas clases, flores, manantiales y fuentes [Is 33:16-17]. Entonces preguntó cómo se llamaba aquello, y le indicaron que era la Tierra de Emanuel. "Es tan común", dijeron, "como lo es esta colina, para y por todos los peregrinos. Y cuando llegues allí, podrás ver la puerta de la Ciudad Celestial. Los pastores que viven allí te la mostrarán".

Ahora Cristiano dijo que quería seguir adelante, y ellos estaban de acuerdo. "Pero primero", dijeron, "vayamos de nuevo a la armería". Allí lo guarnecieron de la cabeza a los pies con lo que más podría necesitar en su camino. Vestido así, salió con sus amigos hacia la puerta, y allí le preguntó al portero, Vigilante, si había visto pasar a algún peregrino. El portero respondió: "Sí".

CRISTIANO. ¿Lo conocías?

VIGILANTE. Le pregunté su nombre y me dijo que era Fiel.

CRISTIANO. ¡Lo conozco! Es mi paisano, mi vecino más cercano, del lugar donde yo nací. ¿A qué distancia crees que esté ahora?

VIGILANTE. A estas horas ya estará debajo de la colina.

CRISTIANO. Bien. Buen Portero, el Señor sea contigo, y añada a todas sus bendiciones muchas más, por la bondad que me has mostrado.

Entonces Cristiano se puso en marcha, pero Discreción, Piedad, Caridad y Prudencia lo acompañaron un poco más. Siguieron charlando hasta que llegaron al pie de la colina, cuando dijo Cristiano: "Pensé que subir había sido difícil, pero veo que bajar es más peligroso". "Sí", dijo Prudencia, "lo es, porque es difícil para un hombre descender al Valle de la Humillación, como tú lo harás ahora, y no resbalar en el camino. Por eso vinimos a acompañarte colina abajo". Así que comenzaron a bajar muy cautelosamente, aunque Cristiano se resbaló un par de veces.

Luego vi en mi sueño que, al llegar al pie de la colina, estas gentiles acompañantes le entregaron una hogaza de pan, una botella de vino y un racimo de pasas. Con eso, siguió su camino.

En el Valle de la Humillación, Cristiano pasó por duras pruebas. No había ido muy lejos cuando vio al demonio Apolión atravesando el campo hacia él. Al verlo, Cristiano se llenó de temor y comenzó a preguntarse qué debía hacer. ¿Debía retroceder apresuradamente o mantenerse firme? Entonces recordó que no tenía armadura para la espalda, por lo que darse la vuelta le habría dado ventaja al demonio para atravesarle con sus dardos.

LA RESOLUCIÓN DE CRISTIANO FRENTE A APOLIÓN

Por lo tanto, resolvió arriesgarse y permanecer firme, pues pensó que si no tenía más objetivo que salvar su vida, esa sería la mejor manera de mantenerse en pie.

Continuó andando y pronto se le acercó Apolión: un monstruo espantoso a la vista, cubierto de escamas como un pez (de las que estaba muy orgulloso), alas de dragón, pies de oso y boca de león, y de cuyo vientre salían fuego y humo. Se acercó y miró fijamente a Cristiano con una mirada horrible y comenzó a interrogarlo.

APOLIÓN. Forastero, ¿de dónde vienes y dónde vas?

CRISTIANO. Vengo de la Ciudad de la Destrucción, el lugar de todo el mal, y me dirijo a la Ciudad de Sion.

APOLIÓN. Entonces eres uno de mis súbditos, pues todo ese país es mío, y yo soy el príncipe y dios de él. ¿Cómo es, entonces, que huiste de tu rey? Si no fuera porque quiero que me prestes tus servicios, te derribaría de un golpe.

CRISTIANO. Nací, en efecto, en tus dominios, pero tu servicio fue duro y tu paga no alcanzaba para vivir, "porque la paga del pecado es muerte" [Rom 6:23]. Por eso, cuando me hice mayor, hice lo que otras personas de bien hacen: mirar hacia fuera y buscar enmendarme.

LOS HALAGOS DE APOLIÓN

APOLIÓN. Has de saber que ningún príncipe deja ir tan fácilmente a sus súbditos; tampoco yo te dejaré ir a ti. Pero ya que te quejas del servicio y del salario, podemos arreglar eso.

Vuelve, y lo que el país pueda pagar, yo me encargaré de que lo recibas.

CRISTIANO. Pero ya me entregué a otro, al Rey de todos los príncipes. ¿Cómo podría volver a ti?

APOLIÓN. Hiciste lo que dice el proverbio: "ir de mal en peor". Pero es común que quienes aceptan la promesa de aquel rey y se entregan a su servicio, lo intenten por un tiempo y vuelvan a mi dominio. Haz tú lo mismo, y todo irá bien.

CRISTIANO. Le he dado mi fe y le he jurado lealtad. Si me retracto, me colgarían como a un traidor.

APOLIÓN. Tú me hiciste lo mismo, pero estoy dispuesto a olvidarlo si te das la vuelta ahora.

CRISTIANO. Lo que te prometí a ti fue en mi juventud, cuando era ignorante. Pero el Príncipe al que sirvo ahora es capaz de absolverme y perdonar todo lo que hice mientras te servía. Y, a decir verdad, destructor Apolión, me gusta mucho más su servicio, su salario, sus siervos, su gobierno, su compañía y su país que los tuyos. No intentes persuadirme más; soy su siervo y lo seguiré.

APOLIÓN. Piénsalo de nuevo con la cabeza fría. Piensa en lo que te encontrarás en el camino que elegiste. Sabes que, en su mayoría, sus seguidores perecen por ir en contra mía y de mi gobierno. ¡Cuántos han sufrido horribles muertes! Además, dices que su servicio es mejor que el mío, pero él nunca ha salido de su morada para liberarlos a ustedes de mí. En cambio, todo el mundo sabe muy bien que yo libero a mis fieles seguidores de él y los suyos, ya sea por poder o por fraude. Y ten por seguro que te libraré a ti.

CRISTIANO. Si ahora él no libera a sus siervos es para probar su amor, para que demuestren su sinceridad. Y en

cuanto a la muerte de la que hablas, eso es lo más notorio: sus siervos no esperan la liberación presente porque esperan su gloria, y tendrán su recompensa cuando su Príncipe venga con toda su gloria y la de los ángeles.

APOLIÓN. Ya le has sido infiel en tu servicio, ¿cómo piensas cobrar de él?

CRISTIANO. ¿En qué, Apolión, le he sido infiel?

APOLIÓN. Desmayaste al partir, cuando casi te ahogaste en el pantano. Intentaste tomar caminos erróneos para librarte de tu carga, cuando debías haber esperado que tu príncipe te la quitara. Te dormiste en la mitad del día y perdiste tu rollo, y casi decidiste regresar cuando viste a los leones. Y cuando hablas de tu viaje, y de lo que oíste y viste, en tu interior estás deseoso de vana gloria.

CRISTIANO. Todo esto es verdad, y mucho más que no has mencionado. Pero el Príncipe a quien sirvo y honro es misericordioso y está dispuesto a perdonar. Además, me contagié de estas enfermedades en tu país, sufrí por ellas, me arrepentí de ellas y obtuve el perdón de mi Príncipe.

Entonces Apolión estalló en cólera, diciendo: "¡Soy enemigo de ese príncipe; odio a su persona, a sus leyes y a su pueblo!".

CRISTIANO. Apolión, cuidado con lo que haces. Estoy en el camino del Rey, el camino de la santidad. Por lo tanto, ten cuidado.

Entonces Apolión se puso a horcajadas sobre toda la anchura del camino, y dijo: "Yo no le temo. Tú prepárate para morir, porque juro por mi guarida infernal, que no avanzarás más: aquí derramaré tu alma".

Y con esto le lanzó un dardo de fuego al pecho, pero Cristiano tenía un escudo en la mano, con el que lo atrapó y así evitó el peligro.

Cristiano desenvainó su espada y se preparó para la batalla. Apolión se abalanzó sobre él con furia, lanzando dardos tan gruesos como el granizo. Algunos impactaron por encima y otros por debajo del escudo de Cristiano, hiriéndolo a pesar de todo lo que pudo hacer para defenderse. Cristiano retrocedió un poco. Al ver esto, Apolión lo atacó con todas sus fuerzas, y Cristiano se armó de valor para resistir tanto como pudo. Este combate duró más de medio día, y las fuerzas de Cristiano estaban casi agotadas a causa de todas sus heridas.

Apolión se dio cuenta de que Cristiano se debilitaba más y más. Aprovechándose de ello, lo agarró y lo tiró al suelo y la espada de Cristiano voló de su mano. "Ahora", dijo Apolión, "estoy seguro de que te tengo". Comenzó a golpearlo, y Cristiano temió que realmente moriría. Pero Dios quiso que, al levantar Apolión su mano para dar el golpe final, Cristiano lograra alcanzar su espada y dijera: "Enemigo mío, no te alegres contra mí, pues aunque caí, me levantaré" [Miq 7:8].

LA VICTORIA DE CRISTIANO SOBRE APOLIÓN

Entonces Cristiano le propinó un golpe a Apolión que lo hizo retroceder como herido de muerte. Al darse cuenta de esto, lo golpeó de nuevo, diciendo: "En todas estas cosas somos más que vencedores por medio de aquel que nos amó" [Rom 8:37]. Apolión desplegó sus alas y echó a volar. Por mucho tiempo, Cristiano no volvió a verlo [Sant 4:7].

Nadie puede imaginarse este combate a menos que haya visto y oído, como yo, los gritos y espantosos rugidos de Apolión y los suspiros y gemidos que brotaban del corazón de Cristiano. La expresión de terror de este no cambió hasta haber herido a Apolión con su espada de doble filo; entonces, sonrió y miró hacia arriba. Sin embargo, es la escena más espantosa que he visto jamás.

Difícilmente puede haber un combate más desigual: Cristiano debe luchar contra un ángel.

Pero, ya ven: El hombre valiente, manejando la espada y el escudo, obliga al Dragón a retirarse.

Cuando terminó la batalla, Cristiano dijo: "Daré gracias a quien me condujo fuera de la boca del león; a quien me ayudó a derrotar a Apolión". Y así lo hizo, diciendo:

"Gran Belcebú, el Rey de este demonio,
quiso arruinarme, y para ello
lo envió armado. Y él, con furia infernal,
me atacó ferozmente.
Pero el bendito Arcángel Miguel me ayudó, y yo,
a fuerza de espada, le hice huir rápidamente.
Permítanme, entonces, alabarlo por siempre,
y agradecer y bendecir su santo nombre eternamente".

En ese momento llegó a él una mano con algunas de las hojas del Árbol de la Vida. Cristiano las tomó y las aplicó sobre sus heridas, que se curaron de inmediato. Luego se sentó a comer pan y beber de la botella que le habían dado, y ya refrescado, siguió su viaje con la espada en mano, pues se dijo:

"No sé si algún otro enemigo estará cerca". Sin embargo, no volvió a cruzarse con Apolión en todo el valle.

Ahora bien, al final de este valle había otro, llamado el Valle de la Sombra de la Muerte, y Cristiano debía atravesarlo para llegar a la Ciudad Celestial. Se trata de un lugar muy solitario. El profeta Jeremías lo describe así: "Una tierra árida y de hoyos, una tierra reseca y de densa oscuridad, una tierra por la cual ningún hombre ha pasado ni habitó allí hombre alguno" [Jer 2:6].

Allí Cristiano enfrentó peores obstáculos que su lucha contra Apolión, como se verá más adelante.

Vi en mi sueño que cuando Cristiano llegó a las fronteras del Valle, le salieron al encuentro dos hombres, hijos de los que traían malas noticias de la tierra buena [Nm 13]. Los hombres se apresuraban a regresar, y Cristiano los interrogó así:

CRISTIANO. ¿A dónde se dirigen?

HOMBRES. ¡Atrás! ¡Atrás! Y tú también deberías, si quieres conservar tu paz o tu vida.

CRISTIANO. ¿Qué pasa?

HOMBRES. Andábamos por el camino como tú y fuimos tan lejos como nos atrevimos. Si hubiéramos ido un poco más lejos, no estaríamos aquí para traer la noticia.

CRISTIANO. Pero ¿qué encontraron?

HOMBRES. Estábamos casi en el Valle de la Sombra de la Muerte; pero, por buena suerte, miramos delante de nosotros, y vimos el peligro antes de llegar a él [Salm 44:19; 107:10].

CRISTIANO. Pero ¿qué vieron?

HOMBRES. ¡Qué vimos! Pues el Valle mismo, que es tan oscuro como la brea. También vimos a los duendes, los sátiros y los dragones de la fosa; oímos también aullidos y gritos

sin parar, como de gente bajo dolores indecibles; y sobre el Valle se ciernen las nubes tristes de la confusión. Las alas de la muerte están siempre desplegadas sobre él. En una palabra, es espantoso en todos los sentidos, no tiene orden alguno [Job 3:5; 10:22].

CRISTIANO. Por lo que dicen, solo puedo concluir que este es mi camino hacia el puerto deseado [Jer 2:6].

HOMBRES. Haz lo que quieras, pero nosotros no avanzaríamos más.

Entonces se separaron y Cristiano siguió su camino, pero todavía con su espada desenvainada en la mano, por miedo a ser sorprendido.

Ahora vi en mi sueño que en el Valle había una zanja muy profunda —donde los ciegos durante siglos han guiado a otros ciegos— de la que nadie ha salido jamás [Salm 69:14-15]. Al otro lado, había un lodazal inmundo donde los lujuriosos de todas las épocas han caído y no han encontrado fondo. El rey David cayó una vez allí y se habría ahogado si el misericordioso Señor no lo hubiera sacado.

El camino aquí era excesivamente estrecho y, por lo tanto, el buen Cristiano se vio en mayores aprietos: cuando intentaba evitar la zanja por un lado, estaba a punto de caer en el lodo por el otro; cuando buscaba escapar del lodo, por poco caía en la zanja. Así siguió, suspirando amargamente, porque el camino era tan oscuro que muchas veces no sabía dónde o sobre qué poner sus pies.

Pobre hombre, ¿dónde estás ahora? Tu día es noche.
Buen hombre, no te desanimes, aún estás haciendo lo
correcto.

Tu camino al cielo está a las puertas del infierno.
Anímate, resiste, todo irá bien.

Casi a la mitad de este valle observé la boca del infierno, que también estaba junto al camino. De vez en cuando el fuego y el humo salían en abundancia, con chispas y horribles ruidos. Como estas eran cosas que no podía dañar con su fuerza, Cristiano se vio obligado a guardar su espada y a dedicarse a otra arma llamada Toda Oración [Ef 6:18]. Así que clamó: "¡Libra, oh Señor, mi vida!" [Salm 116:4]. Continuó así durante mucho tiempo, pero las llamas seguían alcanzándolo. También oía voces lúgubres y sonidos de pasos de un lado a otro, de acá para allá, de modo que a veces creía que iba a ser pisoteado como lodo en las calles. Cuando llegó a un lugar donde creyó oír a un grupo de demonios que venían por él, se detuvo a pensar sobre lo que más le convenía hacer. A veces pensaba en volver atrás; luego pensaba que quizá ya estaba a medio camino; recordaba también que había vencido muchos peligros ya y que retroceder podía ser peor que avanzar, así que decidió seguir. Los demonios se aproximaron más y más, pero cuando llegaron a él, les gritó con la voz más vehemente: "¡Caminaré con la fuerza de Dios, el Señor!". Con eso retrocedieron y no avanzaron más.

Una cosa noté: el pobre Cristiano estaba tan confundido que no reconocía su propia voz; y justo cuando se acercaba a la boca del infierno, uno de los villanos se puso detrás de él y comenzó a susurrarle blasfemias que él pensó que venían de su propia mente. Esto espantó a Cristiano más que cualquier otra cosa: pensar que podía blasfemar de aquel que tanto amaba. Si hubiera podido evitarlo, lo hubiera hecho, pero no era capaz

de taparse los oídos y mucho menos de saber de dónde venían las blasfemias.

Cuando Cristiano hubo andado por un tiempo considerable, le pareció oír la voz de un hombre que iba delante de él, diciendo: "Aunque ande por el valle de la sombra de la muerte, no temeré mal alguno, porque tú estás conmigo" [Salm 23:4]. Entonces se alegró por estas razones:

Primero, porque dedujo de esto que algunos otros temerosos de Dios estaban en el valle, igual que él.

Segundo, porque se dio cuenta de que Dios estaba con ellos, incluso en ese lugar oscuro y lúgubre. Las condiciones del lugar simplemente le impedían percibirlo [Job 9:11].

Tercero, porque esperaba, si alcanzaba a los demás, tener compañía pronto. Así que llamó al que iba delante; pero este no sabía qué responder, pues también creía estar solo.

Al rayar el alba, Cristiano dijo: "Ha convertido las tinieblas en mañana" [Amós 5:8]. En ese momento miró hacia atrás, no por deseo de volver, sino para ver, a la luz del día, los peligros que había sorteado en la oscuridad. Así vio claramente la zanja a un lado y el lodazal del otro, y lo angosto que era el camino entre ambos. También vio a los duendes, sátiros y dragones de la zanja, pero todos lejos, porque no se acercaban después del amanecer. Sin embargo, pudo verlos según lo que está escrito: "[Él] descubre las profundidades de las tinieblas y saca a la luz la densa oscuridad" [Job 12:22].

La visión de los peligros que había evitado conmovió mucho a Cristiano. La luz del sol era una gran bendición, porque la peor parte del camino estaba por delante: hasta el final del valle había redes, trampas, escollos, cepos, grandes agujeros y pozos profundos. Nadie podría haberlos evitado

todos en la oscuridad. Entonces dijo: "Hace resplandecer su lámpara sobre mi cabeza, y a su luz camino en la oscuridad" [Job 29:3].

Con esa luz, pues, llegó al final del valle. Vi en mi sueño que en el límite de este había sangre, huesos, cenizas y cadáveres destrozados, incluso de peregrinos que habían pasado antes por allí. Mientras me preguntaba cuál sería la razón de esto, vi frente a mí una cueva donde dos gigantes poderosos y tiránicos, Papa y Pagano, moraban desde tiempos inmemoriales. Eran ellos quienes habían ejecutado a esos hombres. Sin embargo, Cristiano pasó por el lugar tranquilamente. Esto me asombró, pero luego supe que Pagano lleva muerto mucho tiempo y que el otro, Papa, está tieso y loco debido a su avanzada edad y a los golpes que recibió en su juventud; solo puede sonreírles a los peregrinos cuando pasan por la boca de su cueva, mordiéndose las uñas porque no puede tocarlos.

Vi, pues, que Cristiano seguía su camino; pero, al ver al anciano Papa en la boca de la cueva, no supo qué pensar. El gigante le decía, aunque no podía ir tras él: "Nunca enmendarán sus vidas hasta que más de ustedes ardan". Cristiano calló y puso buena cara, y así pasó sin daños. Entonces cantó:

"¡Oh, mundo maravilloso! (no puedo decir menos),
¡Que haya llegado hasta aquí!
¡Que haya sobrevivido a esa angustia!
Bendita sea la mano que me libró.
Peligros en tinieblas, demonios, infierno y pecado
me rodearon mientras estuve en este valle.
Sí, trampas, pozos, trampas y redes me cercaban,

y yo, inútil y tonto, podría haber caído.
Pero, ya que estoy vivo, que sea Jesús quien se lleve la gloria".

Llegó a una pequeña colina que había sido levantada a propósito para que los peregrinos pudieran ver el horizonte. Cristiano comenzó a subir y, al mirar hacia adelante, vio a Fiel. Entonces dijo: "¡Ho! ¡Ho! Espérame, y yo seré tu compañero". Fiel miró hacia atrás y Cristiano gritó de nuevo: "¡Espera, espera, hasta que suba contigo". Pero Fiel respondió: "No, me persigue un enemigo y no puedo perder tiempo".

Ante esta respuesta, Cristiano juntó toda su energía para alcanzar a Fiel y, exultante, lo pasó corriendo. Entonces se volvió y sonrió con un poco de vanidad porque lo había adelantado. Pero, al distraerse, tropezó y cayó y, como estaba un poco cansado, no pudo levantarse inmediatamente. Entonces llegó Fiel y lo ayudó a ponerse en pie.

LA CAÍDA DE CRISTIANO HACE QUE FIEL Y ÉL VAYAN JUNTOS

Entonces vi en mi sueño que iban juntos y conversaban dulcemente de todas las cosas que les habían sucedido en su peregrinación. Así comenzó Cristiano:

CRISTIANO. Mi honrado y bien amado hermano, Fiel, me alegro de haberte alcanzado y de que Dios haya templado nuestros espíritus para que podamos caminar juntos en esta senda tan agradable.

FIEL. Querido amigo, deseaba tener tu compañía desde que partí de la ciudad, pero te habías adelantado demasiado.

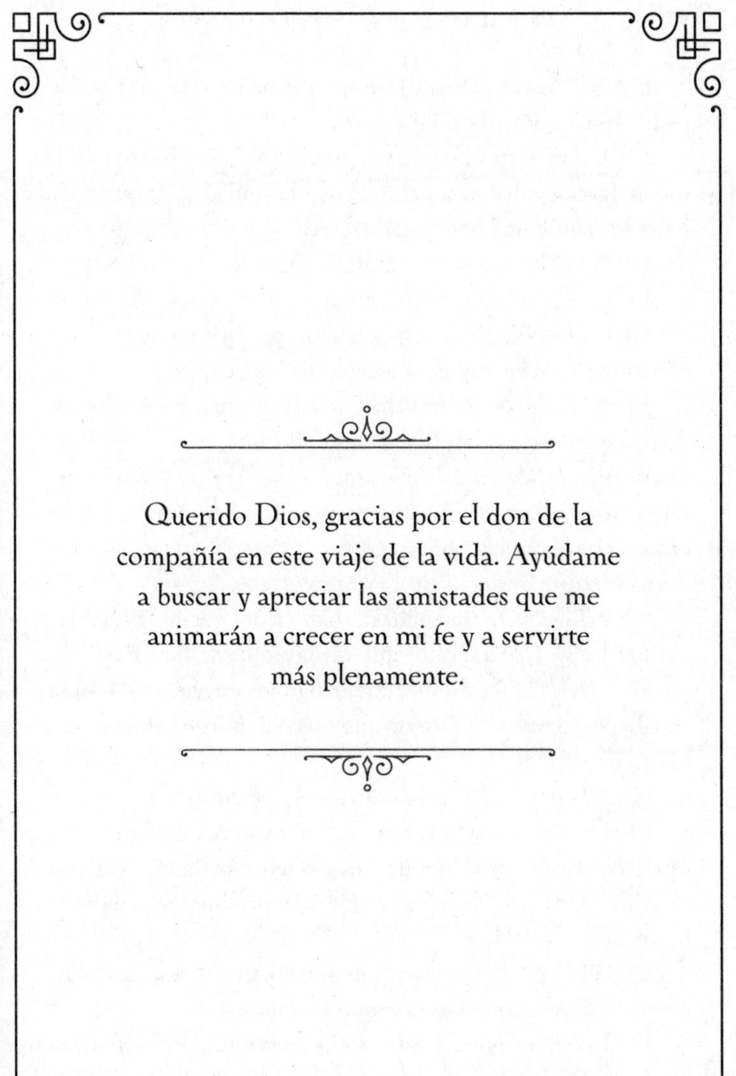

Querido Dios, gracias por el don de la compañía en este viaje de la vida. Ayúdame a buscar y apreciar las amistades que me animarán a crecer en mi fe y a servirte más plenamente.

CRISTIANO. ¿Cuánto tiempo permaneciste en la Ciudad de la Destrucción antes de seguirme?

FIEL. Hasta que no pude quedarme más. Poco después de que te fueras se habló mucho de que la ciudad sería quemada hasta los cimientos por fuego del cielo.

CRISTIANO. ¿Tus vecinos decían eso?

FIEL. Sí, durante algún tiempo estuvo en boca de todos.

CRISTIANO. Si lo comentaban, ¿por qué nadie más que tú abandonó la ciudad para escapar de los peligros?

FIEL. Aunque, como dije, se habló mucho de ello, no pienso que lo creyeran firmemente. Porque, en el calor de la discusión, oí a algunos de ellos burlarse de ti y de tu viaje desesperado (así llamaban a tu peregrinación). Pero yo sí creí —y creo— que la noticia es cierta: el fin de nuestra ciudad será con fuego y azufre desde lo alto. Por eso escapé.

CRISTIANO. ¿Escuchaste hablar del vecino Flexible?

FIEL. Sí, Cristiano, oí que te siguió hasta llegar al Pantano del Desaliento, donde, como algunos decían, cayó. Él lo negaba, pero estoy seguro de que sucedió, porque regresó cubierto de suciedad.

CRISTIANO. ¿Y qué le dijeron sus vecinos?

FIEL. Todos lo condenaron; algunos lo despreciaron y se burlaron de él y casi ninguno quiso tener nada que ver con él. Ahora está siete veces peor que si nunca hubiera salido de la ciudad.

CRISTIANO. Pero ¿por qué son tan duros con él, si ellos mismos desprecian el camino que abandonó?

FIEL. Oh, dicen: ¡cuélguenlo, es un traidor, no fue fiel a su profesión! Creo que el mismo Dios ha incitado a sus enemigos a abuchearlo por haber dejado el camino [Jer 29:18-19].

CRISTIANO. ¿No hablaste con él antes de salir?

FIEL. Una vez me encontré con él en la calle, pero me miró de reojo, como avergonzado de lo que había hecho; por eso no le hablé.

CRISTIANO. Bueno, al principio tenía esperanzas en ese hombre; pero ahora temo que perezca con la ciudad. Le ha sucedido lo que dice el proverbio verdadero: "El perro se volvió a su propio vómito, y 'la puerca lavada, a revolcarse en el cieno'" [2 Pedro 2:22].

FIEL. Yo también temía eso, pero ¿quién puede impedir lo que será?

CRISTIANO. Bien, vecino Fiel, pasemos a hablar de cosas más inmediatas. Cuéntame lo que has visto en tu camino, porque sé que te has topado con mucho y que podrías contar maravillas.

FIEL. Escapé del pantano en que oí que caíste y llegué hasta la puerta. Solo me topé con la señora Licenciosa, que hubiera querido distraerme.

CRISTIANO. Hiciste bien en escapar de su red. Recuerda que José cayó en compañía de una mujer así, y aunque pudo escapar, casi le costó la vida [Gn 39:11-13]. ¿Qué te hizo?

FIEL. No te imaginas qué lisonjera lengua tenía. Me insistió mucho que me desviara, prometiéndome toda clase de deleites.

CRISTIANO. Estoy seguro de que no eran los deleites de una buena conciencia.

FIEL. No, ya sabes lo que quiero decir: toda clase de satisfacción carnal.

CRISTIANO. ¡Gracias a Dios que escapaste de ella! "La boca de la adúltera es una fosa profunda; en ella caerá quien esté bajo la ira del Señor" [Pro 22:14].

FIEL. No, no sé si me libré de ella del todo.

CRISTIANO. ¿Por qué? Supongo que no accediste a sus deseos.

FIEL. No, no llegué al punto de mancillar mi cuerpo. Recordé una sagrada advertencia que dice: "Sus pies descienden hasta la muerte; sus pasos van derecho al sepulcro" [Pro 5:5]. Así que cerré mi mente a sus sugerencias seductoras, mis ojos a su torneada figura, y rechacé sus brazos [Job 31:1]. Entonces me maldijo y siguió su camino. Sin embargo, no puedo decir que mi mente siga siendo totalmente pura desde entonces; Dios sabe que desearía nunca haberla visto.

CRISTIANO. ¿No te encontraste con ningún otro enemigo?

FIEL. Cuando llegué al pie de la colina llamada Dificultad, me encontré con un hombre muy anciano que me preguntó quién era y a dónde iba. Le dije que era un peregrino que iba a la Ciudad Celestial. Entonces me dijo: "Pareces un hombre honrado; ¿te apetecería vivir conmigo y trabajar para mí por un salario?". Entonces le pregunté su nombre y dónde vivía. Respondió que se llamaba Adán el Primero y que vivía en la ciudad del Engaño [Ef 4:22]. Le pregunté por el trabajo y la paga. Me dijo que su trabajo era acumular y disfrutar de las delicias del mundo y que me pagaría haciéndome su heredero. Le pregunté cómo era su casa y cuántos otros sirvientes había. Dijo que su casa contaba con todos los manjares del mundo y que sus sirvientes eran sus tres hijas: Deseos de la Carne, Codicia de los Ojos y Arrogancia de la Vida [1 Jn 2:16]. "Puedes casarte con todas, si quieres", dijo. Finalmente, le pregunté cuánto tiempo quería que viviera con él. Y replicó: "Mientras yo viva".

CRISTIANO. Bueno, ¿y a qué conclusión llegaron?

FIEL. Pues, al principio, me sentí inclinado a aceptar, porque sonaba muy bien. Pero mientras hablaba con él, noté una inscripción en su frente: "Despójense del hombre viejo con sus obras".

CRISTIANO. ¿Y qué hiciste?

FIEL. Entonces me di cuenta de que, por mucho que me halagara, cuando llegara a su casa me vendería como esclavo. Así que le pedí que callara, pues no me acercaría a su puerta. Luego me maldijo y prometió que enviaría tras de mí a alguien para amargar mi camino. Justo cuando me alejaba de él, me echó los brazos alrededor del cuerpo, diciendo que yo era su hijo en primer lugar, y me dio tal tirón hacia atrás que pensé que me partiría en dos. Entonces grité: "¡Miserable de mí!" [Rom 7:24], y traté de seguir colina arriba.

Cuando ya estaba a medio camino a la cima, me volví y vi a uno que venía detrás de mí, veloz como el viento; me alcanzó justo por donde está el cenador.

CRISTIANO. Allí mismo me senté yo a descansar; pero vencido por el sueño, extravié el rollo de papel que llevo en mi pecho.

FIEL. Buen hermano, escúchame. Tan pronto como el hombre me alcanzó, no fue más que una palabra y un golpe: me derribó y me dio por muerto. Cuando volví en mí, le pregunté por qué me atacaba. Me dijo que por mi inclinación secreta a Adán el Primero. Con eso me golpeó de nuevo en el pecho y me derribó de espaldas. Cuando recobré el sentido, le pedí clemencia. "No sé mostrar clemencia", respondió, y me derribó de nuevo. Sin duda habría acabado conmigo si alguien no le hubiera ordenado detenerse.

CRISTIANO. ¿Quién fue el que le dio la orden?

FIEL. Al principio no lo reconocí, pero cuando pasó, observé los agujeros en sus manos y en su costado; entonces concluí que era nuestro Señor. Así que subí a la colina.

CRISTIANO. Aquel hombre que te alcanzó era Moisés. Él no perdona a nadie, ni sabe cómo mostrar misericordia a los que transgreden su ley.

FIEL. Lo sé muy bien; no era la primera vez que venía por mí. Fue él quien apareció cuando yo vivía tranquilo en la ciudad y me dijo que quemaría mi casa si me quedaba.

CRISTIANO. Pero ¿no viste la casa que estaba allí en lo alto de la colina? ¿Al lado del lugar donde te golpeó Moisés?

FIEL. Sí, y también a los leones antes de llegar a ella. Pero al ser cerca del mediodía, los leones parecían estar dormidos, y como tenía todo el día por delante, pasé junto al portero y bajé la colina.

CRISTIANO. Me dijo, en efecto, que te vio pasar, pero ojalá te hubieras detenido en la casa. Te habrían enseñado maravillas inolvidables. Por favor, dime, ¿no te encontraste con nadie en el Valle de la Humildad?

FIEL. Sí, me encontré con Descontento, quien intentó convencerme de regresar con él. Dijo que el valle era deshonroso, que allí se perdía toda la confianza en uno mismo y todo respeto hacia parientes y amistades. Dijo que mis amigos el señor Orgullo, el señor Arrogancia, el señor Egoísmo, el señor Gloria del Mundo… ninguno querría tener que ver nada conmigo si me adentraba en el valle.

CRISTIANO. ¿Y cómo le respondiste?

LA RESPUESTA DE FIEL A DESCONTENTO

FIEL. Le respondí que todos los que había nombrado podían alegar parentesco conmigo, y con razón, pues en verdad eran mis parientes de sangre. Sin embargo, me han repudiado desde que me hice peregrino, como yo también los he repudiado a ellos, y ya no los considero mis familiares.

Además, le dije que había tergiversado bastante la naturaleza del valle, pues la humildad precede al honor, y un espíritu arrogante solo lleva a la perdición. "Por lo tanto", dije, prefiero atravesar este valle hacia el verdadero honor —el honor que reconocen los hombres sabios— que elegir el camino que tú y quienes son afines a ti consideran mejor".

CRISTIANO. ¿Conociste a alguien más en el valle?

FIEL. Sí, conocí a Vergüenza. De todos los hombres que me crucé en mi peregrinación, él es el único, creo, que lleva el nombre equivocado. Vergüenza no tenía ningún tipo de vergüenza.

CRISTIANO. Pero ¿qué te ha dicho?

FIEL. Cuestionó mi religión. Dijo que era lamentable, bajo y vergonzoso que una persona entregara su voluntad y su vida para convertirse en siervo de la religión; que una conciencia sensible revelaba una debilidad poco viril; y que una persona que cuida sus palabras y conducta, ateniéndose a reglas que destruyen su libertad —a la que se han acostumbrado todos los valientes de estos tiempos— no es más que ridículo y un hazmerreír en la sociedad actual. También argumentó que muy pocos de los poderosos, ricos o sabios de nuestros tiempos eran peregrinos [1 Cor 1:26; 3:18; Fil 3:7-8]: ninguno se atrevió nunca a perderlo todo por una causa incierta [Jn 7:48]. Además,

afirmó que los peregrinos eran principalmente pobres y menesterosos, ignorantes en general de las ciencias naturales. Declaró que era una vergüenza que un hombre se lamentara por un sermón y luego volviera a casa suspirando y lloriqueando; que era vergonzoso pedir perdón al prójimo por faltas insignificantes o restituir los agravios hechos a otros. Dijo que, por culpa de la religión, los hombres se perdían de grandes cosas solo porque implicaban unos pocos vicios (que llamó de manera más refinada); en cambio, la religión los obligaba a vivir de manera tosca y burda. "¿Y no es eso", dijo, "una vergüenza?".

CRISTIANO. ¿Y qué le respondiste?

FIEL. ¿Qué le dije? Al principio no me salían las palabras. Me puso en tales aprietos que se me subió la sangre a la cara; me avergoncé de mí mismo por eso, así que Vergüenza casi me doblega. Pero finalmente recordé que "lo que entre los hombres es sublime, delante de Dios es abominación" [Lc 16:15]. Pensé: "Este hombre me ha hablado de cómo son los hombres, pero no me ha dicho nada sobre Dios o la palabra de Dios". Pensé, además, que, en el día de la perdición, no seremos condenados a la muerte o a la vida según los criterios del mundo, sino según la ley del Altísimo. Por lo tanto —pensé—, lo que Dios dice es lo mejor, sin duda alguna, aunque todos los hombres del mundo estén en contra. Le dije a Vergüenza: "Dado que Dios prefiere su religión y desea que tengamos una conciencia sensible, y viendo que son más sabios los que están dispuestos a hacerse los tontos ante el mundo por amor de Él, y que es más rico el pobre que ama a Cristo que el más poderoso que lo rechaza, puedes irte y dejarme tranquilo. Eres un enemigo de mi salvación. Si te hago caso a ti contra la soberana voluntad de mi Señor, entonces ¿cómo lo miraré a la cara cuando venga?

Si me avergüenzo de sus caminos y siervos, ¿cómo podré esperar sus bendiciones?” [Mc 8:38]. Pero, en verdad, Vergüenza es un villano audaz. Apenas podía alejarme de él; me rondaba continuamente y me susurraba al oído alguna que otra de las imperfecciones de la religión. Finalmente le dije que sus intentos eran en vano; que para mí eran gloriosas las cosas que él desdeñaba. Así logré dejarlo atrás, y comencé a cantar:

“Las pruebas que enfrentan los hombres
que obedecen a la llamada celestial
son carnales y son muchas;
vienen y vienen, y vienen de nuevo,
para destrozarnos ahora o luego.
Peregrinos, protéjanse del mal,
sean fuertes y no bajen la guardia”.

CRISTIANO. Me alegro, hermano, de que hayas resistido con tanta valentía. De todos, como dijiste, Vergüenza tiene el nombre equivocado. Es tan osado que nos sigue por las calles y trata de humillarnos ante todos los hombres: es decir, de que nos avergoncemos de lo que es bueno. Si no fuera audaz, no haría lo que hace. Pero sigamos resistiendo su influencia, porque a pesar de todas sus fanfarronadas, es el rey de los necios: “Los sabios son dignos de honra”, dijo Salomón, “pero los necios solo merecen deshonra” [Pro 3:35].

FIEL. Creo que debemos pedirle a Dios que nos ayude contra Vergüenza, para que seamos valientes respecto a la verdad en la tierra.

CRISTIANO. Es verdad. Pero ¿no encontraste a nadie más en aquel valle?

FIEL. No, yo no; porque tuve luz del sol todo el resto del camino, y también a través del Valle de la Sombra de la Muerte.

CRISTIANO. Te fue bien. Mi experiencia fue muy diferente. En cuanto entré en el valle, tuve un largo y espantoso combate con el demonio Apolión. Pensé que me mataría, sobre todo cuando me derribó y me aplastó debajo de sí. Cuando me tumbó, mi espada voló de mi mano, y me dijo: "Ahora te tengo". Pero yo clamé a Dios y él me oyó, y me liberó de todas mis angustias. Luego entré en el Valle de la Sombra de la Muerte y no tuve luz por casi la mitad del camino. Pensé que allí me matarían una y otra vez, pero al fin amaneció y atravesé lo que quedaba con mucha más facilidad.

Vi en mi sueño que a medida que avanzaban, Fiel avistó a un hombre llamado Hablador que caminaba a cierta distancia junto a ellos, porque en este punto el sendero era suficientemente ancho para varias personas. Era un hombre alto, algo más apuesto de lejos que de cerca. Fiel le dijo:

FIEL. Amigo, ¿a dónde vas? ¿Vas a la Ciudad Celestial?

HABLADOR. Allí mismo voy.

FIEL. Muy bien; entonces espero que podamos tener tu buena compañía.

HABLADOR. Me alegrará mucho acompañarlos.

FIEL. Vayamos juntos, entonces, y pasemos el tiempo hablando de cosas útiles.

AVERSIÓN DE HABLADOR A LAS MALAS CONVERSACIONES

HABLADOR. Me parece muy bien. Me gusta mucho hablar de cosas útiles y buenas, así que me alegra haberme encontrado

con ustedes. A decir verdad, muy pocos quieren hablar de cosas de valor hoy en día. La mayor parte de los hombres solo se interesa por cosas triviales y sin provecho; eso me ha dolido mucho.

FIEL. En verdad es lamentable, porque ¿qué cosas son más dignas de la lengua y la boca de los hombres que las cosas del Dios del cielo?

HABLADOR. Me caes maravillosamente bien porque hablas con convicción. Además, ¿qué es más agradable y provechoso que hablar de las cosas de Dios? Por ejemplo, si a un hombre le gusta hablar de la historia o el misterio de las cosas, o hablar de milagros, maravillas o señales, ¿dónde podrá encontrar esas cosas mejor descritas que en las Sagradas Escrituras?

FIEL. Eso es cierto. Pero no debemos solo deleitarnos en esas cosas sino, también, buscar beneficiarnos de ellas.

LA BUENA CHARLA DE HABLADOR

HABLADOR. Eso es lo que dije: hablar de tales cosas es muy útil, porque así podemos conocer muchas cosas. Por ejemplo, la vanidad de las cosas terrenales y la bondad de las cosas de arriba. Eso en general, pero más específicamente, un hombre puede aprender así la necesidad del nuevo nacimiento; la insuficiencia de sus obras; la necesidad de la justicia de Cristo, etc. Además, puede aprender, hablando, lo que es arrepentirse, creer, orar, sufrir o cosas semejantes. También, para su propio consuelo, puede aprender cuáles son las grandes promesas del Evangelio. Encima, puede aprender a refutar opiniones falsas, a reivindicar la verdad y a educar a los ignorantes.

FIEL. Todo esto es verdad, y me alegra oírlo de ti.

HABLADOR. ¡Ay! La falta de conversaciones como estas es la causa de que tan pocos comprendan que se necesita tener fe y una obra de gracia en el corazón para vivir abundantemente, y de que tantos vivan en la ignorancia, guiados solo por las obras de la ley, por las cuales nadie puede ganar el Reino de los Cielos.

FIEL. Pero, si me permites, el conocimiento de estas cosas es un don de Dios. Ningún hombre llega a él solo con esfuerzo humano o con conversación.

HABLADOR. Todo esto lo sé muy bien; un hombre no puede recibir nada a menos que le sea dado del Cielo. Todo es por gracia, no por obras. Podría señalarte cien escrituras que lo confirman.

FIEL. Bien, entonces, ¿sobre qué hablaremos en nuestro camino?

HABLADOR. Sobre lo que quieras. Puedo hablar de cosas celestiales o terrenales; cosas morales o evangélicas; cosas sagradas o profanas; cosas pasadas o por venir; cosas foráneas o asuntos de casa; cosas esenciales o circunstanciales; siempre que conversemos provechosamente.

Fiel comenzó a asombrarse; y dirigiéndose a Cristiano (quien había estado caminando solo todo este tiempo), le dijo en voz baja: "¡Qué admirable y conocedor compañero tenemos! Seguramente será un excelente peregrino".

Al oír esto, Cristiano sonrió modestamente y dijo: "Este hombre, de quien tanto te has prendado, engaña con la lengua a quienes no lo conocen".

FIEL. ¿Lo conoces, entonces?

CRISTIANO. ¿Si lo conozco? Sí, mejor de lo que se conoce a sí mismo.

FIEL. Por favor, dime qué clase de persona es.

CRISTIANO. Se llama Hablador y es de nuestra ciudad. Me sorprende que no lo conozcas, aunque nuestra ciudad es bastante grande.

FIEL. ¿De quién es hijo y dónde vive?

CRISTIANO. Es el hijo de un tal Bienhablado. Vive en la Calle de la Cháchara, y todos los que lo conocen lo llaman Hablador de la Calle de la Cháchara. A pesar de su amplio vocabulario y de su lengua suelta y suave, es un tipo lamentable.

FIEL: Bueno, pero parece ser sincero, además de agradable.

CRISTIANO. Sí, fuera de casa, para aquellos que no lo conocen bien. Cerca de casa se hace evidente su verdadera fealdad. Como algunos cuadros de artistas que he visto, luce mejor a distancia.

FIEL. Pero sonreíste hace unos momentos, así que sospecho que estás bromeando.

CRISTIANO. ¡Dios me libre de bromear o mentir sobre este hombre o sobre cualquier otro! Te diré el tipo de hombre que es. Le gusta cualquier tipo de compañía y cualquier tipo de conversación. Con la misma destreza con la que habló contigo, habla también en la taberna; y mientras más bebe, más cosas dice. La religión no tiene lugar en su corazón, en su casa, ni en su conducta. Lo único que tiene es su lengua, y su religión es hacer ruido con ella.

FIEL. ¡Si tú lo dices! No hay duda de que me engañó totalmente.

CRISTIANO. ¡Puedes estar seguro de eso! Recuerda el proverbio, "Ellos dicen y no hacen" [Mt 23:3]. El reino de

Dios no está en palabra, sino en poder [1 Cor 4:20]. Habla de oración, de arrepentimiento, de fe y del nuevo nacimiento, pero solo sabe hablar de ellos. He estado con su familia y lo he visto tanto en casa como fuera, y sé que lo que digo de él es verdad. Su casa está tan vacía de la religión de Cristo como la clara de un huevo lo está de sabor. En su vida no hay señales de oración o arrepentimiento. Es el reproche del cristianismo para todos los que lo conocen, y todos desprecian el nombre de Cristo en la ciudad por su culpa [Rom 2:24-25]. Muchos de sus vecinos dicen de él: "Es un santo afuera y un demonio en casa". Su familia lo sufre; es tan canalla con sus sirvientes que estos ya no saben cómo hablarle. Los hombres que tienen algún negocio con él dicen que reciben mejor trato de un usurero cualquiera: Hablador los defrauda, engaña y abusa de su confianza. Además, ha criado a sus hijos para que sigan sus pasos: si nota en alguno de ellos una "timidez insensata" (pues así llama a las primeras señales de una conciencia sensible), los tilda de tontos e imbéciles, no les da trabajo ni los recomienda ante los demás. Yo opino que, con su vida perversa, ha hecho tropezar a muchos y, a menos que Dios lo impida, será la ruina de muchos más.

FIEL. Bueno, Cristiano, estoy obligado a creerte, no solo porque dices que lo conoces, sino porque sé que eres un hombre confiable. No creo que digas estas cosas de mala voluntad, sino que piensas que los otros peregrinos debemos estar al tanto de ellas.

CRISTIANO. Si no lo hubiera conocido desde antes, podría haber pensado lo mismo que tú al principio. Y si mis referencias hubieran venido de personas no cristianas, habría pensado que los relatos sobre él eran calumnias contra un

hombre bueno. Sin embargo, tengo pruebas de que todo lo que te conté es cierto. Además, los hombres de bien se avergüenzan de él: no pueden llamarlo hermano ni amigo y se sonrojan al hablar de él.

FIEL. Bien, veo que decir y hacer son dos cosas diferentes, y en adelante observaré mejor esa distinción.

CRISTIANO. Son dos cosas, en efecto, y son tan diferentes como lo son el alma y el cuerpo; pues, así como el cuerpo sin el alma no es más que un cadáver, la palabra sola no es más que una carcasa. El alma de la religión es la práctica: "La religión pura e incontaminada delante de Dios y Padre es esta: cuidar a los huérfanos y a las viudas en su aflicción, y guardarse sin mancha del mundo" [Sant 1:27; véanse los vv. 22-26]. Hablador no es consciente de eso; piensa que oír y decir lo hacen un buen cristiano, y así engaña a su propia alma. Oír es recibir la semilla en la mente, y hablar no es suficiente para probar que esa semilla dio fruto en el corazón y en la vida. Recordemos que el día del juicio los hombres serán juzgados según sus frutos [Mt 13, 25]. No nos preguntarán "¿Creíste?", sino "¿Fuiste hacedor o solo hablador?". El fin del mundo es como la cosecha, y sabes que en la cosecha los hombres no miran más que al fruto. No quiero decir que sea aceptable otra cosa que la fe; hablo de esto para demostrarte lo insignificantes que serán las obras de Hablador ese día.

FIEL. Esto me trae a la mente la descripción que hizo Moisés del animal puro: es aquel "que tiene pezuñas partidas, hendidas en mitades, y que rumia. El conejo, porque rumia, pero no tiene pezuñas partidas, será para ustedes inmundo" [Lv 11:3-7; Dt 14:6-8]. Se me parece mucho a Hablador: él rumia —mastica la palabra— pero no divide la pezuña, pues

no se aparta del camino de los pecadores, sino que, como el conejo, retiene la pata de perro o de oso, y por eso es impuro.

CRISTIANO. Por lo que sé, has dado con el verdadero sentido evangélico de esos textos. Y añadiré otra cosa: Pablo llama "bronces que resuenan y címbalos que repiquetean" a los grandes habladores; es decir, los presenta como objetos que solo producen sonido [1 Cor 13:1-3; 14:7]. Cosas inertes, sin vida: sin la verdadera fe y gracia del evangelio y, por consiguiente, cosas que nunca estarán junto a los hijos de la vida en el Reino de los Cielos, aunque puedan sonar como voces de ángeles.

FIEL. Pues bien, al principio no me agradaba tanto su compañía, pero ahora la detesto. ¿Qué haremos para librarnos de él?

CRISTIANO. Haz lo que te digo y verás que pronto detestará también tu compañía, a menos que Dios toque su corazón y lo convierta.

FIEL. ¿Qué quieres que haga?

CRISTIANO. Ve a verlo y proponle entablar una conversación seria sobre el poder de la religión. Cuando acceda, pregúntale claramente si ese poder se halla en su corazón, en su casa o en sus relaciones cotidianas.

Entonces Fiel se adelantó de nuevo y le dijo a Hablador: "Acércate, ¿cómo te encuentras ahora?".

HABLADOR. Gracias, bien. Pensé que para este momento ya habríamos charlado muchas horas.

FIEL. Bien, si quieres, pongámonos a ello ahora. Y ya que me pediste a mí elegir el tema, que sea este: ¿cómo se muestra la gracia salvadora de Dios cuando está en el corazón de una persona?

HABLADOR HACE UNA FALSA DESCRIPCIÓN DE UNA OBRA DE GRACIA

HABLADOR. Percibo, pues, que nuestra conversación debe versar sobre el poder de las cosas. Bueno, es una muy buena pregunta, y estaré dispuesto a responderte. Y toma mi respuesta, en breve, así: Primero, si la gracia de Dios está en el corazón, produce allí un gran clamor contra el pecado. Segundo...

FIEL. No, espera, reparemos en uno a la vez. Creo que deberías decir, más bien, que se muestra haciendo que el alma odie el pecado.

HABLADOR. ¿Por qué? ¿Qué diferencia hay entre clamar contra el pecado y odiarlo?

FIEL. Oh, mucha. Un hombre puede clamar contra el pecado, pero no puede realmente odiarlo sino por una antipatía infundida por Dios. He oído a muchos clamar contra el pecado desde el púlpito, pero abrigarlo muy bien en su corazón, en su hogar y en sus relaciones. La amante de José clamaba a gran voz, como si hubiera sido muy santa, mientras que bien habría cometido actos impuros con él. Algunos claman contra el pecado como la madre que le grita a la hija en su regazo, llamándola sucia y traviesa, para luego llenarla de abrazos y besos.

HABLADOR. Veo que me has tendido una trampa.

FIEL. No, yo no; yo solo busco decir las cosas como son. Pero, dime, ¿cuál es la segunda señal con la que se mostraría la gracia de Dios en el corazón?

HABLADOR. Gran conocimiento de los misterios evangélicos.

FIEL. Esa debió ser la primera, aunque, primera o última, igual es falsa. Se puede obtener gran conocimiento de

los misterios del Evangelio sin una obra de gracia en el alma [1Cor 13]. Un hombre puede tener todo el conocimiento del mundo, pero no ser nada, y por consiguiente no ser hijo de Dios. Cuando Cristo dijo: "¿Entienden las cosas que he hecho?", y los discípulos respondieron: "Sí", él añadió: "Serán benditos si las hacen". No los bendice por saber las cosas, sino por hacerlas. Porque existe un conocimiento que no va acompañado de la práctica: el de quien conoce la voluntad de su Señor y no la cumple. Un hombre puede saber lo que sabe un ángel y, sin embargo, no ser cristiano, de modo que tu señal es falsa. En efecto, saber es algo que agrada a los habladores y fanfarrones, pero hacer es lo que agrada a Dios. No es que el corazón pueda ser bueno sin conocimiento; sin eso, el corazón no es nada. Hay, por tanto, dos tipos de conocimiento: el conocimiento que yace en el mero estudio de las cosas y el que va acompañado de la gracia de la fe y del amor, que pone al hombre a hacer la voluntad de Dios desde el corazón. El primero de estos le sirve al hablador; pero sin el otro, el verdadero cristiano no puede estar satisfecho. "Hazme entender tu ley, para cumplirla; la obedeceré de todo corazón." [Salm 119:34].

HABLADOR. Me has vuelto a tender una trampa. Eso no es para edificarme.

FIEL. Bien, si quieres, describe otra señal de la gracia de Dios en el corazón.

HABLADOR. No, porque veo que no nos pondremos de acuerdo.

FIEL. Pues si tú no quieres, ¿me das permiso para hacerlo yo?

HABLADOR. Eres libre de hacer lo que quieras.

FIEL. Una obra de gracia en el alma se le muestra al que la tiene o a los que están a su lado.

Al que la tiene, se le devela así: le hace ver claramente el pecado, especialmente el de los actos impuros y el de la incredulidad (por la cual seguramente será condenado si no encuentra misericordia de mano de Dios, por la fe en Jesucristo) [Jn 16:8, Rom 7:24, Jn 16:9, Mc 16:16]. Esta visión y convicción despiertan en él dolor y vergüenza por el pecado. Además, se revela en él el Salvador del mundo, y siente la absoluta necesidad de unirse a él de por vida; siente hambre y sed de él [Salm 38:18, Jer 31:19, Gal 2:16, Hch 4:12, Mt 5:6, Ap 21:6]. Ahora bien, la fuerza o la debilidad de su fe en el Salvador son la medida de su gozo y su paz, igual que su amor a la santidad, sus deseos de conocerlo más y de servirlo en este mundo. Sin embargo, aunque digo que la gracia se muestra así, rara vez la persona es capaz de concluir que se trata de una obra de gracia, pues sus corrupciones actuales y su razón exacerbada la llevan a juzgar mal el asunto. Por lo tanto, debe tener un juicio muy sano para poder concluir con firmeza que se trata de una obra de gracia.

A los que están junto a quien tiene la gracia en su alma, la gracia se muestra así:

Primero, por medio de una confesión abierta de su fe en Cristo [Rom 10:10, Fil 1:27, Mt 5:19].

Segundo, por medio de una vida acorde con esa confesión; es decir, una vida de santidad: santidad de corazón, santidad de familia (si tiene familia), y una santidad en sus relaciones con los demás. En general, su confesión le enseña a aborrecer interiormente su pecado, y a sí mismo en tanto pecador; a suprimir el pecado en su familia y a promover la santidad

en el mundo, no solo con palabras, como puede hacer un hipócrita o un hablador, sino por una sujeción práctica, en fe y amor, al poder de la Palabra [Jn 14:15, Salm 50:23, Job 42:5-6, Ez 20:43]. Y ahora, en cuanto a esta breve descripción de las obras de la gracia y cómo se muestran, si tienes algo que objetar, objeta; si no, entonces permíteme proponerte una segunda pregunta.

HABLADOR. No, mi papel ahora no es objetar, sino escuchar. Concédeme, entonces, tu segunda pregunta.

FIEL. Es esta: ¿has experimentado la primera parte de mi descripción? ¿Acaso tu estilo de vida testifica lo mismo? ¿O yace tu religión en tu palabra o tu lengua y no en tus actos y tu verdad? Si accedes a responderme, solo di lo que sepas que Dios aprobaría y que tu conciencia justificaría. No se aprueba a quien se favorece a sí mismo, sino a quien el Señor favorece. Además, decir "yo soy así y asá", cuando mis relaciones y todos mis vecinos dicen lo contrario, es de gran maldad.

Entonces Hablador comenzó a ruborizarse, pero pronto se recuperó y respondió así: "Vienes ahora a hablar de la experiencia, de la conciencia y de Dios, y apelas a él para justificar lo que dices. No me esperaba esta clase de conversación, ni estoy dispuesto a responder tales preguntas, pues no me considero obligado a hacerlo. A no ser que tú seas catequista, y aunque así fuera, no te permitiría juzgarme. Te ruego, sin embargo: dime por qué me haces estas preguntas".

FIEL. Porque te noté muy inclinado a hablar, y porque no sabía que no tenías más que opiniones. Además, a decir verdad, he oído decir de ti que eres un hombre cuya religión se basa en la charla, y que con tu boca-profesión mientes.

FIEL HABLA CLARAMENTE CON EL HABLADOR

Dicen que eres una mancha entre los cristianos; y que dañas a la religión con tu comportamiento impío; que algunos ya se han tropezado con tus malas mañas, y que muchos más corren el riesgo de caer por ellas. Tu religión permanecerá junto a los vicios, la codicia, la inmundicia, los falsos testimonios, la mentira y la vana compañía. Te describe el proverbio que se dice de las prostitutas: que son una vergüenza para todas las mujeres. Tú eres una vergüenza para todos los profesores.

HABLADOR. Ya que te dispones a juzgarme tan precipitadamente como lo has hecho, solo puedo concluir que eres un hombre melancólico o malhumorado, no apto para conversar con él. Y así, adiós.

Entonces se acercó Cristiano y le dijo a su hermano:

CRISTIANO. Yo te dije lo que sucedería: tus palabras y sus concupiscencias no concordaron; prefirió alejarse de ti antes que reformar su vida. Pero se ha ido, y como dije, déjalo ir: la pérdida no es sino suya. Nos ha ahorrado la molestia de tener que librarnos de él, pues si continuara (como supongo que lo hará) haciendo lo que hace, no sería más que un estorbo para nosotros. Además, el apóstol Pablo dice: "Apártate de los tales".

FIEL. Pero me alegro de que hayamos tenido esta pequeña conversación. Puede que vuelva a pensar en ello. Sin embargo, le he hablado sin rodeos; si perece, yo estoy limpio de su sangre.

CRISTIANO. Hiciste bien en hablarle tan claro como lo hiciste; hay muy poco de ese trato llano con los hombres hoy en día, y eso hace que la religión apeste tanto en las narices de muchos. Porque son esos locos charlatanes, cuya religión es

solo de palabra y su conducta libertina y vana, quienes (habiendo sido admitidos en la comunión de los piadosos) desconciertan al mundo, manchan el cristianismo y afligen a los sinceros. Desearía que todos tratasen a estos hombres como tú lo has hecho; o se adecuarían mejor a la religión, o no soportarían la compañía de los santos.

Entonces dijo Fiel:

"¡Cómo bate sus plumas al principio el Hablador!
¡Con cuánta valentía habla! ¡Cómo presume
de su poder sobre todos! Pero tan pronto
Fiel menciona el trabajo del corazón,
comienza a menguar como la luna que ha pasado el
plenilunio.
Y así lo harán todos, excepto aquel que conozca el
TRABAJO DEL CORAZÓN".

Entonces continuaron hablando de lo que habían visto por el camino, y así hicieron más grato el camino que, de otro modo, sin duda, habría sido tedioso para ellos, pues ahora atravesaban un desierto.

Ahora, cuando estaban casi fuera del desierto, Fiel echó la vista atrás y divisó a uno que venía tras ellos, y lo reconoció. "¡Oh!", dijo Fiel a su hermano, "¿quién viene?". Entonces Cristiano miró y dijo: "Es mi buen amigo Evangelista". "Sí, y mi buen amigo también", dijo Fiel, "porque fue él quien me puso en el camino de la puerta". Evangelista se acercó a ellos y así los saludó:

EVANGELISTA. La paz sea con ustedes, amados; y la paz sea con sus ayudantes.

CRISTIANO. Bienvenido, bienvenido, mi buen Evangelista. Tu rostro me trae recuerdos de tu antigua generosidad y tu ardua labor en servicio de mi bien eterno.

FIEL. Y mil veces bienvenido, dulce Evangelista, ¡cuánto bien nos hace tu compañía a estos pobres peregrinos!

EVANGELISTA. ¿Cómo les ha ido, mis amigos, desde la última vez que nos separamos? ¿Qué cosas han encontrado y cómo se han comportado?

Entonces Cristiano y Fiel le contaron todas las cosas que les habían sucedido en el camino, y cómo y con cuánta dificultad habían llegado a ese lugar.

EVANGELISTA. Me contenta no que se toparan con obstáculos, sino que hayan sido victoriosos, y que, sin importar los impedimentos, continuaran su camino hasta hoy. Digo que me contenta esto tanto por su bien como por el mío propio. Yo sembré y ustedes han segado, y viene el día en que tanto el que sembró como el que segó se alegrarán juntos. Es decir, si perseveran: "No nos cansemos, pues, de hacer bien; porque a su tiempo segaremos, si no desmayamos" [Jn 4:36, Gal 6:9]. Tienen ante ustedes una corona incorruptible; corran, pues, a tomarla [1 Cor 9:24-27]. Algunos hay que se ponen en camino hacia esta corona, y tras recorrer grandes distancias viene otro y se la quita: aférrense pues, a la que tienen; que nadie les arrebate la corona [Ap 3:11]. Aún no se han librado del alcance del diablo; no han resistido hasta sangrar, luchando contra el pecado. Que el reino esté siempre ante ustedes y crean firmemente en las cosas invisibles; que nada de lo que está en el otro mundo se introduzca en ustedes. Y, sobre todo, miren bien sus corazones y sus deseos, porque "engañoso es el corazón más que todas las cosas, y perverso". Pongan sus rostros

como pedernales; tienen todo el poder del cielo y de la tierra de su lado.

Entonces Cristiano le agradeció su exhortación, pero le pidió, además, que les hablase más para ayudarlos en el camino, e incluso que, dado que bien sabían que era profeta, podría hablarles sobre las cosas que podrían sucederles y aconsejarles sobre cómo resistir y vencerlas. Fiel consintió también a esta petición. Entonces Evangelista comenzó así:

EVANGELISTA. Hijos míos, ya han oído en las palabras del Evangelio que deberán atravesar muchas tribulaciones para entrar en el Reino de los Cielos. Y, además, que en cada ciudad encontrarán ataduras y aflicciones; por lo tanto, no pueden esperar no encontrarse con alguna de estas cosas en su peregrinaje. Ya han comprobado la veracidad de esas palabras, y más tribulaciones vendrán pronto. Como ven, ya casi han salido de este desierto. Por lo tanto, pronto llegarán a un pueblo que verán frente a ustedes. Allí serán asediados duramente, y sus enemigos intentarán matarlos. Tengan la seguridad de que uno de ustedes, o los dos, tendrá que sellar con sangre su testimonio. Pero sean fieles hasta la muerte, y el rey les dará una corona de vida.

Aquel que muera allí, aunque su muerte no sea natural y su dolor tal vez sea grande, tendrá mejor suerte que su compañero; no solo porque llegará más pronto a la Ciudad Celestial, sino porque escapará a las muchas miserias que el otro encontrará en el resto de su viaje. Pero cuando lleguen al pueblo y vean cumplido lo que aquí relato, acuérdense de su amigo, compórtense como hombres y encomienden sus almas a su Dios en el bien.

Luego vi en sueños que, cuando salieron del desierto, vieron enseguida un pueblo frente a ellos, llamado Vanidad. Y en

ese pueblo se lleva a cabo una feria llamada Feria de las Vanidades, que se celebra todo el año. Lleva el nombre de Feria de las Vanidades porque el pueblo donde se celebra es más superficial que la vanidad; y, también porque todo lo que allí se vende, o llega, es vano. Como dice el refrán de los sabios, "todo es vanidad" [Ecl 1; 2:11-17; 11:8; Is 11:17].

Esta feria no es un asunto reciente, sino una cosa antigua. Les mostraré su origen:

Hace casi cinco mil años, había peregrinos que caminaban hacia la Ciudad Celestial, igual que estas dos honestas personas. Y Belcebú, Apolión y Legión, junto a sus secuaces, al ver que el camino de los peregrinos atravesaba el pueblo de Vanidad, se las ingeniaron para montar allí una feria. En esta feria se venderían toda clase de vanidades, y duraría todo el año. Por eso en esta feria se venden todo tipo de mercancías, como casas, tierras, oficios, honores, privilegios, títulos, países, reinos, deseos, placeres y deleites de todo tipo, como prostitutas, esposas, maridos, hijos, amos, sirvientes, vidas, sangre, cuerpos, almas, plata, oro, perlas, piedras preciosas y muchas cosas más.

Además, en esta feria se ven en todo momento trampas, juergas, jugarretas; tontos, monos, bribones y pícaros, y gente de todo tipo. También se ven, y por nada, robos, asesinatos, adulterios, falsos juramentos y demás perversidades.

Como en otras ferias de menor importancia, hay las varias calles, con sus nombres propios, donde se venden tales o cuales mercancías. También aquí existen los lugares propios, avenidas, calles (es decir, países y reinos), donde los productos de la feria se encuentran con facilidad. Aquí está la Calle Británica, la Calle Francesa, la Italiana, la Española, la Alemana, donde se venden toda clase de vanidades. Pero, como en otras ferias,

hay un tipo de mercancía que es la principal, y así la mercancía de Roma es grandemente promovida. Solo a nuestra nación inglesa, con algunas otras, le disgusta.

Ahora, como he dicho, el camino a la Ciudad Celestial atraviesa justamente el pueblo donde se celebra esta lujuriosa feria; y el que quiera llegar a la ciudad sin pasar por el pueblo deberá necesariamente salir del mundo [1 Cor 5:10]. El mismo príncipe de los príncipes pasó por este pueblo para llegar a su propio país, incluso en un día de feria. Según creo, fue el señor principal de esta feria, Belcebú, quien lo invitó a comprar sus vanidades. Sí, lo habría nombrado señor de la feria; le hubiera hecho reverencia al pasar por el pueblo [Mt 4:8, Lc 4:5-7]. Dado que era tan honorable personaje, Belcebú lo llevó de calle en calle y le mostró todos los reinos del mundo; pensó que podía convencer al Bendito de que se rebajara y comprara alguna vanidad. Pero él no prestó atención a las mercancías, y por lo tanto dejó la ciudad sin gastar siquiera un céntimo. Esta feria, pues, es una cosa antigua, de larga data y muy grande.

Los peregrinos debían pasar necesariamente por esta feria. Bien, así lo hicieron. Apenas entraron, todos los asistentes se inquietaron, y en la ciudad se desató un alboroto en torno a ellos. Eso por varias razones:

Primero, porque los peregrinos llevaban un tipo de vestimenta diferente a la de cualquiera en esa feria. La gente, por lo tanto, se volcó a mirarlos: algunos decían que eran tontos, otros que eran locos, y otros que eran extranjeros [1 Cor 2:7-8].

Segundo, porque, así como se asombraban de su ropa, lo mismo hacían de sus palabras, pues pocos entendían lo que decían; naturalmente hablaban la lengua de Canaán, pero los

de la feria eran hombres de este mundo, de modo que, de un extremo a otro del lugar, parecían bárbaros unos y otros.

Tercero, porque lo que más divertía a los mercaderes era que los peregrinos eran indiferentes a la mercancía: no se molestaban en siquiera mirarla, y si los llamaban para que comprasen, se ponían los dedos en los oídos y gritaban: "¡Aparta mis ojos, que no vean la vanidad!" y miraban hacia arriba, dando a entender que su interés estaba en el cielo [Salm 119:37, Fil 3:19-20].

Al ver la actitud de los hombres, uno se burló y les dijo: "¿Qué quieren comprar?". Pero ellos lo miraron seriamente y respondieron: "Compramos la verdad" [Pro 23:23]. Esto dio pie a todavía más desprecio; unos se burlaban de ellos, otros los provocaban, otros los increpaban, y otros exhortaban a otros a golpearlos. Finalmente se armó gran griterío y algarabía en la feria, hasta el punto de que se perdió todo orden. Entonces se le informó de esto al señor de la feria, quien descendió presto y mandó a sus más fieles socios a interrogar a los hombres. Así, Cristiano y Fiel fueron llevados a interrogatorio. Les preguntaron de dónde venían, a dónde iban y qué hacían allí con tan inusual atuendo. Los hombres dijeron que eran peregrinos y que iban a su patria, Jerusalén Celestial [Heb 11:13-16]. Dijeron que no había razón para que los hombres de la ciudad y los mercaderes abusaran de ellos, más allá de que, al preguntárseles qué querían comprar, hubieran respondido que querían comprar la verdad. Sin embargo, los interrogadores no creyeron que fueran más que locos, o bien gente que había venido a causar caos. Por ende, los tomaron y los golpearon, los embadurnaron de tierra y los metieron en una jaula, convirtiéndolos en un espectáculo público.

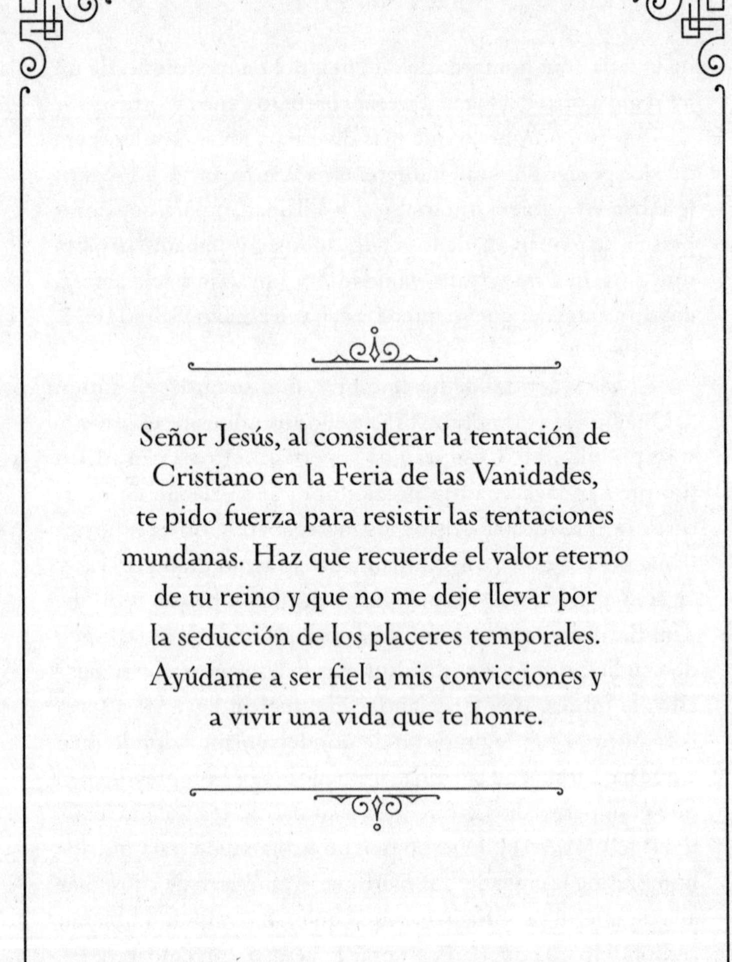

Señor Jesús, al considerar la tentación de Cristiano en la Feria de las Vanidades, te pido fuerza para resistir las tentaciones mundanas. Haz que recuerde el valor eterno de tu reino y que no me deje llevar por la seducción de los placeres temporales. Ayúdame a ser fiel a mis convicciones y a vivir una vida que te honre.

Feria de las Vanidades, ¡mira!
Los peregrinos están encadenados.
Así fue que el Señor pasó por aquí
y murió en el Calvario.

Allí permanecieron durante algún tiempo y se volvieron objetos de diversión, malicia o venganza para cualquiera. El señor de la feria se reía de todo lo que les ocurría. Pero los hombres eran pacientes, y no daban mal por mal sino, al contrario, bendiciones y buenas palabras por las malas, y bondad por las injurias hechas. Así, algunos hombres de la feria que eran más observadores y menos prejuiciosos que los demás, comenzaron a reprender a algunos por sus abusos contra los peregrinos. Aquellos respondían con ira, diciéndole a quienes les reclamaban que eran iguales a los hombres de la jaula, que eran sus cómplices y debían sufrir también su castigo. Los otros replicaban que, por lo que veían, los hombres eran tranquilos y sobrios y no pretendían dañar a nadie, y que muchos comerciantes eran más dignos de ser metidos en la jaula, y hasta en la picota, que los prisioneros. Así, después de palabras de una y otra parte, mientras los peregrinos se comportaban sabia y sobriamente frente a ellos, comenzaron a volar algunos golpes y se hirieron unos a otros. Entonces los dos pobres hombres fueron llevados de nuevo a interrogatorio, y allí los acusaron de causar este último alboroto. Entonces los golpearon deplorablemente, les colgaron hierros y los llevaron encadenados por toda la feria, como ejemplo y advertencia a los demás, por si alguno hablaba en su favor o se les unía.

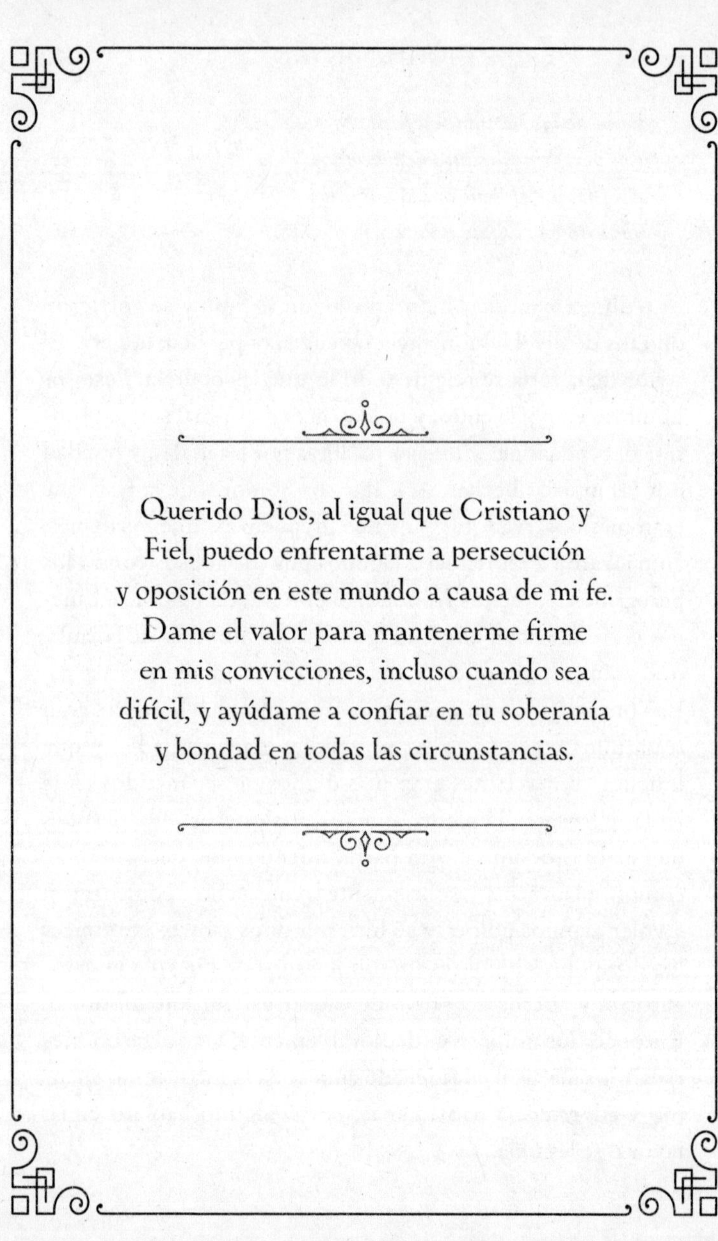

Querido Dios, al igual que Cristiano y
Fiel, puedo enfrentarme a persecución
y oposición en este mundo a causa de mi fe.
Dame el valor para mantenerme firme
en mis convicciones, incluso cuando sea
difícil, y ayúdame a confiar en tu soberanía
y bondad en todas las circunstancias.

Pero Cristiano y Fiel se comportaron todavía más sabiamente, recibiendo la ignominia con tanta mansedumbre y paciencia que ganaron a su lado, aunque pocos en comparación con los demás, a varios de los feriantes. Esto produjo todavía más rabia en los del otro bando, hasta el punto de que decidieron la muerte de los dos hombres.

Afirmaron que ni la jaula ni los hierros servirían, sino que debían morir por el mal que habían cometido y por engañar a los feriantes. Entonces fueron devueltos a la jaula hasta nuevo aviso y les pusieron los pies en el cepo.

Aquí volvieron a recordar lo que habían oído de su amigo Evangelista; su camino y sufrimientos fueron confirmados por lo que dijo que sucedería. También ahora se consolaban mutuamente, diciendo que a quien le tocara sufrir obtendría la mejor parte, por lo que cada uno secretamente lo deseaba. Sin embargo, encomendándose a la sabia disposición de aquel que gobierna todas las cosas, con mucha abnegación permanecieron quietos hasta que se dispusiera de ellos.

Entonces, señalada la hora conveniente, las autoridades los llevaron a juicio y, por orden, a su condena. Llegado el momento, fueron llevados ante sus enemigos y procesados. El nombre del juez era Juez Odio El Bien. Su acusación era una y la misma en sustancia, aunque variaba algo en la forma, y su contenido era el siguiente:

"Son enemigos y perturbadores del comercio de la ciudad; han provocado disturbios y causado divisiones en la ciudad, y, despreciando la ley del gobernante, habían convencido a varios individuos de sus opiniones más peligrosas".

Ahora, FIEL, sé un hombre, habla por tu Dios.
No temas la malicia de los impíos, ni su vara.
Habla con valentía, hombre, la verdad está de tu parte,
muere por ella y vuelve triunfante a la vida.

LA RESPUESTA DE FIEL

Entonces Fiel comenzó a responder que solo se había opuesto a aquello que se había opuesto a Aquel Que es Más Alto Que el Más Alto. "Y en cuanto a los disturbios", dijo, "yo no causé ninguno, siendo yo mismo un hombre de paz. Aquellos que ganamos reconocieron nuestra verdad e inocencia, y solo se han convertido de lo peor a lo mejor. Y en cuanto al gobernante del que hablas, puesto que es Belcebú, el enemigo de nuestro Señor, lo desafío a él y a todos sus ángeles".

Entonces se proclamó que quien tuviera algo que decir en favor de su señor, el gobernante, y en contra del prisionero acusado, compareciera ahora y prestara su declaración. Así que se presentaron tres testigos, llamados Envidia, Superstición y Sicofante. Se les preguntó si conocían al prisionero y se les ordenó que dijeran lo que quisieran en nombre de su señor contra él.

Envidia entonces dio un paso al frente y dijo: "Señoría, conozco a este hombre desde hace mucho tiempo y atestiguaré bajo juramento ante este honorable tribunal que él es…".

JUEZ. ¡Alto! Tómenle juramento al testigo.

Así que lo hicieron prestar juramento.

ENVIDIA. Señoría, a pesar de su creíble nombre, este hombre es uno de los más viles de nuestro país. No tiene en cuenta ni al gobernante ni al pueblo, ni la ley ni las costumbres, sino que hace todo lo posible por inculcar a todos los

hombres algunas de sus desleales nociones, que generalmente llama Principios de Fe y Santidad. En particular, yo mismo le oí una vez declarar que el Cristianismo y las costumbres de nuestro Pueblo de Vanidad eran diametralmente opuestos y no podían reconciliarse. Al decir esto, Su Señoría, no solo condena inmediatamente todos nuestros nobles actos, sino también a nosotros por hacerlos.

JUEZ. ¿Tiene algo más que decir?

ENVIDIA. Señoría, podría decir mucho más, solo que no quiero cansar al tribunal. Sin embargo, si es necesario, después de que los otros caballeros hayan presentado sus pruebas, si se necesita algo más para deshacerse de él, ampliaré mi testimonio.

Así que le pidieron que se mantuviera a la espera. Llamaron a Superstición y le preguntaron qué podía decir contra él y en favor de su señor el rey. Entonces le tomaron juramento y comenzó su testimonio.

SUPERSTICIÓN. Señoría, no conozco de cerca a este hombre, ni deseo tener más conocimiento de él. Sin embargo, esto sí sé, que es un tipo muy odioso, a juzgar por una discusión que tuve con él el otro día en esta ciudad. Hablando con él entonces, le oí decir que nuestra religión no era nada y que era tal que ningún hombre sería capaz de agradar a Dios con ella. Y usted sabe muy bien, Su Señoría, lo que debe seguir a su razonamiento. Es decir, que todavía adoramos en vano, todavía estamos en pecado y, finalmente, que seremos condenados. Y eso es lo que tengo que decir.

Entonces Sicofante prestó juramento y recibió instrucciones de decir lo que sabía en nombre de su señor contra el prisionero en el estrado.

TESTIMONIO DE SICOFANTE

SICOFANTE. Señoría, y todos ustedes, caballeros, conozco a este hombre desde hace mucho tiempo y le he oído decir cosas que no deberían decirse. Se ha burlado de nuestro noble gobernante Belcebú y ha hablado con desprecio de sus honorables amigos, cuyos nombres son el honorable señor Viejo, el honorable señor Deleite Carnal, el honorable señor Lujurioso, el honorable señor Ambicioso, mi viejo amo el señor Lascivo y el señor Codicioso, junto con el resto de nuestros nobles.

Además, ha dicho que, si todos los hombres fueran como él, si fuera posible, ninguno de esos nobles tendría un puesto en esta ciudad. Además de eso, no ha tenido miedo de hablar críticamente de usted, señoría, que ahora ha sido nombrado para ser su juez, llamándole villano impío y muchos otros términos degradantes con los que ha calumniado a la mayoría de los líderes de nuestra ciudad.

Cuando Sicofante hubo contado su historia, el Juez Odio El Bien dirigió su discurso al prisionero en el estrado, diciendo: "Tú, renegado, hereje y traidor, ¿has oído lo que estos honestos caballeros han testificado contra ti?".

FIEL. ¿Puedo decir unas palabras en mi defensa?

JUEZ. ¡Vergüenza! ¡Vergüenza! No mereces vivir más, sino ser ejecutado inmediatamente aquí mismo. Sin embargo, para que todos puedan ver nuestra gentileza hacia ti, déjanos oír lo que tienes que decir.

LA DEFENSA DE FIEL

FIEL. Primero, en respuesta a lo que ha dicho el señor Envidia, no dije otra cosa que esto: Cualquier regla, o ley, o costumbre, o pueblo que esté rotundamente en contra de la Palabra de Dios, es también diametralmente opuesto al cristianismo. Si me he equivocado en esto, convénzame de mi error y retractaré mis palabras.

Segundo, respecto a lo que ha dicho el señor Superstición, y sus acusaciones en mi contra, yo no dije nada más que: para adorar a Dios se requiere una fe divina; pero no puede haber fe divina sin una revelación divina de la voluntad de Dios. Cualquier cosa, por tanto, que se introduzca en el culto a Dios que no esté de acuerdo con la revelación divina, no puede hacerse sino por fe humana, y esa es una fe que no ganará a nadie la vida eterna.

Tercero, en cuanto a lo que ha dicho el señor Sicofante (evitando los argumentos de que me burlo y cosas por el estilo), digo que el gobernante de esta ciudad, con toda su chusma —los ayudantes que fueron nombrados por este señor—, son más aptos para estar en el infierno que en esta ciudad y país. Y así, que el Señor se apiade de mí.

Entonces el juez se dirigió al jurado (que durante todo este tiempo había permanecido de pie para escuchar y observar):

JUEZ. Señores del jurado, han visto al hombre sobre el que se hizo tanto alboroto en esta ciudad. También han oído lo que estos dignos caballeros han testificado contra él. Han oído su respuesta y confesión. Ahora es su responsabilidad ahorcarlo o salvarle la vida, pero creo necesario instruirlos en nuestra ley.

Hubo una orden hecha en los días de Faraón el Grande, siervo de nuestro príncipe, que para evitar que los de religión contraria se multiplicaran y se hicieran demasiado fuertes para él, sus hijos varones debían ser arrojados al río [Ex 1:22]. Hubo también una proclama hecha en los días de Nabucodonosor el Grande, otro de sus siervos, que cualquiera que no se postrara y adorara su imagen de oro debía ser arrojado a un horno de fuego [Dn 3:6]. También hubo un decreto hecho en los días de Darío, que cualquiera que por un tiempo invocara a otro dios que no fuera él, debería ser arrojado al foso de los leones [Dn 6]. Ahora bien, la sustancia de estas leyes ha sido quebrantada por este rebelde, no solo en pensamiento —lo cual es inaceptable— sino también en palabra y obra, lo cual debe por lo tanto ser considerado intolerable.

En cuanto a la del Faraón, su ley se hizo sobre una suposición, para prevenir el mal, sin que el crimen fuera aún aparente; pero aquí hay un crimen evidente. En cuanto al segundo y al tercero, pueden ver que impugna nuestra religión; y por la traición que ha confesado, merece la muerte.

El jurado deliberó entonces. Sus nombres eran: señor Ciego, señor Malhechor, señor Malicioso, señor Lujuriante, señor Vividor, señor Embriagado, señor Pretencioso, señor Enemistad, señor Farsante, señor Crueldad, señor Odio Fácil y señor Implacable. Cada uno presentó su veredicto privado y luego concluyeron, por unanimidad, declararlo culpable.

Primero, el presidente del tribunal, señor Ciego, dijo: "Veo claramente que este hombre es un hereje". Entonces el señor Malhechor dijo: "¡Fuera de la tierra semejante sujeto!". "Sí", dijo el señor Malicia, "porque detesto verlo". Luego dijo el señor Lujuriante: "Nunca podría tolerarlo". "Ni yo", dijo

el señor Vividor, "pues siempre estaría condenando mi camino". "Cuélguenlo, cuélguenlo", dijo el señor Embriagado. "Es un pobrecillo", dijo el señor Pretencioso. "Mi corazón se alza contra él", dijo el señor Enemistad. "Es un bribón", dijo el señor Farsante. "La horca es demasiado buena para él", dijo el señor Crueldad. "Quitémonoslo de en medio", dijo el señor Odio Fácil. Entonces dijo el señor Implacable: "Aunque me dieran todo el mundo, no podría reconciliarme con él; por tanto, declarémoslo inmediatamente merecedor de la muerte".

Sacaron a Fiel para hacer con él lo que establecían sus leyes. Primero lo azotaron, luego lo apalearon, después lo atravesaron con cuchillos. Después lo apedrearon, luego lo aguijonearon con espadas y, por último, lo quemaron en la hoguera hasta reducirlo a cenizas. Así llegó Fiel a su fin.

Vi que detrás de la multitud había un carro y una yunta de caballos que esperaban a Fiel. Este, en cuanto sus adversarios le hubieron quitado la vida, subió al carro y fue ascendido entre las nubes con el sonido de una trompeta. Lo condujeron por el camino más cercano a la Puerta Celestial.

Valiente FIEL, valientemente hecho de palabra y obra;
el juez, los testigos y el jurado, en lugar
de vencerte, han mostrado su rabia.
Cuando ellos mueran, tú vivirás en el Nuevo Cielo y en la
Nueva Tierra.

En cuanto a Cristiano, descansó un poco y fue devuelto a la cárcel, donde permaneció un tiempo. Pero aquel que gobierna sobre todas las cosas, teniendo el poder de su ira en su propia mano, dio la vuelta a las cosas de modo que Cristiano

escapó por el momento y siguió su camino. Mientras se marchaba, cantaba:

"Bien, Fiel, has profesado fielmente
a tu Señor, con Él serás bendecido;
cuando los infieles, con todos sus vanos deleites,
gritan bajo sus penurias infernales:
Canta, Fiel, canta, y deja que tu nombre sobreviva,
¡porque, aunque te hayan matado, aún estás vivo!".

Ahora vi en mi sueño que Cristiano no viajaba solo, porque había uno cuyo nombre era Esperanzado (convertido así por contemplar las palabras y el comportamiento de Cristiano y Fiel durante su sufrimiento en la feria) que se unió a él. Y entablando un pacto fraternal, Esperanzado le dijo que deseaba ser su compañero. Así que un individuo murió para dar testimonio de la verdad, y otro resurgió de sus cenizas para ser compañero de Cristiano en su peregrinación. Este individuo llamado Esperanzado también le dijo a Cristiano que había muchas más personas en la feria que con el tiempo seguirían su ejemplo.

Vi, pues, que poco después de haber salido de la feria, alcanzaron a un hombre llamado Fin Ulterior que iba caminando delante de ellos. Le dijeron: "¿De qué país eres y hacia dónde vas por este camino?". Él les dijo que venía de la ciudad de Habla Cortés y que se dirigía a la Ciudad Celestial, pero no les dijo su nombre. "¡De Habla-Cortés!", dijo Cristiano. "¿Y hay algo bueno que viva allí?" [Pro 26:25].

FIN ULTERIOR. Sí, eso espero.

CRISTIANO. Dígame, señor, ¿cómo puedo llamarle?

FIN ULTERIOR. Soy un extraño para ti y tú para mí. Si vienen por este camino, me alegrará tener su compañía. Si no, deberé conformarme.

CRISTIANO. Ese pueblo de Habla Cortés, he oído hablar de él. Según recuerdo, dicen que es un lugar rico.

FIN ULTERIOR. Sí, lo es, y tengo muchos parientes ricos allí.

CRISTIANO. ¿Quiénes son sus parientes allí? Si puedo preguntar.

FIN ULTERIOR. Casi toda la ciudad y, en particular, mi señor Inconsistente, mi señor Oportunista, mi señor Habla Cortés (de cuyos antepasados la ciudad tomó su nombre), también el señor Suave, el señor Doble Cara, el señor Cualquier Cosa y el párroco, el señor Dos Lenguas, que era hermano de mi madre por parte de padre. A decir verdad, yo mismo me he convertido en un caballero de bien, pero mi bisabuelo no era más que un aguador, que miraba para un lado y remaba hacia el otro, y yo obtuve la mayor parte de mis propiedades con el mismo oficio.

CRISTIANO. ¿Es usted un hombre casado?

FIN ULTERIOR. Sí, y mi esposa es una mujer muy virtuosa, hija de una mujer virtuosa. Era hija de la señora Falsa. Procede, por tanto, de una familia muy honorable. Ha llegado a tal estado de buena crianza que sabe presentarse socialmente ante todos, desde el príncipe hasta el campesino. Es cierto que diferimos un poco en religión de los más estrictos, pero solo en dos puntos menores. Primero: nunca luchamos contra viento y marea. Segundo: siempre somos más celosos cuando la religión usa sus zapatillas de plata. Nos encanta pasear con ella por la calle si brilla el sol y la gente le aplaude.

Entonces Cristiano se hizo un poco a un lado y se acercó a su compañero Esperanzado y le dijo: "Se me ocurre que este es un tal señor Fin Ulterior de Habla Cortés. Si es él, tenemos en nuestra compañía a uno de los bribones más grandes que viven en estas partes". Entonces Esperanzado dijo: "Pregúntale. No creo que se avergüence de su nombre". Y Cristiano se acercó de nuevo a Fin Ulterior y le dijo: "Señor, habla usted como si supiera algo más de lo que todo el mundo sabe. Si no me equivoco, creo adivinar quién es usted. ¿No se llama usted el señor Fin Ulterior de Habla Cortés?".

FIN ULTERIOR. Ese no es mi nombre, pero sí es un apodo que me han puesto algunos de los que no me soportan. Debo contentarme con aguantarlo como un reproche, como otros hombres buenos han soportado los suyos antes que yo.

CRISTIANO. ¿Pero nunca dio motivo a los hombres para llamarle por ese apodo?

FIN ULTERIOR. ¡Nunca! Jamás. Lo peor que hice nunca para darles una razón para llamarme así fue siempre poder mirar hacia adelante al hacer juicios sobre el estado de los tiempos —fueran cuales fueran las decisiones— y mi destino fue conseguir riqueza a través de ellos. Si se me conceden cosas, me permito considerarlas una bendición, y no dejo que la gente maliciosa me cargue de reproches por ello.

CRISTIANO. Pensé que seguramente era usted el hombre del que había oído hablar. Para decirle lo que pienso, me temo que ese nombre le pertenece más propiamente de lo que le gustaría hacernos creer.

FIN ULTERIOR. Bueno, si se lo imaginan, no puedo evitarlo. Encontrarán que soy buena compañía, si aun así me permiten andar con ustedes.

CRISTIANO. Si pretende venir con nosotros, debe ir contra viento y marea, lo cual es, creo, contrario a su opinión. También debe aceptar a la religión tanto en sus harapos como cuando lleva zapatillas de plata, y estar a su lado también cuando esté atada con grilletes o cuando camine por las calles con aplausos.

Entonces dijo Fin Ulterior: "No debe imponerse ni pretender regir sobre mi fe. Permítame conservar mi libertad y déjeme ir con ustedes".

CRISTIANO. Ni un paso más, a menos que tenga intención de hacer lo que le proponemos.

Fin Ulterior respondió: "Nunca abandonaré mis viejos principios, ya que son inofensivos y provechosos. Si no puedo ir con ustedes, debo hacer lo que hacía antes de que me alcanzaran: ir solo hasta que me alcance alguien que se alegre de tener mi compañía".

Vi en mi sueño que Cristiano y Esperanzado lo dejaban atrás y se mantenían a distancia frente a él. Uno de ellos miró hacia atrás y vio a tres hombres que seguían al señor Fin Ulterior; y al acercarse este los saludó muy cortésmente, devolviéndole también ellos el cumplido. Se llamaban Lleva El Mundo, Ama El Dinero y Ahorrador. Eran hombres con los que el señor Fin Ulterior se había relacionado anteriormente, ya que en su juventud fueron compañeros de escuela y recibieron clases de un tal señor Quejumbroso, maestro de escuela en Ama-Ganancia, que es una ciudad comercial en el condado de Codicia, al norte. Este maestro de escuela les enseñó el arte de conseguir cosas mediante la violencia, el engaño, la adulación, la mentira, o poniéndose un disfraz de religión; y estos cuatro caballeros habían logrado dominar

mucho del arte de su maestro, tanto que podrían haber impartido ellos mismos tales clases.

Pues bien, cuando, como he dicho, se hubieron saludado así, el señor Ama El Dinero dijo al señor Fin Ulterior: "¿Quiénes son los que están en el camino delante de nosotros?" (Cristiano y Esperanzado estaban todavía a la vista).

FIN ULTERIOR HACE UNA CARACTERIZACIÓN DE LOS PEREGRINOS

FIN ULTERIOR. Son un par de hombres de un país lejano, que a su manera van en peregrinación.

AMA EL DINERO. ¡Ay! ¿Por qué no se quedaron para que pudiéramos tener su buena compañía? Porque ellos y nosotros, y usted, señor, espero, vamos todos de peregrinaje.

FIN ULTERIOR. Así es, sin duda. Pero los hombres que van delante de nosotros son tan rígidos y aman tanto sus propias nociones, y estiman tan poco las opiniones de los demás que, aunque un hombre sea extremadamente piadoso, si no está de acuerdo con ellos en todas las cosas, lo expulsan completamente de su compañía.

AHORRADOR. Eso es malo. Leemos de algunos que son demasiado justos, y la rigidez de tales hombres les hace juzgar y condenar a todos menos a sí mismos. ¿Pero, dígame, en qué y cuántas cosas diferían?

FIN ULTERIOR. Pues bien, en su beligerante manera de ser concluyen que es su deber apresurarse en su viaje con todo tipo de clima, y yo soy partidario de esperar al viento y la marea adecuados. Ellos están a favor de arriesgarlo todo por Dios en cualquier momento, y yo estoy a favor de aprovechar

todas las ventajas para asegurar mi vida y mis bienes. Ellos están a favor de mantener sus creencias, aunque todos los demás hombres estén en su contra. Yo estoy a favor de la religión en lo que sea, y hasta donde mis tiempos y mi seguridad lo permitan. Ellos están a favor de la religión cuando está en harapos, pero yo estoy a favor de ella cuando camina en sus zapatillas doradas bajo el sol y con aplausos.

LLEVA EL MUNDO: Sí, y manténgase firme en sus creencias, buen señor Fin Ulterior. En cuanto a mí, solo puedo considerar tonto a un individuo que ha tenido la libertad de conservar lo que tiene, pero ha sido tan imprudente como para perderlo. Seamos astutos como serpientes: es mejor hacer heno mientras brilla el sol. Ya ven cómo la abeja permanece quieta todo el invierno y solo se despierta cuando puede tener ganancias con placer. Dios a veces envía lluvia y a veces sol. Si esos dos se contentan con lo primero, contentémonos con el buen tiempo. En cuanto a mí, me gusta más la clase de religión que cree en la seguridad de las buenas bendiciones de Dios para con nosotros. Pues, ¿quién que se rija por su propia razón podría imaginar que Dios no quiera que conservemos por amor a Él los bienes de esta vida que nos ha dado? Abraham y Salomón se enriquecieron gracias a la religión, y Job dice que un hombre bueno acumulará oro como polvo. Pero un hombre así no debe ser como los hombres que tenemos delante, si son como usted los ha descrito.

AHORRADOR. Creo que todos estamos de acuerdo en este asunto, así que no necesitamos discutirlo más.

AMA EL DINERO. No, de hecho, no es necesario discutir más, pues quien no cree ni en las Escrituras ni en la razón (y ya ven que tenemos a ambas de nuestro lado) no comprende su propia libertad ni busca su propia seguridad.

FIN ULTERIOR. Hermanos míos, como ven, todos somos peregrinos, y para proporcionarnos una mejor diversión que pensar en las cosas malas, permítanme hacerles esta pregunta:

Supongan que un hombre, un ministro, un comerciante, o tal, tiene la posibilidad favorable de obtener cosas buenas de esta vida. Y supongamos que no hay manera de que pueda obtenerlas sin, al menos en apariencia, volverse extraordinariamente celoso en algunos puntos de la religión en los que no tiene experiencia. ¿No puede utilizar este medio para alcanzar su fin y, sin embargo, seguir siendo un hombre perfectamente honesto?

AMA EL DINERO. Veo el fondo de su pregunta, y con el permiso de estos caballeros me esforzaré por darle una respuesta. Para hablar de su pregunta en lo que concierne a un ministro: supongamos que un ministro —un hombre digno, pero con un salario muy pequeño— tiene en el ojo un salario mucho más gordo. También ha tenido la oportunidad de conseguirlo siendo más estudioso y predicando con más frecuencia y celo, y alterando algunos de sus principios porque el temperamento de la gente así lo requiere. En cuanto a mí, no veo ninguna razón por la que un hombre no pueda hacer esto —e incluso mucho más— y seguir siendo un hombre honrado, siempre que tenga vocación. ¿Y por qué?

En primer lugar, su deseo de un salario más alto es legítimo (esto no se puede contradecir), ya que está puesto ante él por la Providencia. Entonces, de alcanzarlo, si puede, no tendría que hacerse preguntas por el bien de la conciencia.

Segundo, su deseo de ese salario lo hace más estudioso, un predicador más celoso, etc.; y así, lo hace un hombre mejor.

Sí, lo hace mejorarse a sí mismo, lo cual está de acuerdo con la mente de Dios.

Tercero, en cuanto a comprometer algunos de sus principios para adecuarse a los deseos de su pueblo, con el fin de servirles, esto demuestra que es apto para practicar la abnegación, que tiene un comportamiento dulce e influyente, y que, por lo tanto, es aún más apto para el ministerio.

Cuarto, concluyo, entonces, que un ministro que cambia algo pequeño por algo grande no debe ser juzgado como codicioso por hacerlo, sino más bien —ya que su desempeño en su trabajo mejora por ello— debe ser considerado como alguien que persigue su vocación y la oportunidad de hacer el bien.

Y ahora la segunda parte de la pregunta, que se refiere al comerciante que usted mencionó. Supongamos que tal persona solo tiene un pobre negocio en el mundo, pero que al hacerse religioso puede ampliar su mercado, tal vez conseguir una esposa rica o más y mejores clientes en su tienda. En cuanto a mí, no veo ninguna razón por la que esto no pueda hacerse legalmente. ¿Por qué?

Primero, hacerse religioso es una virtud, independientemente de los medios que el hombre emplee para ello.

Segundo, no es ilegítimo conseguir una esposa rica o atraer más negocios a su tienda.

Tercero, el hombre que obtiene estas cosas, al volverse religioso obtiene cosas que son buenas de quienes son buenos al volverse bueno él mismo. Entonces, tenemos una buena esposa, buenos clientes y buenas ganancias, y él ha obtenido todas estas cosas volviéndose religioso, lo cual es bueno. Volverse religioso para obtener todas estas cosas, por lo tanto, responde a una intención buena y provechosa.

Todos aplaudieron mucho la respuesta del señor Ama El Dinero a la pregunta del señor Fin Ulterior. Todos concluyeron, por tanto, que era de lo más robusta y ventajosa. Como pensaban que nadie era capaz de contradecirla, y como Cristiano y Esperanzado, que antes se habían opuesto al señor Fin Ulterior, estaban todavía a poca distancia, acordaron conjuntamente asaltarlos con la pregunta en cuanto los alcanzaran. Así que los llamaron, quienes entonces se detuvieron y se quedaron quietos hasta ser alcanzados. Acordaron que, en lugar del señor Fin Ulterior, debía ser el señor Lleva El Mundo quien les planteara la pregunta, ya que, como suponían, su respuesta para él no tendría el acaloramiento que se había desatado entre el señor Fin Ulterior y ellos al separarse poco antes.

Así que se acercaron a Cristiano y Esperanzado, y tras un breve saludo, el señor Lleva El Mundo presentó la pregunta a Cristiano y a su compañero y les pidió que la contestaran si podían.

CRISTIANO. Hasta un niño podría responder a diez mil preguntas como esta. Si es ilícito seguir a Cristo para obtener pan, como se muestra en Juan 6, ¿cuánto más abominable es hacer de Él y de la religión un pretexto para ganar y disfrutar del mundo? Solo paganos, hipócritas, diablos y brujos sostienen esta opinión.

Primero, en cuanto a los paganos, cuando Jamor y Siquem querían las hijas y el ganado de Jacob y vieron que no había manera de conseguirlos salvo circuncidándose, dijeron a sus compañeros: “Los hombres aceptan quedarse entre nosotros y formar un solo pueblo, con una sola condición: que nuestros varones se circunciden, como ellos lo están. Aceptemos su condición, de esta manera, ¿no será también nuestro su ganado,

sus propiedades y todos sus animales?". Trataban de obtener las hijas y el ganado, y la religión era el pretexto que utilizaban para conseguirlos. Lean toda la historia [Gn 34:20-23].

Segundo, los hipócritas fariseos eran también de esta religión. Largas oraciones eran su pretensión, pero obtener las casas de las viudas era su intención, y su mayor condenación de Dios era su juicio [Lc 20:47-47].

Tercero, el diablo Judas era también de esta religión. Era religioso por la bolsa del dinero, para poseer lo que había en ella. Pero estaba perdido, exiliado, condenado a la destrucción.

Cuarto, Simón el hechicero también era de esta religión, pues quería tener el Espíritu Santo y usarlo para conseguir dinero. Su sentencia de boca de Pedro fue conforme a su pecado [Hch 8:19-22].

Quinto, no piensen que esto es simplemente una invención de mi propia mente. Un hombre que se vuelve religioso con el propósito de ganar el mundo estará igualmente dispuesto a desechar la religión para obtenerlo. Tan cierto como que Judas quería el mundo al hacerse religioso, tan cierto como que vendió la religión y a su Maestro por lo mismo. Por lo tanto, responder afirmativamente a la pregunta, como percibo que han hecho, y aceptar tal respuesta como correcta, es irreligioso, hipócrita y diabólico. Su recompensa será según sus obras.

Se quedaron mirándose el uno al otro, pero no tenían nada con qué responderle a Cristiano. Esperanzado también aprobó la solidez de la respuesta de Cristiano, por lo que se hizo un gran silencio entre ellos. El señor Fin Ulterior y su grupo también se tambalearon y se mantuvieron detrás para que Cristiano y Esperanzado pudieran adelantarlos. Entonces Cristiano preguntó a su amigo: "Si estos hombres no pueden

hacer frente a la sentencia de los hombres, ¿qué harán con la sentencia de Dios? Y si se quedan mudos cuando se les trata con vasijas de barro, ¿qué harán cuando se les reprenda con las llamas de un fuego devorador?".

Entonces Cristiano y Esperanzado los adelantaron de nuevo y siguieron adelante hasta que llegaron a una llanura hermosa llamada Comodidad. La atravesaron con mucho contento, pero como era estrecha, la cruzaron rápidamente. Ahora bien, al otro lado de esa llanura había una pequeña colina llamada Lucro, y en esa colina una mina de plata. A causa de su rareza, algunos de los que habían ido por allí se habían desviado para verla; sin embargo, cuando se acercaron demasiado al borde de la fosa, el suelo (inestable bajo sus pies) cedió y murieron. Algunos también habían salido heridos de allí y no pudieron volver a ser ellos mismos hasta el día de su muerte.

Entonces vi en mi sueño que, a poca distancia del camino, en dirección a la mina de plata, estaba Demas (en actitud caballerosa) llamando a los viajeros para que vinieran a ver. Dijo a Cristiano y a su amigo: "¡Eh! Vengan aquí, y les enseñaré algo".

CRISTIANO. ¿Qué cosa merece tanto nuestra atención como para apartarnos del camino?

DEMAS. Aquí hay una mina de plata y algunas personas cavando en ella en busca de un tesoro. Si vienen, con un poco de esfuerzo podrán obtener riquezas.

ESPERANZADO. Vamos a ver.

CRISTIANO. Yo no. Ya he oído hablar de este lugar y de cuántos han sido asesinados aquí. Además, ese tesoro es una trampa para quienes lo buscan, pues los distrae de su peregrinación.

Entonces Cristiano dijo a Demas: "¿No es peligroso ese lugar? ¿No ha desviado a muchos de su Peregrinación?" [Os 14:8].

DEMAS. No es muy peligroso, excepto para aquellos que son descuidados. (Sin embargo, se sonrojó al hablar).

CRISTIANO. No nos saltemos ni un paso y sigamos nuestro camino.

ESPERANZADO. Te aseguro que cuando suba Fin Ulterior, si recibe la misma invitación que nosotros, pasará por allí a ver.

CRISTIANO. No lo dudes, pues sus principios lo llevan por allí, y cien contra uno dicen que morirá allí.

Entonces Demas volvió a llamar, diciendo: "¿Pero no vendrán a ver?".

CRISTIANO. Demas, eres enemigo de los rectos caminos del Señor de este Camino. Ya has sido condenado por uno de los jueces de Su Majestad por desviarte tú mismo [2 Ti 4:10]. ¿Por qué pretendes llevarnos a nosotros a la misma condena? Además, si nos desviamos en algo, nuestro Señor y Rey ciertamente se enterará de ello. Nos avergonzaremos cuando, de otro modo, nos mostraríamos con valentía ante Él.

Demas volvió a gritar y dijo que él también era uno de sus compañeros y que, si se demoraban un poco, él también caminaría con ellos.

CRISTIANO. ¿Cuál es tu nombre? ¿No es el mismo por el que te he llamado?

DEMAS. Sí, me llamo Demas. Soy hijo de Abraham.

CRISTIANO. Te conozco. Giezi era tu bisabuelo y Judas tu padre, y tú has seguido sus pasos [2 Re 5:20, Mt 26:14-15, 27:1-5]. No es más que una broma diabólica la que estás

usando. Tu padre fue ahorcado por traidor, y tú no mereces mejor recompensa. Asegúrate de que cuando lleguemos ante el rey, le traeremos noticias de tu comportamiento.

Y con eso, siguieron su camino.

Para entonces, Fin Ulterior y sus compañeros habían vuelto a estar a la vista, y a la primera llamada se acercaron a Demas. Ahora bien, no estoy seguro de si cayeron en la fosa por asomarse al borde de ella, o si bajaron a cavar, o si fueron asfixiados en el fondo por la humedad que comúnmente surge. Pero observé que nunca más se les volvió a ver por el camino. Entonces Cristiano cantó:

"Fin Ulterior y Demas el plateado están de acuerdo;
Uno llama, el otro corre, para poder ser
partícipe de su lucro, por lo que estos dos
toman en este mundo, y no van más allá".

Ahora vi que, justo al otro lado de esta llanura, los peregrinos llegaron a un lugar donde se erguía un viejo monumento junto al arcén de la carretera. Al verlo, ambos se inquietaron por lo extraño de su forma, pues les pareció como si hubiera sido una mujer transformada en forma de columna. Se quedaron, pues, mirándola, pero durante un rato no supieron qué pensar de ella. Por fin, Esperanzado levantó la vista y vio escrito en la cabeza de la columna algo en una caligrafía inusual. Él, que no era un erudito, llamó a Cristiano (pues era educado) para ver si podía descifrar el significado. Así que vino, y después de examinar un poco las letras, encontró que el mensaje era este: "Acuérdate de la mujer de Lot". Así que se lo leyó a su amigo, después de lo cual ambos concluyeron que era la

Columna de Sal en la que se convirtiera la mujer de Lot por mirar hacia atrás con un corazón codicioso, mientras huía para ponerse a salvo de Sodoma [Gn 19:26]. Esta repentina y asombrosa visión les dio pie para la siguiente conversación:

CRISTIANO. ¡Ah, hermano mío! Este es un espectáculo adecuado. Nos llegó oportunamente después de que Demas nos invitara a ir a ver la colina de Lucro. Si hubiéramos ido como él deseaba, y como tú, hermano mío, estabas inclinado a hacer, podríamos habernos convertido, como esta mujer, en un espectáculo digno de contemplar para los que vinieran después.

ESPERANZADO. Siento haber sido tan insensato. Me pregunto si no soy ahora como la mujer de Lot, pues ¿qué diferencia había entre su pecado y el mío? Ella solo miraba hacia atrás, y yo tenía deseos de ir a ver. Que la gracia sea adorada, y que yo me avergüence de que tal cosa haya estado en mi corazón.

CRISTIANO. Tomemos nota de lo que vemos aquí para ayudarnos en los tiempos venideros. Esta mujer escapó a un juicio, pues no cayó por la destrucción de Sodoma; sin embargo, fue destruida por otro. Como vemos, ha sido convertida en estatua de sal.

ESPERANZADO. Cierto. Y ella puede servirnos tanto de precaución como de ejemplo: precaución, en el sentido de que debemos evitar su pecado, o como ejemplo del juicio que alcanzará a aquellos que no se dejen detener por esta precaución. Coré, Datán y Abiram, con los doscientos cincuenta hombres que perecieron en su pecado, también se convirtieron en señal o ejemplo para tener cuidado [Nm 26:9-10]. Pero, sobre todo, reflexiono sobre cómo Demas y sus amigos pueden caminar

tan confiados hacia allá para buscar el tesoro cuando esta mujer fue convertida en estatua de sal por solo mirar hacia atrás, pues no leemos que pusiera un pie fuera del Camino. Esto es especialmente interesante, ya que el juicio que la alcanzó la puso como ejemplo a la vista de donde ellos están. Podrían haber elegido verla si tan solo hubieran levantado los ojos.

CRISTIANO. Es algo de lo que maravillarse, y revela que sus corazones se han desesperado. No puedo decidir con quién pueden compararse exactamente: con los que roban bolsillos en presencia del juez o con los que robarán carteras bajo la horca. Se dice de los hombres de Sodoma que eran pecadores en extremo porque eran pecadores ante el Señor, es decir, a su vista, a pesar de las bondades que Él les había mostrado [Gn 13:13], porque la tierra de Sodoma era como el jardín del Señor antes de su destrucción [Gn 13:10]. Esto, por lo tanto, provocó aún más sus celos e hizo su plaga tan ardiente como el Señor del Cielo podría hacerla. Es de lo más racional concluir que aquellos —incluso aquellos como estos que pecan a su vista, sí, e incluso a pesar de los ejemplos que se ponen ante ellos para advertirles de lo contrario— deben recibir los juicios más severos.

ESPERANZADO. Sin duda has dicho la verdad, pero qué misericordia es que ni tú, ni especialmente yo mismo, nos hayamos convertido en un ejemplo. Esto nos da ocasión de dar gracias a Dios, de temer ante Él y de acordarnos siempre de la mujer de Lot.

Vi entonces que seguían su camino hacia un agradable río que el rey David llamaba "el río de Dios", pero que Juan llamaba "el río del agua de la vida" [Salm 65:9, Ap 22, Ez 47]. Su camino estaba justo en la orilla del río; por lo tanto, Cristiano

y su compañero caminaron por él con gran placer. También bebieron del agua del río, agradable y rejuvenecedora para sus cansados espíritus. Además, en ambas orillas había árboles verdes que daban todo tipo de frutos, y las hojas de los árboles eran curativas. Estaban muy encantados con el fruto de estos árboles y con las hojas que los peregrinos comen para prevenir las enfermedades de exceso de indulgencia y otras enfermedades que pueden afligir a quienes calientan su sangre viajando. A ambos lados del río había también un prado, curiosamente embellecido con lirios, que estaba verde todo el año. Se acostaron y durmieron en este prado, pues era allí donde podían descansar con seguridad. Cuando despertaron, volvieron a recoger de la fruta de los árboles y bebieron de nuevo del agua del río y se acostaron de nuevo a dormir [Salm 23:2, Is 14:30]. Hicieron esto varios días y varias noches. Luego cantaron:

> "Miren cómo se deslizan estos arroyos de cristal
> para consolar a los peregrinos junto al camino.
> Los verdes prados, además de su fragante olor,
> les dan delicias. Y el que sepa
> qué frutos y hojas dan estos árboles,
> pronto lo venderá todo para comprar este campo".

Así que cuando estuvieron dispuestos a seguir (pues aún no habían llegado al final de su viaje), comieron, bebieron y partieron.

Ahora vi en mi sueño que no habían viajado mucho hasta que el río y el camino se separaron por un tiempo, ante lo cual se sintieron muy decepcionados, pero no se atrevían a desviarse. El camino que se alejaba del río era áspero, y sus

pies estaban sensibles, por lo que se impacientaban [Nm 21:4]. Por eso, mientras continuaban, deseaban un camino mejor. A poca distancia delante de ellos había un prado a la izquierda del camino, y un paso para entrar en él; se llamaba el Prado del Desvío. Entonces Cristiano dijo a su amigo: "Si este prado está junto a nuestro camino, pasemos a él". Entonces se acercó a la entrada para mirar. Efectivamente, al otro lado de la valla había un sendero que bordeaba el camino por el que iban. "Es tal como esperaba", dijo Cristiano, "por aquí es más fácil ir. Ven, Esperanzado, y entremos".

ESPERANZADO. Pero ¿y si este sendero nos lleva fuera del camino?

CRISTIANO. Eso no es probable. Mira, ¿no va por el borde del camino?

Así que, persuadido por su amigo, Esperanzado lo siguió. Después que habían pasado y entrado en el camino paralelo, encontraron que andaban muy cómodamente; y con eso, mirando delante de ellos, vieron a un hombre que iba por la misma ruta (y su nombre era Vana Confianza). Lo llamaron y le preguntaron a dónde llevaba aquel camino. "A la Puerta Celestial", respondió. "¿Ves?", dijo Cristiano. "¿No te lo dije? Ya ves que estamos bien". Entonces lo siguieron, y él iba delante. Pero llegó la noche y se hizo muy oscuro, de modo que los que iban atrás lo perdieron de vista.

El que iba delante (de nombre Vana Confianza), al no ver el camino que tenía ante sí, cayó en un profundo pozo [Is 9:16] que había puesto allí el dueño de la propiedad para atrapar a los necios engreídos. Se hizo pedazos por la caída.

Cristiano y su amigo lo oyeron caer y gritaron para saber qué había pasado, pero no hubo respuesta; solo oyeron

gemidos. Entonces Esperanzado preguntó: "¿Dónde estamos ahora?". Su amigo guardó silencio, considerando si los había sacado del camino. Y empezó a llover y a tronar de un modo espantoso. Hubo relámpagos terribles, y el agua cayó con fuerza y brusquedad.

Entonces Esperanzado gimió en su interior, diciendo: "¡Oh, si hubiera seguido mi camino!".

CRISTIANO. ¿Quién iba a pensar que esta senda nos sacaría del camino?

ESPERANZADO. Me lo temía desde el principio, y por eso te hice esa amable advertencia. Habría hablado más claro, pero tú eres mayor que yo.

EL ARREPENTIMIENTO DE CRISTIANO POR APARTAR A SU HERMANO DEL CAMINO

CRISTIANO. Querido hermano, no te enfades. Siento haberte sacado del camino y haberte puesto en un peligro tan inminente. Por favor, hermano mío, perdóname. No lo hice con mala intención.

ESPERANZADO. Consuélate, hermano mío. Te perdono y también creo que esto resultará para nuestro bien.

CRISTIANO. Me alegro de tener conmigo a un hermano misericordioso. Pero será mejor que no nos quedemos aquí. Intentemos volver otra vez.

ESPERANZADO. Pero, buen hermano, déjame ir delante.

CRISTIANO. No, por favor, déjame ir primero. Así, si hay algún peligro, puedo ser el primero en encontrarlo. Es culpa mía que los dos nos hayamos salido del camino.

ESPERANZADO. No. No irás primero. Puesto que tu mente está turbada, puede que vuelvas a salirte del camino.

Entonces, para animarlos, oyeron la voz de uno que decía: "Pónganse señales en el camino, coloquen marcas por donde pasaron, ¡vuelvan!" [Jer 31:21]. Pero para entonces el agua había subido más, y por eso el camino de vuelta era muy peligroso. (Entonces se me ocurrió que es más fácil salir del Camino cuando estamos en él que entrar cuando estamos fuera de él). Aun así, intentaron volver, pero estaba tan oscuro y la crecida era tan grande que estuvieron a punto de ahogarse nueve o diez veces.

Tampoco pudieron, con toda la habilidad de que disponían, llegar de nuevo al paso del prado aquella noche. Por eso, al fin se detuvieron bajo un pequeño refugio y se sentaron allí hasta el amanecer. Pero, cansados, se durmieron. No lejos del lugar donde yacían había un castillo llamado Castillo Dudoso. El dueño del castillo era el Gigante Desesperación, y era en su propiedad donde ahora dormían. Cuando el Gigante se levantó por la mañana y caminó por sus campos, sorprendió a Cristiano y a Esperanzado dormidos en sus tierras. Entonces, con voz áspera y brusca, les ordenó que se despertaran y les preguntó de dónde venían y qué hacían allí. Le dijeron que eran peregrinos que se habían perdido. Entonces el Gigante dijo: "Anoche me invadieron, pisoteando y yaciendo en mis tierras. Por lo tanto, deben venir conmigo". Se vieron obligados a ir porque él era más fuerte que ellos. Tampoco tenían mucho que decir, pues sabían que eran culpables. El Gigante, por lo tanto, los condujo ante él y los metió en su castillo, en un calabozo muy oscuro, que era desagradable y hediondo para el espíritu de estos hombres [Salm 88:18].

Estuvieron allí dentro desde el miércoles por la mañana hasta el sábado por la noche, sin un trozo de pan ni una gota para beber, sin luz y sin nadie que les preguntara cómo estaban. Estaban, por lo tanto, en una situación lamentable y lejos de amigos y conocidos. En este lugar, Cristiano sentía una doble tristeza, porque fue por su mal juicio que habían terminado en esta angustiosa situación.

Los peregrinos, para aliviar la carne,
buscaron descanso; pero, ¡oh! Cómo se hunden
en nuevas penas.
Quienes buscan aliviar a la carne, ellos mismos se
deshacen.

El Gigante Desesperación tenía una esposa que se llamaba Timidez. Cuando el Gigante se fue a la cama, le contó a su mujer lo que había hecho: que había cogido a un par de prisioneros y los había metido en su calabozo por invadir sus tierras. Entonces le preguntó qué sería lo mejor que podría hacer con ellos, y ella le preguntó quiénes eran, de dónde venían y a dónde iban. Cuando se lo dijo, ella le aconsejó que cuando se levantara por la mañana los golpeara sin piedad. Así que cuando se levantó, se hizo con un garrote de cangrejo y bajó al calabozo a por ellos. Allí, primero empezó a regañarles como si fueran perros, a pesar de que nunca le habían dicho una palabra desagradable. Luego los atacó y los golpeó pavorosamente, de tal manera que no pudieron resguardarse ni darse la vuelta en el suelo. Hecho esto, se retiró y los dejó allí para que sollozaran angustiados. Durante todo ese día no hicieron nada más que suspirar y lamentarse amargamente.

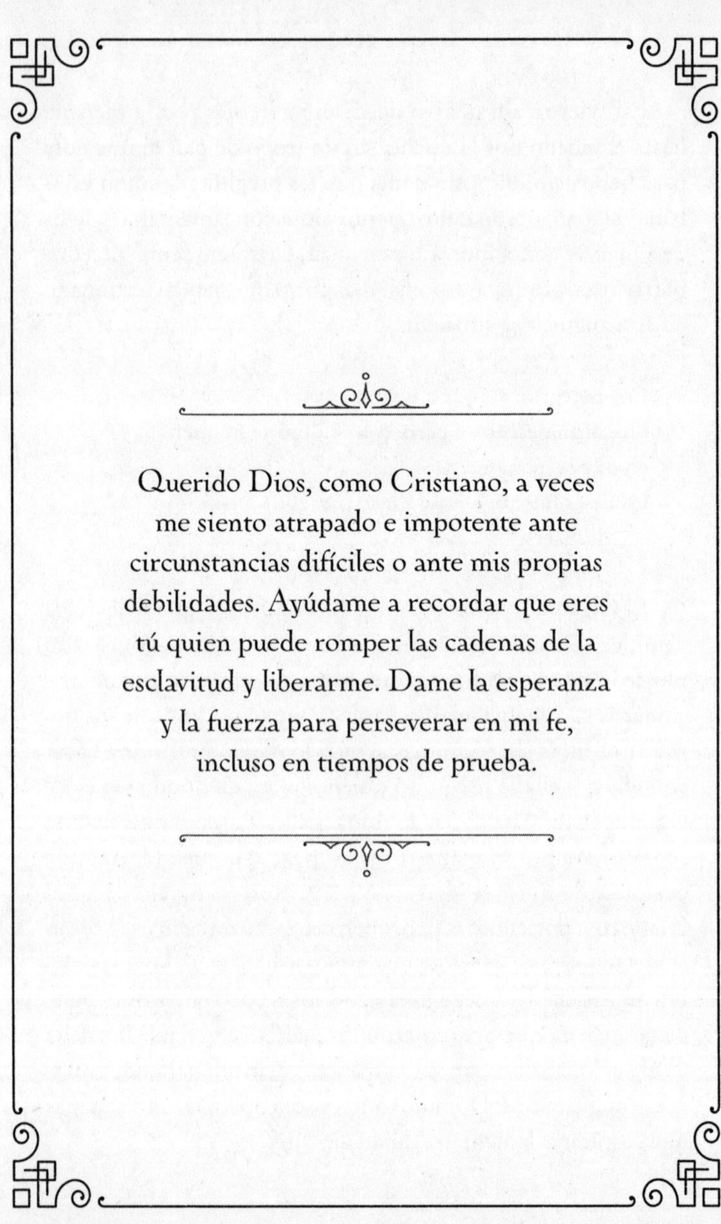

Querido Dios, como Cristiano, a veces me siento atrapado e impotente ante circunstancias difíciles o ante mis propias debilidades. Ayúdame a recordar que eres tú quien puede romper las cadenas de la esclavitud y liberarme. Dame la esperanza y la fuerza para perseverar en mi fe, incluso en tiempos de prueba.

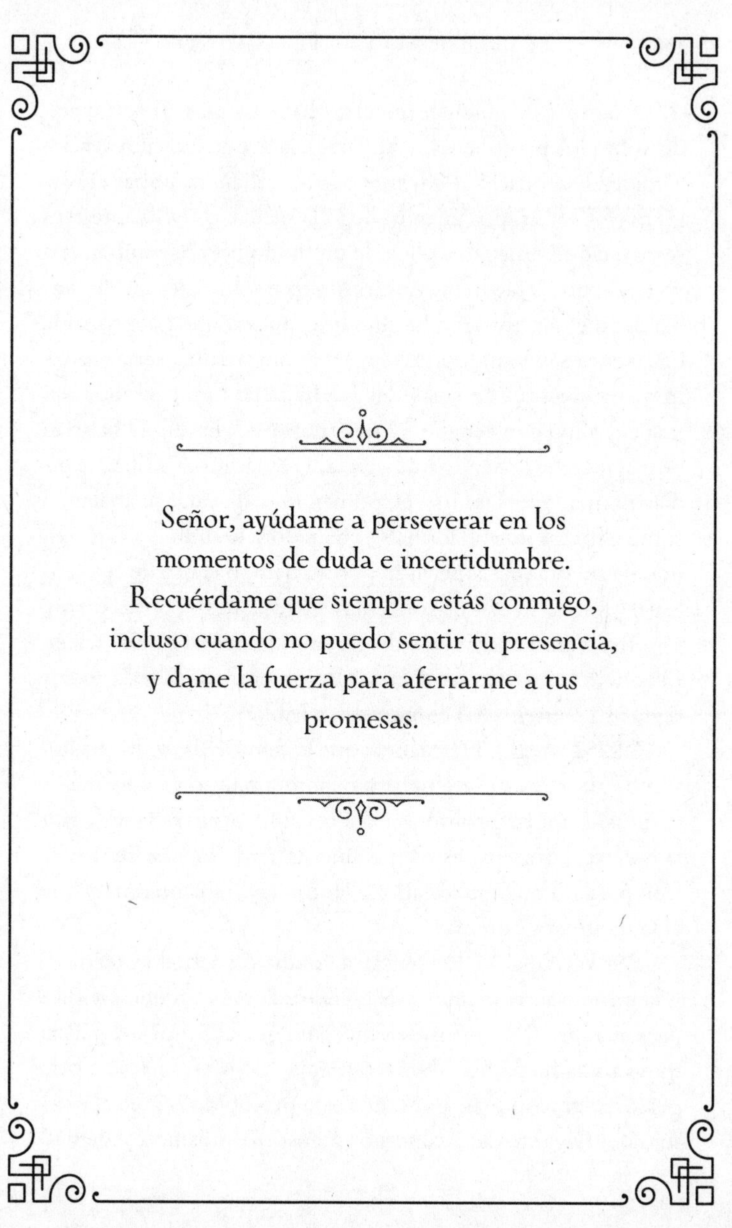

Señor, ayúdame a perseverar en los momentos de duda e incertidumbre. Recuérdame que siempre estás conmigo, incluso cuando no puedo sentir tu presencia, y dame la fuerza para aferrarme a tus promesas.

A la noche siguiente, mientras hablaba más con su marido sobre los prisioneros, y al darse cuenta de que aún vivían, Timidez le aconsejó al Gigante que les ordenara acabar consigo mismos. Así que, cuando llegó la mañana, el Gigante Desesperación se dirigió a ellos de un modo hosco, como antes, y viendo que estaban muy doloridos por los azotes que les había dado el día anterior, les dijo que, puesto que era probable que nunca salieran de aquel lugar, su única salida sería acabar inmediatamente con sus vidas, ya fuera con un cuchillo, con una cuerda o con veneno. "Pues ¿por qué", les dijo, "habrían de elegir la vida, viendo que trae tanta amargura?". Ellos le pidieron que les dejara ir y él, poniendo mala cara, se abalanzó sobre ellos. Él mismo los habría matado si no hubiera caído en uno de sus ataques y perdido por un tiempo el uso de la mano (pues a veces, en días de sol, tenía estos ataques). Por esa razón, se retiró como antes y los dejó para que pensaran qué hacer. Entonces los prisioneros consultaron entre sí si sería mejor seguir su consejo. Así empezaron a hablar:

CRISTIANO. Hermano, ¿qué haremos? ¡La vida que llevamos ahora es miserable! En cuanto a mí, no sé si es mejor vivir así o morir pronto. "Y así mi alma prefiere la asfixia y la muerte, antes que estos mis huesos", y la muerte sería más fácil para mí que este calabozo [Job 7:15]. ¿Aceptaremos que el Gigante nos domine?

ESPERANZADO. Nuestra condición actual es terrible, y la muerte sería mucho más bienvenida para mí que vivir así para siempre. Pero consideremos aún que el Señor del país al que vamos ha dicho: "No asesinarás'". No asesinarás a otra persona; mucho más, pues, nos está prohibido seguir el consejo del Gigante de asesinarnos a nosotros mismos. Además,

quien mata a otra persona solo puede asesinar su cuerpo, pero matarse a sí mismo es matar el cuerpo y el alma al mismo tiempo. Más allá de eso, Hermano mío, hablas de tranquilidad en la tumba, pero ¿has olvidado el Infierno, adonde van con toda seguridad los asesinos? Porque "ningún asesino tiene vida eterna en él". Y consideremos de nuevo que no toda la ley está en manos del Gigante Desesperación; según tengo entendido, otros han sido capturados por él, al igual que nosotros, y han logrado escapar. ¿Quién sabe, sino Dios, que hizo el mundo, lo que pueda acabar con la vida del Gigante Desesperación? ¿O que en un momento u otro se olvide de encerrarnos, o que tenga otro de sus ataques frente a nosotros y pierda el uso de sus miembros? Y si alguna vez eso volviera a suceder, por mi parte, estoy resuelto a reunir un corazón varonil y hacer todo lo posible por escapar de su mano. Fui un tonto por no haberlo intentado antes. Pero seamos pacientes, Hermano, y aguantemos un poco más. Puede llegar el momento que nos traiga una feliz liberación, pero no seamos nuestros propios asesinos.

Con estas palabras, Esperanzado calmó la mente de su hermano, así que siguieron juntos en la oscuridad en su triste y lúgubre condición.

Al anochecer, el Gigante bajó de nuevo al calabozo para ver si sus prisioneros habían seguido su consejo; pero cuando llegó allí, los encontró vivos. Y vivos estaban apenas, pues por falta de pan y agua y a causa de las heridas de su golpiza, podían hacer poco más que respirar. Pero, digo, los encontró vivos, y ante esto, montó en cólera terrible y les dijo que, viendo que habían desobedecido, sería mejor para ellos nunca haber nacido.

Ante esto, los peregrinos temblaron mucho, y creo que Cristiano cayó desmayado. Pero, reanimándose un poco,

volvieron a discutir sobre el consejo del Gigante y sobre si debían seguirlo. De nuevo Cristiano pareció inclinarse a hacerlo, pero Esperanzado expuso su segundo argumento, como sigue:

ESPERANZADO. Hermano mío, ¿no recuerdas lo valiente que has sido hasta ahora? Apolión no pudo aplastarte, ni todo lo que oíste, ni viste, ni sentiste en el Valle de la Sombra de la Muerte. ¡Cuántas penurias, terror y asombro has pasado ya! ¿Y ahora no tienes más que miedo? Ya ves que yo estoy en el calabozo contigo y soy una persona mucho más débil por naturaleza que tú. Además, este Gigante me ha herido tanto como a ti y me ha quitado el pan y el agua de la boca, y sufro contigo aquí en la oscuridad. Pero tengamos un poco más de paciencia. ¿Recuerdas cómo hiciste gala de hombría en la Feria de las Vanidades? Y no tuviste miedo de la cadena, ni de la jaula, ni siquiera de una muerte sangrienta. Así que aguantemos con paciencia lo mejor que podamos, al menos para evitar la vergüenza que no conviene a un cristiano.

Habiendo llegado de nuevo la noche, y estando el Gigante y su mujer en la cama, Timidez le preguntó por los prisioneros y si habían seguido su consejo. El Gigante Desesperación contestó: "Son bribones robustos. Prefieren soportar todas las penurias antes que acabar con ellos mismos". Entonces Timidez dijo: "Llévalos mañana al patio del castillo y muéstrales los huesos y cráneos de los que ya has destruido. Y hazles creer que dentro de una semana también los harás pedazos como has hecho con sus amigos antes que ellos".

Así que, cuando llegó la mañana, el Gigante se dirigió de nuevo a ellos, los llevó al patio del castillo y les mostró lo que su mujer le había sugerido. "Estos", dijo el Gigante, "fueron una vez peregrinos como ustedes, y entraron en mi propiedad

como ustedes. Cuando lo consideré oportuno, los despedacé, y dentro de diez días haré lo mismo con ustedes dos. ¡Váyanse! Vuelvan a su celda". Y los golpeó durante todo el camino. Estuvieron, pues, todo el sábado en condiciones tan lamentables como antes.

Al llegar la noche, y cuando Timidez y su marido, el Gigante, se habían acostado, reanudaron la conversación sobre sus prisioneros. Y entonces el viejo Gigante se preguntó por qué no podía acabar con ellos ni con sus palizas ni con sus consejos. Entonces su esposa replicó: "Temo que estén esperando un rescate o que tengan algún medio para forzar las cerraduras y escapar". "¿Eso crees, querida?", dijo el Gigante. "Entonces los registraré por la mañana".

Pues bien, el sábado hacia medianoche los prisioneros se pusieron a rezar, y continuaron en oración hasta casi el amanecer.

Un poco antes del amanecer, el buen Cristiano, como alguien medio asombrado, exclamó esta apasionada declaración: "¡Qué tonto soy por estar aquí en una mazmorra apestosa, cuando podría fácilmente andar en libertad! En mi abrigo, junto a mi corazón, tengo una llave llamada Promesa. Estoy convencido de que puede abrir cualquier cerradura del Castillo Dudoso". "Esas son buenas noticias, Hermano", dijo Esperanzado. "Sácala y prueba".

UNA LLAVE EN EL PECHO DE CRISTIANO, LLAMADA PROMESA, ABRE CUALQUIER CERRADURA DEL CASTILLO DUDOSO

Entonces Cristiano la sacó de su pecho y empezó a probarla en la puerta del calabozo. Al girar la llave, el cerrojo cedió y

la puerta se abrió fácilmente. Cristiano y Esperanzado salieron. Luego Cristiano fue a la puerta que daba al exterior y la llave la abrió también. Después se dirigió a la puerta de hierro, pues también había que abrirla. La cerradura giró con mucha fuerza, pero la llave la abrió. Entonces abrieron de par en par el portón para escapar rápidamente. Sin embargo, aquella puerta crujió tanto al abrirse que despertó al Gigante Desesperación, quien se levantó de súbito para perseguir a sus prisioneros, pero sintió que le fallaban los miembros; empezó a tener de nuevo uno de sus ataques, por lo que no pudo ir tras ellos. Los peregrinos siguieron adelante y regresaron al camino del rey, donde estaban a salvo y fuera de su jurisdicción.

Después de cruzar la valla, empezaron a discutir lo que debían hacer para evitar que otros cayeran también en manos del Gigante Desesperación en el futuro. Así que decidieron erigir allí un pilar y grabar a su lado esta frase: "Al otro lado de esta valla está el camino al Castillo Dudoso, que es guardado por el Gigante Desesperación, quien desprecia al Rey del País Celestial y busca destruir a Sus santos peregrinos". Muchos que pasaron por ese lugar después escaparon del peligro gracias a ese mensaje. Una vez hecho esto, cantaron:

"Nos salimos del camino
y descubrimos lo que era pisar terreno prohibido.
Y que los que vengan después tengan cuidado,
no sea que por imprudencia les pase como a nosotros,
no sea que, por traspasar, sean sus prisioneros,
cuyo castillo es dudoso, y cuyo nombre es
Desesperación".

Cristiano y Esperanzado siguieron andando hasta llegar a las Montañas Deliciosas, que pertenecen al Señor de la Colina, de quien hemos hablado antes. Subieron a las montañas para ver los jardines, los viñedos y las fuentes de agua. Allí bebieron y se lavaron y comieron libremente de las viñas. Ahora bien, en la cima de esas montañas había pastores apacentando sus rebaños, y estaban a la vera del camino. Los peregrinos, por lo tanto, se acercaron a ellos y, apoyándose en sus bastones (como es común en los peregrinos cansados cuando se paran a hablar con alguien junto al camino), preguntaron: "¿De quién son estas plácidas montañas? ¿Y de quién son las ovejas que se alimentan en ellas?".

PASTORES. Estas montañas son la Tierra de Emanuel, y están a la vista de Su ciudad. Las ovejas también son Suyas, y Él dio Su vida por ellas [Jn 10:11].

CRISTIANO. ¿Es éste el camino a la Ciudad Celestial?

PASTORES. Es este el camino.

CRISTIANO. ¿Qué distancia hay hasta allí?

PASTORES. Demasiado lejos para cualquiera, excepto para aquellos que realmente llegan.

CRISTIANO. ¿Es seguro o peligroso el camino?

PASTORES. Es seguro para quienes debe ser seguro, pero los rebeldes tropiezan en él [Os 14:9].

CRISTIANO. ¿Hay aquí un lugar de alivio para los Peregrinos que se fatigan y desfallecen en el Camino?

PASTORES. El Señor de estas montañas nos ha ordenado que no nos olvidemos de hospedar a los forasteros. Por tanto, la bondad del lugar está ante ti [Heb 13:1-2].

También vi en mi sueño que, cuando los Pastores se dieron cuenta de que eran hombres de camino, les hicieron preguntas

que ya habían respondido en otros lugares: "¿De dónde vienen?", "¿Y cómo encontraron el camino? ¿Qué han hecho para perseverar en él? Porque solo unos pocos de los que empiezan a venir asoman la cara por estos montes". Pero cuando los pastores escucharon sus respuestas, y estando complacidos con ellas, los miraron con mucho cariño y les dijeron: "Bienvenidos a las Montañas Deliciosas".

Los pastores, cuyos nombres eran Conocimiento, Experiencia, Vigilancia y Sinceridad, los llevaron de la mano, los condujeron a sus tiendas y les dieron de comer de lo que ya estaba preparado. Entonces les dijeron: "Queremos que se queden aquí un tiempo para que nos conozcan y, más aún, para que se consuelen con las bondades de estas montañas". Los peregrinos les dijeron que estaban dispuestos a quedarse, así que se fueron y descansaron esa noche, porque ya era muy tarde.

Entonces vi en mi sueño que los pastores llamaron a Cristiano y a Esperanzado por la mañana para que caminaran con ellos por las montañas. Así que fueron con ellos y caminaron un rato, teniendo por todos lados una agradable vista del país. Los pastores se dijeron: "¿Mostramos a estos peregrinos algunas de las maravillas?". Y decidieron hacerlo. Primero los llevaron a la cima de una colina llamada Error (que era muy empinada en el lado más lejano) y les pidieron que miraran hacia abajo. Entonces Cristiano y Esperanzado se asomaron y vieron en el fondo a varios hombres destrozados. Cristiano preguntó: "¿Qué significa esto?". Los pastores respondieron: "¿No han oído hablar de los que cayeron en el error por escuchar lo que decían Himeneo y Fileto sobre la fe en la resurrección de la carne?" [2 Tim 2:17, 18]. "Sí", respondieron. Los pastores dijeron: "Los que ven despedazados al pie de

este monte son esos hombres. Permanecen insepultos como ejemplo para que otros se cuiden de trepar demasiado alto o de acercarse demasiado al borde de esta montaña".

Luego vi que los llevaron a la cima de otra montaña llamada Precaución y les pidieron que miraran a lo lejos. Cuando lo hicieron, les pareció ver a varios hombres que caminaban arriba y abajo entre las tumbas que allí había, y percibieron que eran ciegos, porque a veces tropezaban con las tumbas y no podían salir de entre ellas. Cristiano preguntó: "¿Qué significa esto?".

Los pastores respondieron: "¿No han visto a poca distancia por debajo de estas montañas una valla que conducía a un prado a la izquierda de este camino?". "Sí", respondieron. Entonces los pastores dijeron: "De allí se desprende un camino que conduce directamente al Castillo Dudoso, que resguarda el Gigante Desesperación; y estos hombres" —señalaron a los que estaban entre las tumbas— "venían en peregrinación, como ustedes ahora, hasta que llegaron a ese mismo punto. Como el camino directo es áspero en ese tramo, optaron por abandonarlo para adentrarse en el prado y allí fueron apresados por el Gigante Desesperación y arrojados al Castillo Dudoso. Después de retenerlos un tiempo en su calabozo, les sacó finalmente los ojos y los condujo entre esas tumbas. Allí los dejó vagando hasta el día de hoy, para que se cumpliera el dicho sabio: "El hombre que se desvía del camino del entendimiento irá a parar en la compañía de los muertos" [Pro 21:16]. Cristiano y Esperanzado se miraron con lágrimas brotando de sus ojos, pero no dijeron nada a los pastores.

Entonces vi en mi sueño que los pastores los llevaban a otro lugar, en un valle, donde había una puerta en la ladera de una

colina. Los pastores abrieron la puerta y les pidieron que miraran dentro. Los peregrinos se asomaron y vieron que estaba muy oscuro y lleno de humo. También les pareció oír allí un ruido sordo, como de fuego, y un grito de gente atormentada, y percibieron el olor de azufre quemado. Entonces Cristiano dijo: "¿Qué significa esto?". Los pastores respondieron: "Esta es una entrada al infierno, por donde van los hipócritas, como los que venden su primogenitura, como Esaú, y los que venden a su Maestro, como Judas. También los que blasfeman del Evangelio, como Alejandro, y los que mienten y fingen, como Ananías y su mujer, Safira". Entonces Esperanzado dijo a los pastores: "Supongo que todos y cada uno de ellos hicieron una peregrinación, tal como nosotros ahora, ¿no es así?".

PASTORES. Sí, y permanecieron en peregrinación mucho tiempo, además.

ESPERANZADO. ¿Hasta dónde llegaron en su época? Ya que los desecharon miserablemente de todas maneras.

PASTORES. Algunos más lejos y otros no tan lejos como estas montañas.

Entonces los peregrinos se dijeron unos a otros: "¡Necesitamos pedirle fortaleza al fuerte!".

PASTORES. Sí, y cuando la tengan, tendrán que usarla.

Para este momento, los peregrinos deseaban continuar su viaje, y los pastores estuvieron de acuerdo en que lo hicieran, así que caminaron juntos hacia el final de las montañas. Entonces los pastores se dijeron unos a otros: "Si pueden ver a través de nuestro telescopio, mostrémosles ahora a los peregrinos las puertas de la Ciudad Celestial". Los peregrinos aceptaron afectuosamente la idea. Entonces los pastores los condujeron a la cima de una alta colina llamada Claridad,

y les dieron el telescopio para que miraran. Los peregrinos lo intentaron, pero el recuerdo de lo último que los pastores les habían mostrado les hizo temblar, y debido a ello no pudieron fijar la mirada a través de la lente. Sin embargo, les pareció ver algo parecido a una puerta y también algo de la gloria del lugar. Luego se marcharon y cantaron esta canción:

"Así, los pastores revelan secretos
que para todos los demás hombres permanecen ocultos:
Vengan, pues, a los pastores, si quieren ver
cosas profundas, cosas ocultas y cosas misteriosas".

Cuando estaban a punto de partir, uno de los pastores les dio un mapa del camino. Otro de ellos les advirtió que tuvieran cuidado con el Adulador. El tercero les dijo que tuvieran cuidado de no dormir en la Tierra Encantada, y el cuarto les deseó buena suerte. Y así, desperté de mi sueño.

Dormí y soñé de nuevo, y vi a los mismos dos peregrinos bajando por las montañas a lo largo de la carretera hacia la Ciudad. Ahora, a una distancia corta al pie de estas montañas y al lado izquierdo, está el País del Engaño. Un pequeño sendero torcido viene de ese país en el camino sobre el que iban los peregrinos. Allí, entonces, se encontraron con un muchacho muy animado que salía de ese país. Su nombre era Ignorancia. Cristiano le preguntó de qué parte venía y adónde iba.

IGNORANCIA. Señor, yo nací en el país que está allá un poco a la izquierda, y voy a la Ciudad Celestial.

CRISTIANO. Pero ¿cómo piensas que podrás entrar? Puede que encuentres dificultad allí.

IGNORANCIA. Como lo han hecho otras personas.

CRISTIANO. Pero ¿qué piensas mostrar para que la puerta se abra para ti?

IGNORANCIA. Conozco la voluntad de mi Señor, y he sido bueno en vida. Le doy a cada hombre lo que le corresponde, rezo, ayuno, pago diezmos y limosnas, y dejé mi país para ir a donde voy.

CRISTIANO. Pero no entraste por la puerta que está al inicio de este camino; llegaste a través de ese sendero torcido. Por lo tanto, me temo que, aunque pienses bien de ti mismo, cuando llegue el día del juicio final, se te imputará que eres un ladrón y un asaltante, y no serás admitido en la Ciudad.

IGNORANCIA. Señores, ustedes son extraños para mí. No los conozco. Conténtense y sigan la religión de su país, y yo seguiré la religión del mío. Espero que todo vaya bien. Y en cuanto a la puerta de la que hablas, todo el mundo sabe que queda muy lejos de nuestro país. No creo que ningún hombre de nuestras partes conozca el camino hacia ella. Tampoco importa si lo conocen o no, ya que tenemos, como ven, un bonito y agradable sendero verde que desciende de nuestro país al camino.

Cuando Cristiano vio que el hombre era "sabio en su propia opinión", le dijo a Esperanzado, susurrando: "¡Más esperanza hay del necio que de él!" [Pro 26:12]. Y dijo, además: "Aun cuando el insensato ande en el camino, le falta entendimiento y a todos hace saber que es insensato" [Ec 10:3]. "¿Vamos a hablar más con él, o lo dejamos de momento para que piense en lo que dije y volvemos a detenernos por él después, y ver si poco a poco podemos hacerle algún bien?".

Entonces dijo Esperanzado:

"Que Ignorancia reflexione un poco
Sobre lo que se dice, y que no rechace
el buen consejo, para que no siga
todavía ignorante de la mayor ganancia.
Dios dice que a aquellos que no tienen entendimiento,
aunque Él los hiciera, no los salvará".

ESPERANZADO. No es bueno, creo, decirle todo de una vez; pasemos de largo, si quieres, y hablemos con él más tarde, a medida que pueda tolerarlo.

Así que ambos siguieron adelante, e Ignorancia vino detrás. Un poco más allá entraron en una senda muy oscura, donde hallaron a un hombre a quien siete demonios habían atado con siete cuerdas fuertes y llevaban de vuelta a la puerta que ellos habían visto en la ladera de la colina [Mt 12:45, Pro 5:22]. Entonces el buen Cristiano comenzó a temblar, y lo mismo hizo Esperanzado. Aunque los demonios se estaban llevando al hombre, Cristiano miró a ver si lo conocía y pensó que podría ser un tal Vuelve La Mirada, que vivía en la ciudad de la Apostasía. Pero no le vio perfectamente la cara, porque el hombre agachó la cabeza como un ladrón atrapado. Pero una vez pasado, Esperanzado lo miró y vio en su espalda un papel con esta inscripción: "Profesor sin escrúpulos y maldito apóstata".

Entonces dijo Cristiano a su compañero:

CRISTIANO. Ahora recuerdo que me contaron lo que le sucedió a un buen hombre de por aquí. Su nombre era Poca Fe, quien vivía en la ciudad Sincera. La cosa fue esta: al entrar en este pasaje, baja de la Puerta del Camino Ancho un sendero llamado Callejón del Muerto, llamado así por los asesinatos que allí suelen suceder. Poca Fe, que iba en peregrinación

como nosotros, se sentó allí y se quedó dormido. En ese momento, tres fornidos rufianes llamados Corazón Débil, Desconfianza y Culpa —tres hermanos— bajaron a caballo por aquel sendero desde la Puerta del Camino Ancho. Vieron a Poca Fe tendido allí y rápidamente se acercaron a él al galope. El buen hombre acababa de despertarse y estaba por volver emprender su viaje, pero se le acercaron y, con palabras amenazantes, le ordenaron que se levantara. Al oír esto, Poca Fe se puso blanco como la leche y no tuvo fuerzas ni para luchar ni para huir. Entonces Corazón Débil dijo: 'Dame tu dinero'. Pero él no se apresuró a hacerlo, pues no quería perderlo todo, así que Desconfianza metió la mano en su bolsillo y sacó de él una bolsa llena de plata. Entonces Poca Fe gritó: "¡Ladrones! ¡Ladrones!". Con eso Culpa, con un gran garrote que tenía en la mano, golpeó a Poca Fe en la cabeza, y con ese golpe lo derribó al suelo. Quedó tirado en el suelo sangrando y los ladrones esperaron a que se desangrara hasta morir. Pero, al fin, oyendo que algunos venían por el camino, y temiendo que se tratase de Gran Gracia, habitante de la ciudad de la Buena Confianza, se marcharon y dejaron al buen hombre a su suerte. Al cabo de un rato, Poca Fe volvió en sí, se levantó y se dispuso a seguir su camino. Esa fue la historia.

ESPERANZADO. ¿Le quitaron todo lo que tenía?

CRISTIANO. No; no tocaron el lugar donde estaban sus joyas, así que las conservó. Pero, según me contaron, el buen hombre estaba muy afligido por su pérdida, pues los ladrones se llevaron la mayor parte de su dinero. Lo que no se llevaron, como dije, fueron joyas. El poco dinero que le quedaba apenas le alcanzaba para el fin de su viaje [1 Pedro 4:18]; es más, si no me informaron mal, se vio forzado a mendigar a su paso para

subsistir, pues no podía vender sus joyas. Pero mendigando y haciendo lo que podía, iba (como decimos) con la barriga hambrienta la mayor parte del resto del camino.

ESPERANZADO. ¿No es una maravilla que no le robaran el documento con el que sería admitido en la Puerta Celestial?

CRISTIANO. Es una maravilla. Pero no fue por astucia de Poca Fe que no lo vieran, porque él, estando tan angustiado, no podía ocultar nada. Fue más por la buena providencia que por su esfuerzo que los ladrones no se lo llevaron.

ESPERANZADO. Debió ser un consuelo también que no se llevaran sus joyas.

CRISTIANO. Hubiera sido un gran consuelo para él, si las hubiera usado como debía, pero los que me contaron la historia dijeron que no hizo más que poco uso de ellas en todo el resto del camino. Además, a causa de la consternación que le causó el robo del dinero, olvidó las joyas durante casi todo el resto del viaje. Cuando, por alguna razón, las recordaba y empezaba a consolarse, volvían a asaltarle nuevos pensamientos de su pérdida y esos pensamientos se lo tragaban todo [1 Pedro 1:9].

ESPERANZADO. ¡Pobre hombre! Eso no pudo ser sino un gran dolor para él.

CRISTIANO. ¡Dolor! Sí, dolor, realmente. ¿No habría sido así para cualquiera de nosotros si nos hubieran robado y herido en un lugar extraño, como lo fue él? Es un milagro que no muriera de dolor, ¡pobre corazón! Me dijeron que se dispersó casi todo el resto del camino con quejas tristes y amargas, contándole a todos los que le alcanzaban, o que él alcanzaba en el camino, dónde y cómo le habían robado, quiénes lo habían hecho, lo que había perdido, y que a duras penas había escapado con vida.

ESPERANZADO. Pero es una maravilla que sus necesidades no le hicieran empezar a vender o empeñar algunas de sus joyas para poder aliviarse en su viaje.

CRISTIANO. Hablas como quien aún tiene la concha en la cabeza hoy en día. ¿Por qué las empeñaría? ¿A quién se las vendería? En todo aquel país donde le robaron, sus joyas no tenían ninguna importancia, ni él quería el tipo de socorro que le podían dar allí. Además, si sus joyas hubieran desaparecido en la puerta de la Ciudad Celestial, habría sido excluido de una herencia allí, y eso él lo sabía muy bien. Eso habría sido peor para él que la aparición y las malas acciones de diez mil ladrones.

ESPERANZADO. ¿Por qué eres tan cortante, hermano mío? Esaú vendió su primogenitura, y eso por un tazón de estofado, y esa primogenitura era su mayor joya. Si él lo hizo, ¿por qué no podría hacerlo también Poca Fe? [Heb 12:16].

CRISTIANO. Ciertamente, Esaú vendió su primogenitura, y lo mismo hacen muchos otros. Al hacerlo, se excluyen a sí mismos de la principal bendición, como también lo hizo ese cobarde. Pero debes establecer una diferencia entre Esaú y Poca Fe, y también entre sus condiciones. La primogenitura de Esaú era típica, pero las joyas de Poca Fe no lo eran. El deseo de Esaú residía en su estómago; el de Poca Fe no. Además, Esaú no podía ver más allá de la satisfacción carnal: "¿Y para qué me sirve la primogenitura, si estoy a punto de morir?" [Gn 25:32]. Pero en el caso de Poca Fe fue precisamente la poca fe que por suerte le tocó lo que impidió tales extravagancias, y le hizo ver y apreciar sus joyas antes que venderlas, como Esaú hizo con su primogenitura. No has leído en ninguna parte que Esaú tuviera fe, ni siquiera un poco. Por lo tanto, donde solo

la carne ejerce influencia —como lo hace en cualquier hombre que no tenga fe para resistir— no es de extrañar que venda su primogenitura y su alma y todo, incluso al Diablo del Infierno. Sucede con tal persona lo mismo que con la asna salvaje; estando en su celo, ¿quién puede detenerla? [Jer 2:24]. Cuando sus mentes se fijan en sus antojos, los tendrán, cueste lo que cueste. Pero Poca Fe era de otra naturaleza; su mente estaba en las cosas divinas. Su sustento dependía de cosas espirituales y de lo alto. Por lo tanto, ¿por qué aquel que es de tal temperamento vendería sus joyas (si es que alguien las hubiera comprado) para llenar su mente de cosas vanas? ¿Daría un hombre un penique para llenar su vientre de heno; o es posible persuadir a la tórtola para que viva de carroña como el cuervo? Aunque los infieles puedan, por lujuria, empeñar, hipotecar, o vender lo que tienen y a sí mismos, aquellos que tienen la fe salvadora —aunque sea un poco— no pueden hacerlo. He aquí, pues, hermano mío, tu error.

ESPERANZADO. Lo reconozco. Pero aun así tu severa reflexión casi me hizo enojar.

CRISTIANO. ¿Por qué? Pues no he hecho más que compararte con algunos de los pájaros más briosos, que corren de un lado a otro por senderos bien trillados con la cáscara todavía en la cabeza. Pero olvídate de eso y considera el asunto debatido, y todo estará bien entre nosotros.

ESPERANZADO. Pero, Cristiano, estoy persuadido en mi corazón de que estos tres tipos no son más que una compañía de cobardes. De lo contrario, ¿crees que habrían huido al oír el ruido de otros caminantes? ¿Por qué Poca Fe no se armó de más valor? Podría, me parece, haber soportado un roce con ellos, y haberse rendido cuando ya no había remedio.

CRISTIANO. Cobardes, muchos lo han dicho, pero pocos lo han comprobado. En cuanto a más valor, Poca Fe no lo poseía. Y percibo de ti, hermano mío, que si tú hubieras sido el hombre en cuestión, hubieras estado para una batalla y luego para rendirte. En verdad, este es el alcance de tu coraje porque ellos están lejos de nosotros; si se te aparecieran como a él, podrían hacerte recapacitar.

Considera de nuevo que no son más que ladrones contratados. Sirven al Rey del Abismo, quien vendría a ayudarlos personalmente si es necesario, y su voz es como el rugido de un león [1 Pedro 5:8]. Yo mismo me he visto en apuros como Poca Fe, y me parece algo terrible. Estos tres villanos me atacaron y yo, como cristiano, comencé a resistirme. Ellos simplemente llamaron y apareció su amo. Yo, como dice el refrán, habría dado mi vida por un penique, pero Dios quiso que estuviera vestido con armadura. Ay, sin embargo, aunque estaba tan guarnecido, me costaba trabajo portarme como un hombre. Nadie puede comprender cómo es el combate hasta que ha estado en la batalla.

ESPERANZADO. Bueno, pero corrieron, ya ves, cuando supusieron que Gran Gracia venía en camino.

CRISTIANO. Cierto, muchas veces han huido, tanto ellos como su amo, cuando ha aparecido Gran Gracia; y eso no es de extrañarse, pues es el campeón del rey. Pero creo que diferenciarías entre Poca Fe y el campeón del rey. No todos los súbditos del rey son sus campeones, ni pueden, cuando se les pone a prueba, realizar hazañas como él. ¿Es razonable pensar que un niño pequeño pueda vencer a Goliat como lo hizo David? ¿O que un ave pueda tener la fuerza de un buey? Unos son fuertes, otros débiles; unos tienen mucha fe,

otros tienen poca. Este hombre era de los débiles, y por eso se acercó al muro.

ESPERANZADO. Ojalá hubiera sido Gran Gracia, por el bien de ellos.

CRISTIANO. Si lo hubiera sido, habría tenido las manos ocupadas. Debo decirte que Gran Gracia es muy bueno con sus armas, y puede lidiar bien con sus contendientes siempre que los mantenga a punta de espada. Pero, si se le meten dentro Corazón Débil, Desconfianza o la otra, será difícil, pero lo harán caer. Y cuando un hombre está abatido, ¿qué puede hacer?

Quien mire bien el rostro de Gran Gracia, verá esas cicatrices y cortes, que fácilmente demostrarán lo que digo. Sí, una vez oí que decía (y eso cuando estaba en el combate): "Nos desesperamos incluso de la vida". ¿Cómo pudieron estos robustos bribones y sus compañeros hacer gemir, llorar y rugir a David? Sí, Hemán y Ezequías también, aunque campeones en su día, se vieron obligados a levantarse cuando estos los asaltaron y tuvieron roces con ellos.

Una vez, Pedro se empeñó en hacer lo que creía que podía hacer; aunque algunos dicen de él que es el príncipe de los apóstoles, lo barajaron tanto que al final le hicieron temer a una débil muchacha.

LA CORPULENCIA DEL LEVIATÁN

Además, su rey está a la escucha de sus silbidos. Nunca está fuera del alcance de sus oídos y acude, si es posible, a ayudarles en cualquier momento en que estén siendo golpeados. De él se dice: "La espada que lo alcanza no lo afecta; tampoco la lanza ni el dardo ni la jabalina. Al hierro estima como paja,

y a la madera como a la corrosión del cobre. Las flechas no le hacen huir; las piedras de la honda le son como rastrojo. Al garrote considera hojarasca; se ríe del blandir de la jabalina" [Job 41:26-29]. ¿Qué puede hacer un hombre en este caso? Es verdad; si un hombre pudiera tener en todo momento el caballo de Job, y la habilidad y el valor para montarlo, podría hacer cosas notables. Porque su cuello está engalanado de crines, no tiene miedo de la langosta y el resoplido de su nariz es temible [Job 39:19-20]. "Escarba en el valle y se regocija con fuerza; sale al encuentro de las armas. Se ríe del miedo y no se espanta; no vuelve atrás ante la espada. Sobre él resuenan la aljaba, la hoja de la lanza y la jabalina. Con estrépito y furor devora la distancia y no se detiene, aunque suene la corneta. Relincha cada vez que suena la corneta y desde lejos olfatea la batalla, la voz tronadora de los oficiales y el grito de guerra" [Job 39:21-25].

Pero en cuanto a los soldados rasos como tú y como yo, nunca deseemos encontrarnos con un enemigo ni alardeemos como si pudiéramos hacerlo mejor cuando oigamos de otros que han sido vencidos, ni nos divirtamos pensando en nuestra propia hombría. Tales individuos sufren las peores cosas cuando son puestos a prueba. Por ejemplo, Pedro, de quien he hablado antes, se pavoneaba arrogantemente. Sí, lo hacía. Su mente vanidosa le incitaba a decir que él defendería a su Maestro más que todos los hombres. ¿Quién fue más veces vencido y atropellado por los villanos que él?

Por lo tanto, cuando oímos que tales robos se hacen en la carretera del rey, debemos hacer dos cosas:

Primero, salir preparados y estar seguros de llevar un escudo con nosotros; porque fue por falta de eso que el que

golpeó tan fuertemente a Leviatán no pudo hacerlo ceder; porque, en efecto, si eso falta, no nos teme en absoluto. Por lo tanto, el Habilidoso ha dicho: "Y sobre todo, ármense con el escudo de la fe con que podrán apagar todos los dardos de fuego del maligno" [Ef 6:16R].

Segundo, sería bueno también que pidamos al rey un convoy; sí, que él mismo vaya con nosotros. Esto alegró a David cuando estaba en el Valle de la Sombra de la Muerte; y Moisés prefería no dar ni un paso sin su Dios [Ex 33:15]. Oh, hermano mío, si nos acompaña, ¿qué tenemos que temer de diez mil que se nos opongan? [Salm 3:5-8, 27:1-3]. Pero, sin él, los orgullosos "entre los muertos caerán" [Is 10:4].

Yo, por mi parte, he estado en la refriega antes de ahora; y aunque, por la bondad del Más Grande, estoy, como ves, vivo, no puedo presumir de mi virilidad. Me alegraré si no me encuentro con tales golpes, aunque temo que no estemos fuera de todo peligro. Sin embargo, ya que el león y el oso aún no me han devorado, espero que Dios nos libre del próximo filisteo incircunciso.

Entonces cantó Cristiano:

"¡Pobre Poca Fe! ¿Te atacaron los ladrones?
¿Te robaron? Recuerda esto: quien crea
y obtenga más fe, será vencedor
sobre diez mil, o apenas sobre tres".

Entonces siguieron adelante e Ignorancia les siguió. Llegaron a un punto donde otro camino se atravesaba y lucía tan recto como el que debían seguir. No sabían cuál de los dos tomar, porque ambos se parecían; por lo tanto, se detuvieron

para reflexionar. Mientras pensaban, un hombre de tez oscura y cubierto con una túnica blanca y ligera se acercó a ellos y les preguntó por qué estaban allí. Ellos respondieron que iban a la Ciudad Celestial, pero no sabían cuál de estos caminos tomar. "Síganme", dijo el hombre, "es allí a donde voy". Y ellos lo siguieron por el camino que ahora desembocaba en la calzada, tan desviado que se alejaba de la ciudad a la que deseaban ir hasta perderla de vista. Sin embargo, lo siguieron; pero poco a poco, sin que lo notaran, el hombre los condujo hacia dentro del cerco de una red, donde se enredaron sin remedio. La impoluta túnica blanca cayó de la espalda del hombre y entonces vieron dónde estaban. Y allí se quedaron llorando algún tiempo, pues no podían salir.

CRISTIANO. Ahora veo mi error. ¿No nos dijeron los pastores que tuviéramos cuidado con los aduladores? Como dice el sabio, lo hemos encontrado hoy. El hombre que adula a su prójimo le tiende una red [Pro 29:5].

ESPERANZADO. También nos dieron una nota con instrucciones sobre el camino, para que lo encontráramos con más seguridad; pero del mismo modo hemos olvidado leerla y no nos cuidamos de los caminos del destructor. En esto David fue más sabio que nosotros, porque, dice él, "En cuanto a las obras humanas, por la palabra de tus labios yo me he guardado de las sendas de los violentos" [Salm 17:4].

Así se lamentaban dentro de la red. Finalmente, divisaron a un Luminoso que se acercaba a ellos con un látigo de cuerda pequeña en la mano. Cuando llegó al lugar donde estaban, les preguntó de dónde venían y qué hacían allí. Ellos le dijeron que eran pobres peregrinos que iban a Sion, pero que fueron desviados de su camino por un hombre vestido de blanco que les

dijo que lo siguieran porque él también iba allá. Entonces dijo el del látigo: "Es el Adulador, un falso apóstol, disfrazado de ángel de luz" [Pro 29:5, Dn 11:32, 2 Cor 11:13-14]. Entonces rompió la red y dejó salir a los hombres. Luego les dijo: "Síganme, para llevarlos de nuevo a su camino". Y los condujo de nuevo a la vía que habían dejado para seguir al Adulador. Entonces les preguntó: "¿Dónde durmieron la noche pasada?". Ellos respondieron: "Con los pastores en las Montañas Deliciosas". Les preguntó entonces si esos pastores no les habían dejado una nota con las direcciones correctas. Respondieron que sí. "Y cuando se encontraron en apuros, ¿sacaron y leyeron esa nota?", preguntó él. Respondieron que no, porque la habían olvidado. Les preguntó también si los pastores no les habían advertido sobre el Adulador. Respondieron: "Sí, pero no nos imaginábamos que pudiera ser ese hombre de buen hablar" [Rom 16:18].

Entonces vi en mi sueño que les ordenó que se acostaran; que, cuando lo hicieron, los castigó duramente para enseñarles el buen camino por donde debían andar [Dt 25:2]; y mientras los reprendía, les dijo: "Yo reprendo y castigo a todos los que amo; sé, pues, celoso, y arrepiéntete" [2 Cr 6:26-27, Ap 3:19]. Hecho esto, les ordenó que siguieran su camino y que prestaran atención a las instrucciones de los pastores. Le dieron las gracias por su amabilidad, y siguieron suavemente por el buen camino, cantando:

"Vengan aquí los que andan por el camino;
miren cómo les va a los peregrinos que se extravían.
Atrapados están en una red enmarañada,
porque olvidaron a la ligera el buen consejo.

Es cierto que fueron rescatados pero, ya ves,
incluso así fueron azotados. Que esta sea su precaución".

Después de un rato, percibieron a lo lejos a uno viniendo solo y lentamente hacia ellos. Entonces dijo Cristiano a su compañero: "Allí viene un hombre de espaldas a Sion, y se dirige a nuestro encuentro".

ESPERANZADO. Ya lo veo. Cuidémonos, no sea que también resulte ser un adulador.

Así que el hombre se acercó cada vez más y por fin llegó hasta ellos. Se llamaba Ateo, y les preguntó hacia dónde iban.

CRISTIANO. Vamos al Monte Sion.

Entonces el Ateo se echó a reír a carcajadas.

CRISTIANO. ¿Qué significa tu risa?

ATEO. Me río al ver lo ignorantes que son al emprender un viaje tan agotador, pues es probable que al final el viaje sea lo único que obtengan.

CRISTIANO. ¿Por qué, hombre, crees que no seremos recibidos?

ATEO. ¡Recibidos! No existe en el mundo ese lugar con el que sueñan.

CRISTIANO. Pero lo hay en el mundo venidero.

ATEO. Cuando estaba en casa, en mi país, escuché lo que dices. Y de ese oír salí a ver, y he estado veinte años buscando esa ciudad, pero no he encontrado más de ella que el primer día que salí [Jer 22:12, Ecl 10:15].

CRISTIANO. Nosotros hemos oído y creemos que existe ese lugar.

ATEO. Si no hubiera creído no habría llegado hasta aquí buscándolo. Pero al no encontrarlo —y debería haberlo encon-

trado ya si existiera, pues he ido más lejos que ustedes— vuelvo de nuevo a casa y procuraré disfrutar de las cosas que deseché en aras de lo que ahora veo que no existe.

Entonces Cristiano dijo a su amigo Esperanzado: "¿Es verdad lo que dice este hombre?".

LA RESPUESTA DE ESPERANZADO

ESPERANZADO. Ten cuidado: es uno de los aduladores. Acuérdate de lo que ya nos costó una vez hacer caso a tipos como él. ¿Qué? ¿No hay Monte Sion? ¿No vimos la puerta de la Ciudad desde las Montañas Deliciosas? Además, ¿no hemos de caminar ahora por la fe? Sigamos adelante, no sea que el hombre del látigo nos alcance de nuevo [2 Cor 5:7]. Deberías haberme enseñado la lección que ahora traigo a tus oídos: "Cesa, hijo mío, de oír las enseñanzas que te hacen divagar de las razones de sabiduría" [Pro 19:27]. Yo digo, hermano mío, deja de escucharle, y "tengamos fe para preservación del alma" [Heb 10:39].

CRISTIANO. Hermano mío, no te hice la pregunta porque yo mismo dudara de la verdad de nuestra creencia, sino para probarte y obtener pruebas de la nobleza de tu corazón. En cuanto a este hombre, sé que está cegado por el dios de este mundo. Sigamos adelante sabiendo que creemos la verdad, "porque ninguna mentira procede de la verdad" [1 Jn 2:21]".

ESPERANZADO. Ahora me regocijo en la esperanza de la gloria de Dios.

Entonces se apartaron. El hombre se rio de ellos y siguió su camino.

Vi entonces en mi sueño que caminaron hasta que entraron en cierto país cuyo aire tendía naturalmente a adormecer

a cualquier extranjero. Esperanzado comenzó a sentirse muy apático y somnoliento, y le dijo a Cristiano: "Tengo tanto sueño que apenas puedo mantener los ojos abiertos. Tumbémonos aquí y echemos una siesta".

CRISTIANO. De ninguna manera, no sea que si dormimos no volvamos a despertar.

ESPERANZADO. ¿Por qué, hermano mío? El sueño es dulce para el hombre que trabaja. Podemos refrescarnos si echamos una siesta.

CRISTIANO. ¿No recuerdas que uno de los pastores nos dijo que tuviéramos cuidado con la Tierra Encantada? Quería decir que tuviéramos cuidado con el sueño: "Por tanto, no durmamos como los demás, sino velemos y seamos sobrios" [1 Tes 5:6].

ESPERANZADO. Reconozco mi error, y si hubiera estado aquí solo, habría corrido peligro de muerte por dormir. Veo que es verdad lo que dijo el Sabio: dos son mejor que uno. Hasta ahora, tu compañía me ha sido de gran provecho, y recibirás una buena recompensa por tu labor [Ec 9:9].

CRISTIANO. Ahora bien, para evitar la somnolencia en este lugar, tengamos una buena conversación.

ESPERANZADO. Con mucho gusto.

CRISTIANO. ¿Por dónde empezamos?

ESPERANZADO. Por donde Dios empezó con nosotros. Pero empieza tú si quieres.

CRISTIANO. Primero te cantaré esta canción:

"Cuando los santos se adormezcan, que vengan aquí,
y oigan hablar a estos dos peregrinos;
sí, que aprendan algo de ellos

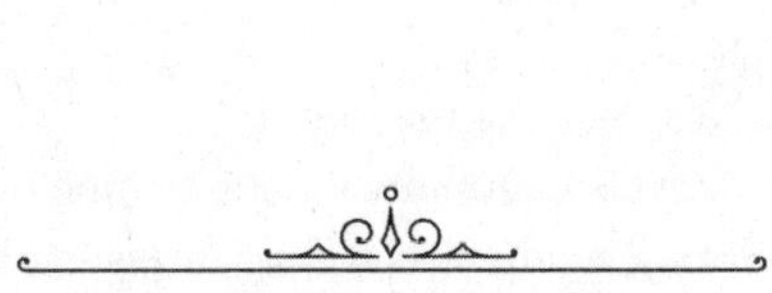

Padre, protégeme de las seducciones
y distracciones de este mundo que me
apartan del camino de la justicia. Ayúdame
a mantener mis ojos fijos en Jesús, el autor
y perfeccionador de mi fe.

para mantener abiertos sus ojos adormecidos.
La hermandad de los santos, si se maneja bien,
los mantiene despiertos a pesar del infierno".

CRISTIANO. Te haré una pregunta. ¿Cómo se te ocurrió al principio hacer lo que haces ahora?

ESPERANZADO. ¿Quieres decir cómo llegué a cuidar el bien de mi alma?

CRISTIANO. Sí, a eso me refiero.

ESPERANZADO. Durante mucho tiempo disfruté de las cosas que se veían y vendían en la Feria de las Vanidades; cosas que ahora creo que me habrían sumido en la ruina y la destrucción si hubiera continuado.

CRISTIANO. ¿Qué cosas eran esas?

LA VIDA DE ESPERANZADO ANTES DE LA CONVERSIÓN

ESPERANZADO. Todos los tesoros y riquezas del mundo. También disfrutaba de las orgías, las juergas, la bebida, los insultos, las mentiras, la impureza, la transgresión del sábado, etcétera..., esas cosas que tienden a destruir el alma. Pero finalmente descubrí, al considerar las cosas divinas —que oí de ti y del querido Fiel, que fue condenado a muerte por su fe y su buena vida en la Feria de las Vanidades— que "el fin de estas cosas es la muerte" [Rom 6:21-23], y que, "a causa de estas cosas viene la ira de Dios sobre los hijos de desobediencia" [Ef 5:6].

CRISTIANO. ¿Y caíste inmediatamente bajo el poder de esta convicción?

ESPERANZADO. No. No estaba dispuesto a reconocer de inmediato la maldad del pecado ni la condenación que sigue a quien lo comete. Cuando al principio mi mente comenzó a ser sacudida por la Palabra, traté de cerrar los ojos contra su luz.

CRISTIANO. Pero, ¿por qué reaccionaste así hasta que el bendito Espíritu de Dios comenzó a moverte?

ESPERANZADO. Primero: ignoraba que esta era la obra de Dios sobre mí. Nunca pensé que Dios comenzara la conversión de los pecadores despertándolos al pecado. Segundo: el pecado era todavía muy dulce para mi naturaleza pecaminosa y odiaba dejarlo. Tercero: no sabía cómo separarme de mis antiguos compañeros, pues me atraían su presencia y sus acciones. Cuarto: los momentos en que sentía las convicciones eran horas tan molestas y espantosas para mi corazón que no podía soportarlas, ni siquiera su recuerdo, en mi corazón.

CRISTIANO. Entonces, según parece, a veces te librabas del problema.

ESPERANZADO. Sí, pero volvía a mi mente, y entonces me sentía tan mal, mejor dicho, peor que antes.

CRISTIANO. ¿Qué te hacía recordar de nuevo tus pecados?

ESPERANZADO. Muchas cosas, por ejemplo:

1) si me encontraba con un hombre bueno en las calles;
2) si escuchaba a alguien leer la Biblia;
3) si me empezaba a doler la cabeza;
4) si me decían que alguno de mis vecinos estaba enfermo;
5) si oía doblar la campana por los muertos;
6) si yo mismo pensaba en morir;
7) si oía que otros habían muerto repentinamente;

8) pero, sobre todo, cuando pensaba en mí mismo, que más temprano que tarde tendría que enfrentarme al juicio.

CRISTIANO. ¿Y lograbas librarte de la culpa del pecado cuando te sobrecogía en alguno de esos casos?

ESPERANZADO. No; más bien se apoderaron más rápidamente de mi conciencia; entonces, si pensaba en volver al pecado (aunque mi mente estaba en contra), sabía que me traería un doble tormento.

CRISTIANO. ¿Y qué hiciste entonces?

ESPERANZADO. Pensé que debía esforzarme en enmendar mi vida; porque si no, pensé, estoy seguro de que seré condenado.

CRISTIANO. ¿Y te esforzaste por mejorar?

ESPERANZADO. Sí; y hui no solo de mis pecados, sino también de las malas compañías. Me entregué a los deberes religiosos, como la oración, la lectura, el llanto por el pecado, decir la verdad a mis vecinos, etc. Hice estas cosas y muchas otras que serían muy largas para relatar aquí.

CRISTIANO. ¿Y pensabas bien de ti mismo entonces?

ESPERANZADO. Sí, por algún tiempo; pero al final mis problemas volvieron a caer sobre mí, a pesar de todas mis reformas.

CRISTIANO. ¿Cómo sucedió eso, puesto que ya estabas reformado?

ESPERANZADO. Varias cosas lo causaron, especialmente dichos como estos: "Todas nuestras obras justas son como trapo de inmundicia" [Isaías 64:6]; "Por las obras de la ley nadie será justificado" [Gal 2:16]; "Cuando hayan hecho todo lo que se les ha mandado, digan: 'Siervos inútiles somos'" [Lc 17:10]. Y muchas otras semejantes. De modo que comencé

a razonar conmigo mismo así: si TODAS mis obras justas son trapos de inmundicia; si por las obras de la ley NINGÚN hombre puede ser justificado; y si, cuando lo hemos hecho TODO, somos todavía inútiles, entonces es una locura pensar en el Cielo a través de la ley. Además, pensé así: piensa que un hombre se endeuda con el tendero por cien libras, pero después de eso paga por todas sus siguientes compras. Sin embargo, si la vieja deuda de cien libras permanece, el tendero puede demandarlo y encarcelarlo hasta que pague.

CRISTIANO. Bueno, ¿y cómo aplicaste esto a tu caso?

ESPERANZADO. Pues así pensé sobre mí mismo. Yo, por mis pecados, he acumulado una gran deuda en el libro de Dios, y mi reforma de ahora no pagará esa cuenta. ¿Cómo me libraré de la condenación que he causado con mis anteriores transgresiones?

CRISTIANO. Muy buena aplicación; pero, por favor, continúa.

ESPERANZADO. Otra cosa que me ha turbado, aún desde mis últimas enmiendas, es que, si miro de cerca lo mejor que hago ahora, todavía veo pecado, nuevo pecado, mezclándose con mis obras más justas. De modo que ahora me veo forzado a concluir que, a pesar de mis cambios, he cometido suficientes pecados en un deber como para enviarme al infierno, incluso si en mi vida anterior hubiera sido intachable.

CRISTIANO. ¿Y qué hiciste entonces?

ESPERANZADO. ¡Hacer! No supe qué hacer, hasta que le compartí mis pensamientos a Fiel, pues él y yo nos conocíamos bien. Y él me dijo que, a menos que pudiera obtener la rectitud de un hombre que nunca había pecado, ni mi rectitud ni la del mundo entero podrían salvarme.

CRISTIANO. ¿Y creíste que decía verdad?

ESPERANZADO. Si me lo hubiera dicho cuando estaba contento y satisfecho de mi propia transformación, le hubiera llamado necio. Pero ahora, desde que veo mi propia flaqueza y el pecado que se adhiere a mi mejor obra, me veo forzado a abrazar esa opinión.

CRISTIANO. Pero ¿pensaste, cuando Fiel lo sugirió al principio, que se podía encontrar un hombre así, del que se pudiera decir que nunca cometió pecado?

ESPERANZADO. Debo confesar que al principio sus palabras me sonaron extrañas, pero después de un poco más de charla con él, tuve plena convicción de ello.

CRISTIANO. ¿Y le preguntaste qué hombre era este y cómo debía absolverte?

ESPERANZADO. Sí, y me dijo que era el Señor Jesús, que mora a la diestra del Altísimo. Y así, dijo, debes ser absuelto por él, confiando en lo que ha hecho por sí mismo, en los días de su encarnación, y en que sufrió cuando fue colgado en el árbol. Le pregunté, además, ¿cómo la rectitud de ese hombre podría ser tal para absolver a otro ante Dios? Y me dijo que él era el Dios poderoso, e hizo lo que hizo, y también murió no por sí mismo, sino por mí, a quien sus obras —y el valor de ellas— serían dadas si creía en él [Heb 10, Rom 6, Col. 1; 1 Pedro 1].

CRISTIANO. ¿Y qué hiciste entonces?

ESPERANZADO. Discutí contra mi creencia, pues pensaba que Él no estaba dispuesto a salvarme.

CRISTIANO. ¿Y qué te dijo Fiel?

ESPERANZADO. Me mandó que fuese a verle. Entonces le dije que sería pretencioso de mi parte, pero él dijo que

no, pues yo había sido invitado a venir [Mt 11:28]. Luego me dio un libro de la palabra de Jesús para animarme más. Y dijo, acerca de ese libro, que cada jota y cada tilde en él era más firme que el cielo y la tierra [Mt 24:35]. Entonces le pregunté qué debía hacer cuando llegara, y me dijo que debía arrodillarme y pedirle al Padre, con todo mi corazón y mi alma, que me lo revelara [Salm 95:6, Dn 6:10, Jer 29:12-13]. Le pregunté además cómo debía ser mi súplica, y me dijo: "Ve, y lo encontrarás sobre el propiciatorio, donde se sienta todo el año para perdonar a los que acuden". Le dije que no sabía qué decir cuando llegara, y me instruyó que dijera lo siguiente: "Dios, sé misericordioso conmigo, que soy pecador, y hazme conocer y creer en Jesucristo, porque veo que, si su justicia no existiera, o si yo no tuviera fe en esa justicia, sería totalmente descartado. Señor, he oído que eres un Dios misericordioso, y has ordenado que tu Hijo Jesucristo sea el Salvador del mundo; y, además, que estás dispuesto a apiadarte de un pobre pecador como yo (que lo soy). Señor, aprovecha esta oportunidad y magnifica tu gracia en la salvación de mi alma, por tu Hijo Jesucristo. Amén" [Ex 25:22, Lv 16:2, Nm 7:89, Heb 4:16].

CRISTIANO. ¿Hiciste lo que te indicó?

ESPERANZADO. Sí, una y otra vez.

CRISTIANO. ¿Y el Padre te reveló a Su Hijo?

ESPERANZADO. No la primera vez, ni la segunda, ni la tercera, ni la cuarta, ni la quinta. No, tampoco la sexta.

CRISTIANO. ¿Entonces qué hiciste?

ESPERANZADO. ¿Qué? Pues no sabía qué hacer.

CRISTIANO. ¿No pensaste en parar de orar?

ESPERANZADO. Sí, cientos de veces.

CRISTIANO. ¿Y por qué no paraste?

ESPERANZADO. Porque creía que era cierto lo que me habían dicho: que, sin la rectitud de Cristo, nada en el mundo podría salvarme. Por lo tanto, me dije: "Si renuncio, moriré, y no puedo morir sino a los pies del Trono de Gracia". Con eso, pensé: "Aunque tarde, espéralo; pues sin duda vendrá y no tardará" [Heb 2:3]. Así que seguí orando hasta que el Padre me mostró a su Hijo.

CRISTIANO. ¿Y cómo te lo reveló?

ESPERANZADO. No lo vi con los ojos de mi mente, sino con los de mi entendimiento [Ef 1:18,19]. Y fue así: un día estaba muy triste, creo que más triste que en cualquier otro momento de mi vida, por haber visto la magnitud y la vileza de mis pecados. Y como entonces no esperaba otra cosa que el infierno y la condena eterna de mi alma, de repente, mientras pensaba, vi al Señor Jesucristo mirándome desde el cielo, y diciendo: "Cree en el Señor Jesucristo, y serás salvo" [Hch 16:30, 31].

Pero yo respondí: "Señor, soy un gran, un grandísimo pecador". Y me respondió: "Te basta mi gracia" [2 Co 12:9]. Le dije: "Pero, Señor, ¿qué es creer?". Entonces recordé ese dicho: "El que a mí viene nunca tendrá hambre, y el que en mí cree no tendrá sed jamás", que creer y acudir a él es una misma cosa, y que el que acudía a él —esto es, corría en su corazón y sus afectos en pos de la salvación por Cristo— creía verdaderamente en Cristo. Entonces se me llenaron los ojos de lágrimas, y pregunté más: "Pero, Señor, ¿puede un pecador tan grande como yo ser aceptado por ti y salvado por ti?". Y le oí decir: "Al que a mí viene jamás lo echaré fuera" [Jn 6:37]. Entonces dije: "Pero, Señor, ¿cómo debo pensar en ti y en mi camino hacia ti, para dirigir mi fe correctamente?". Él respondió: "Cristo Jesús

vino al mundo para salvar a los pecadores" [1 Tim 1:15]; "El fin de la ley es Cristo, para justicia a todo aquel que cree" [Rom 10:4]. "Él fue entregado por causa de nuestras transgresiones y resucitado para nuestra justificación" [Rom 4:25]. "Nos ama y nos libró de nuestros pecados con su sangre" [Ap 1:5]. "Él es mediador entre Dios y los hombres" [1 Tim 2:5]. "Vive para siempre para interceder por nosotros" [Heb 7:24-25]. De todo esto deduje que debo buscar la justicia en su persona y la expiación de mis pecados por su sangre; que lo que hizo en obediencia a la ley de su Padre, y la pena a la que se sometió, no fue para sí mismo sino para el que lo acepte como salvador y le esté agradecido. Y ahora estaba mi corazón lleno de alegría, mis ojos llenos de lágrimas, y mis afectos desbordados de amor al nombre, al pueblo y a los caminos de Jesucristo.

CRISTIANO. Esta fue una revelación de Cristo a tu alma. Pero dime qué efecto específico tuvo en tu espíritu.

ESPERANZADO. Me hizo ver que el mundo, a pesar de la justicia que existe en él, está en estado de condena. Me hizo ver que Dios Padre, aunque es justo, puede legítimamente juzgar al pecador que viene. Me hizo avergonzarme grandemente de la bajeza de mi vida anterior, y me hizo sentir turbado respecto a mi propia ignorancia, pues nunca antes había llegado a mi corazón un pensamiento que me mostrara la belleza de Jesucristo. Me hizo amar una vida santa y anhelar hacer algo por el honor y la gloria del nombre del Señor Jesús. Sí, pensé que, si tuviera mil galones de sangre en mi cuerpo, podría derramarla toda por amor del Señor Jesús.

Vi entonces en mi sueño que Esperanzado miraba hacia atrás y veía a Ignorancia, a quien habían dejado atrás. "Mira", dijo a Cristiano, "a qué distancia se ha quedado ese joven".

CRISTIANO. Sí, sí, ya lo veo; no quiere nuestra compañía.

ESPERANZADO. Pero creo que no le habría perjudicado seguirnos el paso hasta ahora.

CRISTIANO. Es verdad; pero te aseguro que él piensa de otro modo.

ESPERANZADO. Creo que sí, pero esperémosle.

Así lo hicieron. Entonces Cristiano le dijo: "Vamos, hombre, ¿por qué te quedas tan atrás?".

IGNORANCIA. Me gusta andar solo, mucho más que acompañado, a no ser que me guste más.

Entonces dijo Cristiano a Esperanzado, (pero en voz baja): "¿No te dije que no le interesaba nuestra compañía?". "Sin embargo", agregó, "ven y charlemos en este lugar solitario". Y dirigiéndose a Ignorancia, dijo: "Ven, ¿cómo estás? ¿Cómo está todo entre Dios y tu alma?".

LA ESPERANZA DE IGNORANCIA Y SU FUNDAMENTO

IGNORANCIA. Espero que bien, porque siempre estoy lleno de buenos pensamientos que vienen a mi mente para consolarme mientras camino.

CRISTIANO. ¿Qué pensamientos? Por favor, cuéntanos.

IGNORANCIA. Pues pienso en Dios y en el Cielo.

CRISTIANO. Lo mismo hacen los demonios y las almas condenadas.

IGNORANCIA. Pero yo pienso en ellos y los deseo.

CRISTIANO. Lo mismo hacen muchos que nunca llegarán allí. "El alma del perezoso desea y nada alcanza" [Pro 13:4].

IGNORANCIA. Pero yo pienso en ellos, y he dejado todo por ellos.

CRISTIANO. Eso lo dudo. Dejarlo todo es cosa difícil; sí, más difícil de lo que muchos piensan. Pero ¿por qué estás convencido de que lo has dejado todo por Dios y el Cielo?

IGNORANCIA. Mi corazón me lo dice.

CRISTIANO. Dice el sabio: "El que confía en su propio corazón es un necio" [Pro 28:26].

IGNORANCIA. Eso se dice de un corazón malo, pero el mío es bueno.

CRISTIANO. ¿Cómo puedes probarlo?

IGNORANCIA. Me reconforta en la esperanza del Cielo.

CRISTIANO. Puede que te esté engañando. Un corazón puede consolar a un hombre con la esperanza de algo que, sin embargo, no tiene realmente motivos para esperar.

IGNORANCIA. Pero mi corazón y mi vida concuerdan, y por eso mi esperanza está bien fundada.

CRISTIANO. ¿Quién te ha dicho que tu corazón y tu vida concuerdan?

IGNORANCIA. Mi corazón me lo dice.

CRISTIANO. Eso es como preguntarle a tu mejor amigo si eres buena persona. ¡Tu corazón te lo dice! Excepto que la Palabra de Dios sea testigo de ello, ningún otro testimonio tiene valor.

IGNORANCIA. Pero ¿no es un buen corazón el que tiene buenos pensamientos? ¿Y no es una vida buena la que es conforme a los mandamientos de Dios?

CRISTIANO. Sí, es un buen corazón el que tiene buenos pensamientos, y una buena vida es la que sigue los

mandamientos de Dios. Pero una cosa es hacer estas cosas y otra es creer que las haces.

IGNORANCIA. Dime, ¿para ti qué son los buenos pensamientos y la vida conforme a los mandamientos de Dios?

CRISTIANO. Hay buenos pensamientos de diversas clases; unos sobre nosotros mismos, unos sobre Dios, otros sobre Cristo, y otros sobre otras cosas.

IGNORANCIA. ¿Cuáles son los buenos pensamientos sobre nosotros mismos?

CRISTIANO. Tales que concuerden con la Palabra de Dios.

IGNORANCIA. ¿Cuándo concuerdan los pensamientos que tenemos de nosotros mismos con la Palabra de Dios?

CRISTIANO. Cuando nos juzgamos bajo los mismos términos que la Palabra. Para explicarme: la Palabra de Dios dice sobre las personas en su condición natural: "No hay justo ni aun uno; no hay quien haga lo bueno" [Rom 3:10]. También dice que "toda tendencia de los pensamientos de su corazón era de continuo solo al mal " [Gn 6:5]. Y otra vez: "La imaginación del corazón del hombre es mala desde su juventud" [Rom 8:21]. Ahora bien, cuando pensamos así de nosotros mismos, entonces nuestros pensamientos son buenos, porque se adecúan a la Palabra de Dios.

IGNORANCIA. Nunca creeré que mi corazón sea así de malo.

CRISTIANO. Entonces nunca has tenido un solo pensamiento bueno respecto a ti mismo en tu vida. Pero déjame continuar. Así como la Palabra juzga a nuestro corazón, así juzga nuestros caminos; y cuando nuestros pensamientos y caminos concuerdan con el juicio que la Palabra hace de ambos, entonces ambos son buenos, porque concuerdan con ella.

IGNORANCIA. Explícame mejor lo que quieres decir.

CRISTIANO. La Palabra de Dios dice que los caminos del hombre son torcidos y perversos [Salm 125:5, Pro 2:15]. Dice que los hombres están naturalmente fuera del buen camino [Rom 3]. Ahora bien, cuando un hombre se da cuenta de esto y piensa en la maldad de sus caminos con humillación de corazón, entonces piensa bien de sus caminos, porque sus pensamientos ahora concuerdan con la Palabra de Dios.

IGNORANCIA. ¿Qué son los buenos pensamientos acerca de Dios?

CRISTIANO. Lo mismo que he dicho acerca de aquellos sobre nosotros mismos: pensamientos sobre Dios que concuerden con lo que la Palabra dice de él; esto es, cuando pensamos en su ser y sus atributos como la Palabra ha enseñado, de lo cual no puedo hablar extensamente ahora. Pero para hablar sobre él con referencia a nosotros: tenemos buenos pensamientos sobre Dios cuando pensamos que Él nos conoce mejor que nosotros mismos, y que puede ver nuestro pecado cuando y donde nosotros no; cuando pensamos que conoce nuestros pensamientos más íntimos, y que nuestro corazón, en toda su profundidad, está siempre abierto a sus ojos. Además, tenemos pensamientos buenos cuando pensamos que nuestra rectitud es débil ante Él, y que, por lo tanto, no soporta vernos con actitud confiada, incluso en nuestras mejores obras.

IGNORANCIA. ¿Crees que soy tan tonto como para pensar que Dios no puede ver más allá de mí? ¿O que me presentaría ante Dios presumiendo de mis obras?

CRISTIANO. ¿Qué piensas al respecto?

IGNORANCIA. Pues, para ser breve, pienso que debo creer en Cristo para mi justificación.

CRISTIANO. ¡Cómo! Debes creer en Cristo incluso cuando no piensas que lo necesitas. No ves tus debilidades, sino que tienes tal opinión de ti mismo y de lo que haces, que pareces una persona que nunca vio la necesidad de la rectitud personal de Cristo para justificarse ante Dios. ¿Cómo, pues, dices: "Creo en Cristo"?

IGNORANCIA. Creo bastante bien por todo eso.

CRISTIANO. ¿Qué crees?

IGNORANCIA. Creo que Cristo murió por los pecadores, y que seré justificado ante Dios y salvado de la condena mediante su graciosa aceptación de mi obediencia a su ley. O así: Cristo hace que mis deberes religiosos sean aceptables a su Padre en virtud de sus méritos; y así seré justificado.

CRISTIANO. Permíteme dar una respuesta a esta confesión de tu fe:

Primero, crees con una fe fantástica, pues este tipo de fe no se describe en ninguna parte de la Palabra.

Segundo, crees con una fe falsa, porque toma la justificación de la rectitud personal de Cristo y la aplica a la suya propia.

Tercero, esta fe no hace a Cristo justificador de tu persona, sino de tus acciones; y de tu persona por causa de tus acciones, lo cual es falso.

Cuarto, y por lo tanto, tu fe es engañosa, incluso tanto que suscitará ira en el día del Todopoderoso, porque la verdadera fe justificadora pone al alma —consciente de su perdición por ley— a refugiarse en la rectitud de Cristo. Esa rectitud no es un acto de gracia por el cual te justifica haciendo que Dios acepte tu obediencia; más bien es su obediencia personal a la ley, al hacer y sufrir por nosotros lo que esta nos exigía. Digo, entonces, que la verdadera fe acepta esta rectitud, halla refugio

en ella, envuelve en ella el alma y así se presenta inmaculada a Dios. Entonces es aceptada y absuelta de condena.

IGNORANCIA. ¿Qué quieres, que nos fiemos de lo que Cristo, en su persona, ha hecho sin nosotros? Esta presunción soltaría las riendas de nuestra concupiscencia y nos permitiría vivir como quisiéramos. Si creemos eso, ¿qué importa cómo vivamos, si seremos justificados por la rectitud personal de Cristo?

CRISTIANO. Ignorancia es tu nombre, y como es tu nombre, así eres tú; incluso esta tu respuesta demuestra lo que digo. Ignorante eres de qué es la rectitud justificante, y tan ignorante de cómo resguardar tu alma de la pesada ira de Dios a través de la fe de ella. Sí, también ignoras los verdaderos efectos de la fe salvadora en esta rectitud de Cristo, que consiste en inclinarse y ganar el corazón para Dios en Cristo: amar su nombre, su palabra, sus caminos y su pueblo, y no como tú ignorantemente imaginas.

ESPERANZADO. Pregúntale si alguna vez se le reveló Cristo en el cielo.

IGNORANCIA. ¡Cómo! ¿Eres de los que creen en revelaciones? Creo que lo que ustedes, y todos sus compañeros, dicen sobre ese asunto, no es sino el fruto de cerebros desordenados.

ESPERANZADO. Pero ¡hombre! Cristo está tan oculto en Dios de la comprensión natural de los hombres, que no puede ser conocido salvíficamente a menos que Dios Padre se lo revele.

IGNORANCIA. Esa es tu creencia, pero no la mía. No dudo que la mía sea tan buena como la suya, aunque no tengo en la cabeza tantas fantasías como ustedes.

CRISTIANO. No deberías hablar con tanta ligereza de un asunto tan serio. Yo también afirmaré enfáticamente que ningún hombre puede conocer a Jesucristo excepto por la revelación del Padre [Mt 11:27]. Y soy igual de enfático acerca de la fe por la cual el alma se aferra a Cristo: si esta es correcta, debe ser concedida por la eminente grandeza de Dios. Me doy cuenta, querido Ignorancia, que tú no posees esa fe. Despierta a tu propia miseria y corre hacia el Señor Jesucristo, por cuya sola justicia serás librado de la ira venidera.

IGNORANCIA. Ustedes hablan tan rápido que no puedo seguirles el hilo. Sigan adelante, yo debo quedarme un poco más atrás.

Entonces Cristiano y Esperanzado cantaron:

"Bien, Ignorancia, ¿serás tan necio como para despreciar
el buen consejo que te dimos diez veces?
Y si aún lo rechazas, verás,
en poco tiempo, las malas consecuencias.
Recuerda, hombre, no temas.
El buen consejo bien tomado, salva. Entonces, escucha;
pero si incluso así lo desprecias, serás
perdedor, Ignorancia; te lo aseguramos".

Entonces Cristiano se dirigió así a su compañero:

CRISTIANO. Bien, vamos, mi buen Esperanzado, creo que tú y yo debemos caminar solos de nuevo.

Vi en mi sueño que iban a paso ligero, como antes, e Ignorancia venía cojeando detrás. Entonces Cristiano le dijo a Esperanzado: "Siento mucha lástima por este pobre hombre; le irá mal al final".

ESPERANZADO. Desgraciadamente, en mi ciudad hay muchos en su situación; familias enteras, calles enteras y peregrinos también. Y si hay tantos en nuestras partes, ¿cuántos habrá en el lugar donde él nació?

CRISTIANO. En efecto, la Palabra dice: "Cegó sus ojos para que no vieran", y así. Pero ahora que estamos solos, ¿qué piensas de tales hombres? ¿No crees que en algún momento se den cuenta de su pecado y teman correr peligro?

ESPERANZADO. No, contesta tú mismo a esa pregunta, pues eres el mayor y más experimentado.

CRISTIANO. Digo, pues, que a veces (creo) puede ser; pero al ser naturalmente ignorantes, no comprenden que tales pensamientos tienden a su bien y por eso buscan desesperadamente sofocarlos. Prefieren, presuntuosamente, continuar halagándose a sí mismos en el camino de su propio corazón.

ESPERANZADO. Creo, como dices, que el temor tiende mucho al bien de los hombres y a prepararlos para peregrinar.

CRISTIANO. Sin duda que sí, si es un temor correcto; porque así dice la Palabra: "El temor del Señor es el principio de la sabiduría" [Pro 1:7, 9:10, Job 28:28, Salm 111:10].

ESPERANZADO. ¿Cómo describirías el temor correcto?

CRISTIANO. El temor verdadero o correcto se descubre por tres cosas:

Primero, por su origen: es causado por la convicción de que se está pecando.

Segundo, porque impulsa al alma a asirse firmemente de Cristo para su salvación.

Y tercero, porque engendra y mantiene en el alma una gran reverencia hacia Dios, su Palabra y sus caminos, manteniéndola

tierna y haciéndola temerosa de desviarse de ellos, temerosa de hacer cualquier cosa que deshonre a Dios, rompa su paz, lastime al Espíritu, o ser causa de que el enemigo haga algún reproche.

ESPERANZADO. Creo que has dicho la verdad. ¿Ya estamos casi fuera de la Tierra Encantada?

CRISTIANO. ¿Por qué? ¿Estás cansado del tema?

ESPERANZADO. No, realmente no, pero quisiera saber dónde estamos.

CRISTIANO. No nos quedan más de dos millas de camino. Pero volvamos a nuestro asunto. Ahora bien, los ignorantes no saben que las convicciones que tienden a infundirles temor son para su bien, y por eso tratan de sofocarlas.

ESPERANZADO. ¿Cómo tratan de sofocarlas?

CRISTIANO. Primero, piensan que esos temores son obra del diablo (aunque en verdad son obra de Dios), y, pensando así, los resisten como cosas dañinas. Segundo, piensan también que esos temores arruinan su fe —cuando, por desgracia, pobres hombres que son, no tienen ninguna— y por eso endurecen su corazón contra ellos. Tercero, presumen que no deberían temer; y, por lo tanto, a pesar de los temores, se confían presuntuosamente. Y cuarto, ven que esos temores tienden a arrebatarles su antigua y lastimosa santidad auto declarada, y por eso se resisten a ellos con todas sus fuerzas.

ESPERANZADO. Yo sé algo de esto, porque, antes de conocerme a mí mismo, yo era así también.

CRISTIANO. Bien, dejaremos solo por ahora a nuestro vecino Ignorancia, y caeremos sobre otra cuestión provechosa.

ESPERANZADO. Muy bien, pero debes comenzar tú.

CRISTIANO. Pues bien, ¿no conociste en tus partes, hace unos diez años, a un tal Temporal, que era un hombre adelantado en religión?

ESPERANZADO. ¡Sí! Vivía en Sin Gracia, un pueblo a unas dos millas de Honestidad, y vivía al lado de un tal Vuelta La Espalda.

CRISTIANO. Cierto, vivía bajo el mismo techo que él. Pues bien, ese hombre tuvo un gran despertar una vez; creo que obtuvo una imagen clara de sus pecados y de lo que tendría que pagar por ellos.

ESPERANZADO. Comparto tu opinión, porque, estando mi casa a menos de tres millas de él, a veces venía a verme con muchas lágrimas. Verdaderamente me compadecí de él, y no tenía algo de esperanza en él. Pero ya vemos que no todos claman, "Señor, Señor".

CRISTIANO. Me dijo una vez que estaba resuelto a ir en peregrinación, como nosotros ahora, pero de repente conoció a un tal señor Sálvese Quien Pueda, y dejó de hablarme.

ESPERANZADO. Ahora, ya que estamos hablando de él, investiguemos un poco la razón de su repentina recaída y la de otros como él.

CRISTIANO. Puede ser muy interesante, pero empieza tú.

ESPERANZADO. Pues bien, a mi juicio hay cuatro razones para ello:

Primero, aunque las conciencias de tales hombres se despiertan, sus mentes no han cambiado; por lo tanto, cuando el poder de la culpa se desvanece, desaparece también lo que les motivaba a ser religiosos. Entonces, naturalmente, vuelven a su propio curso de nuevo, como el perro enfermo: mientras duran sus síntomas, vomita todo lo que ha comido; no es que lo

haga intencionalmente (si podemos decir que un perro puede tener intención), sino porque le molesta su estómago. Pero luego, cuando su estómago ya no duele, su deseo no es ajeno a su vómito: se da la vuelta y lo engulle todo. Y así es verdad lo que está escrito: "El perro se volvió a su propio vómito" [2 Pedro 2:22]. Me refiero a anhelar el cielo solo por temor a los tormentos del infierno: a medida que los temores sobre su condenación se enfrían y enfrían, así sus deseos de Cielo y salvación se enfrían también. Así, pues, sucede que, cuando la culpa y el miedo se van, se acaban sus deseos del Cielo y de felicidad, y regresan a su curso.

Segundo, otra razón es que los temores que los dominan son serviles. Hablo de sus temores hacia los hombres, pues "El temor al hombre pone trampas" [Pro 29:25]. Así, aunque parecen muy ávidos del cielo mientras sienten las llamas del infierno alrededor, cuando ese terror ha pasado ya les vienen otros pensamientos: que es bueno ser prudente y no arriesgarlo todo por lo que no saben, o a lo menos, que no es bueno meterse en inevitables e innecesarias aflicciones, y así vuelven a caer al mundo.

Tercero, también suelen tropezar en su camino con la vergüenza que a menudo acompaña a la religión; son orgullosos y altivos, y la religión, a sus ojos, es baja y despreciable. Por esto, una vez perdido su sentido del infierno y de la ira venidera, vuelven a su antiguo modo de vivir.

Cuarto, les parece que la culpa y el pensar en el terror son cosas muy incómodas; no les gusta contemplar sus miserias antes de tiempo. Aunque tal vez verlas podría hacer que corrieran donde los justos vuelan y están a salvo. Pero dado que, como dije antes, incluso rehúyen los pensamientos de culpa y

terror, una vez que se libran de ellos endurecen sus corazones con gusto y eligen caminos que los endurecen más y más.

CRISTIANO. Creo que has acertado, porque el fundamento de todo es la falta de un cambio en su corazón y voluntad. Por eso son semejantes al reo cuando está delante del juez: se estremece y tiembla, y parece arrepentirse de todo corazón, pero la causa de todo eso es el temor que tiene a la horca y no el odio al delito. Esto es evidente, pues si dejan a tal hombre en libertad seguirá siendo un ladrón y un malvado como antes, mientras que, si hubiera cambiado su corazón, hubiera cambiado también su conducta.

ESPERANZADO. Ya que yo te he descrito las razones de la recaída de estos hombres, muéstrame tú ahora cómo se desarrolla.

CRISTIANO. Lo haré de buena voluntad:

Primero, apartan sus pensamientos todo lo posible de la meditación y el recuerdo de Dios, de la muerte y del juicio venidero.

Segundo, abandonan poco a poco sus deberes privados, como la oración secreta, la contención de sus apetitos, la vigilancia sobre sí mismos, el dolor de sus pecados y otros semejantes.

Tercero, huyen luego de la compañía de los cristianos fervorosos y entusiastas.

Cuarto, se van enfriando en cuanto a los deberes públicos, como la lectura y predicación de la palabra, el trato bondadoso con otros, etc.

Quinto, de forma diabólica comienzan a hacer agujeros, como se dice, en los abrigos de los más piadosos, criticando cualquier debilidad que hayan visto en ellos. Esto les da un pretexto aparente para desechar la religión.

Sexto, se adhieren y asocian con personas mundanas, despreocupadas y descarriadas.

Séptimo, comienzan a hacer cosas mundanas e inmorales en secreto, y se alegran de ver cosas similares en otros que son tenidos por honrados, para disimularse con ellos y poder hacerlo más atrevidamente.

Octavo, después de todo esto, comienzan a jugar con pequeños pecados abiertamente.

Por último, ya endurecidos, se muestran tal como son. Así, lanzados de nuevo al abismo de la miseria, perecen eternamente en sus propios engaños, a menos que un milagro de la gracia lo impida.

Ahora, vi en mi sueño que los peregrinos habían pasado ya la Tierra Encantada y estaban entrando al país de Beulah, cuyo aire era dulce y agradable. Ya que el camino pasaba a través de él, se recrearon allí durante una temporada. Sí, aquí oían continuamente el canto de los pájaros, veían brotar las flores en la tierra y escuchaban el sonido de las tórtolas [Is 62:4, Cant 2:10-12]. En este país el sol brilla de noche y de día; por lo tanto, está muy afuera del Valle de la Sombra de la Muerte y también del alcance del Gigante Desesperación, y no se puede siquiera ver el Castillo de la Duda. Aquí estaban a la vista de la Ciudad a la que se dirigían y se encontraron también con algunos de sus habitantes, pues los Luminosos caminaban frecuentemente por allí, ya que estaba en las fronteras del cielo. En este país se renovó también el pacto entre el novio y la novia: "Pues como el novio se regocija por su novia, así se regocijará tu Dios por ti" [Is 62:5]. Aquí no tuvieron escasez de trigo ni de vino, porque hallaron abundancia de lo que habían buscado en su peregrinación [Is 62:8]. Aquí oyeron voces de fuera de la

ciudad, voces fuertes, que decían: "Decid a la hija de Sion: ¡He aquí tu salvación! ¡He aquí su recompensa con Él!". Todos los habitantes los llamaban: "Pueblo santo, redimidos de Jehová, Buscados..." [Is 62:11-12].

Andando por ese país, tenían más regocijo que en las partes más remotas del reino al que se dirigían; y acercándose a la ciudad, tuvieron una visión aún más perfecta de ella. Estaba construida de perlas y piedras preciosas, y sus calles embaldosadas de oro; así que, por la gloria natural de la ciudad y el reflejo de los rayos del sol, Cristiano se puso enfermo de deseo. Esperanzado tuvo también un ataque o dos de la misma enfermedad. Tuvieron, entonces, que descansar allí por un tiempo, gritando en medio de su ansiedad: "Si encuentran a mi amado, díganle que estoy enfermo de amor".

Ya más fortalecidos y capaces de sobrellevar su enfermedad, prosiguieron su camino, acercándose cada vez más y más hacia donde había huertos, viñedos y jardines, cuyas puertas daban al camino. Cuando llegaron a estos lugares, he aquí que el jardinero estaba en el camino. Los peregrinos preguntaron: "¿De quién son estos hermosos viñedos y jardines?". Él respondió: "Son del rey. Están plantados aquí para su propio deleite y para solaz de los peregrinos". Así que el jardinero los llevó a los viñedos y les dijo que se refrescaran con los manjares [Dt 23:24]. También les mostró los paseos del rey y los pabellones donde le gustaba estar, y allí se quedaron y durmieron.

En mi sueño vi que, mientras dormían, hablaban más que en todo su viaje. Reflexionando yo sobre ello, me dijo el jardinero: "¿Por qué reflexionas tanto sobre esto? Es el efecto natural del fruto de estas viñas bajar suavemente y hacer hablar los labios de los que duermen".

Así que vi que, cuando despertaron, se prepararon para subir a la Ciudad. Pero, como he dicho, el reflejo del sol sobre ella (pues era de oro puro) era tan intensamente glorioso que no podían, todavía, contemplarla a cara descubierta, sino a través de un instrumento especial para ese propósito. Vi, pues, que se encontraron con dos hombres que vestían ropas que brillaban como el oro, y cuyos rostros resplandecían como la luz [Ap 21:18, 2 Cor 3:18].

Estos hombres les preguntaron a los peregrinos de dónde venían; y ellos les dijeron. También les preguntaron dónde se habían alojado, qué dificultades y peligros, qué comodidades y placeres habían encontrado en el camino, y se lo contaron. Entonces estos hombres resplandecientes les dijeron: "Solo tendrán que enfrentar dos dificultades más, y entonces entrarán en la ciudad".

Cristiano y su compañero pidieron a los hombres que los acompañasen. Estos contestaron que lo harían con gusto, pero que tendrían que obtenerlo por su propia fe. Entonces vi en mi sueño que se marcharon todos juntos, hasta llegar a la vista de la puerta.

Allí vi, además, que entre ellos y la puerta había un río, pero no había ningún puente para poder pasarlo, y el río era muy profundo. Al ver esto, los peregrinos se asustaron mucho, pero los hombres que los acompañaban les dijeron: "Deben cruzarlo o no podrán llegar a la puerta".

Los peregrinos preguntaron si no había otro camino hacia la puerta, a lo que respondieron: "Sí; pero a nadie, excepto a Enoc y a Elías, se le ha permitido pisar ese camino desde la fundación del mundo, ni se le permitirá hasta que suene la trompeta final" [1 Cor 15:51-52]. Los peregrinos entonces,

especialmente Cristiano, comenzaron a desanimarse, y miraron a un lado y a otro sin hallar un modo de evitar el río. Entonces preguntaron a los hombres si las aguas eran profundas. Ellos respondieron que el encontrarlas más o menos profundas dependía de su fe en el rey del país, de modo que, esta vez, ellos no podrían ayudarlos.

EN LA RESURRECCIÓN DE LOS JUSTOS [AP 20:4-6]

Se dirigieron entonces al agua y, entrando, Cristiano comenzó a hundirse y gritando a su buen amigo Esperanzado, dijo: "¡Me hundo en aguas profundas; las olas pasan sobre mi cabeza, todas sus olas pasan sobre mí!".

EL CONFLICTO DE CRISTIANO EN LA HORA DE LA MUERTE

Entonces dijo el otro: "Ten ánimo, hermano mío, siento el fondo y es bueno". Entonces dijo Cristiano: "¡Ah, amigo mío! Los dolores de la muerte me han rodeado; no veré la tierra que mana leche y miel". Y con esto cayeron sobre Cristiano horror y grandes tinieblas, de modo que no podía ver delante de él. También aquí perdió en gran medida sus sentidos, de modo que no podía ni recordar ni hablar ordenadamente de ninguno de aquellos dulces descansos que había disfrutado en el camino de su peregrinación. Pero todas las palabras que pronunciaba revelaban el horror en su mente, y el temor de su corazón de morir en aquel río y nunca llegar a la puerta. Los testigos observaban también que tenía pensamientos muy molestos sobre los pecados que había cometido, tanto antes como

después de volverse peregrino. También lo notaron atormentado por apariciones de fantasmas y espíritus malignos, pues de vez en cuando lo insinuaba con sus palabras. Esperanzado, por lo tanto, tuvo que hacer mucho esfuerzo para mantener la cabeza de su hermano por encima del agua; algunas veces se hundía completamente y al poco rato emergía de nuevo, medio muerto. Esperanzado también intentaba consolarlo, diciendo: "Hermano, veo la puerta y hombres que nos reciben". Pero Cristiano le respondía: "Eres tú, eres tú a quien esperan. Has sido Esperanzado desde que te conozco". "Y tú también", le dijo a Cristiano. "Ah, hermano, si así fuera, Él me ayudaría; pero por mis pecados me ha hecho caer en la trampa y me ha abandonado". Entonces dijo Esperanzado: "Hermano mío, has olvidado por completo el texto, donde se dice de los malvados: 'No sufren las congojas humanas ni son afligidos como otros hombres, pues no hay para ellos dolores de muerte; más bien, es robusto su cuerpo' [Salm 73:4-5]. Estos sufrimientos y angustias que estás pasando en estas aguas no son señal de que Dios te haya abandonado, sino que son enviadas para probarte, para que recuerdes lo que hasta ahora has recibido de su bondad, y para que vivas de él en tu desasosiego".

Luego vi en mi sueño que Cristiano quedó meditabundo por un tiempo. Esperanzado añadió: "Confía, hermano mío; Jesucristo te sana". Al oír esto, Cristiano prorrumpió en voz alta: "¡Sí, lo veo otra vez!, y me dice: 'Cuando pases por las aguas, yo estaré contigo; y cuando pases por los ríos, no te inundarán'" [Is 43:2]. Entonces ambos se armaron de valor, y el río quedó tan quieto como una piedra hasta que hubieron pasado. Cristiano, entonces, encontró terreno donde hacer pie, y sucedió que la profundidad del río disminuyó. Así

lograron cruzar. En la orilla vieron de nuevo a los dos hombres Luminosos, quienes los saludaron y dijeron: "Somos espíritus administradores, enviados para servir a los que serán herederos de la salvación". Y así se dirigieron hacia la puerta.

Es notable que la Ciudad quedaba sobre una colina imponente, pero los peregrinos la subieron con facilidad, porque tenían a estos dos hombres para conducirlos por los brazos. También habían dejado sus vestidos mortales en el río —aunque entraron con ellos, salieron sin ellos—, por lo tanto, subieron con mucha agilidad y rapidez, a pesar de que los cimientos de la Ciudad eran más altos que las nubes. Por eso subieron por las regiones del aire, hablando dulcemente mientras avanzaban, sintiéndose reconfortados porque habían cruzado el río a salvo y tenían tan gloriosos acompañantes.

Mira cómo cabalgan los santos peregrinos,
los ángeles son sus guías. ¿Quién no correría por él todos los peligros?
Él, quien dará resguardo cuando este mundo acabe.

La conversación que tuvieron con los Luminosos versó sobre la gloria del lugar. Les dijeron que su belleza y gloria eran inexpresables. Allí, señalaron, está el monte de Sion, la Jerusalén celestial, la reunión de miríadas de ángeles y los espíritus de los justos ya hechos perfectos [Heb 12:22-24]. "Van ahora", dijeron, "al Paraíso de Dios, donde verán el árbol de la vida y comerán de sus frutos perennes. Cuando lleguen allí, les darán vestiduras blancas, y su trato y conversación será siempre con el rey, todos los días de la eternidad [Ap 2:7, 3:4, 21:4-5]. Allí no volverán a ver las cosas que vieron en la región

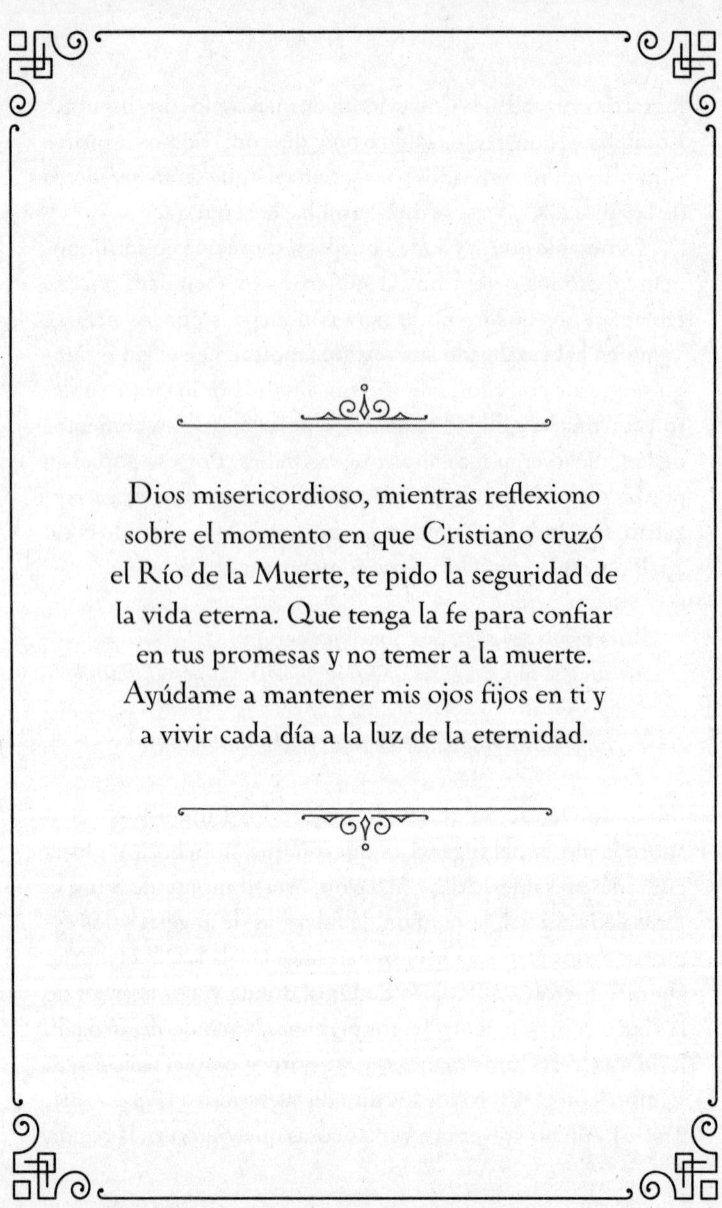

Dios misericordioso, mientras reflexiono sobre el momento en que Cristiano cruzó el Río de la Muerte, te pido la seguridad de la vida eterna. Que tenga la fe para confiar en tus promesas y no temer a la muerte. Ayúdame a mantener mis ojos fijos en ti y a vivir cada día a la luz de la eternidad.

inferior, sobre la tierra: enfermedad, aflicción y muerte, porque las primeras cosas ya pasaron. Ahora van a ver a Abraham, a Isaac y a Jacob y a los profetas... hombres que Dios ha apartado del mal por venir, y que ahora descansan en sus lechos por haber caminado en justicia" [Is 57:1-2; 65:17]. Los peregrinos preguntaron entonces: "¿Qué debemos hacer en el lugar santo?". A lo cual se les respondió: "Allí recibirán consuelo por todas sus fatigas y alegría de todas sus penas. Recogerán lo que sembraron, el fruto de todas sus oraciones, lágrimas y sufrimientos por el rey en el camino [Gal 6:7]. En ese lugar deberán llevar coronas de oro y gozarán de la vista perpetua del Santísimo, pues lo verán tal como es [1 Jn 3:2]. Allí también servirán continuamente con alabanza, con gritos de júbilo y acción de gracias a aquel que deseaban servir en el mundo, aunque limitados por la debilidad de su carne. Allí sus ojos se deleitarán viendo y sus oídos oyendo la agradable voz del Altísimo. Allí volverán a disfrutar de los amigos que llegaron allá antes que ustedes y recibirán con alegría a todos los que lleguen después. También serán revestidos de gloria y majestad, y cuando el Rey de la Gloria venga en las nubes al son de trompeta, sobre las alas del viento, ustedes cabalgarán con él. Cuando él se siente en el trono del juicio, ustedes se sentarán junto a él; sí, y cuando pronuncie sentencia sobre los obradores de maldad, sean ángeles u hombres, ustedes también tendrán voz en ese juicio, porque fueron sus enemigos y los suyos también [1 Tes 4:13-16, Judas 1:14, Dn 7:9-10, 1 Cor 6:2-3]. Y cuando regrese a la ciudad a son de trompeta, volverán con él y estarán con él para siempre".

Mientras se acercaban a la puerta, salió a su encuentro una compañía de la tropa celestial. Los otros dos Luminosos les

dijeron: "Estos son los hombres que amaron a nuestro Señor cuando estaban en el mundo y que lo han dejado todo por su santo nombre. Él nos envió a buscarlos, y los trajimos hasta aquí en su deseado viaje para que puedan ir y mirar el rostro de su Redentor con alegría. Entonces la tropa dio un gran grito, diciendo: "Bienaventurados los que han sido llamados a la cena de las bodas del Cordero" [Ap 19:9]. En ese momento, también salieron a su encuentro varios de los trompeteros del rey, vestidos con ropas blancas y radiantes, haciendo resonar los mismos cielos con sus sonidos melodiosos y fuertes. Estos músicos saludaron a Cristiano y a su compañero una y mil veces, con gritos y trompetas.

Hecho esto, los rodearon por todas partes; unos se pusieron a la derecha, otros a la izquierda, delante y detrás (como para escoltarlos a través de las regiones superiores), acompañando con sonidos melodiosos en tonos altos. Quien viera el espectáculo, podría pensar que el mismo Cielo había bajado para recibirlos. Así, pues, caminaban juntos y, mientras caminaban, una y otra vez estos trompetistas, incluso con su sonido alegre, mezclando música con miradas y gestos, daban a entender a Cristiano y a su hermano lo bienvenidos que eran y la alegría con la que salían a su encuentro. Y estos dos hombres se sentían como en el Cielo antes de siquiera llegar a Él, sobrecogidos por la visión de los ángeles y el sonido de sus melodiosas notas. Aquí tenían la ciudad a la vista, y les pareció oír todas sus campanas sonar para darles la bienvenida. Pero, sobre todo, estaban llenos de cálidos y alegres pensamientos acerca de su propia morada allí, con tal compañía, para siempre jamás. Oh, ¿con qué lengua o pluma podrían expresar su glorioso júbilo? Y así llegaron hasta la puerta.

Cuando llegaron a la puerta, estaba escrito sobre ella en letras doradas: "Bienaventurados los que guardan sus mandamientos, para que tengan derecho al árbol de la vida y para que entren en la ciudad por las puertas" [Ap 22:14].

Entonces vi en mi sueño que los hombres Luminosos les ordenaron llamar a la puerta. Cuando lo hicieron, algunos miraron desde arriba de ella: Enoc, Moisés y Elías, entre otros, a quienes se dijo: "Estos peregrinos han venido de la Ciudad de la Destrucción por el amor que profesan al Rey de este lugar". Entonces los peregrinos le entregaron a cada uno el certificado que habían recibido al principio; estos les fueron llevados al rey, quien, cuando los hubo leído, preguntó: "¿Dónde están los hombres?". A lo que se le respondió: "Están afuera de la puerta". El rey entonces ordenó abrir la puerta: "Abran las puertas, y entrará la nación justa que guarda la fidelidad" [Is 26:2].

Vi en mi sueño que los dos hombres entraron por la puerta, y he aquí que, al cruzar el umbral, se transfiguraron y recibieron vestiduras que brillaban como el oro. También les entregaron arpas y coronas: las arpas para que alabasen y las coronas en señal de honor. Entonces oí que todas las campanas de la ciudad volvieron a sonar de alegría y que se les decía: "ENTREN EN EL GOZO DE SU SEÑOR". También oí a los propios hombres que cantaban a gran voz, diciendo: "AL QUE ESTÁ SENTADO EN EL TRONO Y AL CORDERO SEAN LA BENDICIÓN Y LA HONRA, Y LA GLORIA Y EL PODER, POR LOS SIGLOS DE LOS SIGLOS" [Ap 5:13].

Cuando se abrieron las puertas para dejar entrar a los hombres, miré detrás de ellos. La ciudad brillaba como el sol y

sobre las calles empedradas con oro caminaban muchos hombres con coronas en la cabeza, palmas en las manos y arpas de oro con las que cantaban alabanzas.

Había también algunos que tenían alas y cantaban sin cesar: "Santo, santo, santo es el Señor". Después de esto se cerraron las puertas y quedé fuera. Tras haberlo visto, deseaba estar entre ellos.

Y mientras contemplaba todas estas cosas, volví la cabeza para mirar atrás y vi a Ignorancia llegar a la orilla del río. No tardó en pasar, y eso sin la mitad de la dificultad que tuvieron los otros dos hombres, pues sucedió que estaba ahí un tal Vana Esperanza, barquero, que con su bote le ayudó a pasar. Así que Ignorancia, como los otros que vi, subió la colina para llegar hasta la puerta, pero venía solo; nadie le salió al encuentro con el menor ánimo. Cuando llegó a la puerta miró a la inscripción que estaba arriba y comenzó a llamar, suponiendo que la entrada le habría sido concedida rápidamente. Pero los hombres que miraban por encima de la puerta le preguntaron: "¿De dónde vienes y qué quieres?". Él respondió: "He comido y bebido en presencia del rey, y él ha enseñado en nuestras calles". Entonces le pidieron su certificado para mostrárselo al rey, pero él buscó uno en su pecho y no lo encontró. Entonces le preguntaron: "¿No tienes ninguno?". Pero Ignorancia no pronunció ni una palabra. Le informaron de esto al Rey, pero él no quiso bajar a verle, sino que ordenó a los dos Luminosos que habían conducido a Cristiano y a Esperanzado que salieran y cogieran a Ignorancia, lo ataran de pies y manos y se lo llevaran. Entonces lo levantaron y lo llevaron por los aires a la puerta que había visto en la ladera de la colina y lo metieron allí. Entonces vi que existía un camino al infierno incluso

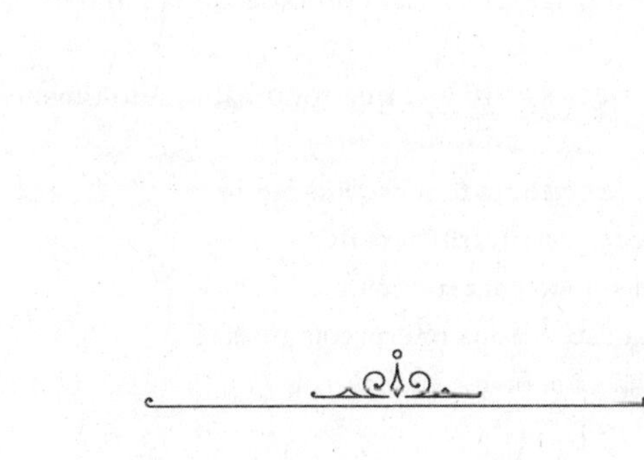

Querido Dios, gracias por la esperanza de la vida eterna en tu presencia, que es la meta final de mi camino. Ayúdame a mantener mis ojos fijos en ti y a vivir cada día a la luz de la esperanza que está puesta ante mí. Que mi vida sea un testimonio de tu gracia y de tu amor, y que glorifique tu nombre en todo lo que haga.

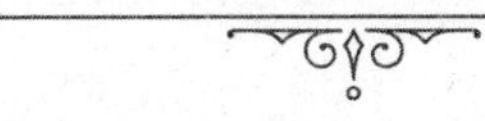

desde las puertas del Cielo, así como desde la Ciudad de la Destrucción.

Entonces me desperté y vi que todo había sido un sueño.

Ahora que te he contado mi sueño, lector,
mira si puedes descifrarlo para mí,
o para ti mismo, o para tu vecino.
Pero ten cuidado de malinterpretar, pues eso,
en vez de hacer el bien, causa el mal.

Cuídate también de no entretenerte demasiado
con la apariencia de mi sueño,
ni permitas que su forma o su estilo
te hagan reír o reñir.
Deja eso para niños y tontos;
tú enfócate en la sustancia.

Descorre las cortinas, mira bajo mi velo,
y busca mis metáforas.
No puedes fallar: si las buscas, las hallarás,
y verás que son útiles para una mente honesta.

Lo que encuentres aquí que sea basura,
deséchalo, pero conserva el oro, pues,
¿qué tal si mi oro está envuelto en una roca común?
Nadie tira una manzana solo por el corazón.
Sin embargo, si lo encuentras todo vano y lo descartas,
no sé si podré soñar de nuevo.

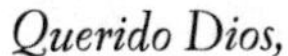

Querido Dios,

Al llegar al final de mi viaje a través de El progreso del peregrino, *estoy lleno de gratitud por las ideas y la sabiduría que este libro me ha impartido. He aprendido mucho sobre las luchas y las pruebas a las que nos enfrentamos en nuestro camino de fe, y de la importancia de perseverar a través de estos desafíos con un compromiso firme e inquebrantable contigo.*

El personaje de Cristiano me ha recordado los peligros de la tentación y la necesidad de resistir el pecado. También me ha animado su ejemplo de perseverancia y su triunfo final sobre los obstáculos que se interponían en su camino.

Señor, te ruego que me ayudes a aplicar estas lecciones a mi propia vida, y a mantener siempre mis ojos fijos en Ti mientras atravieso los desafíos y obstáculos que encuentro en mi propio camino de fe. Que tenga la fuerza y la perseverancia para seguir adelante, incluso cuando el camino por delante parezca largo y difícil.

Gracias por el regalo de este libro y por las muchas maneras en que nos hablas a través de la literatura y el arte. Que Tu luz continúe brillando en mi corazón mientras busco seguirte y vivir Tu voluntad en mi vida.

Te lo ruego en el nombre de Jesús,

Amén.

John Bunyan

John Bunyan (30 de noviembre de 1628 – 31 de agosto de 1688) fue un escritor inglés y predicador puritano más conocido por ser el autor de la alegoría cristiana *El progreso del peregrino*, obra que se convirtió en un influyente modelo literario. Además de *El progreso del peregrino*, Bunyan escribió alrededor de sesenta títulos, sermones en su mayoría.

Bunyan provenía de Elstow. Recibió muy poca educación y con 16 años se unió a las filas del ejército republicano del Parlamento durante la primera etapa de la Guerra Civil. Después de tres años en el ejército, regresó a Elstow y comenzó a trabajar como hojalatero, oficio que había aprendido de su padre. Después de su matrimonio, empezó a interesarse por la religión, primero asistiendo a la iglesia local y luego participando en un grupo de no conformistas de Bedford que lo llevaría a convertirse en predicador. Tras la Restauración, cuando la libertad de los no conformistas se vio comprometida, Bunyan fue arrestado y enviado a prisión, donde cumplió 12 años, pero se negó a abandonar la prédica. Durante ese tiempo escribió una autobiografía espiritual, *Gracia abundante para el mayor de los pecadores*, y comenzó a trabajar en su obra maestra,

El progreso del peregrino, que no sería publicada hasta algunos años después de su liberación.

Sus últimos años —a pesar de otro corto período de encarcelamiento— fueron relativamente cómodos pues se convirtió en un popular escritor y predicador, además de pastor del grupo Bedford Meeting. Murió a la edad de 59 años y fue enterrado en Bunhill Fields. *El progreso del peregrino* se convirtió en uno de los libros más publicados en inglés: hasta 1938, 250 años después de la muerte del autor, se habían impreso 1,300 ediciones.

Sumérjase en el mundo de *El progreso del peregrino,* obra maestra atemporal escrita por John Bunyan en 1678. Este cuento alegórico entreteje con gran detalle el tapiz del viaje cristiano, cautivando los corazones de innumerables lectores y siendo aclamada como una creación religiosa fundamental. Esta bellísima edición —acompañada de oraciones para guiarnos en el camino— nos invita a hurgar en el profundo conocimiento bíblico embebido en esta imperecedera gema literaria.

www.librosorigen.com

/LibrosOrigen

US $4.99 / $6.99 CAN

ISBN 9798890986436